KB259731

웨딩
임파서블

웨딩 임파서블(리커버 에디션) 1

초판 1쇄 인쇄 2024년 2월 6일
초판 1쇄 발행 2024년 2월 22일

지은이 송정원
펴낸이 최원영
편집장 예숙영
편집 최은지
편집디자인 한방울
영업 김민원 조은걸
물류 이순우 최준혁 박찬수

펴낸곳 ㈜디앤씨미디어
출판등록 2002년 5월 1일 제117-90-51792호
주소 서울시 구로구 디지털로 26길 111 JnK디지털타워 503호
대표전화 (02)333-2513 팩스 (02)333-2514
전자우편 dncbooks@dncmedia.co.kr
디앤씨북스 블로그 http://blog.naver.com/dncbooks

ISBN 979-11-264-7022-8 04810
ISBN 979-11-264-7021-1 (SET)

WEDDING
Written by Song Jungwon
IMPOSSIBLE
웨딩 임파서블
송정원
장편소설
VOL. 1
iQ
BOOK

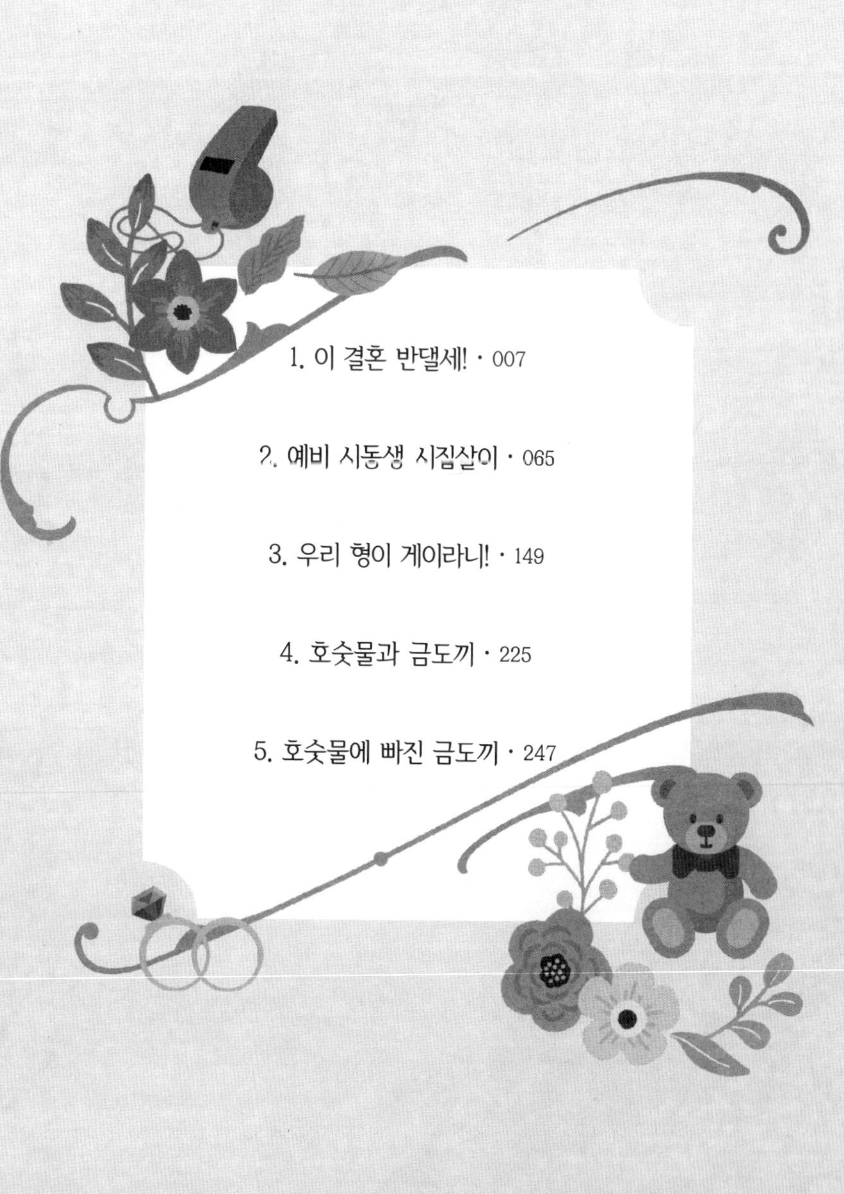

1. 이 결혼 반댈세!

1. 이 결혼 반댈세!

내 인생이 이렇게 쉽게 풀릴 리가 없는데.

아무래도 이상하다 싶을 만큼 지경과의 결혼 준비는 순조롭게 진행되어 갔다.

평균 축에도 낄 수 없는 집안에 서른세 살.

더구나 무명 연극배우인 내가 무려 재벌 3세와 결혼하겠다는데, 어떻게 일이 이렇게 술술 풀릴 수가 있는 건지. 대체 왜 아무도 이 결혼을 반대하지 않는 건지.

믿기지 않는 운의 상승세에 나는 마치 추락 직전인 롤러코스터를 탄 것처럼 불안해졌다.

지경의 어머니가 흔쾌히 결혼을 허락한 날로부터 며칠 동안, 혹시 그녀가 지경 몰래 나를 찾아오실까 봐 조마조마해했다. 돈 봉투, 물세례, 뺨 맞기.

셋 중 하나가 나를 기다리고 있을 것만 같았다.

그러나 상견례가 시작된 지금까지도 그런 일은 벌어지지 않았다. 마주 앉은 그녀는 우아한 미소와 함께 다분히 우호적인 태도로 나와 내 아버지, 그리고 새엄마를 대했다. 지경은 그런 그녀 옆에서 걱정일랑 찾아볼 수 없는 태평한 얼굴이었고. 어찌나 아무 걱정이 없는지, 해맑게 이런 선언까지 했다.

"아, 신혼집은 그냥 지금 사는 집에 아정이가 들어오는 걸로 저희끼리 결정했어요. 거기 살림 전부 새 거나 다름없으니까 아정이가 혼수품 따로 준비할 것도 없고."

이 결혼을 파투 내고 싶은 건, 사실 이 녀석이 아닐까…….

솟구치는 의혹에 나는 눈을 부릅뜨고 지경을 쏘아봤다. 기울어도 한참 기우는 조건에 혼수까지 생략하는 며느리를 대체 누가 받아 준다고 저딴 망발인지.

그러나 나와 눈을 마주친 지경은 걱정하지 말라는 듯 씩 웃기만 했다. 살짝 그은 듯한 갈색 피부에 가지런한 하얀 치아가 돋보였다. 그런 지경을 향해 따끔한 목소리가 날아들었다.

"애, 그건 아니지."

역시 올 것이 왔구나.

덩달아 혼이 나는 기분에 마른침을 삼켰다.

"집도 네가 쓰던 집에 살림까지 다 네가 쓰던 거 그대로 두면, 새 신부 입장에서 그게 어디 신혼살림 기분이 나겠어? 집이야 그렇다 치더라도, 살림은 다 새로 장만해."

"물론 그래야죠. 당연히 혼수는 제가 해요. 할 거예요, 어머님."

혹시나 지경이 헛소리를 추가할까 봐서 얼른 끼어들어 예비 시어머님의 말에 맞장구를 쳤다.

"아니다, 그럴 것 없어. 우린 혼수 필요 없으니까 그냥 지경이더러 결제하라고 해."

"예?"

"물론 물건은 네 마음에 드는 걸로 고르고."

어리둥절해서 지경을 보자, 지경은 거 보라는 듯 의기양양하게 어깨를 으쓱거렸다.

도대체 이 결혼, 왜 이렇게 굴러가는 거지?

"야, 혹시 너 게이인 거 어머님이 다 아시는 거 아니야?"

화장실 핑계로 룸을 빠져나온 나는 뒤따라온 지경을 붙잡고서 따져 물었다.

"그럴 리가."

"그게 아니면 대체 왜 이러시는 건데? 너 뭐, 그거 말고 다른 하자 또 있어?"

"에이, 그런 게 아니지. 내 결혼 상대가 너라서, 그래서 그러시는 거지."

"말이 돼?"

"내가 그랬잖아? 우리 엄마, 너 진짜 딸처럼 생각하신다고. 그래서 우리 엄마, 너 절대 반대 안 할 거라고."

그래. 그래서 이 결혼, 나한테 부탁하는 거라고.

결혼을 제안할 때 지경은 말했었다. 하지만 아무리 죽은 친구 딸이래도, 이렇게까지 밑지는 결혼을 저렇게나 쌍수 들고 환영하실 줄이야.

"아니 아무리 그래도 그렇지. 어떻게 혼수까지 어머님이 해 주시겠대?"

"그거 뭐 얼마 된다고, 너한테 해 오라고 해? 쪼잔하게."

"그거, 나 10년 동안 번 돈보다 비싸거든?"

"이야, 우리 아정이 계 탔네? 진짜 축하한다."

지경은 내 어깨를 툭툭 두드리며 진심으로 기뻐해 주었다. 대체 뭐가 걱정이냐는 양 천하태평인 그 태도가 얄미워서, 주먹으로 어깨를 한 방 쳐 주었다.

"야, 나 축하받을 기분 아니거든?"

"그럼 뭐가 받고 싶은데?"

"받기 싫어, 받기 싫다고! 그렇잖아도 너희 어머니 속이는 거 양심 찔리는데. 너무 과하게 퍼 주시잖아, 더 찔리게."

"아유, 알겠습니다. 그럼 혼수는 네가 하는 걸로 해. 돈은 내가 줄 테니까."

"됐어, 그건 내가 내. 어차피 살면서 같이 쓸 혼수니까."

"너 돈 없잖아?"

"너한테서 받을 돈 있잖아, 결혼 계약금. 거기서 쓰면 돼."

"너도 참……. 뭘 그렇게 피곤하게 사는지."

지경은 안타까운 투로 고개를 절레절레 저었다.

긴급회의를 마친 우리는 다시 각자의 자리로 돌아가 연합 작전을

재개했다.

“저희가 나이도 있고 해서 결혼식은 두세 달 뒤로 최대한 빨리 준비하려는데, 괜찮으시겠어요?”

지경은 내 부모님과 자신의 어머니를 번갈아 보며 조심스레 물었다. 반면에 나는 오로지 지경의 어머니만 바라보았다. 평소 새엄마나 아버지와의 관계가 껄끄러운 탓도 있었지만, 그게 아니더라도 나는 지금과 똑같이 지경의 어머니에게만 촉각을 기울였을 것이다.

이 자리에서 이 결혼에 반대를 표할 법한 사람은 오직 그녀뿐이니까.

“최대한 빨리라면서, 왜 두세 달 뒤지?”

마치 더 빨라도 상관없다는 듯이, 그녀는 지경을 향해 질문했다.

“저 다음 주부터 두 달 동안 해외 출장인 거, 어머니가 더 잘 아시잖아요.”

“아……. 그렇지. 그래.”

지경의 어머니는 고개를 끄덕끄덕하고서 내게로 시선을 옮겼다. 그리고 인자하기 그지없는 미소를 지어 보였다.

“편할 때로 정해서 알아서들 해. 뭐 필요한 거 있으면 편하게 얘기하고.”

혹시 이분이 사실은 내 친엄마이고, 그래서 나를 며느리로 들이려는 게 아닐까…….

친자 확인의 필요성을 느끼며 나는 다시금 불신하고 경계했다. 정말 이게 내 앞으로 배달된 행운이 맞는 건지. 아니, 정말 행운이 맞긴 맞는 건지.

그런데 그때, 느닷없이 덜컥 요란하게 문이 열리기에 반사적으로 고개를 돌렸다.

거칠게 문을 열어젖힌 이는 젊은 남자였고 처음 보는 낯선 얼굴이었다. 남자는 화가 난 듯 잔뜩 찡그린 얼굴로 룸 안의 사람들을 빠르게 훑어보더니, 지경에게로 활활 타는 시선을 고정시켰다.

"아니, 너, 너 어떻게 지금 여기에……?"

지경은 눈이 휘둥그레져서는 더듬거리며 남자를 향해 질문했다.

뭐야, 설마 애인인가?

불길함에 가슴이 철렁이는데, 다음 순간 지경의 어머니가 입을 열었다.

"너, 미국에 있을 녀석이 학교는 어쩌고 여길 와?"

"형, 미쳤어?"

남자는 지경을 노려보며 쏘아붙였다. 곧이어 남자의 눈총은 지경의 어머니에게로 향했다.

"엄마, 미치셨어?"

"엄마……?"

그럼 저 남자가 지경의 하나뿐인 동생인가? 미국에서 유학 중이라던……. 근데 하나도 안 닮았네. 키도 형보다 훨씬 크고, 피부도 하얗고…….

탐색하듯 찬찬히 남자의 얼굴을 살펴보려는데, 남자의 눈총이 이번에는 내게로 옮겨졌다. 직접 맞아 보니 보통 매서운 게 아니어서 나는 움찔 어깨를 움츠렸다. 쌍꺼풀도 없는 눈이 어찌나 큰지.

"나, 이 결혼 반대야."

남자는 경고하듯 험악한 표정으로 선언했다. 그러더니 남자는 모두 똑똑히 들으라는 듯 쩌렁쩌렁하게 외쳤다.

"내가 이 결혼, 죽어도 허락 안 한다고!"

내 이럴 줄 알았지. 내 이럴 줄 알았어.

역시 내 인생이야. 꼭 태클이 있다니까.

소란으로 막을 내린 상견례를 곱씹어 보며, 나는 엄지손톱을 오독오독 물어뜯었다. 시선은 차창 바깥으로 향해 있었지만 눈에 들어오는 것은 아무것도 없었다.

"불안하면 꼭 그러더라. 손톱 상하게."

운전석에서 지경이 조수석의 나를 흘긋 보며 지적했다. 눈이 마주치자 지경은 양복 주머니에서 껌을 꺼내 내밀었다.

"그거 대신 이거 씹어."

아무렇지 않은 지경의 손과 달리, 껌을 받아 가는 내 손은 달달 떨렸다. 내 손을 보며 지경은 신기하다는 듯 말했다.

"그렇게 걱정할 일 아니라니까?"

"야, 넌 네 동생 눈 부라리는 거 못 봤어? 나 완전 잡아먹을 기세였다고."

"그래 봐야 별수 있어? 남들 다 찬성인데 자기 혼자 뭘 어쩐다고. 어차피 다 된 결혼이야. 그깟 반대 한 표, 신경 쓰지 마."

지경은 태평한 얼굴로 가볍게 대꾸했다.

"아니, 어떻게 신경을 안 써? 결혼하면 계속 보고 살 시댁 식구인데……."

나는 손에 잡힌 껌을 한 땀 한 땀 잘게 뜯으며 울상으로 중얼거렸다.

"너 아까 완전 쫄았구나? 내 동생이 그렇게 무서워?"

지경은 재미있다는 듯이 피식피식 웃었다.

"그래, 무섭다. 너하고 이 결혼 못 해 먹지 싶을 만큼 무섭다."

"오늘 내가 가서 제대로 혼내 줄게. 다시는 너한테 못 그러게. 그러니까 오늘 일은 잊어."

"그게 가능하긴 해? 너, 네 동생이랑 싸우면 네가 이겨?"

"싸워 본 적은 없는데, 아마 그럴걸."

"싸워 본 적도 없는데, 어떻게 알아?"

"지한이 걔, 어릴 때부터 유난히 날 따르고 좋아했거든. 남들한텐 제멋대로 굴지만 나한테 이기려고 들진 않아. 오히려 엄마 말보다 내 말을 더 잘 듣는 편이고. 브라더 콤플렉스라고 해야 하나……. 지금 저러는 것도 내가 갑자기 결혼한다니까 싫어서 저러는 거야."

브라더 콤플렉스라…….

그러고 보니 초등학교 몇 학년 때였더라? 지경은 유치원에 다니는 남동생이 직접 만든 카네이션을 가슴에 달고 온 적이 있었다. 아버지가 안 계셔서 형한테 대신 달아 줬구나. 어렴풋이 짐작했던 기억이 난다. 우애 좋은 형제라고 속으로 부러워했던 기억도 난다.

"아무튼 형을 너무 좋아해서 저러는 거니까 형이 해결할 수 있다, 이거지?"

"그래. 그러니까 걱정 마. 다신 이런 일 없을 거야."

지경은 확신에 찬 얼굴로 장담했다.

"형이 좋아하는 여자니까, 걔도 곧 너 좋아하게 될 거야."

"어이구, 좋아하는 건 바라지도 않네요."

괴롭히지나 말았으면 좋겠네.

나는 다시 손톱을 물어뜯었다. 손톱에서 껌 맛이 났다.

아무리 가짜 결혼이라 해도. 그래도 두 남녀가 한배를 타는 일이기는 마찬가지라서. 그래서 내 인생임에도 불구하고 일이 술술 풀리는 건가? 나와 달리 지경이는 뭘 해도 잘 풀리는 인생이니까. 내 액운 따위는 이 결혼에 영향력이 없는 걸까?

상견례를 치르고서 어느덧 사흘이 지난 지금, 공항으로 배웅 나온 내게 지경은 동생이 결국 백기를 들었다는 소식을 전했다.

"정말? 그거 정말이야?"

"그렇다니까. 그러니까 나 없는 동안 결혼 준비나 잘하고 있어."

지경은 자신 있게 말하면서 시원시원한 걸음으로 출국장을 향해 걸었다. 다리가 짧아 슬픈 나는 종종걸음으로 열심히 그와 걸음을 맞추었다.

"신혼여행은 너 가고 싶은 데로 정하고. 혼수, 메이크업, 드레스. 그런 건 제일 좋은 데서 해. 돈 아깝다고 궁상떨지 말고. 알지? 이제부터 내 돈이 네 돈인 거."

출국장 바로 앞에서 지경은 나와 마주 섰다. 그리고 두 손으로 내 어깨를 붙들고는 말했다.

"아마 남편 사랑 못 받는 여자 중엔 네가 세상에서 제일 행복한 신부일 거다."

게이지만 재벌. 재벌인데 게이.

그야말로 최악의 조건과 최고의 조건을 한 몸에 갖춘 남자 앞에서 나는 온전히 기뻐할 수도, 슬퍼할 수도 없어 찜찜한 입맛을 다셨다.

"그리고 이거."

지경은 주머니에서 무언가를 꺼내 내게 내밀었다.

"아파트 카드 키야. 나 없는 동안 미리 들어와서 지내. 너, 새엄마 집에 있는 거 불편하잖아."

순간 가슴 속이 온전한 기쁨으로 벅차올랐다. 입꼬리가 귀까지 주체할 수 없이 올라갔다.

"야, 이지경. 너 진짜 최고다!"

나는 카드 키를 두 손에 고이 쥔 채 신이 나서 방방 뛰었다.

"나 돌아올 때까지 딴 놈이랑 바람나지 말고 있어. 너 마음 바뀌면 안 된다? 계약 파기하면 위약금 열 배, 알지?"

"계약 파기는 무슨! 별걱정을 다 하네. 설마 33년 동안 없던 남자가 두 달 만에 생기겠어?"

"사람 일, 모르는 거다."

"내가 딴 건 몰라도 그거 하난 확실히 알아. 나, 남자 절대 안 생겨. 파릇파릇 20대 때도 안 생겼는데 이 나이에 무슨."

나는 오랜 경험을 바탕으로 자신 있게 장담했다. 지경은 피식 웃더니 한 손을 들어 거수경례를 해 보였다.

"그럼, 믿고 간다."

함께 결혼을 치러야 할 전우로서 나 또한 전우애가 뭉클해져 비장하게 거수경례를 했다. 그렇게 떠나가는 지경의 뒷모습을 지켜봤다.

지경이 출국장 너머로 완전히 사라지고서야 배웅의 임무를 완수한 뿌듯한 마음으로 손안의 카드 키를 내려다봤다. 당장 오늘부터 새엄마의 집을 떠나 살 수 있다니. 덩실덩실 어깨춤이 절로 나려 했다.

누가 보면 미쳤다고 할 것 같아 애써 춤은 참았지만, 웃음까진 참을 수가 없어 나는 활짝 웃는 얼굴로 빙글 몸을 돌렸다. 그런데 돌아서자마자 코앞에 보이는 건 누군가의 몸통이었다. 자칫 부딪 칠 뻔한 간격이기에 흠칫 뒤로 물러서며 반사적으로 고개를 꾸벅 숙였다.

"아, 죄송합니다."

그러고서 옆으로 슬그머니 한 발을 옮기는데, 이상하게 상대의 발도 나와 똑같이 움직였다. 덕분에 또다시 앞을 가로막혔다. 좀 이상하다 싶었지만 대수롭지 않게 반대쪽으로 다시 발을 움직였 다. 그러자 이번에도 상대의 발은 나를 따라 움직여 내 앞을 바짝 가로막았다.

뭐지?

나는 고개를 갸웃거리고서 상대의 얼굴을 향해 시선을 옮겼다. 뒷목이 접힐 정도로 고개를 들고서야 상대의 얼굴을 볼 수 있었다.

상대방이 누구인지를 알아차린 순간 화들짝 놀라 나도 모르게 뒷 걸음을 치다 발을 헛디뎠다.

"엄마야!"

내가 뒤로 넘어지는 동안에도 그는 아무 움직임도 없이 나를 노 려보기만 했다. 내가 엉덩방아를 찧고 나서도, 그는 일으켜 줄 생 각도 없이 그저 노려보았다.

사흘 전, 상견례에 들이닥쳤던 그 모습처럼.

하나도 달라지지 않은 무시무시한 표정으로.

넘어져서 엉덩이가 아픈 것보다 넘어져서 사람들이 쳐다본다는 게 훨씬 괴로운 일이었다. 그래서 얼른 몸을 일으켰다.

"어, 언제 왔어요?"

안 아픈 척 괜찮은 척 자연스럽게. 아니, 아예 아무 일도 없던 것처럼. 나는 그저 그를 만난 게 의아하단 표정만으로 그의 앞에 섰다.

"배웅하러 왔어요? 지경 씨, 방금 들어갔는데."

간이 쪼그라드는 느낌이지만 애써 태연하게 연기했다. 그러자 그는 내리뜬 눈으로 나를 내려다보며 건방지게 말했다.

"그쪽 배웅하러 왔으니까. 나랑 얘기 좀 하죠?"

"예?"

어리둥절해하는 내 반응은 안중에도 없이 지경의 동생, 이지한이 손끝으로 까딱까딱, 따라오라는 신호를 보였다. 그리고 그는 훌쩍 몸을 돌리더니, 공항 내 스타벅스를 향해 긴 다리로 성큼성큼 걸어갔다.

내 배웅을 하러 왔다니. 왜?

나는 쭈뼛쭈뼛 그를 따라가며 가방에서 휴대 전화를 꺼내 들었다. 그런데 벌써 스타벅스에 다다른 이지한이 홱 돌아서서 나를 쏘아보았다. 그는 내 손에 들린 휴대 전화를 발견하더니 험악하게 인상을 찌푸렸다. 노골적인 거부 반응에 움찔 멈춰 선 나는 도로 휴대 전화를 집어넣고 말았다.

휴대 전화가 완전히 사라지는 걸 지켜본 다음, 이지한은 다시금 나를 향해 손을 까딱까딱해 보였다. 마른침을 삼키고서 그를 향해 재차 걸음을 옮겼다.

아, 젠장. 무슨 용건인데……?

별일 아니라고 믿고 싶지만 자꾸 불안해져서 나는 한 발 한 발 적진으로 향해 가는 심정이었다.

여기서 소리 지르면 출국장 너머에서 지경이 달려와 줄까?

타잔에게나 바랄 일을 지경에게 바라는 사이, 내 두 다리는 스타벅스에 다다르고 말았다. 그러자 이지한은 또 성큼 발을 움직여 빈자리에 앉았다. 나는 슬금슬금 따라가서 맞은편에 가방을 내려놓았다. 어차피 주문부터 해야 하니까, 선 채로 주문대를 훑어봤다. 그런데 이지한은 가만히 앉은 채로 팔짱을 끼고 테이블만 노려보고 있었다.

"저기, 주문 안 하세요?"

"와서 받으라고 해요."

"예?"

"와서 주문 받아 가라고."

이지한은 성난 얼굴로 손 하나 까딱하지 않고 입만 움직였다.

아무래도 직원더러 주문을 받으라는 얘기 같은데……. 미국에서 오래 공부하느라 한국의 카페 문화를 잘 모르는 건가?

"저기, 미국에 오래 있다 와서 잘 모르나 본데요. 여기 주문은 셀프거든요."

조심스레 알려 주자 이지한은 어이없단 표정으로 나를 쳐다봤다.

"미국에도 스타벅스 있거든요. 심지어 거긴 스타벅스 원산지고요."

"아……. 그럼 알겠네요? 여기 주문 셀프인 거."

"내가 그걸 몰라서 이러겠어요?"

이지한은 한심하다는 양 쏘아붙였다. 마주치기 부담스러울 만큼 커다란 눈 때문에 괜히 움츠러들었다.

쌍꺼풀도 없는 주제에 눈은 더럽게 커 가지고…….

"그럼 왜…… 왜 이러는 건데요?"

"내가 주문하러 갈 생각이 없단 거잖아요."

"예?"

"같은 말 두 번 하게 만들지 말고, 가서 그쪽이 주문해요."

할 말은 여기까지라는 듯이, 이지한은 다시 테이블을 향해 고개를 돌렸다. 그리고 눈을 감고 영 못마땅한 투로 한숨을 내쉬었다.

뭐냐, 얘……?

다섯 살이나 어린 것이 어디서 명령인지. 기막혀서 이번에는 내가 그를 쏘아보았다. 서 있을 땐 멀게만 보이던 얼굴인데, 앉아 있는 그의 얼굴은 솜털이 보일 만큼 내 눈높이에 가까웠다.

그런데 솜털은 보이는데 왜 모공은 안 보이는지. 나는 잘 익은 달걀흰자 같은 반질반질한 피부를 예리하게 살펴보며 흠을 찾아다녔다.

우선 기생오라비처럼 얇다 싶은 입술이 눈에 들어왔지만, 대신에 입이 시원스레 커서 딱 보기 좋은 입매로 느껴졌다. 그 위로 곱상하게 선이 가는 코는 그 와중에 콧대가 훤칠하게 높고. 쌍꺼풀 없는 눈은 길고 크고…….

잘생기고 예쁘다는 말이 딱 어울리는 얼굴이다. 이런 걸 잘생쁨이라고 하지 않나?

나를 노려보고 있지 않아 그런지 어느새 기꺼이 즐기는 마음이 되어 눈앞의 얼굴을 유유히 훑어보았다. 그런데 갑자기 그가 눈을 뜨고 나를 향해 고개를 움직였다. 순간 놀라서 움찔 뒤로 한 발 물러났다. 아, 난 왜 다섯 살이나 어린 거한테 쪼는 거지…….

"단 거."

"예, 예?"

"메뉴는 여기서 제일 단 거. 부탁 좀 하죠."

묘하다…….

명령이 아니라 부탁이라는데. 계속 존댓말도 쓰는데. 묘하게 아랫사람이 된 기분이다…….

내 기분이 어쩌거나 말거나 이지한은 곧장 고갤 돌려 눈을 감았다. 그리고 한참 말이 없었다. 더 할 말은 없는 모양이었다. 계산은 어쩔 거냐 묻고 싶었지만 그냥 카운터를 향해 발길을 돌렸다. 어쨌거나 몇 주 뒤면 시동생이 될 사람인데 야박하다 책잡힐 짓은 하고 싶지 않아서.

그나저나 저놈의 버르장머리, 어쩜 자기 형이랑 이렇게 다른 거지? 막내아들이라 집에서 오냐오냐 키운 건가…….

카운터에 도착해서 직원에게 가장 단 메뉴를 부탁하자, 직원은 그냥 봐도 달달한 그린티 프라푸치노에 자바칩, 초코 드리즐, 초코 휘핑을 듬뿍 추가해 주었다.

손에 쥔 것만으로 죄책감이 느껴지는 고칼로리의 음료를 아메리카노와 함께 받아 들고서 테이블로 돌아왔다.

자리에 앉아 테이블 위로 음료를 내려놓자, 이지한은 조용히 눈을 떴다. 그리고 제 앞에 놓인 프라푸치노를 바라보며 말했다.

"메뉴 잘 고를 줄은 아네요. 하긴 남자도 잘 고르는 거 보면, 뭐든 고르는 건 잘하는 것 같은데."

이지한은 빨대로 컵 안의 내용물을 빙빙 휘저으며 덧붙였다.

"근데 주제는 모르시는 것 같네요."

말을 마친 이지한은 컵을 들고 빨대를 물었다. 그리고 내 눈을 빤히 보며 프라푸치노를 들이켰다.

주제를 모른다니. 무슨 뜻인지 감이 딱 왔다. 내가 주제넘게 자기 형을 넘본다는 얘기겠지. 뭐, 딱히 기분 나쁜 얘긴 아니었다. 이 결혼 추진하는 사이에 꼭 한 번은 들을 거라 짐작했던 말이었으니까.

"입맛에 맞는다니 다행이에요. 저는 단 걸 별로 안 좋아해서 어떤 거 좋아할지 고르기가 어려웠거든요."

나는 메뉴를 잘 골랐다는 칭찬에만 반응하며 실없이 웃어 보였다.

"예. 근데 주제는 모르시는 것 같다고요."

그냥 넘어갈 수 없게 콕 집어 말하고서 이지한은 단숨에 프라푸치노를 죽 들이마셨다. 곧이어 그는 금세 비워 버린 컵을 테이블에 내려놓고 셔츠 소매를 걷어붙였다. 그리고 마치 출전 준비를 끝낸 선수처럼 결연한 표정으로 나를 주시하며 말했다.

"그냥 본론부터 말하죠. 저, 오늘 그쪽 배웅하러 나왔습니다. 잘 가 주셨으면 좋겠네요."

잘 가라니. 뭘 어디로 잘 가라는 건지. 나는 어리둥절해서 눈만 깜빡거렸다. 그러자 이지한은 싸늘한 눈빛으로 정색하며 덧붙였다.

"우리 형한테서, 좀 꺼져 달라고요."

아……. 그러니까 결국, 나더러 지경이랑 헤어지란 얘기잖아? 표현력이 참신해서 하마터면 못 알아들을 뻔했네.

"저기……. 지경 씨는 동생분이 저희 결혼 허락했다고 하던데요……?"

나는 자신하던 지경의 모습을 떠올리며 질문했다.

“형 좋을 대로 하라고는 했습니다. 하지만 그게 결혼을 찬성한 건 아니죠. 난 형의 자유를 존중하기로 했어요. 그 결혼을 찬성한 게 아니라.”

“그…… 그게 그거 아닌가요? 형의 자유를 존중한다면 형이 선택한 이 결혼도 존중해야 맞잖아요.”

“형의 자유, 존중하는 겁니다. 그래서 형한테 이 결혼, 하지 말라고 안 해요. 그러기로 했어요. 근데 그쪽한테 하지 말라고 하는 건 형의 자유에 위배되지 않죠.”

“…….”

“그러니까 그쪽이 하지 맙시다. 이 결혼.”

한마디로 형이 포기하지 않는 결혼, 나더러 포기하란 얘기다. 뭐야, 이 가족 한정 민주주의는. 형 자유만 존중하면 다야?

“물론 먼 길 가시는데, 그냥 가시라곤 안 합니다.”

이지한은 불쑥 재킷 안주머니에서 하얀 봉투를 꺼내 테이블에 내려놓았다. 이어서 내 쪽으로 슥 밀어 놓으며 덧붙였다.

“가시는 길, 편안하길 바랍니다.”

말을 끝내자마자 이지한은 훌쩍 자리에서 일어났다. 그리고 내가 뭘 어쩔 틈도 없이 성큼성큼 멀어져 갔다.

공항 화장실에서 나는 변기 옆 좁은 공간에 파고들어 쪼그려 앉은 채 휴대 전화에 대고 따졌다.

“어린놈의 시키가! 웬 돈이 이렇게 많아!”

흥분해서 소리치고 보니, 소리가 제법 울리는 것 같다. 혹시 남이 들을까 봐 소심해져 손바닥으로 입을 가리고서 목소리를 낮췄다.

"아니, 무슨 벌이도 없는 어린것이 1억짜리 수표를 뿌리고 다녀? 니네 집은 막 그래? 스물여덟밖에 안 된 애가, 어? 이렇게 막 돈 함부로 써도 돼? 니네 집은 애 그렇게 키워?"

[저기, 아정아……. 지금 네가 화난 포인트가 그거야? 너보다 어린것이, 너보다 돈 많은 거?]

수화기 너머에서 지경은 신기한 듯 물었다.

"아, 얄밉잖아……! 이 돈이면 씨, 대학을 10년은 다니겠네!"

누구는 그 돈 없어서 졸업도 포기했는데.

자격지심에 열이 올라 손으로 부채질을 했다.

[열 받을 포인트가 그것밖에 없었다니 다행이네. 보통 그런 경우에는 인격 모독에 열 받던데.]

"아, 뭐. 너희 집에서 반대할 거 예상은 했었으니까. 별별 소리 다 들을 각오했었어. 물론 그걸 네 어머니 대신 네 동생이 할 줄은 몰랐지만."

[나도 걔가 그럴 줄은 몰랐네. 미안하다.]

"그래. 너 나한테 미안해야 돼. 무슨 애를 저따위로 키워 놨어."

한참을 꿍얼거리는데 문밖에서 노크 소리가 들려왔다. 가뜩이나 긴장해 있던 나는 움찔 굳어 버렸다. 가방 안에 1억짜리 수표가 들어 있는 탓에 누군가 가방을 뺏어 갈까 봐 마음이 조마조마했다.

"안에 빨리 좀 나와요."

문밖에서 항의가 들려왔다.

"아, 예, 나갈게요. 죄송합니다!"

들어올 땐 사람이 없었는데. 그새 사람들이 들어온 모양이다.

[뭐야, 너. 누구랑 얘기하는 거야?]

"아, 여기 화장실이라서."

나는 얼른 일어서면서 지경에게 대답했다.

[설마 너, 볼일 보면서 나랑 통화해?]

"아니, 그런 게 아니라……."

문을 열고 나온 다음, 쪼르르 화장실 입구로 가며 다시 손바닥으로 입을 가린 채 작게 말했다.

"아직 네 동생 공항에 있을까 봐. 혹시 우리 통화 내용 들을까 봐 불안해서. 마음 놓고 통화하려면 여자 화장실이 딱이잖아."

[넌 정말, 걱정이 팔자다.]

나는 입구를 나서기 전에 슬그머니 고개부터 내밀어서 주위를 살펴봤다. 그리고 이지한이 있나 없나를 확인했다.

[아무튼 무시해. 내가 교통정리 할 테니까. 넌 결혼 준비만 하고 있어.]

"이 수표는? 수표는 어떡하지?"

나는 수표가 든 가방을 꽉 끌어안고 물었다.

[그냥 너 써.]

"뭐?!"

[미리 받은 축의금이다 생각하고 써.]

"무슨 축의금이 1억이야!"

[어차피 나한테 받을 돈 5억이잖아. 가불 받았다고 쳐.]

"그거랑 이거랑 같아? 내가 이거 써 버리면, 그건 너랑 결혼 안 한다는 뜻이거든? 내가 이 돈 먹고 떨어져 준다, 그 뜻이거든?"

[그런가? 그럼 쓰지 말고 돌려주든가.]

"그럴 거야, 그럴 건데……. 돌려줄 건데……."

망설이며 조금 전 이지한과의 만남을 곱씹어 봤다. 아주 짧은 만남이었기에 회상은 짧게 끝났다. 그런데 그 잠깐 사이에 나도 모르게 손톱을 물어뜯고 있었다.

이지한.

다시 보고 싶을 만큼 잘생긴 얼굴이지만, 그럼에도 불구하고 절대 다시 만나고 싶진 않은 인간이다. 그래서 나는 수화기에 대고 소심하게 요청했다.

"네 동생 계좌 번호 좀…… 가르쳐 줄래?"

비행기가 출발하려는 탓에 지경과의 통화는 급하게 마무리되었다. 지경은 열두 시간의 비행이 끝나야만 다시 연락을 해 올 것이고, 그때까지 나는 일단 얌전히 기다리기로 했다. 몇 주 후면 내 신혼집이 될, 지경의 집에서.

지경은 동생의 계좌 번호를 외우지 못했고, 따라서 열두 시간 후에야 계좌 번호를 알아다 줄 수 있는 까닭에 이지한의 1억은 여전히 내 가방 속에 있었다. 덕분에 소매치기가 두려워진 나는 무려 택시를 타고 인천 공항에서 서울까지 이동해야 했다.

쌩쌩 달리는 택시 안에서 요금 계산기는 그만큼 쌩쌩 숫자를 높여 갔다. 그걸 보노라니 길바닥에 돈을 뿌려 대는 기분이 들어 차라리 고갤 돌려 창밖을 바라봤다.

괜찮다. 별거 아니다. 시어머니도 아니고 고작 시동생인데, 뭐. 게다가 시누이도 아니고. 까짓 시동생.

나는 별일 아니라고 스스로를 세뇌하며 불안을 달래려 했다. 그러다가 두 손을 꽉 모아 쥐고 기도했다. 쌩쌩 지나치는 창밖 풍경처럼 두 달 또한 금방 지나가기를. 지경이 돌아올 때까지 이지한과 다시 맞닥뜨릴 일이 없기를.

카드 키로 지경의 집 현관을 여는 순간, 70평형 단독 주택의 내부가 내 앞으로 광활하게 펼쳐졌다.

여기가 이지경이 혼자 살던 집이라니. 그리고 이제부터 내가 살 집이라니. 아주 잠깐이지만 나는 내가 지경을 사랑하는 듯한 착각에 빠졌다.

나는 춤바람 난 흥겨운 몸짓으로 덩실덩실 신발을 벗고 거실로 들어섰다. 넓은 거실의 중앙에는 소파와 탁자 하나가 있었는데 왜인지 탁자 위에는 쇼핑백이 한가득 놓여 있었다.

"뭐지?"

다가가서 훑어보자, 탁자 모서리에 놓인 편지 봉투가 눈에 들어왔다. 편지 봉투에는 내 이름, 나아정이 적혀 있었다.

봉투를 열어 보니 편지가 들어 있었고, 편지를 펼쳐 보니 지경의 정갈한 글씨체가 나를 반겼다.

[너한테 필요할 만한 거 준비해 봤어. 더 필요한 거 있으면 식탁

위에 카드 뒀으니까 그걸로 사. 괜히 네 돈 쓰지 말고.

우리 혼수도 그 카드로 사. 엄마한텐 네 돈으로 샀다고 할게. 나랑 결혼해 주는 것만도 고마운데 혼수까지 네가 하는 건 아무리 생각해도 내가 불편해.

집도 카드도, 나 없는 동안 마음대로 막 쓰면서 편히 지내.

두 달 뒤에 보자.]

"역시 이지경. 말 참 예쁘게 해."

나는 편지를 내려놓고 쇼핑백을 열어 보았다.

실내복에 외출복, 속옷. 거기다 기초 화장품에 색조 화장품까지. 입고 바르는 데 필요한 건 하나도 빠짐없이 갖추어져 있었다.

말도 예쁘지만 하는 짓은 더 예쁘다는 생각에 실실 웃음이 났다. 이 녀석은 게이만 아니었어도 정말이지 최고의 남편이었을 텐데. 하기야 게이가 아니었으면 나 따위랑 결혼을 해 줄 리도 없겠지.

씁쓸한 현실 앞에서 내 웃음은 쓴웃음으로 바뀌었다. 그렇지만 이내 고개를 내젓고서 즐거운 마음으로 쇼핑백에서 실내복 한 벌을 꺼내 들었다. 목욕재계하고 새 옷으로 새집에 드러누워야지.

욕실로 들어가 멋진 대리석 욕조에 뜨거운 물을 채우면서 옷을 훌렁훌렁 벗었다.

아버지와 새엄마, 그리고 그녀의 아들. 거기다 아버지와 새엄마 사이의 막내딸까지, 다섯 식구가 한 화장실을 공유해야 하는 새엄마의 집에서 목욕이란, 가히 천인공노할 일이었다. 사실 목욕은 고사하고 샤워조차 눈치가 보이는 일이었다. 더구나 군식구인 내 입장에서는 물을 쓴다는 것 자체가 불편한 일이었다.

그런데 이 좋은 욕실에서 마음껏 물을 받아 놓고 천천히 목욕을 즐기게 되다니. 나는 이게 꿈이 아닌지를 확인하기 위해 얼른 탕 안으로 발가벗은 몸을 담갔다. 그리고 욕조 바닥에 엉덩이를 대고 앉았다.

"오오……!"

물은 아직 엉덩이까지밖에 차오르지 않았지만, 그럼에도 내 입에서는 절로 감탄사가 터져 나왔다. 그런데 샤워기의 아래에 욕조에 들어앉으면 딱 시선이 닿을 곳에 지경의 메모가 보였다.

[목욕할 때 넣어. 거품 나는 입욕제야.]

나는 메모 옆에 놓여 있는 입욕제로 손을 뻗었다. 뚜껑을 열고 물에 솔솔 뿌리자, 수면에서 순식간에 거품이 일어났다. 거품에서는 기분 좋게 라벤더 향이 물씬 풍겼다.

"캬~!"

여기서 내가 뭘 더 바라나 싶다. 사랑해서 결혼해도 살다 보면 없어지는 게 남편 사랑인데, 까짓 남편 사랑 못 받는 게 무슨 대수인가? 첫째 딸은 엄마 팔자 닮는다던데, 딴 여자한테 남편 뺏기는 것도 팔자라면, 차라리 이런 가짜 결혼이 낫지 싶다. 딴 남자한테 뺏기면 뺏겼지, 최소한 딴 여자한테 남편 뺏길 일은 없으니까.

설령 딴 놈한테 뺏긴다 해도 사랑이 변했느니 어쩌느니, 배신감에 상처받을 일도 없을 테고.

그래. 내 선택이 최선이야. 어차피 끝까지 사랑받으면서 행복할 수 있는 결혼은 없어.

속 편하게 결론을 내리며 욕조 속에 앉아 물이 좀 더 차오르기를 기다렸다.

수면을 가득 채운 거품이 가슴까지 차올랐을 때, 물줄기를 잠갔다. 그리고 몸을 뒤로 눕히고서 욕조 테두리에 머리를 기대었다.

그렇게 따끈한 목욕물을 침대 삼고, 향긋한 거품을 이불 삼아 편안하게 눈을 감았다. 그랬더니 솔솔 잠기운이 온몸으로 번졌다. 살짝 낮잠이나 자자 싶어 나는 잠기운을 기꺼이 받아들였다.

얼마간 단잠에 취해 있다 얼핏 무슨 소리가 들려 번쩍 눈을 떴다. 바로 이어 슬쩍 허리를 일으키는데, 목욕물이 식었다는 생각이 들었다. 낮잠을 좀 많이 잔 건지, 수면 위의 거품은 살결이 그대로 비칠 만큼 형편없이 사그라져 있었다.

그건 그렇고, 무슨 소리였지?

나는 잠결에 들은 소리를 생각하며 욕조에서 몸을 일으켰다. 그런데 동시에 느닷없이 욕실 문이 벌컥 열렸다.

문을 연 것은 이지한이었고, 그는 나와 눈을 마주쳤다. 너무나도 뜻밖인 돌발 상황에 나는 숨이 멎어 굳었다가 이내 비명을 지르면서 물속으로 주저앉았다. 그리고 얼른 두 팔로 가슴을 가린 채, 눈을 감고 계속 소리를 질렀다.

한참 비명을 지르다 쿵 닫히는 문소리에 눈을 떴다. 고갤 들어 앞을 보니 이지한은 나가고 없었다. 나는 헐레벌떡 욕조에서 뛰쳐나와 정신없이 옷을 입었다.

저 자식이 왜 여기 있냐고, 왜!

물기를 닦을 새도 없이 옷부터 껴입은 다음, 문고리를 잡다 말고 멈칫했다.

괜찮아, 괜찮아, 괜찮아. 아주 잠깐이었어. 못 봤을 거야.

근데 이지한은 못 봤을지 몰라도 나는 분명히 봤다. 마치 못 볼 것을 본 듯이 눈살 찌푸린 이지한의 얼굴을. 그건 아무것도 못 본 사람이 지을 표정이 아니었다.

"미쳐……!"

나는 털썩 내려앉아 젖은 머리칼을 쥐어뜯었다.

아니야. 그래도 괜찮아. 그래, 뭐. 봤으면 뭐? 연극할 때 벗어 본 적 있잖아? 관객 앞에서 벗어 봤잖아? 지금이라고 다를 것 없어. 어차피 이 결혼도 연극인데. 밖에 저 인간도 관객이지, 뭐. 그냥 관객한테 보여 줬다 쳐!

다시 벌떡 일어서서는 두 손으로 문고리를 붙잡고 심호흡했다.

"괜찮아, 괜찮아, 괜찮아……."

아무 일 없던 것처럼 태연하게 행동하자. 아니, 무슨 일이 있었나? 난 기억이 나지 않는걸?

나는 아예 기억을 조작하고 문고리를 돌렸다.

욕실을 빠져나오자 거실 탁자 앞에 선 이지한의 옆모습이 보였다. 이지한은 손에 지경의 편지를 쥔 채, 치가 떨리는 듯 무시무시한 표정으로 편지를 읽고 있었다.

가만. 편지에 무슨 말이 있었지? 무슨 말에 저런 표정인 거지? 설마 이 결혼 가짜인 거 들킨 거야?

당황해서 편지 내용이 기억나지 않아 무작정 이지한에게 달려들었다.

"보지 마요! 그거 내 편지거든요?"

나는 이지한의 팔을 잡고 편지를 뺏으려 들었다. 그러나 이지한은 편지를 자기 눈높이 위로 들어 버렸고, 열 받게도 내 손은 거기 닿지 못했다. 까치발을 해도 껑충껑충 뛰어도, 내 손은 고작 이지한의 팔꿈치에나 닿을 뿐이었다. 이지한은 그런 나를 무시하고 편지를 아예 소리 내어 읽었다.

"우리 혼수도 그 카드로 사. 엄마한텐 네 돈으로 샀다고 할게?"

이지한은 오만상을 찌푸렸다.

"내놔요! 왜 남의 편질 읽어요?!"

"나랑 결혼해 주는 것만도 고마운데, 혼수까지 네가 하는 건 아무리 생각해도 내가 불편해? 집도 카드도, 나 없는 동안 마음대로 막 쓰면서 편히 지내? 와, 진짜 어이가 없네."

이지한은 혀를 내두르며 고개를 내저었다. 동시에 이지한은 편지를 쥔 손을 훌쩍 허리까지 내렸다. 나는 재빨리 그 손에서 편지를 뺏어 냈다.

그러자 이지한의 손은 쥐고 있던 편지 대신 내 멱살을 쥐어 잡았다. 그리고 이글거리는 두 눈으로 노려보며 물었다.

"혹시 임신했어요?"

"예?"

"했어요, 안 했어요?"

"아, 안 했는데요……."

"그조차도 안 했는데! 우리 형이 왜 이러는 겁니까?!"

이지한은 흥분한 듯 내 멱살을 흔들었다.

"그쪽이 뭐 볼 게 있다고! 집이고 카드고 다 갖다 바치고. 심지어 혼수까지 자기 돈으로 해 주면서! 뭐? 엄마한텐 네 돈으로 샀다고 할게? 나랑 결혼해 줘서 고마워?"

"아니, 그게 나한테 따질 일은 아니잖아요!"

흔들흔들 머리가 어지러워서 나는 겁대가리를 잃고 소리쳤다.

"뭐요?"

이지한은 동작을 멈추고서 어처구니가 없는 듯이 나를 봤다.

"그, 그렇잖아요. 내가 지경 씨 협박해서 받은 것도 아니고, 어디까지나 지경 씨가 자기 의지로 자기가 좋아서 해 주는 건데."

"하……."

맥이 풀려 버렸는지 이지한의 두 손이 느슨해졌다. 그 틈을 타서 그의 손을 내 멱살에서 떼어 냈다. 그리고 얼른 몇 발짝 물러나서 덧붙였다.

"뭔가 오해하는 것 같은데요. 나, 지경 씨한테 이런 거 요구 안 했어요. 오늘 지경 씨가 카드 키를 줬고, 그래서 와 봤더니 이 편지랑 선물들이 있었어요."

"댁이 요구한 적 없는데 우리 형이 왜 저런 걸 준비한답니까? 말이 돼요?"

"그야…… 그야 사랑하니까. 사랑해서 그런 거죠."

"뭐라고요?"

"원래 사랑하면 그렇잖아요. 가진 걸 다 주고도 아까운 줄 모르는 거, 그게 사랑이잖아요."

원래는 무슨. 쥐뿔 아는 것도 없으면서 나는 그게 불변의 진리인 양 우겼다.

"그 사랑을 왜 그쪽 따위한테 주는 거냐고요!"

"그건 지경 씨한테 따지라니까요?"

나는 억울하단 표정으로 반문했다.

이건 연기가 아니라 진짜 진심이다. 이유야 뭐건 간에 나랑 결혼하고 싶다는 건 네 형이고, 미안해서 이거저거 자꾸 주는 것도 네 형이거든? 니네 형이 하는 일을 왜 나한테 따지는 건데?

내 반격에 이지한은 눈을 감더니 두 손을 허리에 올리고서 후우우— 깊게 한숨을 내쉬었다. 그는 그대로 미간을 찌푸린 채 침묵했다.

"그럼, 그쪽한테 따질 말을 하죠."

이윽고 눈을 뜬 이지한은 한결 침착해진 목소리로 말했다. 아마 눈을 감은 동안 흥분을 가라앉힌 모양이다.

"그쪽이 왜 여기 있는 겁니까?"

"지경 씨가 와 있으라고 해서요."

"나한테서 돈 봉투 받았잖아요. 잘 가라고 돈 봉투 주는 의미, 몰라요? 혹시 내가 택시비 챙겨 준 줄 알았습니까? 공항에서 집까지 편히 가시라고?"

"아, 그 봉투……. 뜻은 알겠는데요. 받을 생각 없어요. 안 그래도 돌려주려고……."

"왜요? 돈이 모자랍니까?"

뭐, 그런 셈이긴 하다. 지경이가 약속한 계약금은 5억이니까. 그보다 4억이 모자란 돈 봉투에 내 마음이 바뀔 리는 없지.

"그런 게 아니라요……."

나는 5억짜리 연기력을 발휘하고자 청승맞게 눈을 내리뜨고 감정을 잡았다. 그런데 이지한은 그사이를 참아 주지 않고 차갑게 덧붙였다.

"얼마면 되겠어요?"

"예?"

"얼마면 형한테서 떨어질 겁니까?"

얼마 줄 수 있는데요…… 라고 할 뻔했다. 아, 정신 차려!

나는 얼른 정신을 다잡고서 진지하게 연기에 몰입했다.

"얼마를 줘도 나, 지경 씨랑 안 헤어져요. 아니, 못 헤어져요."

"……."

"지경 씨가 그런 것처럼……. 나도 지경 씨, 사랑하니까요."

이 순간 나는 마지막 잎새를 바라보는 시한부가 되어 있었다. 저 잎새가 떨어지면 나도 죽겠지……. 그런 처연한 마음으로 이지한의 눈을 바라봤다. 그리고 마치 죽기 전의 마지막 소원인 양 서글프게 부탁했다.

"그러니까……. 우리 그냥 사랑하게 해 주세요."

이지한은 잠자코 내 눈을 주시했다. 그러다가 어깨가 들썩일 만큼 크게 숨을 들이켜고 내뱉었다. 그런 다음 그는 엄숙하게 선언했다.

"그럼, 하세요."

"으잉? 진짜요?"

"근데 사랑은 마음으로 하는 거지 호적으로 하는 게 아니잖아요? 사랑, 그냥 하세요. 우리 호적에 오를 생각 말고."

"……예?"

"결혼은 꿈도 꾸지 말란 얘깁니다."

이지한은 내 팔을 덥석 잡더니 현관으로 성큼성큼 이동했다. 발이 젖은 데다 힘 차이도 어마어마해서 나는 속수무책으로 질질 끌려갔다.

"아니, 이게 지금 무슨, 저기, 저기요!"

버둥거리는 나를 현관 바깥으로 휙 밀어 버리고서 이지한은 냉큼 현관문을 닫아 버렸다.

"이봐요!"

현관 앞 바닥으로 미끄러진 나는 얼른 몸을 일으켜 현관 문고리를 붙들었다. 그러나 이미 잠긴 문은 꿈쩍도 하지 않았다. 문을 열 수 있는 카드 키는 집 안에 있고, 문을 열 수 있는 비밀번호는 내 머릿속에 없었다. 지경이 아직 그것까지는 알려 주지 않았기 때문이다.

"이게 뭐하는 짓이에요!"

나는 문고리를 흔들어 대며 현관문을 두드렸다. 그러자 문 너머에서 이지한의 목소리가 들려왔다.

"멀리 안 나갑니다. 조심해서 가시죠. 다신 오지 말고요."

그의 말이 끝나자 발아래로 하얀 봉투가 휙, 문틈을 비집고 나왔다. 1억이 들어있는 돈 봉투였다.

맨발로 쫓겨난 내가 한참을 소리치고 문을 두드리는 동안, 이지한은 단 한 마디도 대꾸하지 않았다. 아니, 아예 듣고 있는지조차 의문이었다.

아무리 1억짜리 수표가 내 손에 쥐어졌다 한들, 당장 지갑도 없고 핸드폰도 없이 집으로 돌아가는 길은 암담하기 짝이 없었다. 대체 1억짜리 수표로 어떤 대중교통을 이용할 수 있단 말인가? 하다 못해 신발을 사려 해도 1억짜리 수표에 잔돈을 거슬러 줄 수 있는 가게는 없을 것이다.

그야말로 그림의 떡을 손에 쥐고서 나는 하는 수 없이 집까지 걸어가야 했다.

망할 새끼……. 망할 또라이 새끼……. 쫓아내려거든 최소한 가방은 주고 쫓아낼 것이지. 인지상정도 모르는 새끼.

나는 공기 반, 욕 반의 호흡을 유지하며 몇 시간을 걸었다. 어두운 밤거리를, 맨발로.

염치없는 여자가 현관 밖에서 뭐라 떠들어 대건 무시하고 형의 침실로 들어가 리모컨으로 오디오를 켰다. 좋아하는 클래식을 크게 틀어 놓자, 저 멀리 현관의 소음은 우아한 음악 소리에 완전히 묻혀 버렸다. 나는 침대에 드러누워 눈을 감은 채 팔짱을 끼고 분노를 식혀 갔다.

그러나 좀처럼 분이 가라앉질 않아 벌떡 일어나서 주머니 속 휴대 전화를 꺼냈다. 그리고 엄마에게 전화를 걸었다. 엄마가 전화를 받자마자 나는 다짜고짜 따졌다.

“엄마, 솔직하게 말해. 우리 형, 엄마 친아들 아니지?”

[얘가 뜬금없이.]

“아니, 그러지 않고서야. 어떻게 이래? 어떻게 형을 그딴 여자랑 결혼시켜! 우리 형이 어떤 사람인데!”

[네 형이 좋다잖니. 어차피 결혼해서 같이 살 사람은 네 형인데. 형이 좋다면 된 거지.]

"되긴 뭐가 돼! 우리 집안이 보통 집안이야? 우리, 로얄패밀리야, 로얄패밀리. 결혼은 형 혼자만의 문제가 아니라 가문의 명예가 달린 일이라고. 엄마, 내 얼굴에 먹칠 이렇게 하실 거야?"

[얘, 나는 며느리 자리 놓고 이문 따져 가며 장사할 생각 없어. 네 말마따나 로얄패밀리, 그거 며느리 하나 잘못 들어온다고 휘청거리지 않아. 그러니까 어떤 여자가 됐든 너희들이 좋다면야, 엄만 그저 오케이야.]

"엄마 혼자 오케이 해! 난 오케이 안 해!"

욱해서 버럭 전화를 끊고 휴대 전화를 침대 위로 내동댕이쳤다.

우리 형이 얼마나 멋진 사람인데.

우리 형이 얼마나 완벽한 사람인데.

어떻게 그딴 여자를……. 왜 하필 그딴 여자를……!

나는 기가 막혀 쓰러지듯 침대 위로 퍽 엎어졌다. 엎드린 채 베개에 얼굴을 파묻고서 그딴 여자의 프로필을 한 번 더 곱씹어 봤다.

삼류 대학 중퇴에 이름 대면 아무도 모를 만한 무명 연극배우. 보험 하는 새엄마에 친아빠는 고작 아파트 경비원.

그 주제에 무슨. 자기가 신데렐라야? 아니, 최소한 신데렐라는 집안이 귀족이라고.

어디 신데렐라뿐인가? 왕자 만나 오래오래 행복하게 사는 여자들, 거의가 공주 아니면 귀족이잖아. 인어공주, 백설공주, 잠자는 숲속의 미녀. 걔네 다 왕족이라고.

키는 난쟁이만 한 게. 그 나잇값 못하는 얼굴은 뭐야? 초딩처럼 생겨 가지고…….

하긴 초딩 때도 그 얼굴이었지.

20년쯤 전의 기억을 떠올리며 혀를 끌끌 찼다. 그 시절, 사회성이 없던 나는 형을 따라 집에 오는 친구들을 못마땅하게 숨어서 훔쳐보곤 했었는데, 나아정의 그 얼굴도 몇 번인가 보았던 기억이 난다.

아니, 그럼 그 얼굴로 20년을 그대로 살아왔어? 도무지 발전이 없는 인간일세.

코도 작아, 입도 작아. 큰 거라곤 눈밖에 없는 그 얼굴로 20년을 발전 없이 살아왔다니. 그렇다고 눈이 더 커진 것도 아니고.

거기다 가슴도…….

못 볼 꼴을 본 기억에 절로 인상이 구겨졌다.

"도대체 형은 뭐, 어딜 보고 그딴 여자를 좋아하지?!"

하도 어이가 없어 혼잣말을 터뜨렸다.

20년 전 그때, 그냥 놔두는 게 아니었다. 그 여자와 우리 형의 관계, 그때 싹을 잘랐어야 했다.

그냥 엄마 친구 딸이라서 잘해 주는 줄만 알았는데. 빚쟁이를 피해 온 가족이 야반도주했다는 게 그 여자의 마지막 소식인 줄 알았는데.

하필 결혼 적령기에 둘이 다시 만날 줄이야. 형이 이딴 여자를 결혼할 여자라며 잘해 주게 될 줄이야.

20년 전의 내가 이 미래를 알았더라면 그 여자를 사교성 좋은 형의 수많은 친구들 중 하나로만 치부하지 않았을 텐데. 그렇게 방심하고서 그 여자 얘기를 하찮게 흘려 넘기지 않았을 텐데!

젠장.

그렇다고 지금의 내가 20년 전의 내게 경고를 보낼 수도 없고. 그저 형이 돌아오기 전에 그 여자가 형을 떠나도록 최선을 다하는 수밖에.

엎드렸던 몸을 뒤집고서 천장에다 나아정의 얼굴을 선명하게 그려 냈다. 그리고 그 얼굴을 쏘아보며 맹세했다.

유학이고 나발이고.

저 여자가 형 떠나기 전까지는 나도 한국을 안 떠나겠노라고.

다음 날, 아침 댓바람부터 그 여자의 휴대 전화가 울려 댔다. 형의 주방 식탁에서 시리얼을 씹어 먹던 나는 거실로 건너가서 그 여자의 가방 속 휴대 전화를 꺼내 들었다.

액정 화면을 보니 발신자는 이지경. 바로 우리 형이었다.

시계를 확인해 보니 지금은 형이 막 파리에 도착했을 시간이다. 거기 도착하자마자 이 여자를 제일 먼저 챙긴다, 이거지? 나는 형에게서 전화는커녕 메시지조차 오지 않은 내 휴대 전화를 떠올리며 얼굴을 찌푸렸다.

울컥 짜증 나는 마음에 전화를 받자마자 성질을 터뜨렸다.

"아, 왜!"

[누구……. 설마, 지한이냐?]

"그래, 나다."

[너 왜……. 네가 왜 이 전화를 받아? 아정이는? 설마 지금 같이 있어?]

형은 당황스러운 목소리로 물어 왔다.

“같이 없어.”

[그럼 아정이는 어디 있어?]

“몰라. 내가 그걸 어떻게 알아?”

나는 퉁명하게 반문했다.

[핸드폰은 네가 갖고 있는데, 핸드폰 주인이 어디 있는지는 모른다고?]

“그래.”

[넌 지금 어딘데?]

“형네 집.”

[네가 거기 왜 있어?]

“형 없는 동안 내가 여기서 지내려고.”

[지한아……. 거긴 형이 신혼집으로 쓸 곳이라 아정이한테 미리 들어가 있으라고…….]

달래듯 부드럽게 들려오던 형의 목소리가 잠시 멈췄다. 그러더니 형은 심각해진 목소리로 물어 왔다.

[설마 너, 거기서 아정이 만난 거야?]

“만난 건 아니고 마주쳤어.”

나는 고개 돌려 그 여자가 어질러 놓은 욕실을 노려봤다.

“우연히, 재수 없게, 불행하게.”

내가 덧붙이자 형은 한숨을 내쉬었다.

[설마, 아정이 쫓아냈니?]

“다 형을 위한 일이었어.”

[쫓아냈단 얘기구나.]

"자기한테 맞는 자리로 안내했을 뿐이야."

[이지한!]

느닷없는 호통 소리에 나는 눈이 번쩍 뜨였다.

[너, 당장 가서 사과해.]

"뭐?"

[네 형수 될 사람한테 사과하고 다시 집에 모셔 와.]

"형 미쳤어? 내가 왜?"

[네가, 내 동생이니까.]

"뭐?"

[넌 내 동생이고 그 여자는 네 형수 될 사람이야. 그럼 네가 예의를 지키는 게 당연한 거고. 못 지켰으면 사과를 하는 게 맞아.]

이건 내가 알던 형의 목소리가 아니었다. 이렇게까지 따끔하게 쏘아붙이는 화난 목소리는 처음이었다.

충격으로 머릿속이 하얘지려 했지만 애써 정신을 차리고서 반격했다.

"싫어. 난 그런 여자 형수로 받아들일 생각 없어. 대체 형은, 형 좋다는 그 많은 여자 다 놔두고 왜 하필 그 여자야?"

[나, 아정이 아니면 어떤 여자하고도 결혼 안 해.]

더 이상의 설명은 필요 없다는 듯이 형은 단호하게 선언했다.

[그러니까 너, 계속 내 동생으로 살고 싶으면 가서 아정이한테 사과해.]

"아니. 난 그렇게 못 해. 형이야말로 계속 내 형으로 살고 싶으면 그 여자랑 헤어져."

나는 지지 않고 형에게 맞서 맞불을 놓았다.

"선택해. 그 여자인지 난지."

내 강요에 형은 깊은 한숨을 내쉬었다. 그리고 한참 만에 형은 대답을 들려주었다.

"형이 어떻게 나한테 이래!"

계단을 오르면서 나는 울분을 터뜨렸다. 이 낡아 빠진 빌라에 승강기조차 없다는 게 화가 나고, 내가 가야 하는 곳이 하필 4층인 게 더 화가 나고.

이딴 데서 살고 있는 그 여자한테 더, 더, 더, 화가 난다.

그 요망한 것이 형을 어떻게 홀린 건지. 내 착한 형이 어떻게, 어떻게 나한테 이럴 수가 있는 건지!

그 여자의 집 현관 앞에 서서 나는 불을 뿜는 용처럼 후우우 뜨거운 한숨을 내뿜었다. 귓가에선 형의 목소리가 맴돌았다.

'내 인생에서 지난 28년은 너하고 함께였으니까 굳이 한쪽만 선택해야 한다면, 남은 28년은 그 여자하고 함께하련다.'

우리 형이 나를 두고 그런 선택을 하다니. 이게 다 너 때문이다.

나는 현관문을 노려보며 이 너머에 있을 나아정을 생각하고 이를 갈았다. 그때, 갑자기 현관문이 벌컥 열리면서 안에서 누군가가 튀어나왔다.

"어머, 깜짝이야!"

문밖으로 나오던 중년의 여자가 멈칫 놀란 눈으로 나를 봤다.

"나아정 씨, 여기 살죠?"

"아……. 걔 찾아왔어요?"

"예. 전해 줄 게 있는데, 안에 있습니까?"

여자는 긴가민가한 눈빛으로 관찰하더니 이내 확신에 찬 눈빛으로 말했다.

"아! 저번에 상견례 때 봤던 그 총각, 사돈총각 맞죠?"

그러고 보니 나도 상견례 때 이 아줌마의 얼굴을 본 기억이 난다. 나아정의 옆자리에 앉아 있던 아줌마. 그럼 이 아줌마가 나아정의 새엄마란 얘기군.

"글쎄요. 그때 봤던 그 총각은 맞습니다만. 그렇다고 사돈총각인 건 아니죠."

"예?"

"아무튼 전해 줄 게 있는데. 나아정 씨, 안에 있으면 좀 꺼내 주시죠."

내 말에 아줌마는 고개를 돌려 흘끗 뒤를 확인했다.

"아직 자고 있는데."

아줌마는 도로 나를 향해 고개를 돌렸다.

"그럼 깨워서 꺼내세요."

내가 요구한 건 아주 간단한 일이건만, 아줌마의 표정은 영 싫은 투로 찡그려졌다.

"저기, 사돈총각. 내가 지금 나가 봐야 하는데, 그냥 들어가서 사돈총각이 깨워요."

"사돈총각 아니……."

“내가 너무 바빠서 그래. 그럼 얘기 잘하고, 다음에 봐요.”

아줌마는 자기 할 말만 던지고서 문을 열어 둔 채 재빨리 계단으로 내려갔다.

“피도 안 섞였으면서 똑같이 꿈이 크네. 누가 사돈이야, 누가?”

내 말을 끊은 것보다 사돈총각이란 호칭이 훨씬 더 불쾌해서 미간을 찌푸리고 투덜거렸다. 그러나 들어야 할 아줌마는 벌써 사라지고 없었다.

열린 문을 통해 안을 보자 곧바로 거실이 눈에 들어왔다. 아니 저게 거실이 맞나? 나는 내 방 침대만 한 거실을 바라보며 눈을 의심했다. 그런데 그 거실 바닥에 무언가가 널브러져 있어서 더욱더 내 눈을 의심하며 집 안으로 발을 들였다.

신발을 벗고 고작 두어 걸음 들어섰을 뿐인데 이미 거실에 도착해 있었다. 그리고 내 발 앞에는 이부자리 위에 아무렇게나 널브러진 채 곯아떨어진 나아정이 있었다.

인간이 왜 거실에서 자는 건데?

이부자리 하나만으로도 꽉 차 있는 비좁은 거실을 보며 나는 혀를 내둘렀다. 주위를 둘러보니 방이라곤 고작 세 개. 그나마 그중 하나는 화장실이었다.

부모님에 이복형제가 둘이라더니. 방은 두 개뿐이고……. 그럼 설마 거실이 이 여자 방이야?

살다 살다 이렇게 거지 같은 집구석은 처음이라서 경악스러운 눈빛으로 나아정을 내려다봤다. 나아정은 두 발에 칭칭 수건을 감아 놓은 채 새우처럼 구부정히 몸을 말고 있었다.

자는 꼴도 궁상맞기는. 발에 저건 또 뭐야?

어이없어 위아래로 훑어보다 말고, 우선 가지고 온 나아정의 가방을 바닥으로 내려놓았다. 이어서 발끝으로 슬그머니 가방을 밀어 그녀의 머리맡에 놓았다. 그러고서 모기만 한 목소리로 슬쩍, 건성으로 말했다.

"Sorry."

난 사과했어.

임무를 완수했으니 이제 돌아가면 그뿐이다. 그렇게 생각하며 몸을 움직이려는데 갑자기 핸드폰 벨 소리가 요란하게 울렸다. 하필 나아정의 머리맡에 둔 나아정의 가방에서.

느닷없는 벨 소리에 움찔 잠에서 깨 소리가 나는 방향으로 손을 뻗었다. 눈을 감은 채로 머리맡의 가방을 찾은 나는 그 속에서 휴대 전화를 꺼내 귀에 가져다 댔다.

[여보세요?]

"어……. 지경이냐……."

눈뜨기가 너무 귀찮아 청각에만 의존해 통화 상대를 구별해 냈다.

[아정이니? 내 동생, 만났어?]

"네 동생……. 아오, 네 동생 완전 또라이야!"

밀려드는 어제 기억에 발칵 언성을 높였다. 찬물에 적신 수건으로 밤사이 발을 싸매 두었건만, 몇 시간을 혹사당한 발은 아직도 후끈후끈하게 느껴졌다.

[미안하다. 걔가 그렇게까지 할 줄은 몰랐어.]

“몰랐다니. 그게 말이 돼?”

나는 벌떡 일어나 앉아 제대로 따지고 들었다.

“야, 그 정도 또라이면, 그거 일상생활 불가능해. 상또라이, 개또라이, 핵또라이라고. 내가 얼핏 봐도 알겠는 걸, 가족인 네가 몰랐다고?”

[그래도 전화기 돌려받은 거 보면 사과는 받은 모양이네.]

“뭐래? 받긴 뭘 받아?”

[사과 안 받았어?]

“사과 같은 소리 하네!”

[그럼 그냥 전화만 주고 간 거야?]

“전화를 주고…… 가……?”

뭔가 이상한데……. 느낌 이상해…….

“잠깐. 나 전화 이거……. 어떻게 여기 있지? 어제 이거, 그 집에 두고 온 거 같은데……. 왜 여기 있는 거야, 이거?”

무거운 눈꺼풀을 반쯤 뜨고서 못나게 찡그린 얼굴로 머리를 긁적거렸다. 그러자 대답이 들려왔다. 수화기에서가 아니라 내 등 뒤에서.

“그 또라이가 당신 뒤에 있으니까.”

나는 눈이 번쩍 뜨여 뒤를 돌아봤다. 그랬더니 이지한이 보였다. 팔짱을 낀 채 나를 내려다보고 있는 이지한이.

순간 한밤중에 귀신을 본 것처럼 머리털이 쭈뼛 솟아올랐다.

“으아, 엄마아!”

나도 모르게 냅다 이불을 뒤집어쓰고 숨었다. 그러자 이불 바깥에서 이지한의 목소리가 이어졌다.

“기껏 여기까지 찾아와서 가방 주고, 사과 주고. 그랬더니 뭐, 또라이?"

기막히고 괘씸하단 말투였다.

[여보세요? 아정아, 왜 그래? 무슨 일이야?]

동굴 속의 유일한 촛불처럼 이불 속 핸드폰은 빛을 내며 지경의 목소리를 전달했다. 나는 핸드폰을 귀에 대고 지경에게 구조 요청을 시도했다.

"지, 지경아, 그게……."

입을 열기 무섭게 이불이 홱 벗겨졌다. 동그랗게 말려 있던 내 몸은 껍질 벗긴 완두콩처럼 홀랑 드러났다.

"으아, 저기요!"

무슨 변명이든 해 보려는데 이지한은 내 손에서 핸드폰을 불쑥 뺏어 갔다. 그리고 그는 곧장 핸드폰에 대고 말했다.

"형, 들었지? 이 여자가 나한테 또라이라고 하는 거, 형 다 들었잖아!"

부르튼 발바닥이 아직 쓰라렸지만, 꾹 참고 일어서서 핸드폰을 뺏어 보려 들었다.

그러자 이지한은 잠시 말을 멈추고서 표독스럽게 나를 쏘아봤다. 겁이 나 움찔 뒷걸음을 쳤다. 수화기 너머에서 지경이 무어라고 말하는 듯했다.

"무슨 상황이긴! 형이 시킨 대로 사과하고, 형이 들은 대로 욕 처먹은 상황이지! 뭐? 상또라이, 개또라이, 핵또라이?"

"저기, 그게, 저기……."

내 목소리는 무시한 채, 이지한은 나에게서 시선을 떼고 오로지 수화기 너머 지경의 목소리에만 귀를 기울였다. 지경이 또 무어라고 말하자 이지한은 허공을 향해 눈을 부릅떴다.

"근데 왜 가만있어? 이 여자가 내 욕하는데! 이런 여자랑 어떻게 결혼을 해? 형, 형은 내 욕하는 여자랑 결혼할 수 있어? 아니지? 안 그럴 거지?"

이지한은 재차 나를 향해 매섭게 눈을 부라렸다. 그리고 답을 기다리는 동안 어깨가 들썩일 만큼 씩씩 숨을 몰아쉬었다.

아니, 저렇게까지 화낼 말이야? 내가 뭐, 그렇게 못할 말 했어? 자기가 나한테 한 짓은 생각 안 해?

나는 억울함에 두 주먹을 불끈 쥐고 아랫입술을 깨물었다. 그리고 용기 내서 이지한의 두 눈을 똑똑히 마주 봤다. 하지만 그 이상으로 용기가 나진 않아서, 하고 싶은 말을 속으로만 외쳤다.

나도 할 말 있어. 할 말 있다고! 어제 내가 너 때문에……!

그런데 내 마음의 소리가 채 끝나기도 전에 수화기에서 지경의 대답이 흘러나왔다. 무슨 말인지 정확하게 들리지는 않았지만, 대신 그 대답에 돌변하는 이지한의 표정을 볼 수 있었다.

이지한은 마치 나라를 잃은 듯이 참담하게 넋이 나간 얼굴이었다.

"어떻게……. 어떻게 형이 나한테……."

바람 앞의 촛불처럼 초점 잃은 두 눈동자가 맥없이 흔들렸다. 이지한은 한 손으로 입을 틀어막고 흐느끼듯 서러운 목소리를 냈다.

"어떻게 이 상황에…… 날 버리고 저 여자 편을 들어?"

호랑이같이 무섭기만 하던 이지한이, 갑자기 이빨 빠진 호랑이가 된 듯 힘없이 초라해져 있었다. 형의 말 한마디에 이렇게까지 안쓰럽게 변하다니. 괜히 미안해져서 나는 면목 없이 고개를 떨구었다.

어떡하지……. 어떡하지…….

아, 왜 내가 잘못한 기분이 들지? 딱히 뭘 잘못했는지는 모르겠는데.

어쨌든 잘못한 기분이 들어, 고개를 숙인 채로 손톱을 잘근잘근 깨물었다.

잠시 후, 이지한은 내 휴대 전화를 바닥으로 아무렇게나 휙 떨어뜨렸다. 얼른 휴대 전화를 집어 들었을 때, 그는 이미 현관을 빠져나가고 있었다. 왜인지 작아 보이는 그의 뒷모습에 나도 모르게 그를 쫓아 뛰었다.

신발 신을 새도 없이 부랴부랴 맨발로 뛰쳐나간 나는 빌라 바깥에서 겨우 이지한을 따라잡았다. 이지한의 앞에 서자마자 급하게 두서없이 말을 꺼냈다.

"저기, 제가 일부러 들으라고 한 말은 아니고……. 그, 저는 안 계신 줄 알고……. 그냥 뒤에서 한 말인데. 그걸 뒤에서 듣고 계실 줄은……."

시키지도 않은 존댓말이 절로 나왔다.

"진짜 이렇게 불쑥 저희 집에 와 계실 줄은 진짜 몰랐거든요. 정말, 몰라서 그런 거예요."

이지한은 꼴도 보기 싫은 듯이 다른 곳을 응시하며 눈살을 찌푸렸다.

"모르고 한 욕은 욕 아닙니까?"

"그러니까요……. 모르면 말을 말아야 되는 건데……. 제가 잘못

했어요. 미안해요.”

왜인지 모를 미안함에 쩔쩔매는 얼굴로 일단 사과부터 했다. 그러나 이지한은 고개를 팩 돌리고서 나를 외면했다. 나는 더욱 어쩔 줄을 몰라 안절부절못하며 어떻게든 위로할 말을 짜냈다.

“저기, 형이 뭐라고 했는지는 모르겠지만……. 너무 마음에 두지 마요. 아마 형은…….”

“이봐요, 염치가 없으면 눈치라도 있어야지! 내가 지금 그쪽하고 말 섞을 기분이겠어요?”

이지한은 울컥한 듯 고갤 돌려 나를 쏘아봤다.

순간 흠칫 뒷걸음이 쳐졌지만, 이내 이상한 점을 발견하고 멈춰 섰다. 한껏 찌푸린 이지한의 눈에서 닭똥 같은 눈물 한 방울이 뚝 떨어지는 게 아닌가?

세상에, 이 인간이 울다니. 사람 눈에서 진짜 닭똥이 떨어졌다고 해도 이보다 더 놀랍지는 않았을 거다.

“저기, 지금…… 울어요? 우는 거예요? 아니, 왜? 대체 형이 뭐라 그랬길래……?”

정말이지 몸 둘 바를 모르겠어서 나는 덩달아 울 것 같은 표정으로 이지한의 소매를 붙잡고서 발을 동동 굴렀다. 그러자 그는 내 손을 확 뿌리치며 버럭 소리쳤다.

“이게 다 너 때문이잖아!”

이지한은 눈물 맺힌 두 눈으로 나를 힘껏 노려봤다. 그에 더해 앙심이 가득한 눈빛으로 의미심장하게 선언했다.

“두고 봐. 내 눈에 흙이 들어와도! 절대 이 결혼 허락 안 해!”

곧바로 이지한은 돌아서서 후닥닥 뛰어갔다. 내가 쫓을 수도 없이 빠르게, 소매로 눈물을 훔치면서.

집에 돌아온 나는 황급히 지경에게 전화를 걸었다.

"너, 도대체 네 동생한테 뭐라 그런 거야?"

[또라이가 무슨 욕이냐. 그만한 욕 가지고 파혼할 생각 없다. 없는 데선 나라님 욕도 하는 건데, 어제 네가 한 짓 생각하면 그건 욕도 아니다. 네 형수가 얼마나 화가 나면 그랬겠냐. 네가 이해해라.]

"그게 다야?"

[그게 다지.]

"뭐, 쌍욕 추임새로 넣은 거 아니고?"

[그런 말을 왜 해.]

"근데 저런단 말이야?"

[왜? 걔가 뭘 어쨌는데?]

"야, 네 동생 울었어!"

[뭐?]

"네 동생 울었다니까? 야, 난 그래서 네가 막 되게 심한 말 한 줄 알았어. 얼마나 놀랐다고."

눈물 떨구는 이지한이 눈앞에 아른거려서 또다시 안쓰럽고 미안한 마음이 들었다. 꼭 내가 울린 것처럼, 내가 달래 줘야 할 것 같은 기분이다.

[내 말이 심해서가 아니라. 내가 네 편드느라고 자기편 안 드는 거, 그 자체에 충격받은 거지. 나한테 네가 자기보다 중요한 것 같

으니까. 너 때문에 자기 순위가 밀려난 기분이랄까. 네가 자기 자리를 뺏은 기분이랄까. 뭐, 그런 거 있잖아. 너 때문에 뒷방 늙은이 된 기분이랄까?]

결국 형을 뺏은 나 때문에 서럽다는 건데. 따지고 보면 내가 울린 게 맞는 건가…….

듣고 보니 더 미안해져서 지경에게 볼멘소리를 냈다.

"그렇게 동생 마음 잘 아는 놈이 왜 동생 편을 안 들어주냐? 괜히 중간에서 나만 미안하게."

[그렇다고 지금 내가 너 말고 걔 편들 순 없잖아. 걔가 원하는 건 내가 너랑 파혼하는 건데. 그걸 들어줄 순 없지.]

"그야 그렇지만……."

[이러는 내 마음도 편하지는 않다. 그러게 그 녀석, 적당히 물러서면 좀 좋아? 어차피 할 결혼인데 그냥 좋게 좋게 받아들이면 얼마나 좋겠냐고.]

수화기 너머에서 지경의 한숨 소리가 들려왔다.

그와 같은 마음이라서 나 역시도 한숨을 내쉬었다. 그러다가 문득 떠오르는 생각이 있어 입 밖으로 내뱉었다.

"혹시 내가 많이 노력하면 네 동생도 나를 받아들일 수 있지 않을까?"

수화기 너머 지경은 왜인지 더 크게 한숨을 내쉬었다.

[아정아, 그건 네가 노력한다고 될 일이 아니야.]

"왜?"

[이런 말…… 하기 좀 미안한데, 내 동생이 너 반대하는 건 네 조건이 너무 안 좋아서잖아? 근데 그 조건들이 네가 노력한다고 바뀌는

건 아니잖아. 네가 집안을 바꿀 수 있는 것도 아니고. 배우로서 10년 동안 못한 성공을 이제 와서 갑자기 할 수 있는 것도 아니고. 또……]

조곤조곤 현실을 짚어 주는 말에 나는 발끈해서 소리쳤다.

"에이! 그러게 조건 맞는 여자 만나지! 왜 나한테 결혼하자 그랬어! 왜!"

[그런 여자가 이런 결혼을 해 줄 리가…….]

"아, 이 형제들이 쌍으로 나를 엿 먹이네! 야, 나도 내가 이런 조건 아니었으면 너하고 이런 결혼 안 해!"

[미안, 미안. 어쨌든 내 말은, 죽어도 안 될 일에 괜히 힘쓰지 말고 포기하란 얘기야. 내 동생은 너 못 받아들여.]

"아닐걸? 아닐 수도 있을걸? 네 동생이 알고 보면 진~짜 진국이라서 조건보다 중요한 게 내 안에 있다는 걸 발견하고 너보다 더 나를 좋아할 수도 있을걸?"

나는 흥분해서 아무 말이나 훅훅 내뱉어 댔다. 물론 내가 뱉은 말이 개소리라는 걸 알고 있다.

나는 흥분한 거지, 미친 게 아니니까.

하지만 수화기 너머에서 박장대소가 들려오자 불현듯 미친 셈 치고 제대로 도전할 오기가 생겨 버렸다.

"야, 두고 봐. 내가 네 동생한테서 이 결혼, 반드시 허락받을 테니까!"

내 선언에도 불구하고 지경은 웃음을 뚝 그치지 않았다. 아니, 오히려 지경의 웃음소리는 더 커진 것만 같았다.

D-60.

지경이 귀국하는 그날을 디데이로 정하고서, 나는 그날 이지한과 함께 사이좋게 지경을 마중하는 상상을 했다. 그리고 그 상상을 현실로 이뤄 내기 위해 작전을 개시했다.

우선 나는 이지한을 공부했다. 성격부터 취향, 습관, 관심사까지. 지경에게서 알아낼 수 있는 모든 정보를 최대한 숙지한 다음, 지경의 집으로 출발했다.

지경의 집에 들어서자 현관에는 이지한의 신발이 가지런히 놓여 있었다. 어찌나 깔끔 떠는 성격인지, 알러지로 응급실에 실려 가면서도 식후라고 양치질을 하더라는 지경의 말이 떠올랐다.

닭똥 같은 눈물을 흘리면서 가지런히 신발을 정리하는 남자라니. 묘하게 귀엽다는 생각이 들어 피식 실소가 새어 나왔다.

신경 써서 가지런히 신발을 벗어 놓고서 일단 거실로 향했다. 거실은 어제 모습 그대로 나를 반겨 주었다.

나는 쇼핑백으로 가득한 탁자로 다가가 그 옆에 내 짐을 내려놓았다. 그런데 탁자에는 어제와 다른 점이 하나 있었다. 바로 지경의 편지였다. 분명 탁자 위에 놓여 있었던 지경의 편지가 오늘은 감쪽같이 사라져 있었다.

"버렸네, 버렸어."

별로 놀라운 일도 아니라 무덤덤하게 중얼거렸다. 탁자를 엉망진창 뒤엎은 것도 아니고, 내 선물을 갈기갈기 찢어 버린 것도 아니고. 고작 편지 하나 버린 것쯤이야. 백 번 천 번 더 당해 줄 수 있는 일이다.

대수롭지 않게 지나치려다 문득 탁자 위에서 또 한 가지 다른 점을 발견했다. 한 줌 모래알이 쌓인 것처럼 하얀 비듬 같은 게 탁자 위에 동그랗게 쌓여 있었다.

"뭐지?"

어쩌면 정말 비듬일지 모를 그것을 허리 숙여 가까이에서 들여다봤다. 손가락으로 슬쩍 문질러도 봤다. 그러다가 이윽고 그 비듬 같은 것의 정체가 편지임을 알아차렸다.

진짜 섬세하게도 야무지게 찢어 놨네. 완전 나노 사이즈야…….

나는 깨알만 한 조각들을 살펴보며 혀를 내둘렀다. 이게 편지니까 망정이지, 만약 내 사진이었다면 좀 소름이 끼쳤을 것 같다.

"아냐, 아냐. 좋게 생각하자. 좋게, 좋게."

괜한 상상을 떨쳐 내며 고개를 내저었다.

"잘 지내야지. 좋은 생각으로."

다시금 결의를 다지고서 이지한이 있을 침실로 향했다.

침실 문 앞에 서자 요란한 클래식 음악 소리가 들려왔다. 나는 일단 크게 심호흡을 하고 똑똑, 문을 두드렸다. 그러나 침실 안에서는 어떤 대답도 들려오지 않았다.

노크 소리가 전해지기에는 음악 소리가 너무 큰 탓인가? 주먹에 조금 더 힘을 주고 쿵쿵, 문을 두드렸다. 그리고 문에 바짝 귀를 대 보았지만 역시나 대답은 들려오지 않았다.

결국 나는 허락 없이 슬그머니 문을 열고 침실로 들어섰다. 그러자 침대 위에 누워 있는 이지한이 눈에 들어왔다.

이지한은 눈을 감고 팔짱을 낀 채 꼿꼿하게 일자로 누워 있었다. 나는 용기 내서 오디오를 끄고 말문을 열었다.

"저기요……."

부르는데도 이지한은 꿈쩍도 하지 않았다. 일부러 못 들은 척하나 싶어 좀 더 가까이로 다가가며 목소리를 높였다.

"저기, 잠깐 얘기 좀 해요."

그럼에도 이지한은 반응이 없었다.

설마 저 자세로 자는 거야? 저렇게 흐트러짐 하나 없이?

"에이 설마, 자는 거 아니죠?"

긴가민가해서 아예 침대에 무릎이 닿을 만큼 슬금슬금 다가갔다. 그러자 발끝으로 무언가가 차였다.

뭐지?

발아래를 내려다보자 발에 채인 초록색 병 여러 개가 마치 볼링 핀처럼 쓰러져 바닥을 굴러다녔다.

얼마나 속이 상했으면 낮부터 소주를 다 마셨을까…….

나는 오전에 본 이지한의 눈물을 떠올리며 측은한 마음으로 이지한의 얼굴을 내려다봤다. 피도 눈물도 없는 냉혈한인 줄 알았는데. 눈물도 있고, 약한 구석도 있고…….

"그렇게나 형이 좋을까……."

취한 채로 잠든 듯한 이지한을 바라보며, 안타까운 마음에 중얼거렸다.

나도 나지만 이 동생을 위해서라도 내가 좋은 신붓감이라는 걸 증명해야겠구나. 그래야 이 사람이 마음 편히 형의 결혼을 받아들일 수 있겠구나. 그래, 내 연기 인생 10년의 노하우를 모두 쏟아부어서 반드시 좋은 신부 역을 완벽하게 소화해야겠다.

진지하다 못해 경건해진 마음가짐으로 나는 내가 해야 할 일의 의미를 되새겼다. 그러고서 허리 숙여 이지한의 머리로 손을 뻗었다.

"으이구, 그렇게 속이 상했쪄요? 우쭈쭈. 이제 이 누나가 진~짜 잘해 줄게요오."

나는 이지한의 머리를 살살 쓰다듬으며 어린아이 달래듯이 말했다. 그런데 돌연 그가 입술을 움직였다.

"아, 진짜. 안 나갑니까?"

"으아!"

순간 경악해서 뒤로 엉덩방아를 찧었다. 그러자 이지한이 허리를 일으키고는 무지하게 불쾌한 표정으로 나를 쏘아봤다.

"아, 아니, 어, 언제 깼어요? 자는 줄 알았는데?"

"상대하기 싫어서 대꾸 안 한 겁니다."

아, 뭐야, 일부러 씹었다고? 아예 처음부터 자는 게 아니었어? 아니, 그럼? 저렇게나 술을 퍼마시고도 정신이 멀쩡하단 얘기야?

나는 경악한 눈으로 술병의 개수를 세어 봤다. 그런데……. 어째 술병 모양새가 조금……. 혹시 저거…….

"저기, 저거……. 사이다예요?"

눈을 의심하며 이지한에게 대신 답을 구했다. 그러자 그는 대답할 가치조차 못 느끼겠다는 한심한 표정으로 팔짱을 꼈다.

"아니, 사이다를, 무슨 사이다를 네 병이나! 그걸 왜 마셔요, 지금?"

"기분이 나쁘니까 마시죠."

"기분 나쁘다고 사이다를 마셔요? 소주 아니고?"

"그럼 그 기분에 단 걸 먹지. 뭐하러 쓴 걸 먹습니까? 기분 더 나

빠지게.”

“아……. 단 거…….”

내 동생은 단맛에 집착한다던 지경의 설명이 스쳤다.

“소주도 단맛인데…….”

내가 멍하니 혼잣말하자 이지한은 확 구긴 얼굴로 소리쳤다.

“아! 나가라고!”

순간 벌떡 일어나 달아나다가 멈칫 몸을 세웠다. 하마터면 까먹을 뻔했는데, 내가 이 방으로 들어온 데엔 분명 이유가 있었다.

“저기. 제가 할 말이 있는데요.”

나는 애초의 목적을 상기하고서 다시 이지한을 향해 몸을 돌려세웠다. 그리고 준비해 온 대사를 열연하기 위해 얼른 감정을 잡았다.

“더 들을 거 없습니다. 뭐? 우쭈쭈? 이 누나가 잘해 줄게? 차라리 또라이 소리가 낫다는 걸 이런 식으로 증명하나?”

이지한은 잡아먹을 듯이 노려보며 비꼬았다. 하지만 나는 지금 이 할 말을 못 하면 죽을병에 걸린 양, 비장하게 두 주먹을 그러쥐었다. 그리고 천천히 무릎을 꿇었다.

“뭡니까?”

이지한은 흠칫 당황한 눈빛으로 날카롭게 물었다. 나는 무릎 위로 두 주먹을 내려놓고 절박한 표정으로 이지한을 바라봤다.

“아침엔 정말 미안했어요. 이렇게 사과드릴게요. 진심으로, 미안해요.”

“…….”

“그리고……. 제가 지경 씨랑 결혼하게 된 것도, 미안해요.”

나는 고개를 숙이고, 그렁그렁 눈에 눈물을 모아 가며 흐느끼듯 말했다.

"저 따위가 감히 넘봐서는 안 될 사람인데……. 처음부터…… 시작해선 안 될 사랑이었는데……. 사랑이 멈춰지질 않았어요."

나는 이지한을 향해 다시 고개를 들었다. 희뿌옇게 눈물이 차올라서 그의 표정은 잘 보이지 않았다.

"저요, 지경 씨한테 정말 부족한 사람인 거 잘 알아요. 하지만 저, 지경 씨랑 헤어질 수 없어요. 지경 씨가 없으면……. 저는 죽을 거예요. 정말……."

나는 눈을 깜빡여 눈물을 뚝 떨어뜨렸다. 그와 동시에 턱 아래로 두 손을 모아 쥐었다. 그리고 애절하게 호소했다.

"그러니까 저한테 기회를 주세요. 저 정말 지경 씨한테 좋은 아내, 될 수 있어요. 꼭 그렇게 될 거예요. 나하고 살면 지경 씨가 행복해질 거라는 거, 증명해 보일게요."

두어 방울 눈물을 더 떨어뜨린 다음 비로소 선명해진 이지한의 표정을 살폈다. 내 열연에도 불구하고 그는 떫은 표정으로 냉랭하게 나를 쏘아보고 있었다.

"선 결혼 후 증명. 일단 결혼하고, 잘 사는 거 보여 주겠다, 그겁니까? 이건 뭐, 마인드가 정치인이 따로 없네. 선 당선 후 증명. 뽑아 주면 잘해 줄게."

이지한은 비딱하게 고개를 기울이고 비아냥거렸다.

"댁 같으면 그런 공약, 믿겠어요?"

"결혼 전에 증명할게요. 지경 씨 돌아올 때까지 아직 두 달이나 남았잖아요. 동생분이 언제까지 한국에 계실진 모르겠지만……. 계시는 동안 저 직접 겪어 보고……."

"형 올 때까지, 죽 있을 겁니다. 어차피 곧 방학이니까."

"그럼 두 달이네요. 그 두 달 동안 제가 어떤 사람인지 직접 겪어 보고 그때 가서 다시 생각해요. 정말로 이 결혼, 안 되는 건지."

모아 쥔 손을 아플 만큼 꽉 끌어 잡고서 절실하게 이지한의 두 눈을 바라봤다.

이건 연기가 아니라 100퍼센트 진심이었다. 나는 진심으로 그 기회를 바랐다. 이지한에게 호감을 살 수 있는 바로 그 기회를.

이지한은 그런 내가 우습다는 듯이 코웃음을 쳤다. 그리고 내 앞에 일어서서 마치 선전 포고하듯 허리춤에 두 손을 얹고 말했다.

"그럼 그쪽은 그 두 달 뒤에 다시 생각해요. 정말로 이 결혼, 하고 싶은 건지."

"그래요, 그럴게요."

두 달의 기회가 주어졌기에 나는 선뜻 눈을 반짝이며 반응했다.

"대신 두 달 동안 무슨 일이 있건. 형한테 고자질하기 없깁니다."

"아, 그럼요! 그럼요!"

"만약 결혼 생각 없어져도, 그건 그쪽 단순 변심인 겁니다. 나하고는 상관없는."

"콜!"

나는 기꺼이 웃는 얼굴로 조건을 받아들였다. 그러자 이지한은 딱히 좋아할 일이 아닐 텐데, 하는 표정으로 냉정하게 덧붙였다.

"그럼, 어디 한번 잘 버텨 보십시오."

어째 경고 같은 말이었다. 하지만 개의치 않고 결연하게 고개를 끄덕여 보였다.

2. 예비 시동생 시집살이

2. 예비 시동생 시집살이

앞치마와 머릿수건을 착용한 채 나는 주방 조리대에서 재료를 손질했다. 이지한은 내 등 뒤에 서서 그런 나를 예의 주시하고 있었다.

이 자식만 아니었어도 지금쯤 족발에 소주를 들이켜며 텔레비전 앞에서 뒹구는 화려한 싱글 라이프가 펼쳐졌을 텐데. 그놈의 비프 부르기뇽인지, 부르마블인지. 생전 구경도 못 한 프랑스 요릴 해야 하다니. 더구나 내 손끝을 예리하게 따라다니는 저 매의 눈앞에서.

"근데요. 두 달 내내 여기 계실 거예요?"

나는 별 뜻 없는 척 조심스레 물었다. 그러자 이지한은 또박또박 확고한 어조로 대답했다.

"두 달 내내. 24시간 종일. 여기서 그쪽하고 살 겁니다."

"예? 24시간이나요?"

"두 달은 베타 테스트 기간이니까요. 형이 그쪽하고 살게 되면 정말 행복할지. 내가 미리 체험하고 평가하는, 베타 테스트. 그러려면 24시간 공유는 기본이죠."

"아……. 네……."

예비 형수하고 한집에서 단둘이 지내겠다니. 개소리 같긴 한데, 이상하게 반박할 말은 떠오르지 않았다. 개소리지만, 논리적인 개소리랄까…….

"근데 어머님이 서운하시겠어요. 두 달 내내 막내아들 얼굴도 못 보고, 미국 가시면 또 한참 못 만나실 텐데. 두 달 중에 며칠쯤은 어머님과 시간을 보내시는 게 좋지 않을까요?"

어머님을 위하는 척, 실은 나를 위해서. 당근을 깍둑깍둑 썰어 내며 말했다.

"어차피 집에서 얼굴 못 봅니다. 집보다는 비행기에 더 오래 계시니까."

하긴. 동생 유치원 졸업식이며, 초등학교 입학식이며. 부모님이 참석하는 행사에는 늘 지경이가 대신 참석했던 기억이 난다.

그런데 정작 지경의 유치원 졸업식, 초등학교 입학식에는 아무도 참석하지 않았었다. 하지만 그때는 우리 엄마가 살아 계실 때라서, 마치 쌍둥이 남매인 것처럼 나와 지경이는 우리 엄마 손을 잡고 졸업식과 입학식을 치를 수 있었다. 초등학교 입학 후론 그조차 불가능한 일이 되었지만.

"어머님이 워낙 바쁘신 분이라 얼굴 뵙기 힘들긴 해요."

당근 썰기를 마친 나는 당근을 냄비에 부었다. 그리고 물에 담가 둔 소고기를 꺼내면서 말을 이어 갔다.

"이번에 저 결혼 준비하는 것도 그냥 저더러 알아서 하라고……."

"잠깐!"

꺼낸 소고기를 도마에 올리려는데, 이지한이 외쳤다.

순간 멈칫하고 고갤 돌려 그를 쳐다봤다. 그러자 그는 파렴치한 대하듯이 나를 비난했다.

"어떻게 인두겁을 쓰고 그런 짓을……. 당신, 그러고도 사람이야?"

"왜, 왜요? 뭐가 잘못됐어요?"

"야채 도마에 어떻게 소고기를 올릴 수 있습니까!"

"예?"

"야채는 야채대로, 고기는 고기대로. 도마 따로 써야 된단 것도 몰라요?"

윽박지르는 말에 기가 질려서, 무심결에 우선 사과를 했다.

"아, 미, 미안해요."

"당신 이거, 고의였어. 나 식중독 걸리게 하려고 일부러 도마 구별 안 한 거라고."

"아우, 아니에요. 몰라서 그랬어요."

"뭐? 몰라서 그랬어요? 이 사람 진짜 큰일 날 사람이네? 요리로 사람 잡을 사람이야, 당신. 그런 것도 모르면서, 우리 형 밥상 차리고 살 생각을 하다니!"

이지한은 마치 내가 남편 잡아먹을 여자인 양 노발대발했다. 그 앞에서 나는 얼른 새 도마를 꺼내고서 그 위에 소고기를 올렸다. 그리고 애써 웃는 낯으로 상냥하게 말했다.

"그러게요, 진짜 다행이에요. 큰일 치기 전에 미리 알게 돼서. 하마터면 제가 지경 씨를 아프게 할 뻔했는데 다행히 이제 그럴 일은 없겠네요. 이게 다 도련님 덕분이에요."

나는 배 앞에 두 손을 가지런히 모으고서 넙죽 배꼽 인사를 해 보였다. 다시 고개를 들었을 때, 이지한은 뭐 이런 게 다 있냐는 듯 어이없는 표정이었다.

"그 도련님 소린 치가 떨리니까 집어치웁니다."

"그치만, 그게 맞는 호칭인 걸요?"

나는 시할머니 대하는 손주 며느리처럼 최대한 간드러지는 태도로 대꾸했다.

"그건 그쪽이 우리 형 호적을 기어이 더럽혔을 때나 맞는 호칭이고요. 아직 그쪽, 내 형수 된 건 아니거든요?"

"호적을 더럽혀요?"

"결혼 말입니다, 결혼. 12월 첫눈 같은 순결한 우리 형 호적에 그쪽 이름이 때처럼 끼는 그거요."

얄미워도 참자. 열 받아도 참자. 대들지 말자, 대들지 말아…….

"그래도 도련님이 낫지 않겠어요? 제가 야, 너, 이 새끼……. 이렇게 부르는 것보다는."

"딱히 나을 거 없습니다."

이지한은 둘 다 심히 불쾌하단 투로 대꾸했다.

"그럼 이름 부를까요? 지한 씨……."

"와, 대박. 진짜 싫어요. 그게 제일 싫어."

이지한은 진저리를 치며 빠르게 반박했다.

와씨, 내가 너의 이름을 부르는 게 그렇게나 진저리를 칠 일이냐? 뭐, 내가 네 이름 부르면 뭐, 재수에 옴이라도 붙어? 니미, 진짜.

"그럼, 뭐. 그냥 도련 빼고, 님이라고 부를게요."

님이, 님이, 니미.

나는 칼을 쥐고 속으로 뇌까리면서 도마 위의 소고기를 썰었다.

칼이 좋아서인지 두꺼운 양지머리가 단칼에 쓱쓱 잘려 나갔다. 한편 이지한은 아예 옆에 나란히 서서 내 칼질을 지켜보고 있었다.

"재벌 집 며느리 된다고 집에 가정부 두고 편히 살 생각했겠지만, 그거 오산입니다. 무슨 우리 집이 대단한 가문 공주님 모셔 오는 것도 아니고. 이건 뭐, 노비 하나 데려오는 건데."

이어지는 잔소리에 얼굴이 구겨지려는 걸 간신히 참았다.

"하는 일 없이 밥만 축낼 거면 그 노비를 왜 데려오겠……."

뭐라 지껄이건 한 귀로 흘려야지 생각 중이었는데, 갑자기 그의 말소리가 끊어졌다. 무슨 일인가 싶어 옆을 흘끗 돌아봤다. 이지한은 도마를 보며 돌처럼 굳어 있었다.

"왜, 왜요, 또?"

뭔가 심상찮은 분위기에 겁부터 먹고 물었다. 그러자 이지한은 도마에서 눈을 떼지 못한 채로 중얼거렸다.

"바퀴……."

"예?"

"바퀴!"

이지한은 호통치며 두 손으로 단단히 내 어깨를 붙잡았다. 여전히 그의 시선은 도마에 꽂혀 있었다.

"바퀴요?"

나는 어리둥절해서 도마를 확인했다. 그러자 도마 옆쪽에서 살살 기어가고 있는 바퀴벌레가 눈에 들어왔다.

"아아, 바퀴벌레?"

그제야 의문이 풀려 고개를 끄덕거렸다.

"바퀴벌레 싫어하시는구나."

"그거 좋아하는 사람 있습니까?!"

"전 막 그렇게 싫어하진 않는데."

까짓 바퀴벌레쯤이야, 극단에서나 집에서나 숱하게 때려잡은 해충 중에 제일 낯익은 해충일 뿐. 나는 별다른 감흥 없이 바퀴벌레를 향해 손을 뻗었다. 그리고 칼 옆면으로 거침없이 바퀴벌레를 쾅, 때려잡았다.

순간 이지한은 자신이 바퀴벌레인 양 으악, 비명을 질렀다.

"이제 됐어요. 죽었어요."

나는 칼 옆면에 쩍 붙은 바퀴벌레를 개수대로 가져갔다. 이어서 수도꼭지를 틀어 흐르는 물에 바퀴벌레를 흘려보냈다. 다음으로 물비누로 덜어 칼을 씻어 냈다.

다시 도마 앞으로 돌아와서 칼을 쥐자, 이지한이 내 팔을 덥석 붙들었다. 동시에 그는 날카롭게 소리쳤다.

"어딜 갖다 대요?!"

어리둥절해서 눈을 껌뻑였다. 그러자 이지한은 부들부들 손까지 떨며 분노를 터뜨렸다.

"그 칼로 어딜! 그 칼이 저 바퀴를 터뜨리는 순간! 저 바퀴벌레 몸에서 얼마나 많은 바이러스가 분사됐을지, 알기나 해?!"

"에이, 괜찮아요. 완전 깨끗하게 씻었어요."

뭔 소린가 했더니. 별걱정을 다 하시네.

나는 대수롭지 않게 소고기에 칼을 들이댔다.

"더럽게 진짜!"

흥분한 이지한은 칼을 쥔 내 손목을 거칠게 확 잡아당겼다. 어찌나 우악스러운지, 아프게 손목이 꺾여 나도 모르게 손에서 칼을 놓치고 말았다. 그러자 칼은 쏜살같이 바닥으로 쑥 미끄러졌다.

놀라서 바닥을 확인한 나는 하얗게 머리가 세 버렸다.

이 남자, 피도 눈물도 없는 냉혈한인 줄 알았는데……. 눈물도 있고, 약한 구석도 있고……. 피도 있구나.

칼이 스친 이지한의 발등을 바라보며, 멍하니 그런 깨달음을 얻었다.

쪼그려 앉아 식탁 다리를 끌어안은 채, 나는 전화를 붙들고서 울먹이며 지경에게 자초지종을 설명했다.

[큰일 날 뻔했네.]

"진짜 다행이야……. 칼이 스치기만 해서……."

칼에 베여 피가 나는 이지한의 발등을 떠올리자, 또다시 찔끔찔끔 눈물이 났다.

"잘못해서 꽂혔으면, 발가락 잘릴 수도 있었는데."

[그거 말고. 너 요리 완성할 뻔했잖아.]

"뭐?"

[그 요리 완성했으면 그게 큰일이지.]

"그게 왜 큰일이야?"

[너 모르는구나? 너 요리 완전 못하는 거.]

"내가?"

뜻밖의 가르침에 나는 눈물을 뚝 그쳤다.

[네 요리 지한이 먹였다가는 난리도 그런 난리가 없을 거다. 이

결혼이 아니라 네 존재를 반대할걸.]

"나, 요리 괜찮게 하는데?"

[네 입에는 괜찮지. 넌 아무거나 잘 먹으니까. 근데 너만큼 아무거나 먹는 사람, 거의 없어.]

"아……."

[더구나 내 동생 입맛 엄청 까다롭거든. 내 동생한텐 미안한 얘기지만, 요리가 그렇게 중단된 건 너한테 천운이다.]

"그, 그런가?"

[근데 지한이는 어쩌고 있어?]

"곧바로 병원 갔어……."

[살짝 스쳤다면서? 그걸로 병원에 가?]

"아니……. 바퀴 잡은 칼에 발이 오염됐다고……. 멸균하러……."

지경은 으하하, 웃음을 터뜨렸다. 반면에 나는 그때의 기억 탓에 재차 찔끔 눈물이 났다.

"야, 나 어떡해? 나 이제 어쩌지? 나 때문에 피 봤는데……. 나 완전 찍혔겠지? 이거 어떡해?"

간절하게 답을 구하는데, 현관에서 인기척이 들려왔다. 분명 이지한이라는 생각에 화들짝 전화를 끊었다. 곧이어 성큼성큼 이지한이 거실로 걸어 들어왔다.

"오, 오셨어요? 발은 어때요? 병원에선 뭐래요?"

나는 얼른 일어나 이지한에게로 쪼르르 다가갔다. 나를 보자 그는 우뚝 걸음을 멈췄다.

"다행히 생명에는 지장이 없답니다."

마치 그럴 가능성이 있기라도 했던 양 이지한은 유감천만인 목소리로 답했다. 그리고 그는 곧바로 단호하게 말했다.

"나가요."

"예?!"

이럴 줄 알았어, 이럴 줄 알았다고! 나 또 쫓겨나는 거야?

나는 순식간에 절망감에 휩싸였다. 그런데 이지한은 뜻밖의 말을 이었다.

"나가자는 말입니다. 백화점에."

"백화점에요? 갑자기 웬……."

"갑자기 웬? 나야말로 묻고 싶네요. 갑자기 웬 바퀴벌레가 이 집에 나타난 거죠?"

"예?"

"당신이 나타나기 전엔 이런 일 없었어. 12월 첫눈같이 순결한 우리 형 집에, 저런 더러운 게 나타난 적 없었다고. 그러니까 이건 당신 때문이야. 당신이 저 더러운 걸 달고 온 거라고."

"에이, 원래 사람 사는 집엔 벌레도 있는 거예요. 찾아보면 벌레 없는 집이 어딨다구……."

"여기 있었어요, 여기! 당신 발이 닿기 전까지 바로 여기가 그런 집이었다고."

말도 안 돼. 여기가 무슨 세스코 본사야?

나는 반박하고 싶었지만 꾹 참았다. 그리고 그저 내가 죄인일세, 하는 심정으로 숙연하게 고개를 숙였다.

"죄송해요. 제가 들어올 때 주변을 잘 살폈어야 하는데. 바퀴가 저를 따라오고 있을 줄은……. 제가 당장 세스코 부를게요."

"세스코는 내가 이미 불러 뒀습니다. 그러니까 지금 당신이 해야 할 일은, 저기 있는 모든 거 싹 새 걸로 바꾸는 겁니다. 지금, 당장."

이지한은 팔을 뻗어 주방을 가리켰다.

"저기 있는 걸, 전부 다요?"

주방을 본 나는 뜨악해서 묻고 말았다가, 얼른 고개를 마구 내저었다.

"아니, 아니. 당연히 그래야죠. 당연히 다 바꿔야죠. 제가, 전부 새 걸로."

나는 무조건 그에게 뜻을 맞추고, 끄덕끄덕 세차게 고개를 끄덕였다.

백화점 수입 식기 매장에서 가격표를 확인하며 혀를 내둘렀다. 대체 이 돈 주고 그릇 사는 인간은 어떤 정신 나간 인간인 건지. 의문하던 나는 그 인간이 바로 나라는 걸 깨달았다.

"아아……."

순간 나도 모르게 탄식이 터져 나왔다. 그러다 옆에 있는 이지한을 의식하고서 얼른 괜찮은 척 표정을 관리했다.

괜찮아, 괜찮아. 어차피 혼수 살 거였잖아?

마음까지 함께 관리하면서 힐끔 이지한을 올려다봤다. 내 옆에서 그는 팔짱을 낀 채 나를 지켜보고 있었다. 어디 얼마나 잘 고르나 두고 보자는 듯이, 한껏 벼르는 표정으로.

잘 골라야 하는데. 뭘 골라야 잘 고르는 건지…….

다시 진열장으로 시선을 내린 나는 그릇을 손에 들고 살펴봤다.

하지만 이리 봐도 저리 봐도 비싸다는 생각이 들 뿐, 이 비싼 것들 중에 어떤 것이 제일 좋은 건지는 영 판단이 서지 않았다.

그래서 나는 슬그머니 그릇을 내려놓고, 직원에게 도움을 구했다.

"여기서 어떤 게 제일 좋아요?"

"고객님, 저희 제품은 다 좋은 제품이에요."

직원은 친절한 미소와 함께 아무짝에도 쓸모없는 대답을 들려주었다. 하는 수 없이 손톱을 깨물면서 혼자 고민하다가, 아무래도 제일 비싼 게 제일 좋을 거라 결론을 내렸다.

"음……. 그럼 여기서 제일 비싼 걸로……."

"돈 함부로 쓰고 다닐 여자네."

내 말이 끝나기도 전에 이지한은 기다렸단 듯이 나를 비난했다.

"아니, 어……. 제일 비싼 거 말고. 제일 많이 팔리는 걸로……."

내가 얼른 말을 바꾸자 그는 또 금세 비난거리를 찾았다.

"생각 없이 남들 하는 거나 따라 하고. 하긴 주제를 모르는데 주체를 알 리 있나."

"아니다! 아무도 안 사는 거, 그런 거 주세요."

나는 반사적으로 방금 욕먹은 것과 반대되는 조건을 불렀다. 그러자 이지한은 기가 찬 듯 허! 헛웃음을 터뜨렸다.

"남들은 줘도 안 가지는 물건을 우리 형한테 들이밀다니."

"어! 저기! 저거 좋겠네요. 저거."

나는 이지한에게서 멀리 달아나듯 달려가서 베라 왕 스페셜 에디션이라고 적힌 접시 앞에 섰다.

베라 왕? 왕의 스페셜 에디션이면 엄청 좋은 거겠지? 근데 베라 왕이면, 어느 나라 왕이야? 웨딩드레스 디자이너랑 이름이 똑같네.

나는 그릇치고 상당히 독특한 디자인을 가진 분홍색 접시를 살펴보며 고개를 갸웃거렸다. 그사이 내 곁으로 다가온 이지한은 또 평가를 시작했다.

"유명 웨딩드레스 디자이너가 만든 식기라니. 하필 골라도 이런 근본 없는 식기를."

"아……. 이 베라 왕이 그 베라 왕이에요?"

"맞습니다, 고객님. 이게 그 유명한 베라 왕 디자이너가 디자인한 스페셜 에디션이에요."

내 질문에 직원은 자부심이 가득한 목소리로 답했다. 그 말이 끝나기가 무섭게 이지한은 거듭 비난을 이어 갔다.

"유명한 사람 거면 다 좋은 줄 아는 건가? 이 디자인은 도대체가 그릇인지 웨딩드레스인지. 이 그릇에 밥이 아니라 바비 인형을 앉혀 둘 생각인가? 이런 디자인을 형더러 쓰라니, 남자 생각은 눈곱만큼도 할 줄 모르는 이기적인 여자로군."

이지한의 말에 직원은 민망한 표정이었고, 그걸 본 나는 두 배로 민망해져 얼굴이 화끈거렸다. 얼른 마음을 가라앉히며 직원에게 괜찮은 척 허허 웃어 보였다.

"그냥 저희가 알아서 고를게요."

"예, 고객님. 편하게 둘러보세요."

직원은 어색한 미소를 보이고서 탈출하듯 우리 곁을 급히 떠나갔다. 나는 들고 있던 접시로 얼굴에 부채질을 했다. 그렇게 어느 정도 열을 식힌 다음, 조심스레 그릇을 내려놓고 넌지시 이지한에게로 질문을 건넸다.

"저기, 도련님, 어떤 걸로 사는 게 좋을까요?"

"그 호칭은 집어치우라고, 얘기했을 텐데요."

험악하게 돌아오는 대꾸에 나는 얼른 호칭을 정정했다.

"아, 깜빡했어요. 도련님 말고, 그냥 님인데. 님, 어떤 그릇이 마음에 드세요?"

"그걸 왜 나한테 묻죠? 이런 거 하나 못 고릅니까?"

"예, 못 골라요."

내가 뭘 고르든 너는 욕을 할 테니까.

나는 확신에 차서 대답했다. 그러자 이지한은 내 대답이 뜻밖인 듯 황당한 표정으로 내 눈을 뚫어져라 봤다. 나는 가슴 앞에 두 손을 모아 쥐고 조곤조곤 이유를 설명해 갔다.

"지경 씨가 쓸 건데, 제가 막 함부로 고를 수는 없죠. 저보다는 님의 의견이 훨씬, 아니 전적으로 중요하죠."

"대체 뭔 소립니까?"

"세상에 님만큼 지경 씨를 잘 아는 사람이 또 어디 있겠어요? 지경 씨에 대해서라면, 저보다 님이 천배는 더 잘 아실 텐데. 그러니까 당연히 지경 씨가 좋아할 물건도 세상에서 님이 제일 잘 고르시겠죠. 저는 분명 그렇다고 믿어요."

"……."

이지한은 미간을 찌푸린 채 얼굴을 비딱하게 기울였다. 하지만 내 말을 끊으려고 들진 않았다. 계속 들어 볼 심산 같아 나는 얼른 말을 이어 갔다.

"저는 지경 씨가 가장 좋아할 스타일로 골라 주고 싶은데, 그걸 고를 수 있는 능력은 오직 님에게만 있잖아요? 이 상황에 저 따위의 의견이 뭐가 중요하겠어요. 저는 님의 의견만 믿고 따라야죠."

“…….”

“물론 지경 씨도 동생이 골라 줬다고 하면, 더 좋아할 거고요.”

나는 겸허하게 나를 낮추고서, 혼수 선택권을 그에게로 헌납했다.

나름대로는 욕 안 먹으려고 최선을 다해 보는 건데, 그래 봐야 이건 이거대로 욕먹는 게 아닐지……. 나는 불안한 마음으로 이지한의 반응을 기다렸다.

“참나.”

이지한은 어이없다는 듯 실소했다. 순간 직감했다. 망했구나, 망했어.

“내가 이런 모자란 여자한테 뭘 기대하겠어. 형에 대해 알면 뭘 얼마나 안다고.”

심히 못마땅한 표정으로 이지한은 나 들으란 양 중얼거리면서 한숨을 내쉬었다. 그러더니 그는 진열대의 그릇 하나를 골라 들었다. 이어서 거만한 눈빛으로 그릇을 찬찬히 훑으면서 말했다.

“하긴. 나만큼 형을 잘 아는 사람은 없지.”

이지한은 우쭐한 표정으로 훗, 코웃음을 쳤다.

“나만큼도 모르면 가만히 있어야지, 그럼.”

이지한은 혼잣말로 고개를 끄덕이고서 나에게 시선을 돌렸다.

“결정은 내가 하지만, 결제는 당신이 합니다.”

“아, 네, 당연하죠. 뭐든 골라만 주세요.”

내가 냉큼 대답하자 이지한은 한심하단 듯이 위아래로 훑어보며 말했다.

“말은 잘하지.”

뜻밖의 칭찬에 나는 놀라서 눈을 깜빡였다.

나 잘한 건가? 생각하는 찰나 이지한의 비아냥거림이 이어졌다.

"말만 잘하는 게 문제지만."

이지한은 혀를 쯧, 차고서 옆쪽 진열대를 향해 발걸음을 옮겼다.

역시 욕이었어……. 금세 시무룩해진 나는 아랫입술을 삐죽 내밀고서 고개 숙여 바닥을 내려다봤다. 그러고서 발끝으로 쓱쓱 소심하게 바닥을 문질렀다. 이지한이 그릇을 고르는 동안, 내 발끝은 바닥에다 욕을 적어 나갔다.

그릇 하나 고르는데 온갖 조건 다 따지며 그 유난을 떨더니, 마침내 이지한이 선택한 것은 전부였다. 매장에 진열된 식기 세트 전부.

아니, 이럴 거면 대체 왜 그렇게 따져 댄 건데? 디자인이 어떻고, 실용성이 어떻고. 아무 구별 없이 다 살 거면서!

심지어 베라 왕 스페셜 에디션까지 다 샀잖아?! 이럴 거면 내가 골랐을 때 구박이나 말든가!

한도 탓에 장장 석 장의 카드로 결제를 마친 나는 영수증을 확인하며 찔끔 눈물을 훔쳤다. 이렇게 생돈이 날아가다니. 아무리 몇억이 생긴다지만, 이런 과소비는 내가 감당하기 힘든 일이다.

"아니, 무슨 식기 세트를 스무 가지나……!"

무심결에 울분을 터뜨리다가, 옆의 이지한을 의식하고 얼른 나긋나긋하게 말투를 바꾸었다.

"사신 데에는 이유가 있겠죠. 그냥 막 사셨을 리가 없어. 그렇죠?"

나는 애써 미소를 띤 채 이지한을 올려다봤다. 그러자 그는 한심하단 표정으로 대꾸했다.

"우리 형이 어디 보통 사람입니까? 우리 형, 사업하는 남자예요. 그것도 대규모로, 국제적으로. 그렇게 기업을 이끌려면 관리할 인맥이 어디 한둘이겠어요?"

"그야, 뭐, 엄청 많겠죠."

"그럼 집에 손님 초대할 일도 많을 거고. 그때그때 손님들 취향다 다를 거고. 거기 맞춰서 손님상 차리려면 당연히 식기도 다양하게 준비되어 있어야죠. 그런 기본도 모릅니까? 나 참, 이런 것까지 일일이 가르쳐 줘야 하다니."

"어머, 그렇게 깊은 뜻이……!"

나는 손뼉을 짝 치면서 눈을 번쩍 떴다.

"저는 전혀 몰랐어요. 어디 저뿐이겠어요? 님처럼 생각할 수 있는 사람, 거의 없을 거예요. 정말 차원이 다른 생각이랄까? 어쩜 이렇게까지 형 생각에 조예가 깊을 수가 있죠? 지경 씨는 정말 전생에 나라를 구했나 봐요. 이런 님을 동생으로 가졌다니. 정말 부러워요, 지경 씨가."

대체 나는 전생에 뭘 했길래 이런 시동생이 생기는 건지.

나는 미소 짓는 얼굴로 쓰린 눈물을 삼켰다. 그런데 그런 내 앞에서 이지한은 갑자기 등을 홱 돌렸다. 그리고 그는 성큼성큼 매장 바깥으로 걸어 나갔다.

뭐야? 왜 저래? 이제 내 말은 아예 무시하는 거야?

나는 식기 세트 하나만을 손에 든 채, 나머지는 배송을 부탁하고 얼른 이지한의 뒤를 따라나섰다. 그러나 서둘러 매장을 빠져나왔을 때, 그는 이미 사라지고 없었다.

혹시 몰라 같은 층의 다른 매장들을 모두 찾아봤지만, 이지한은 어디에도 없었다.

왜지? 아직 주방 용품 다 사지도 않았는데…….

이 자식 혹시! 집에 가서 문 잠가 놓는 거 아니야?! 나 또 내쫓으려고?

쥐방울만 한 여자가 딸랑딸랑, 웬일로 야무지게 맞는 말만 골라 하는지. 듣기 좋게 말은 또 어찌나 잘하는지.

하마터면 저 여자 앞에서 웃을 뻔했다. 저 여자 때문에 웃는 모습을 보이다니. 절대 안 될 일이지. 코웃음, 비웃음은 괜찮지만, 그냥 웃음은 절대 안 돼.

화장실 세면대에서 손을 씻으며, 나는 체통을 바로잡았다.

아무리 듣기 좋아도 그렇지, 내가 저 여자 말에 웃어 줄 순 없잖아? 위엄을 지켜야지. 웃다가 정이라도 들면 어쩌려고.

근데 의외란 말이지. 저 여자, 생각보다 머리가 좋은 여자였어. 형에 대한 조예로는 결코 나를 이길 수 없단 것도 알고, 굳이 이겨 보겠다는 야망도 없고. 그저 내 뜻을 따르는 게 형을 위한 최선임을 간파하다니. 본질을 꿰뚫을 줄 알고, 상황 판단력이 좋다고나 할까?

"그거 하난 마음에 드네. 그래 봤자 마이너스 100에서 마이너스 99지만."

혼잣말을 끝으로 수도꼭지를 잠그고서 손수건에 손을 닦고 화장실을 나섰다.

매장으로 돌아가자 나아정은 계산대에서 직원과 이야기 중이었다. 아까 카드 결제가 끝났을 텐데 어째서인지 그녀는 직원에게 다시 카드를 내밀고 있었다. 내가 화장실에 간 사이 무슨 결제 오류라도 있었던 건지, 카드를 받은 직원은 식기 세트 하나를 계산대에 올렸다.

"이걸로 할까요?"

직원의 질문에 나아정은 황급하게 고개를 저었다.

"아뇨, 아뇨. 그거 말고. 저거, 저게 더 비싸던데. 저걸로 해 주세요."

나아정은 직원의 등 뒤를 가리켰다. 거기에는 내가 골라 둔 식기 세트들이 높이 쌓여 있었는데, 그녀의 손끝은 그중에서 하나를 가리키고 있었다. 직원은 그 하나를 꺼내 계산대에 올렸다.

"그럼 이것만 결제 취소해 드리면 될까요?"

나아정은 식기 세트를 재빠르게 살펴보다가 고민되는 얼굴로 손톱을 물어뜯었다.

"아……. 근데 이건 너무 튀는 디자인이라 빠진 거 금방 티 나지 않을까요?"

"그러시면 이거 다음으로 비싼 거 빼세요."

"아! 네, 네. 그렇게 해 주세요."

나아정은 번뜩 눈을 반짝이며 끄덕끄덕 고개를 끄덕였다. 나는 그러고 있는 그녀의 옆에 다가섰다.

"그거 하나로 되겠어요?"

내가 묻자 나아정은 무심결에 돌아보곤 으악! 외쳤다. 그러거나 말거나 나는 차분하게 덧붙였다.

“아예 다 빼 버리고 내빼시지.”

“아, 아, 아, 그게…….”

이런 여자한테 마이너스 99점이라니, 너무 과분하잖아? 마이너스 199점이면 모를까.

“됐으니까, 전부 취소하세요. 그쪽 결혼도 취소하시고.”

나는 차갑게 딱 거기까지 말하고서 뒤돌아서 매장을 빠져나갔다. 나아정은 헐레벌떡 내 뒤를 쫓아왔다.

“저기, 그게 아니라요. 저는, 님이 그냥 가 버리신 줄 알고……. 저 두고, 저 따돌리고, 그냥 집에 가신 줄 알고…….”

“그래서 뭐, 홧김에 그릇 하나 빼던 중입니까?”

나는 뒤도 돌아보지 않고 전진하며 따졌다.

“아, 아니요. 화는 무슨요. 그냥 어차피 한발 늦은 거, 따라잡긴 글렀으니까. 조금만 더 늦게 가자 싶더라고요.”

“그럼 이때다 싶어서 그릇 하나 뺐나 보죠? 나 속여 먹으려고?”

계속 앞만 보면서 나는 내려가는 에스컬레이터에 올라탔다. 그런데 에스컬레이터가 반쯤 내려가는 동안, 뒤가 어째 조용했다.

뭐야, 안 탄 거야? 기를 쓰고 쫓아와도 모자랄 판에 안 쫓아왔어?

기가 차서 뒤를 휙 돌아봤더니, 나아정은 거기 있었다. 다만 고개를 숙인 채로 눈물을 그렁그렁 모아 가고 있을 뿐.

“뭐 합니까? 대답 안 하고.”

나는 비딱하게 독촉했다.

“저……. 속이려던 마음은…… 아니었어요.”

나아정은 훌쩍 어깨를 들썩였다. 그리고 울음 섞인 목소리로 말을 이어 갔다.

"그저……. 모르고 지나가시면 좋겠다……. 그렇게 기도하는 마음이었어요."

무슨 개소리를 이렇게 눈물겹게 해?

나는 세상 모든 슬픔을 다 떠안은 듯한 나아정의 청승스러운 얼굴을 기가 차서 쏘아봤다.

"이봐요. 모르고 넘어가길 바라는 게 속일 마음이지, 반드시 알아주길 바라는 게 속일 마음입니까?"

"그건……."

"그리고 그쪽 우는 거 안 통하거든요? 내 앞에서 몇 번을 울었는데, 그거 알 때도 되지 않았어요? 뻑 하면 우는 거. 그거, 꼴불견이에요."

이참에 아주 제대로 모멸감을 줘야겠다. 다 쏟아 내서 더 나올 눈물도 없게. 아주 제대로 혼쭐을 내 줘야지. 그래야 우리 형한테서 떨어지지.

나는 제대로 돌아서서 나아정을 마주한 채 팔짱을 끼고 자세를 잡았다.

"마음 약한 우리 형한테 그런 식으로 울며 짜며 매달렸나 본데, 그게 나한테까지 통할 거라 생각하면 오산입니다. 난요, 어? 어어!"

뭔가 발꿈치에 걸리는가 싶더니, 순식간에 몸이 휘청거렸다. 난데없는 상황에 황급히 뒤를 확인하고 깨달았다. 하필 에스컬레이터가 지상에 도착하면서 발꿈치가 에스컬레이터 턱에 부딪힌 거였다.

그러나 깨달아 봐야 소용없는 일이었다. 이미 내 몸은 손쓸 수 없이 뒤로 훌렁 넘어가고 있었으니까.

나는 잰걸음으로 백화점 주차장을 가로질렀다.

"괜찮아요? 정말 병원 안 가 봐도 돼요?"

나아정은 졸졸 쫓아오며 걱정스레 내 상태를 물어 댔다.

"넘어질 때 소리 엄청 컸는데……. 진짜 괜찮아요?"

나는 걷다 말고 우뚝 멈춰 서서 아득 어금니를 물고 말했다.

"금붕어예요? 3초 지나면 다 까먹어요? 내가 이미 괜찮다고 했잖습니까? 그것도 세 번이나."

"아니, 저는 너무 걱정이 돼 가지고……. 님이 안 괜찮은데, 괜찮다고 하시는 거 아닐까…… 해서요."

"안 괜찮은데, 괜찮다고 하는 데엔 이유가 있겠죠!"

"왜, 왜요? 혹시 창피하세요? 어우, 그럴 일 아니에요. 괜찮아요. 넘어질 수 있죠, 사람인데. 신경 쓰지 마세요. 저 다 이해해요."

"내가 당신 이해 따위 신경이나 쓸 줄 알아요? 아니, 애초에 이게 당신이 이해하고 자시고 할 문젭니까? 이건 당신이 미안해야 하는 문젭니다!"

"제가요? 왜요?"

"다 당신 때문이니까!"

"예?"

버럭 소리치고서, 나는 다시 차를 향해 쿵쿵 걸었다.

그래. 내가 넘어진 건 이 여자 때문이다. 이 여자가 내 관심만 안 끌었어도. 내가 이 여자한테 집중하지만 않았어도! 그렇게 추한 꼴로 자빠지진 않았잖아?

애초에 이 여자란 존재 자체가 나를 자빠뜨린 거라고!

몇 걸음 만에 차에 도착해 운전석 문을 열었다. 그리고 나는 쫄래쫄래 따라온 나아정이 조수석의 문에 다가가는 것을 봤다. 그렇지만 보고도 못 본 척, 잽싸게 운전석에 올라타 차의 모든 문을 잠갔다. 나아정의 손이 조수석의 문손잡이를 잡은 건 그 직후였다.

"저기, 님, 여기 문 안 열렸어요, 저……!"

나아정은 바깥에서 차창을 두드리며 외쳤다. 하지만 눈길도 주지 않은 채, 그대로 후진을 해 주차 구역에서 슬슬 차를 뺐다. 그런데 그녀는 계속 차창을 두드리면서 차를 바짝 따라왔다.

"님! 저 안 탔어요, 님!"

나아정은 애타게 불러 댔지만, 후진을 마친 나는 콧방귀를 끼고 기어를 바꿨다. 이어서 앞만 보며 앞을 향해 액셀을 밟았다. 그러자 차는 전진을 시작했고, 곧장 나아정이 따라올 수 없도록 속도를 높였다.

그런데 차가 나아정을 홱 지나쳐 버린 순간, 그녀의 새된 비명 소리가 터졌다. 뭔가 예사롭지 않은 비명 소리에 나는 얼른 차를 멈추고 백미러를 확인했다.

나아정은 차 뒤에서 넘어진 채, 고통스러운 얼굴로 한쪽 발을 붙잡고 있었다.

순식간에 벌어진 사고였다. 이지한의 차가 나를 지나치면서 뒷바

퀴가 내 오른발의 엄지발가락을 밟은 것은.

엄지발가락이 꽉 눌리는 순간, 난데없는 충격에 비명을 터뜨렸다. 차바퀴는 금세 내 발가락을 지나갔고, 나는 중심을 잃고 넘어졌다.

"으아아……."

내 발이 차에 깔렸어, 차에 깔렸어!

나는 아픈 발을 부여잡고 충격에 휩싸였다. 괜찮은지 발을 살펴보는데 이지한이 달려왔다. 내 앞에 무릎을 내린 이지한은 놀란 눈으로 내 발을 주시했다.

"서, 설마 이거, 나한테 치인 겁니까?"

나는 경황이 없어 그저 고개만 끄덕이며 다시금 오른발을 살펴봤다. 얼얼한 엄지발가락은 너무 아파 힘을 줄 수 없었다.

"아, 내 발……! 내 발 어떡해, 뼈 부러졌나 봐……!"

더럭 겁이 나서 울먹거리는데 이지한이 버럭 호통을 쳤다.

"아니, 왜 안 피해서 이 사달을 내요?!"

"허어……!"

아픈 것도 서러운데, 억울해서 왈칵 눈물이 터졌다. 놀란 가슴이라 감정이 조절되지 않아 눈물은 펑펑 쏟아졌다. 동시에 내 입에서는 볼멘소리가 펑펑 쏟아졌다.

"뭐, 이것도 내 탓이에요? 아까부터 진짜……. 벌레 나와도 내 탓. 님이 넘어져도 내 탓. 님이 날 쳐도 내 탓……. 내가 무슨 그렇게 죽을죄를 지었다고……. 아니, 아무리 내가 싫어도…… 이건 아니잖아요. 왜 사람을 쳐요? 그것도 차로? 나 죽을 수도 있었다고요!"

"그, 그냥 발 좀 치인 걸로 안 죽어요. 오버하지 마요."

"그냥 발 좀 다친 걸로 난리, 난리, 병원 쫓아간 게 누군데요!"

내 말에 찔리는지, 이지한은 움찔하더니 굳은 얼굴로 내 발을 내려다봤다.

"근데 그쪽은 그렇게 다쳐 놓고 자기 발로 막 뛰어갔죠? 난요, 이 발 지금 못 움직여요! 못 움직인다고요!"

"진짜 발이 안 움직여요?"

이지한은 심각해진 표정으로 물었다.

"그럼 뭐, 가짜로 안 움직여요? 진짜, 사람 뭘로 보고……."

복받치는 서러움에 질질 눈물이 더 쏟아졌다. 나는 아픈 발을 붙잡고서 한탄했다.

"어우, 내 다리……. 어우, 내 다리……."

내 입에서는 청승맞은 곡소리가 줄줄 흘러나왔다. 그런데 얼마 지나지 않아, 당황스러움에 곡소리가 딱 끊겼다. 뜻밖에도 이지한이 내 몸을 번쩍 들어 올렸기 때문이다.

한 팔로는 내 어깨를, 한 팔로는 내 두 다리를 감싼 채 그는 나를 들고 황급히 차로 향했다.

이지한이 병원까지 차를 운전하는 동안, 나는 다리보다 걱정인 건 내 목숨이란 생각에 덜덜 떨었다. 이 속도면 황천길이 코앞이지 싶었다. 그 와중에 이지한은 말 한마디 없이 고담시티 구하러 가는 배트맨과 같은 표정으로 운전에 몰입했다.

병원에 도착하자마자 이지한은 또다시 번쩍 안아 들고 쏜살같이 응급실로 달려갔다. 나는 떨어질까 봐 그의 멱살을 꽉 붙은 채로 응급실 침대까지 옮겨졌다.

"차바퀴에 발이 치였는데, 빨리 좀 봐주시죠."

이지한은 심각한 목소리로 의사를 독촉했다.

"어디, 신발 좀 벗기겠습니다."

의사는 침대 위의 내 오른발을 향해 손을 뻗었다. 신발에 의사의 손이 닿자 나는 움찔해서 의사의 팔을 붙들었다.

"그, 그냥 벗기시려고요?"

"예. 왜요? 발이 많이 아파요? 그냥 벗기기 어려울 것 같아요?"

"예. 안에서, 안에서 막 발이 부은 것 같아요. 발톱도 막 으스러진 것 같고……. 그냥 막 벗기면 너무 아플 것 같은데……."

나는 겁이 나서 울먹이며 호소했다.

"그렇게 아픕니까?"

덩달아서 한껏 걱정되는 얼굴로 이지한이 물어 왔다. 그 얼굴을 보노라니 또 서러워졌다. 곧 확인하게 될 내 발이 얼마나 끔찍할지를 상상하며, 나는 그게 다 이놈 때문이란 생각으로 통곡했다.

"흐으……! 내 다리, 내 다리……! 아, 나 어떡해……!"

이지한은 진지하고 다급한 목소리로 의사에게 말했다.

"일단 신발은 가위로 잘라 내는 게 좋을 것 같은데요."

"아, 그렇죠."

의사가 가위를 가져오는 사이, 이지한은 어쩔 줄을 몰라 하며 옆에서 서성거렸다. 그러다가 의사가 신발에 가위를 들이대자 이지한은 내 어깨를 붙들었다. 그리고 내 얼굴에 얼굴을 마주하고 말했다.

"조금만 참아요. 이렇게 벗기는 건 별로 안 아플 겁니다."

한편 의사는 가위로 서걱서걱 신발의 입구를 잘라 갔다. 그 소리가 마치 내 살가죽을 잘라 내는 소리 같아 소름이 끼쳤다. 동시에 또 끔찍한 상상이 들어 나는 이지한의 멱살을 잡아 흔들었다.

"안 아프게 벗기면 다예요……? 그다음이 문제잖아요! 그다음이! 이씨, 내 다리 어쩌냐고, 내 다리……!"

그사이에 의사는 신발을 살살 벗겨 냈고, 아예 양말까지 잘라 냈다. 맨발에 공기가 닿는 느낌이 나자, 나는 곧 맞닥뜨릴 내 발 생각에 두 손으로 얼굴을 가려 버렸다.

"아, 나 못 보겠어……."

이지한은 그런 내 손목을 붙잡더니, 손을 끌어 내리고 나와 눈을 마주쳤다. 그리고 그는 엄숙하게 말했다.

"나아정 씨, 별일 아닐 겁니다. 아니, 설령 별일이 있더라도. 무슨 일이 있더라도 저 다리는 내가 책임져요."

이지한은 자길 믿으라는 듯이 더한층 엄숙하게 말했다.

"내가 어떻게든 책임질 거니까. 어떤 일이 벌어져도 절망하지 말아요."

"저기, 환자분? 여기 좀 보세요."

이지한의 약속에 이어 의사의 부름이 들려왔다. 순간 움찔 겁에 질린 눈동자로 이지한을 봤다. 그러자 그는 내 두 손을 감싸 쥐고 괜찮다는 듯이 시선을 똑바로 마주하며 고개를 작게 끄덕였다. 결국 하는 수 없이 직면해야 하는 현실 앞에서 심호흡을 했다. 그리고 내 발을 향해 천천히 시선을 움직였다. 이지한의 시선 역시 나를 따라 내 발을 향해 함께 움직였다.

상처 하나 없이 매끄러운 맨발이 눈에 들어왔을 때, 의사는 말했다.

“겉보기엔 아주 멀쩡하신데요.”

내 말이……. 내 발 왜 이렇게 멀쩡해? 발톱에 금도 안 갔잖아?

“엄지발톱이 빨갛게 되긴 했지만 가벼운 타박상 정도로 보이는데……. 많이 아프세요?”

의사는 내 오른발을 살펴보며 고개를 갸웃거렸다.

“아……. 아팠어요. 되게 아팠는데……?”

“누르면 아프긴 할 겁니다. 내일쯤이면 시커멓게 멍이 질 거예요.”

“누를 때만 아픈 게 아니라요. 그, 엄지발가락이 안 움직였어요, 아까는.”

“지금은요?”

“지금…….”

나는 엄지발가락을 응시하며 조심스럽게 발가락을 움직여 보았다.

“아……. 이제 되네요…….”

약간 뻣뻣한 느낌은 있지만 그럭저럭 멀쩡하게 움직이는 발가락을 보며 나는 인체의 신비를 느꼈다. 아까는 분명히 너무 아파 움직일 수 없었는데 차를 타고 여기까지 오는 사이에 스스로 치유력을 발휘하다니……. 너무나도 신비해서 모골이 다 송연해진다. 젠장…….

내 손을 잡고 있던 이지한의 손이 스르르 거두어지는 게 느껴져서 나는 마른침을 꿀꺽 삼켰다.

“아, 아니, 이게 왜 움직이지……? 아깐 진짜 안 움직였는데……?”

“지금도 안 움직이게 해 줘요?”

마치 폭풍 전야처럼 무섭도록 차분한 이지한의 목소리에 나는 고개를 푹 숙였다.

“아, 아니요…….”

"10년이나 연극을 했다더니, 하마터면 깜빡 속을 뻔했네요. 연기 아주 잘 봤습니다. 그렇게 실감 나는 연기를 돈도 안 내고 보다니. 이거 참 감개가 무량합니다."

"저, 그건 연기가 아니라요. 진짜, 진짜 아팠던 건데……."

"안 믿을 변명이니까 안 듣는 걸로 하죠. 그냥 그 발로 걸을 수 있단 사실에 감사하며 걸어오십시다. 그 두 발로, 알아서."

차갑게 말하고서 이지한은 휙 돌아서서 나를 떠나갔다.

"아, 저, 저기……."

잡아 볼 틈도 없이 이지한은 훌쩍 응급실을 빠져나가 버렸다. 나는 맨발인 오른발과 잘려 나간 신발을 번갈아 보며 난처함에 울상을 지었다.

새엄마의 집 거실에 이부자리를 펴고 누운 채, 나는 몇 시간 전의 개망신이 떠올라 또 한차례 이불을 걷어찼다.

아니, 분명히 엄청 아팠는데! 왜 멍밖에 안 든 거야?

"아, 쪽팔려……."

나는 신음하듯 혼잣말을 흘리며 손바닥으로 얼굴을 가렸다. 차라리 제대로 다쳤더라면 좋았을 것을. 아프기만 오지게 아프고 발은 왜 멀쩡해 가지고.

졸지에 안 아픈데 아픈 척한 자해공갈단 취급이나 받게 생겼다. 니미. 이렇게 쪽팔려서야 어디 고개 처들고 이지한 앞에 다시 설 수 있을까? 으……. 상상만으로도 불편해서 미치겠다.

아……. 이 집보다 불편한 곳이 생길 줄이야.

나는 내 방으로 삼아 왔던 거실을 슥 둘러보며 그래도 여기가 이지한 근처보단 낫지, 생각했다. 단 한 순간도 내 집처럼 느껴 본 적 없는 공간이지만, 여기에는 이지한이 없으니까. 그 사실 하나로 갑자기 더 바랄 게 없어진다.

그러나 내일은 내일의 태양이 뜨고, 나는 이지한을 마주해야겠지.

아아……. 당장 내일부터 이지한 얼굴은 어떻게 본다?

생각만 해도 괴로워서 허공에다 발장구를 쳐 댔다. 그런데 갑자기 머리맡에서 휴대 전화가 울리기 시작했다. 누워 있던 몸을 홀랑 뒤집어 엎드리고서 휴대 전화를 손에 쥐었다.

딱 자정이 된 시간. 발신자는 모르는 번호.

뭔가 으스스한 느낌이 들어 잠시 머뭇대다가 전화를 받았다.

“여…… 보세요?”

[안 옵니까?]

“예?!”

이지한의 목소리에 나는 놀라서 발딱 일어나 앉았다.

[나한테 이 결혼, 허락받겠다더니. 벌써 포기입니까?]

“아, 아니요? 아닌데요? 저 포기 아니에요!”

순간 수화기에서 쳇, 하는 소리가 들려왔다.

[포기 아니면 당장 튀어 들어옵니다.]

“당장? 지금요?!”

[나 그쪽 들어오는 거 확인하고 잘 거니까. 나 잠 못 자게 엿 먹일 생각이면 아주 천천히 오시든가.]

이지한은 그대로 전화를 뚝 끊어 버렸다. 순간 나는 발등에 불이 떨어져서 벌떡 자리를 박차고 일어났다.

끊어진 휴대 전화를 움켜쥐고 야밤에 달려 나와 택시를 잡아타고서, 부리나케 지경의 집에 도착했다.

다급히 거실로 들어서자, 이지한은 거실 소파에서 팔짱을 낀 채 고까운 표정으로 나를 흘겨봤다.

“대체 이 시간까지 뭘 하다 이제 기어들어 옵니까?”

“아, 저, 저, 집에 있었어요. 저희 집에. 잠은 거기서 자고, 내일 아침에 오려고…….”

갑자기 불려 나온 나는 경황이 없어 쪽팔리고 뭐고 생각할 새가 없이 입을 열었다. 그러자 이지한은 어처구니없단 투로 말했다.

“두 달 내내. 24시간 종일. 여기서 그쪽하고 살 겁니다, 라고 저는 말했습니다. 바로 몇 시간 전에.”

“아……. 아, 그랬었죠.”

“나 엿 먹이려고 일부러 집에 간 거죠?”

“예?”

“형이 이 집 쓰라고 했는데, 저번처럼 내가 또 이 집에서 쫓아낸 척. 그러려고 굳이 자기 집에 간 거죠?”

“어우, 아니에요!”

나는 두 손을 내저으며 격렬하게 부정했다.

“그게 아니라 저는……. 아무래도 남녀가 한집에서 잠을 잔다는 게……. 물론 방은 따로 쓰겠지만, 그래도……. 남녀가 유별하니까. 좀······.”

“설마 지금, 남자로서 내가, 여자로서 그쪽을, 어떻게 할 것 같다
이겁니까?”

이지한이 눈에 쌍심지를 켜고 노려봤다.

“아이, 꼭 그렇다는 게 아니라요. 워낙 세상이 흉흉하니까요. 그
런 부분은 좀 조심해야겠다, 그런 거죠.”

“한마디로 나를, 잠재적 범죄자로 생각하신다?”

송곳 같은 날카로운 어조에 나는 꿀꺽 마른침을 삼켰다. 그리고
더는 심기를 거스르지 않게 두 손을 모아 쥐고 조심스레 질문을 건
넸다.

“제 방은, 어디를 쓰면 될까요?”

이지한은 못마땅하게 위아래로 훑어보더니 휙 고개를 돌리고서
대답을 던졌다.

“알아서 아무 데나 써 버려요. 뭐 그런 것까지 나한테 알려 달랍
니까? 스스로 생각도 못 하시나.”

“예······.”

나는 애써 미소를 머금은 채 이지한의 비아냥을 한 귀로 흘려 냈
다. 이지한은 그런 나를 거들떠도 보지 않고 소파에서 일어나 침실
로 걸어갔다.

저 방이 내 방이었어야 하는데······. 원랜 그런 건데······.

나는 침실 쪽을 향해 미련 가득한 애달픈 시선을 보냈다. 그러나
쾅 닫히는 문소리와 함께 내 미련은 산산이 부서졌다.

“그래, 뭐 침실 아니어도 쓸 방 많지. 여기 방, 전부 좋잖아?”

이내 긍정적인 마음으로 내 방을 고르기 위해 발걸음을 움직였다.

서재와 옷 방, 손님방, 그리고 빈방 두 개. 욕실을 제외하고 총 다섯 개의 방을 둘러본 다음 손님방의 침대 위에 엉덩이를 붙였다.

넓고, 깨끗하고, 있을 거 다 있고. 꼭 호텔에 온 것처럼 고급스러운 구조에 기분이 좋아져 만세를 했다. 그런 채로 푹신한 침대 위에 몸을 홀랑 자빠뜨렸다.

"으아……! 좋다, 좋다!"

나는 좌우로 몸을 굴려 대며 기쁨을 만끽했다. 그런데…….

"이봐요!"

느닷없는 호통에 놀라서 벌떡 몸을 일으켰다. 언제 왔는지 이지한이 문 앞에 서 있었다.

"예?"

"내가 대체 몇 번을 불렀는데! 왜 안 옵니까? 내가 부르면 재깍재깍 쫓아와도 모자랄 판에, 아예 들은 척도 안 하다니, 나 무시합니까?"

"부르다니. 어, 언제요? 저 못 들었는데."

"내가 침실에서 수십 번은 불렀습니다."

"침실에서요? 에이, 침실에서 부르시면 당연히 못 듣죠. 여기서 거기까지 거리가 있는데."

"그러게 누가 여기 있으래요?"

"아니……. 제 방 아무 데나 쓰라고 하셨잖아요."

"그쪽 방이 어디인진 내 알 바 아니고요. 앞으로는 내가 부르면 즉각 튀어 오도록 합니다."

"저야 당연히 달려가죠. 제 방까지 들리게끔 큰 소리로 불러 주시면요."

내 말에 이지한은 주머니에서 호루라기를 꺼내 입에 물었다. 이어서 짧게 호루라기를 불었다. 호루라기는 힘없는 휘파람처럼 작은 소리를 냈다.

"이걸로 부를 겁니다."

"……그 소리면 여기까지는 안 들리겠는데요."

"듣고자 하는 의지가 있으면 못 들을 거 없습니다."

이지한은 정색을 하고 진지하게 억지를 썼다.

그러는 넌, 듣게 할 의지가 있긴 해……?라고 묻고 싶지만, 후딱 마음을 고쳐먹고 방긋 웃는 얼굴로 조곤조곤 말했다.

"그래요. 제가 항상 님 가까이에서, 님의 부름에 귀를 기울여야죠. 저는 언제나 귀를 기울이고 있겠습니다. 저는 님의, 예비 형수니까요."

그래……. 거실로 가자.

나는 겸허하게 내가 있어야 할 곳을 선택하고, 침대에서 베개와 이불을 챙겼다.

이지한이 언제 호루라기를 불지 몰라서, 거실에 누운 채 뜬눈으로 밤을 새우다시피 했다.

그러나 내 노력이 빛을 발할 기회도 없이, 호루라기 소리는 단 한 번도 나지 않았다.

"그냥 잘걸……."

창밖으로 떠오르는 아침 해를 바라보며 나는 한숨을 내쉬었다. 그리고 잠이 모자라 침침해진 눈을 비비면서 자리에서 일어났다.

어차피 날도 밝았는데. 점수 따게 아침이나 거나하게 차려야지.

나는 새 물건들로 채워진 주방에 착잡한 마음으로 들어섰다. 내 손으로 결제했던 식기를 제외한 모든 것은 어젯밤, 이지한이 사두고서 내게 정리를 명령했던 물건들이다. 물론 이지한은 이 물건들의 영수증을 제시하며 현금으로 갚을 것을 요구했다. 마땅히 그쪽이 사야 할 물건들을 내가 사 놓았으니 결제는 그쪽 몫이라면서.

나는 영수증의 금액을 떠올리며 땅이 꺼져라 탄식했다. 이 기세로 이 집구석 모든 물건을 바꾸다간, 지경에게 받을 계약금보다 혼수비가 더 들 것 같다.

"아냐, 괜찮아, 괜찮아. 그 정도는 아니겠지, 아닐 거야."

혼잣말로 나 자신을 안심시키며 조리대 앞에 서서 휴대 전화를 꺼냈다. 그리고 어제 만들려고 했던 비프 부르기뇽의 레시피를 다시 찾기 위해 인터넷을 검색했다. 유명 블로그에서 레시피를 찾은 나는 요리를 시작하려고 앞치마를 둘렀다.

그런데 문득 지경의 말이 뇌리를 스쳤다.

[너 모르는구나? 너 요리 완전 못하는 거.]

[네 요리 지한이 먹었다가는, 난리도 그런 난리가 없을 거다. 이 결혼이 아니라 네 존재를 반대할걸.]

덕분에 살짝 불안해져 레시피를 자세히 들여다봤다.

"초보자도 할 수 있는 손쉬운 레시피……."

나는 레시피에 적힌 소개 문구를 소리 내어 읽었다. 이어서 레시피에 달린 댓글들을 확인했다.

레시피대로만 따라 했더니 대성공이라고. 댓글들은 모두 한목소리로 블로거에게 감사의 뜻을 전하고 있었다.

"그래, 적힌 대로만 하면 돼. 남들하고 똑같이 하는데 다를 게 뭐 있겠어?"

게다가 이지경이 알면 뭐 얼마나 알아? 내가 만든 요리 몇 번 먹어 봤다고. 고작 쿠키 두어 번, 김밥 한 번이 전부잖아? 겨우 그만큼만 먹어 보고 속단하다니. 그건 아니지. 그건 아니야.

나는 고개를 절레절레 저으며 냉장고를 열었다. 그리고 그 안에서 어제 준비해 뒀던 재료들을 꺼냈다.

손질한 소고기를 볶고, 다음으로 토마토와 야채들을 함께 볶고, 다음으로 소스를 넣고 볶고. 그러다가 와인을 넣고 약한 불에 오래오래 끓이고. 소금, 후추로 간을 하고…….

이제 버섯만 넣고 끓이면 끝나는데. 내가 막 버섯을 투하하는 찰나, 침실에서 문소리가 들렸다. 빈 접시를 내려놓고서 얼른 돌아서서 이지한을 반겼다.

"잘 잤어요? 좋은 아침이에요!"

생글생글 웃으면서 아침 인사를 건네자, 이지한은 눈살을 찌푸리고 입을 열었다.

"이 거지 같은 냄새는 뭡니까? 집에 노숙자 들였어요?"

"냄새요? 아, 비프 부르기뇽 했어요. 근데 냄새 괜찮은데? 이상해요?"

이지한은 냄비 앞으로 다가와서 눈을 감더니, 진지한 표정으로 냄새를 맡았다. 잠시 후에 눈을 뜬 그는 못마땅한 눈빛으로 흘겨봤다.

"고기 잡내가 하나도 안 잡혔잖아요."

"잡내요?"

나는 냄비 가까이로 고개를 내리고서 킁킁 냄새를 맡아 봤다.

"이거 그냥 고기 끓이면 나는 냄샌데? 원래 이래요, 고기 끓이면."

"고기 요리할 때 잡내 잡는 건 기본 아닙니까? 원래 이렇다니 무슨 원시 시대 살다 오셨나. 냄새부터 이래서야, 원. 맛은 안 봐도 알겠네요."

"님. 잡내 나는 고기, 안 먹어 봤죠?"

"당연하죠."

"그냥 냄새 때문에 편견 가지셨나 본데, 먹어 보면 맛 좋아요. 저 항상 이런 냄새 나는 거 먹었는데, 먹을 때마다 맛있더라구요! 이것도 분명 맛있을걸요?"

호언장담하며 숟가락으로 슬쩍 국물을 떠 입안에 넣었다.

"음, 괜찮은데?!"

맛을 본 나는 깜짝 놀라서 무심결에 외쳤다.

"아니, 내 손에서 이런 게 나오다니……."

나는 감격에 겨워 냄비를 내려다봤다.

"이게 맛있다고요?"

이지한은 그럴 리가 없단 투로 옆에서 새 숟가락을 쥐고 냄비에 들이댔다.

"맛있어요, 맛있어요!"

만족감에 연신 고개를 끄덕이며 들뜬 눈빛으로 이지한을 올려다봤다. 이지한은 국물을 한술 떠서 입에 넣었다. 나는 기대에 차서 뚫어져라 쳐다보며 그의 반응을 기다렸다.

꿀꺽. 이지한의 목젖이 움직이는 순간, 나도 긴장감에 꿀꺽 침을 삼켰다.

맛있지? 이건 인정할 수밖에 없지?

기다리는 나를 향해서 이지한은 천천히 고개를 돌렸다. 이지한은 믿기지 않는 얼굴로 눈이 휘둥그레져서 나를 봤다. 그리고 그는 말했다. 조금 전과 똑같은 말을, 완전히 다른 말투로.

"이게 맛있다고요?!"

왜 저러지 싶어 나는 눈을 깜빡거렸다.

"왜요? 맛있잖아요?"

"이게 맛있다고요?! 이게?"

이지한은 숟가락으로 냄비를 가리키며 눈을 부라렸다. 도통 영문을 알 수 없어 어리둥절한 눈으로 그를 마주 봤다.

"와, 이 천연덕스런 표정 연기."

이지한은 혀를 내두르며 나를 향해 짝, 짝, 천천히 박수를 쳤다.

"이 진심으로 맛있는 척하는 연기. 정말 훌륭하십니다. 근데 무슨 이런 연기를 하죠? 어차피 먹어 보면 뻔히 들통날 거!"

"뭐래요? 이거 연기 아니에요! 정말 맛있잖아요?"

정말이지 억울해서 내 의견을 강하게 피력했다.

"국물에서 막 소고기 깊은 맛도 나고, 구수하고."

그러다 아예 한술 더 떠서 호로록 맛을 봤다.

"진짜 맛있는데요?! 아니, 님이야말로 지금 저 구박하려고 일부러 이러는 거 아니에요? 진짜 이건 너무 말이 안 되는 비평이잖아요."

나는 나도 모르게 눈에 힘을 빡 넣은 채로 항의했다. 그러자 이지한은 기가 막혀 말도 안 나오는 듯이 하아, 깊게 한숨을 내쉬었다. 그러더니 그는 잠시 만에 질문을 내뱉었다.

"비프 부르기뇽, 한 번도 못 먹어 봤죠?"

"예, 맞아요. 오늘 처음 해 봤고, 처음 먹어 봤죠."

"그걸 똑바로 만들면 어떤 맛인지. 한 번 겪어 보고 다시 애기합시다."

이지한은 성큼 코앞까지 다가와서는 두 팔을 벌려 내 등 뒤로 손을 뻗었다.

"어머! 왜, 왜 이래요, 갑자기?"

갑작스러운 포옹 시도에 화들짝 놀라 뒷걸음을 쳤다. 그러나 이지한은 개의치 않고 또 성큼 발을 뻗어 내 코앞에 가슴을 들이댔다. 순간 얼굴이 화끈거리는데, 이지한은 내 등 뒤에서 스윽, 앞치마의 매듭을 풀어냈다.

"어라?"

껴안는 줄 알았더니, 이지한은 홀랑 앞치마만 벗겨 들고 뒤로 물러났다. 그러고는 나를 거들떠도 보지 않고 앞치마를 입었다.

"냉장고에 재료는 남아 있죠?"

"예? 아, 예……."

이지한은 냉큼 냉장고 문을 열고 재료를 꺼냈다.

아……. 앞치마 때문이었구나.

왠지 머쓱해서 입을 꼭 다문 채 열이 나는 뺨에 부채질을 했다. 이지한은 조리대에 재료를 턱 하니 올려놓고 말했다.

"내가 지금 뭘 하는지 똑똑히 보시죠. 같은 재료, 같은 도구로 같은 요리를 완전히 다르게 만들 테니까.”

그쯤이야 일도 아니라는 듯이 이지한은 가볍게 칼을 들고 소고기를 듬성듬성 썰어 갔다.

마침내 완성된 이지한표 비프 부르기뇽이 식탁 위에 오르자 냉큼 자리에 앉았다. 긴 시간 기다린 탓에 배가 너무 고팠던지라, 내 손은 쏜살같이 숟가락을 쥐고 그릇으로 날아들었다. 나는 걸쭉한 국물에 소고기 조각을 한 숟갈에 듬뿍 퍼서 입에 넣었다. 그사이 이지한은 내 맞은편에 팔짱을 끼고 앉았다.

“어머!”

입안이 비워지자마자 저절로 감탄을 터뜨렸다.

“어머, 미국에서 유학 중이라더니. 요리 전공이었어요?”

정말이지 놀라워서, 눈을 둥그렇게 뜨고 이지한에게 물었다. 그리고 그가 답하기도 전에 다시 한 숟갈을 입에 넣었다.

“와, 진짜! 아니, 맛이 어떻게 이래?”

순식간에 입을 비워 낸 채, 나는 그릇 속의 요리를 보며 외쳤다. 그때부터 아예 그릇에 코를 박을 기세로 비프 부르기뇽을 마구 퍼 먹었다. 그러느라고 그만 이지한의 존재마저 깜빡 잊고 말았다.

그릇 바닥까지 벅벅 긁어 가며 요리를 먹던 나는 더 먹을 게 없어 냄비를 찾으려고 고개를 들었다. 어느 틈에 이지한이 옮겨 놓은 건지, 냄비는 식탁 한가운데에 놓여 있었다. 그제야 이지한을 떠올리고 그를 향해 시선을 옮겼다.

이지한은 맞은편에서 가만히 지켜보고 있었다.

"저, 한 그릇만 더……."

나는 식욕에 눈이 멀어 구박을 각오하고서 입을 열었다. 그러자 그는 어쩐 일로 순순히 한 국자를 퍼서 내 그릇에 담아 주었다. 그리고 나는 재차 마파람에 게 눈 감추듯이 그릇을 비워 냈다.

"아, 진짜 대박! 이건 진짜 일반인이 할 수 있는 요리가 아닌데? 님, 진짜 미국에서 요리 공부해요? 난 경영 수업 중이라고 들었는데, 내가 뭐 잘못 알았나?"

호들갑스레 말을 늘어놓자 이지한은 미간을 찌푸리고 물어 왔다.

"설마, 또 연기하는 겁니까?"

"예?"

이지한은 의심의 눈초리로 훑어봤다. 하지만 얼마 안 가 그는 새초롬하게 눈을 내리뜨고 말했다.

"하기야 뭐, 진정성 있게 사실을 말하는 걸 보니 연기 같진 않네요."

이지한은 우쭐해진 표정으로 자기 그릇에 숟가락을 가져갔다. 여태 내 반응을 지켜보느라고 한술도 안 뜬 모양이다.

"원래 이 정도 요리는 기본 중에 기본입니다. 내가 이거 말고도 얼마나 대단한 요리들을 다 하는데. 겨우 이 정도로 이 유난이라니."

"이게 기본이면……. 와, 진짜 대단하시다! 정말 요리 전공이에요?"

"아닙니다."

"세상에! 그럼 혼자서 배우지도 않고 이렇게 잘한다고요? 이 정도면 천재 아니에요, 천재? 대장금 같은 사람은 드라마에나 있는 줄 알았는데. 진짜 이런 사람이 존재한다니! 완전 신기해요!"

내 호들갑에 이지한의 입꼬리가 슬쩍 올라가려 움직였다. 그때,

갑자기 한 손으로 입을 가린 그는 벌떡 일어나서 욕실로 뛰어갔다.

왜 저러지? 화장실이 급한가?

의아한 마음을 뒤로한 채, 얼른 한 국자 가득 퍼다 내 그릇에 담았다.

옛말에 1년 시집살이는 못 하는 사람이 없단 말이 있다. 시집살이 아무리 힘들어도 그 시일이 짧으면 그다지 힘들 것도 없단 뜻이다.

대체 그 말 누가 했는지.

나는 한 달 시집살이에 녹초가 된 채 그 옛사람을 욕했다. 전화기를 붙들고, 수화기 너머 이지경을 향해서.

"한 달도 죽을 맛인데 1년이 웬 말이야? 나는 이 짓, 1년은 못 해. 두 달이니 망정이지."

택시 안엔 운전기사와 나뿐이라서 참으로 오랜만에 마음 놓고 지경과 솔직한 대화를 하고 있었다. 이지한이 보는 앞에서는 결코 이뤄질 수 없던, 참으로 진실 된 대화를 말이다.

"출소 한 달 남긴 죄수 같다, 요즘 내가. 막 달력에 하루하루 × 자 그리면서 너 올 날만 기다리고 있어."

[그러게 왜 그런 무모한 도전을 해. 안 그래도 된다니까.]

"이렇게까지 할 줄 누가 알았겠어……. 야, 이건 군대보다 더해! 무슨 시시때때 호루라기 소리만 나면 자다가도 벌떡 일어나야 되고. 여기 먼지 있다, 저기 모기 있다. 온갖 트집 다 잡아서 종일 일 시켜 대! 나 막 호루라기 환청이 들린다니까? 나 대청소를 하루에 세 번씩 해. 아침 점심 저녁. 이게 말이 되냐? 게다가 어제는!"

[어제는?]

"네 셔츠 다 꺼내서 거기 단추 비뚤어진 거 다 각 잡히게 정렬시키고, 틈새 구멍 먼지까지 다 빼내라는 거야! 와, 씨! 네 셔츠가 좀 많아?! 그리고 거기 먼지가 있으면 뭐 얼마나 있다고! 바늘에 휴지 끼워서 단추 구멍 하나하나 다 닦았다니까? 손도 저리고, 나 눈이 다 침침해."

[뭐하러 그런 거 다 하고 있어. 내가 한 소리 할까?]

"야, 안 돼! 너는 절대로, 절대로 이 상황 모르는 거야. 네가 아는 티 내는 순간, 네 동생한테 인정받기는 평생 불가능해져."

[안 받아도 된다니까? 걔 허락 없어도 결혼 충분히 하고도 남아.]

"싫어, 난 받고 싶어. 받을래."

나는 한 달 전, 내 마음을 약하게 만들었던 이지한의 눈물을 떠올리며 대꾸했다.

"네가 게이인 거, 내가 가짜인 거. 다 숨기고 거짓말로 결혼하는 것도 마음 불편한데. 이왕이면 네 동생 마음에 들기라도 하는 형수이고 싶다. 그래야 내가 식장 들어갈 때 쪼금이라도 마음 편할 거 같아."

[뭐……. 그편이 나도 마음은 편하지. 그래 주면 나야말로 고마운 일이고……. 근데 무리하진 마.]

"에이, 무리 좀 하면 어떠냐? 어차피 한 달 남았는데. 시키는 거 꾸역꾸역 다 하다 보면, 내 정성 알아주고 생각 바뀌겠지. 그리고 5억이나 받는 결혼인데 이 정도는 뭐. 야, 사회 나가면 일당 5만 원에 별 더러운 꼴 다 보고 살아. 5억에 이 정도면 양호해."

[그래. 그래도 진짜 이건 아니다 싶어지면 말해.]

"알았어. 아, 근데 그건 좋다?"

[뭐?]

"네 동생이 해 주는 밥 먹는 거. 야, 네 동생 요리 완전 잘해."

마치 '너 이런 거 못 먹어 봤지? 훗!' 하고 과시하려 차려 내는 느낌이긴 하지만.

어쨌든 지난 한 달 동안 이지한은 삼시 세끼를 꼬박꼬박 손수 만들었다. 그리고 나는 마치 고된 밭일 사이사이의 꿀맛 새참처럼, 끼니마다 그의 요리를 게걸스레 먹어 치웠다.

[원래 요리사가 꿈이었거든. 어릴 때 잠깐이지만.]

"해도 되겠던데?"

[너, 그 소리 했다가는 우리 엄마한테 바로 쫓겨날걸.]

"왜, 왜?"

[우리 엄마, 자식들은 무조건 가업을 이어야 한다는 입장이거든. 다른 일엔 관대해도, 그 문제에는 칼 같으셔. 그래서 지한이도 딴 생각 일찌감치 접었고.]

"아……. 그래서 그런가? 어쩐지 내가 막 요리 칭찬하면, 갑자기 자리 떠 버리더라고. 칭찬이 듣기 싫은 건지……."

[네가 너무 티 나게 아부한 거 아니야?]

"아부 아니라 진짠데……. 나도 혹시 아부로 생각할까 싶어서 과한 칭찬은 자제하려고 하는데 그게 잘 안 돼. 막 정신 나가게 맛있어서 머리보다 입이 먼저 움직이거든……."

집안의 금기 때문에 접어 버린 꿈이 요리사였다니. 그렇다면 괜히 그때를 떠올리게 하는 내 칭찬이 듣기 싫어 자리를 피한 거였구나…….

이놈의 방정맞은 입. 왜 그걸 못 참는 거냐!

나는 아랫입술을 삼켜 꾹꾹 씹어 주며 응징했다. 그사이 택시는 목적지인 대학로역에 도착했다. 차창 밖으로 익숙한 풍경을 확인하고서 얼른 운전기사에게 말했다.

"여기서 세워 주세요."

나는 지갑에서 카드를 꺼내 운전기사에게 건넸다. 카드 결제는 금방 끝났다.

[오늘 극단 사람들 만난댔지? 누구누구 만나?]

"희경이랑 진선이랑……."

카드를 챙기면서 순순히 대답하다 말고, 문득 떠오른 생각에 눈을 찌푸렸다.

"너, 이거 대철 선배 때문에 묻는 거지?"

나는 예리하게 질문하며 택시를 나섰다.

"그 선배 나오나 안 나오나. 그거 궁금해서 묻는 거잖아?"

[아무래도 그렇겠지?]

지경은 숨길 마음 없다는 듯 차분하게 반문했다.

"야, 내가 바보냐? 예비 신랑 구남친한테 청첩장 주게?"

임대철.

내 극단 선배이자 지경의 옛날 남자 친구. 그 작자를 떠올리니 새삼 또 한차례 피가 거꾸로 솟는 기분이다.

"하여간 너는 눈도 없지. 대체 그 소도둑놈 같은 인간 뭐가 좋았나?"

내가 십여 년 만에 이지경과 재회할 수 있었던 건 순전히 임대철 그 작자 덕분이었다. 그 작자의 연극 공연을 지경이가 보러 오지 않았더라면, 우리는 아마 다시 만날 수 없었을 테니까.

근데 하필 두 사람의 애정 행각마저 목격하게 되다니. 십여 년 만에 만난 친구가 극단 선배와 남몰래 놀아나던 꼴을 떠올리며 나는 진저리를 쳤다.

"그거 안 본 내 눈 좀 사고 싶다, 정말."

나도 모르게 혼잣말을 뱉었다.

[너 또 그때 생각하지?]

"어느 거? 공연장 화장실, 무대 뒤, 한밤중의 연습실, 대학로 술집 옥상. 그거 중에 어느 거?"

[많이도 봤었네.]

내가 둘의 관계를 안다는 걸, 나중에야 지경에게만 고백했었다. 그런 짓은 제발 주위 잘 살펴 가면서 나 없는 데서 하라고…….

이지경은 그때, 대철 선배 불편할까 봐서 내게 부탁했었다. 내가 둘의 관계를 안다는 건 대철 선배에게 비밀로 해 달라고.

물론 나는 그 부탁을 들어주었다. 그래서 대철 선배는 아직도 모른다. 내가 두 사람의 연애사를 알고 있다는 사실을. 물론 세상 어떤 사람에게도 그 사실을 알린 적이 없다. 하지만 그건 순전히 내 친구 이지경을 위해서지. 임대철을 위해서가 아니었다. 아, 그 짜증 나는 소도둑놈…….

"아무튼 걱정 마셔. 그 선배 영국 간 지 오래고, 극단 사람들도 그 선배하고 연락 딱 끊었으니까. 내가 오늘 청첩장 드릴 일도 없고, 우리 결혼식에 나타날 일도 없어. never!"

그렇게 장담하며 통화를 마치고서 극단 친구들과의 약속 장소인 카페로 향했다.

그런데……. 카페 입구에서 뜻밖의 인물을 마주쳤다.

"여, 여기 어쩐 일이에요?"

움찔 멈춰 선 나는 이지한을 향해 물었다. 그는 카페 입구에서 팔짱을 낀 채 서서, 마치 기다리고 있었다는 양 나를 주시하고 있었다. 그는 당황한 나를 향해 태연히 입을 열었다.

"그 사람의 친구들을 보면 그 사람을 알 수 있다는 말이 있죠."

"그, 그래서요?"

"그래서 오늘 그쪽 친구들 보려고요."

"아니……. 그럼 아까 저 출발할 때 얘길 하시지……."

"왜요? 미리 알면 친구들한테 미리 대사 짜 주려고요?"

"……."

"일부러 말 안 하고 온 겁니다."

어쩐지 약속 장소 꼬치꼬치 묻더라니…….

"뭐……. 정 그러시다면……."

나는 마지못해 우물쭈물 말했다. 그러자 이지한은 도도하게 내 앞을 지나쳐서 먼저 카페 문을 열고 들어갔다.

나는 마주 앉은 극단 동료 세 사람에게 청첩장을 돌렸다. 조마조마한 마음으로 옆에 앉은 이지한의 눈치를 보며.

그러나 지금까지 내내 그랬던 것처럼, 이지한은 내 옆에서 입을 꾹 다문 채 우리를 지켜보기만 했다. 예비 시동생이라는 소개에도 잠잠했던 걸 보면, 오늘 이 자리에서는 그저 묵묵히 관찰만 할 작정인지도 모르겠다.

그래 주면 진짜 고맙겠는데…….

나는 힐끔힐끔 이지한의 눈치를 살폈다.

"아정아. 네 예비 신랑, 그 사람 맞지? 몇 년 전에 극단 자주 왔던 남자."

맞은편에 앉은 진선이 입을 열자, 그 옆에 있던 희경이도 따라서 입을 열었다.

"맞다! 그, 대철 선배 친구라서 극단 왔다가 너 보고 반가워했던 사람. 너 그때 그 사람이랑 오랜만에 재회한 거라고 하지 않았나?"

"그럼, 그때부터 연애한 거야?"

맞은편의 세 여자가 차례차례 질문을 쏟아 내는 바람에 나는 얼얼한 정신으로 얼버무렸다.

"그, 그때부턴 아니고. 뭐…… 계속 연락하고 지내다가…….."

"이야, 그럼 너 대철 선배 덕에 결혼하는 거네?"

"그러네. 그 선배가 오작교였네. 그런 인간도 남한테 도움될 때가 있다니, 세상 오래 살고 볼 일이다."

"너 영국 있는 방향으로 큰절 한 번 해라. 그 선배 아니었으면 네가 이런 신랑 어디서 만났겠어?"

세 여자의 말에 그저 허허, 억지로 웃을 따름이다. 그때, 뜻밖으로 이지한이 말을 뱉었다.

"그 대철 선배가 누군지 참."

이지한은 테이블 위로 주먹을 쿵, 내려놓았다. 그리고 그는 고개를 돌려 나와 눈을 마주치고서 말을 이었다.

"꼭 한번 보고 싶네요."

악감정이 절절히 전해지는 무서운 눈빛이었다.

“그놈만 아니었어도…….”

뇌까리는 이지한의 목소릴 덮어 버리려고, 나는 얼른 딴소리를 꺼냈다.

“그, 근데 지경 씨 이제 그 선배랑 헤어……. 아니, 싫어해서 우리 결혼하는 거, 알리고 싶어 하지 않아.”

당황해서 서두르다가 말실수를 할 뻔했다. 그러나 앞의 세 여자는 물론이며 옆의 이지한까지, 누구 하나 내 실수를 신경 쓰는 사람이 없었다. 하긴 청첩장에 이름 박힌 예비 신랑이 게이일 거라고 누가 의심하겠는가.

“그거라면 걱정 마. 말하라고 해도, 우리가 연락하기 싫어서 안 해.”

희경의 말에 나는 새삼 안도했다. 원래도 알던 사실이지만, 한 번 더 확인하게 되니 한결 더 마음이 편해졌다.

내 인생이 이렇게 쉽게 풀릴 리가 없다는 걸, 까맣게 잊은 채로…….

“이야! 이거, 이거, 누구세요들?”

갑자기 등 뒤에서 들려오는 넉살 좋은 목소리에 무심코 뒤를 돌아봤다. 바로 거기, 임대철이 있었다.

“이거 우리 파란 극단 멤버들 아니야?”

임대철은 두 팔을 활짝 벌리고서 반가운 표정으로 다가왔다. 놀란 나는 불에 덴 듯 벌떡 자리에서 일어났다.

“서, 선배님, 영국, 가셨다더니…….”

“잠깐 들어왔지. 근데 어떻게 니들을 여기서 이렇게 딱 만나냐? 별 희한한 우연이 다 있어.”

임대철은 내 옆으로 와서 내 어깨에 두툼한 팔을 둘렀다.

“그, 그…… 러게요.”

하필 여기서 이렇게 딱 만나다니. 하필! 애 앞에서!

나는 진땀을 흘리면서 이지한을 힐끗 곁눈질했다. 이지한은 수상쩍은 눈초리로 내 어깨 위를, 거기 있는 임대철의 손을 쏘아보고 있었다. 나는 얼른 임대철의 손을 밀어내며 애써 태연한 척 입을 움직였다.

"아, 저기, 이쪽은 임대철 씨라고. 저희 극단 선배님…… 이세요."

"아이구, 안녕하십니까? 임대철입니다."

임대철은 이지한을 향해 꾸벅 인사를 했다. 그러고서 임대철은 나를 향해 물었다.

"근데, 이쪽은 누구시지?"

"아, 저……. 그냥 아는 사람이에요."

"그냥 아는 사람?"

이지한은 이상하단 투로 끼어들었다. 나는 얼른 그를 향해 제발 빠져 달라는 호소의 눈빛을 보내며 얼버무렸다.

"마, 많이 아는 사람은, 아니잖아요? 이제 안 지 한, 한 달 됐나? 그러니까 뭐, 그쪽 이, 인사는 생략하고요."

이지한은 어이없단 표정으로 눈살을 구겼다. 그러나 그걸 신경 쓸 새 없이 나는 임대철을 향해 고개를 돌렸다.

"저기, 어, 만나서 반가웠어요, 선배님. 근데, 어, 제가 지금 되게 바빠서. 지금 바로 가야 됩니다. 예, 반가웠고, 안녕히, 안녕히 계세요."

나는 너무 당황해서 어떻게든 일단 자리를 뜨려 이지한의 팔을 잡아당겼다.

"왜 이래요?"

이지한은 딱딱하게 버티고 앉아 나를 쏘아봤다.

"아우, 쫌! 일단 나와요!"

다급해진 마음에 확 이지한의 팔을 찰싹 때리며 다그쳤다. 그러자 그는 '감히 네가?' 하는 괘씸한 표정으로 눈을 부릅떴다.

그때, 임대철의 목소리가 들려왔다.

"아니, 이거 청첩장 아냐? 누구 결혼해?"

고갤 돌려 보니, 임대철이 희경의 앞에 놓인 청첩장으로 손을 뻗고 있었다.

"으아!"

나는 얼른 몸을 날려 먼저 청첩장을 잡았다. 그리고 내친김에 아예 나머지 두 사람의 청첩장까지 쏙쏙 수거해서 재빨리 뒤로 물러났다. 임대철은 황당한 듯 물어 왔다.

"뭐, 뭐야, 나아정, 왜 그래?"

"아, 처, 청첩장이 잘못 나와서요. 다시 뽀, 뽑아야 돼서. 얘들아, 다음에 다시 줄게."

정신없이 세 친구에게 손을 흔들고서, 재차 이지한의 팔을 잡아당겼다. 그러나 이지한은 일어나질 않았다.

"진짜 왜 이럽니까?"

"나가요! 나가자고! 나가자니까?!"

나는 급한 마음에 다짜고짜 그의 옆구리를 꽈아악 꼬집었다.

"아!"

이지한은 얼굴을 찡그리며 벌떡 일어났다. 때를 놓치지 않고 덥석 그의 팔을 잡고 문을 향해 달렸다.

택시를 잡아탄 다음에야 겨우 숨을 돌렸다. 이마고 등이고, 아주 온몸이 땀으로 질척거렸다. 그래서 나는 들고 있던 청첩장으로 얼굴에 부채질을 했다.

"미친 겁니까? 대체 왜 그래요?"

"몰라요, 제가, 아……. 지금은 아무 말도 생각이 나질 않네요."

"생각을 말하지 말고, 진실을 말해요."

이지한은 어이없어 화까지 나는 듯이 명령조로 말했다.

아……. 이걸 어쩐다…….

나는 난처해서 눈을 질끈 감은 채로 빠르게 부채질 속도를 높였다. 뭐라고 변명하지. 뭐라고 핑계를 대?

한참 궁리하다 무릎 위에 청첩장을 내려놓고 심호흡을 했다. 그냥 임대철이 어떤 인간인지를 말하자. 그 사람이 얼마나 진상인지 그걸 알려 주고, 그래서 결혼식에 초대하기 싫었다고 하자.

나는 청첩장을 내려다보며 그렇게 마음먹고 고개를 끄덕거렸다. 그런데 문득 뭔가 이상하다는 생각이 들었다.

왜……. 내 손에 청첩장에 두 개뿐이지? 아까 세 개를 뺏었던 거 같은데…….

스치는 불길한 예감에 두 손으로 머리채를 쥐어 잡고 마구 내저었다.

아냐, 설마 아닐 거야. 내가 거기 두고 온 건 아닐 거야. 그냥 흘…… 흘렸겠지, 길바닥에. 그 카페에서 흘렸을 리 없고. 카페 바깥, 멀리에서 흘렸을 거야. 그래야 해. 제발······!

간절하다 못해 처절한 심정으로 나는 휴대 전화를 꺼냈다. 그리고 덜덜 떨리는 손으로 희경에게 전화를 걸었다.

"어, 희경아, 내가 나오면서 청첩장을 빠뜨린 것 같은데, 혹시 못 봤어?"

[봤어. 네가 카페 바닥에 떨어뜨리는 거.]

"뭐?! 정말?"

[응. 그거 대철 선배가 주워서······.]

"주워서 그냥 버렸지? 응? 안에 안 보고, 그냥 버린 거지?"

[아니. 안에 읽었어······.]

"안 돼!"

나는 목이 찢어지게 고함쳤다. 택시 기사가 깜짝 놀라 차를 세울 정도로.

집에 돌아온 나는 넝마가 된 정신머리로 거실 바닥에 드러누웠다.

[대철 선배가 청첩장 보더니, 너한테 할 말 있다고 꼭 연락하라던데.]

머릿속에서 희경의 말이 계속 맴돌아서, 옆에서 이지한이 뭐라 하는지는 귀에 들어오지도 않았다.

나한테 할 말? 무슨 말? 왜? 아니, 왜? 내가 이지경이랑 결혼한다는데, 갑자기 왜 나한테 할 말이 생겨?

잘 접어 둔 이불 위에 가슴을 얹은 채, 나는 오독오독 엄지손톱을 물어뜯었다. 그런데 갑자기 이지한이 옆에서 이불을 확 끌어당기면서 외쳤다.

"사람 말이 말 같지 않아요?!"

난데없이 내 몸은 데구루루 옆으로 미끄러졌다.

"에그!"

덕분에 확 정신이 들어, 그제야 내 눈앞에 선 이지한의 존재를 똑똑히 보게 되었다.

"대체 아까부터, 내 말을 몇 개나 씹어 먹는 겁니까! 내가 우스워요? 아니, 우리 집안이 우스워요?"

잡아먹을 듯이 으르렁대는 이지한의 얼굴에 나는 도로 고개를 푹 숙였다.

"아니요…….."

"아니긴 뭐가 아닙니까! 이렇게 증거가 있는데!"

이지한은 번쩍 셔츠를 들어 올려 옆구리를 내보였다. 갑작스러운 탈의 동작에 놀라서 눈이 휘둥그레졌다. 그는 자기 옆구리를 내 쪽으로 들이대며 손으로 가리키며 을렀다.

"여기, 아까 그쪽이 꼬집은 거! 여기 빨갛게 된 거 보이죠?"

이지한이 가리키는 옆구리를……. 봐야 하는데……. 왜인지 시선이 아래로, 복근으로 슬슬 이끌려 갔다. 뽀얀 피부에 탄탄하게 단련된 복근이 접착제를 발라 놓은 듯이 내 시선을 붙잡았다.

"이러고도 날 우습게 보는 게 아니라고요?"

"예……. 아니에요…….."

나는 복근에서 시선을 떼지 못한 채, 멍하니 홀린 정신으로 대구했다.

“그럼 뭐, 같잖게 봅니까?”

“좋게 봐요……. 보기 좋네요.”

그저 본능에 충실한 지껄임이었다. 말을 뱉고 나서야 내가 방금 뭐라고 지껄인 건지 깨달을 수 있었다. 그래서 아차 싶었지만, 되돌릴 수 없는 일이었다.

“뭐요?”

이지한은 잔뜩 인상을 쓰며 옷자락을 확 내렸다. 덕분에 복근으로 끌려가 있던 내 정신은 내 머릿속으로 되돌아왔다.

“이 여자가! 반성하라고 보여 줬더니, 뭐? 보기가 좋아? 내가 다친 꼴이 보기 좋다, 이거죠?”

“예? 아, 아니에요. 저는, 옆구리가 아름다우셔서……. 너무 놀라워서.”

“어디서 그런 말 같잖은 핑계를. 아, 됐고요. 나 이거 그냥 안 넘어가요. 형한테 다 얘기할 겁니다. 각오해요.”

이지한의 경고에 나는 면목 없이 무릎을 꿇고 앉아 고개를 푹 숙였다.

“이래 봐야 소용없어요. 나는 무조건 있는 그대로 다 말할 거니까.”

“그러세요. 당연히 그러셔야죠. 제가 잘못한 걸요.”

나는 넌지시 고개를 들어 이지한을 올려다봤다. 그는 의아한 눈빛이었다.

“전 그저, 아까 님께 결례를 끼친 점. 그래서 님을 아프게 한 점. 사과를 드리려는 것뿐이에요. 죄송해요. 지경 씨한테는 다 얘기하셔도 돼요. 저는 입이 열 개라도 할 말이 없어요.”

순순한 내 태도에 이지한은 조금 마음이 누그러지는 기색이었다.

"뭐, 그건 그렇다 치고. 아까 그 남자는 대체 뭡니까? 왜 그 난리를 친 거죠?"

"그건……."

나는 무릎으로 시선을 내리고서 빨리 생각을 다듬었다. 이윽고 천천히, 숙연하게 옛날이야기를 시작했다.

"때는 바야흐로 약 3년 전이었어요."

나는 정말로 삼 년 전에 일어났던 실화를 기억에서 찾아 입 밖으로 꺼내 갔다.

"대철 선배는 우리 극단의 연출가였고, 극단 사람들은 그 선배를 좋아하지 않았어요. 물론 저도 그랬고요. 호탕하고 시원시원하게 후배 등쳐 먹고 회비 삥땅 치고. 그러면서 자기 싫은 소리엔 어찌나 마음이 여리신지. 참 복합적으로 사람 괴롭히는 타입이죠."

나는 추억에 잠겨 아련한 눈빛으로 허공을 바라봤다.

"설마 고작 그 이유로 자기 청첩장을 숨겼다는 겁니까? 그 난리와 폭력을 행사하면서? 그냥 내 결혼식 오지 말라면 그만이지. 무슨……."

"이제부터가 본론이에요."

"?"

"대철 선배의 빈대 성향은 남……. 아니, 애인하고 헤어지고부터 더 극성이었는데."

"그런 성격인데 애인이 있었다니, 의외네요."

그 애인이 네 형이란 게 더 의외일 텐데.

차마 뱉지 못할 말을 꾹 삼키고서, 말해도 되는 사실만을 끄집어냈다.

"하루는 극단 사람들 다 같이 단합 여행을 가자더군요. 사람들은 별로 따라가고 싶지 않았지만……. 연극 판이란 게 그래요. 연출, 정말 중요하거든요. 게다가 이번 여행은 그간 실연의 아픔을 곁에서 달래 준 극단 사람들을 위해 보답으로 자기가 비용을 대겠다고 했죠. 그래서 극단 사람 전부가 선배가 몰고 온 봉고차를 타고 강원도 펜션으로 떠났어요."

"그래도 경우는 아는 사람이네요."

"아는 걸까요?"

나는 씁쓸한 미소를 지으며 이지한의 눈을 바라봤다. 이어서 또 한 가지 질문을 던졌다.

"혹시……. 다단계라고, 아세요?"

"……."

"저희……. 강원도 폐가에서 거의 일주일을 감금당했어요. 선배는 저희를 그 다단계 일당에게 넘기자마자 유유히 봉고차를 몰고 떠났고요."

아련한 추억에 나는 뭉클 눈물이 맺혀 왔다.

"저희……. 한 사람당 오백만 원어치씩 물건 강매당했고요. 저는 지갑, 통장 다 털어 봐도 먼지 하나 안 나와서……. 사채, 끌어다 주셨어요. 그 깍두기들이."

정말이지 코끝이 찡해서, 나는 소매로 눈물을 찍어 냈다.

"아우, 옛날 생각 하니까. 주책맞게 눈물이……."

"……그런 놈이 우리 형 친구라고요?"

이지한은 믿을 수가 없다는 표정으로 물어 왔다.

"지금은 아니고요……."

그때도 아니었지. 친구는 무슨. 애인이었다, 너희 형 애인.

나는 덧붙일 수 없는 말을 속으로만 꿍얼거렸다.

"하긴, 우리 형이 그런 인간하고 아직까지 친구일 리 없지."

자신하는 이지한의 얼굴을 보며 착잡하게 쓴웃음을 지었다.

"어쨌든 그 일 이후로 선배는 영국으로 떠나 있더라고요. 우릴 팔고 얼마를 챙겼는지……."

"아니. 그러고도 아까 그렇게 태연하게 극단 사람들 앞에서 반갑다고 인사를 한답니까?"

"그런 사람이세요."

네 형 전 애인이요…….

"그래서 저도 그렇고 지경 씨도 그렇고, 다시는 그 사람 안 보고 싶거든요. 그런데 그 선배가 저희 결혼식을 알게 되면. 정말, 저도 저지만, 형이 곤란할 거예요. 특히나 지경 씨는 워낙 사람이 좋아서, 딱 끊어 내기도 힘들 거고……. 그래서 제 선에서 끊으려고 애쓰느라 아까는 그럴 수밖에 없었답니다."

그렇게 이야기를 마무리 지었다.

내 말에 거짓은 없었다. 나는 그저 있는 그대로 사실을 말했다. 다만 거기서 몇 가지 사실은 덜 얘기했을 뿐. 아무튼 내가 한 말들은 진실이었다.

내 얘기를 곱씹는 건지 이지한은 눈을 내리뜨고 침묵했다. 그러다가 이지한은 마침내 입을 열었다.

"뭐, 그렇다면 이해는 갑니다만. 그래도 내 몸에 손댄 거, 아주 세게 댄 거. 그건 용서 안 합니다. 내 반드시 형에게 고하고야 말 겁니다."

근엄하게 경고하고서 이지한은 새침하게 몸을 돌려 침실로 향했다.

한고비를 넘긴 듯해 나는 안도의 숨을 내쉬면서 바닥으로 드러누웠다.

그나저나 임대철은 대체 무슨 할 말이 있다는 건지.

나는 불안하고 찜찜한 기분에 또다시 손톱을 물어뜯었다.

그때, 침실에서 형, 형, 소리가 새어 나오는 걸 보니, 이미 이지한은 지경에게 오늘 일을 일러바치는 모양이다. 그렇다면 지경이도 곧 내가 임대철과 만난 사실을 알게 될 테지.

일단 지경이의 전화를 기다리자. 대처를 하든 무시를 하든, 지경이와 상의해서 정할 일이다. 그러니까 그때까진 괜히 마음 졸이지 말고 좋은 생각을 하자. 좋은 생각을……. 내 마음을 맑게 정화해 줄 아주아주 좋은 생각…….

아……. 옆구리……. 그 밑에 그거…….

좋은 것을 떠올리려고 머리를 닦달했더니, 왜인지 이지한의 하얀 복근이 떠올랐다.

왜일까……. 왜?

"좋으니까……. 좋은 거니까."

나도 모르게 흐뭇한 기분에 취해, 반쯤 눈이 감겨 멍하니 중얼거렸다.

그렇잖아도 임대철에게서 이메일이 왔더라고, 지경은 나에게 메시지를 보내왔다.

설마 나아정을 정말로 사랑하느냐, 나아정도 네가 게이란 거 알고 있느냐. 그런 질문과 함께 임대철은 이 결혼 반대라며 자신과 다시 만나 달라 부탁했다고 한다.

지경은 나아정을 정말 사랑하게 되었고, 나아정은 내가 게이인 걸 모른다는 답변을 했고. 따라서 서로 좋았던 시절을 생각해서 우리 결혼을 축하해 달라 부탁했다고 한다.

그와 같은 답변에 임대철이 어떤 반응일지는 아직 미지수였다. 이 상황에 내가 할 수 있는 일은, 그저 아무 일도 벌어지지 않기를 비는 일뿐이겠지.

하지만 달리 할 수 있는 일이 없다는 걸 알면서도, 머리는 쉬지 않고 자꾸만 추측과 상상으로 최악의 상황을 떠올려 댔다. 그래 봐야 마음만 불안하고 괴로운 것을 뻔히 알면서도 말이다.

이러니 내가 걱정이 팔자라는 소릴 듣는 게지. 걱정으로 끙끙 앓기 딱 좋은 이놈의 성격.

"에휴……."

나는 욕실 타일 사이사이 물때를 박박 솔질로 벗겨 내다가 잠시 손을 멈추고 한숨을 내쉬었다. 그나마 이렇게 이지한이 시킨 일이라도 있으니까 망정이지. 몸이 놀고 있었으면 내 정신은 보다 적극적으로 나 자신을 괴롭히고 있었을 거다.

이건 뭐, 이지한의 의도치 않은 순기능일세.

쓸쓸히 자조하는 내 귓가로, 이지한의 호루라기 소리가 들려왔다. 나는 하던 일을 멈추고 냉큼 욕실 바깥으로 뛰어나갔다.

"예, 가요!"

이지한은 주방 오븐 앞에 서 있었다. 내가 나타나자 그는 못마땅하게 말했다.

"아직도 물때 청소가 덜 됐습니까?"

"예, 이제 얼마 안 남았는데."

"그거 하나 빠릿빠릿하게 못 해요? 이제 5분이면 이 요리, 오븐에서 꺼낼 텐데. 이래서야 그때까지 끝낼 수가 있겠냐 말입니다.”

“최, 최대한 빨리할게요. 그리고 혹시 늦더라도 저 신경 쓰지 말고 먼저 드세요.”

내가 늦으면 덩달아 이지한의 식사 시간도 늦어질까 봐 그를 배려해서 덧붙였다. 그랬더니 이지한은 한껏 인상을 찌푸렸다.

“이 요리는 겹겹이 녹아나는 세 가지 치즈의 풍미가 관건인데. 단 일 분이라도 식으면 그 맛이 제대로 살아 숨 쉬지 않습니다.”

고집스러운 신념이, 장인 정신이 느껴지는 깐깐한 어조였다.

“그러니까 지금부터 딱 5분. 그 안에 청소 끝내고 옵니다. 실시!”

“시, 실시!”

마무리는 군대식이었다. 나는 복창하며 부리나케 욕실로 뛰어갔다.

기어이 5분 안에 청소를 끝낸 다음 나는 이지한과 마주 앉아 저녁 식사를 시작했다.

식탁 위에선 푸짐한 요리들이 나를 기다리고 있건만, 정작 나는 임대철이라는 불안 요소 때문에 체한 것처럼 영 입맛이 살지 않았다. 그렇다 보니 시원치 않게 깨작깨작 포크로 쌀알만큼씩 치즈 라쟈냐를 입에 옮겼다.

“뭐죠? 맛없다고 시위해요, 지금?”

따지듯이 날카로운 지적에 고갤 들어 이지한을 봤다.

“아뇨. 그냥 입맛이 없어서.”

“그렇게 깨작댈 거면 차라리 먹지 마요. 차린 사람 기분 나쁘게.”

“예…….”

나는 기운 없이 수저를 내려놓고 슬그머니 자리에서 일어나려 했다. 그러자 이지한은 황당한 듯 눈을 치켜떴다.

“어딜 가요? 밥 먹다 말고.”

“깨작거릴 거면 먹지 말라고 하셔서.”

“아니, 깨작대지 말고 제대로 먹으란 얘기잖아요. 그래야 평가를 하지.”

“평가요?”

“그쪽이 늘 하던 거 있잖아요. 맛이 이렇다, 저렇다.”

“아……. 근데 오늘은 정말 식욕이 없어서요.”

“그렇게 깨작깨작거리니까 식욕이 없는 겁니다. 이 요리는 세 가지 치즈가 한입에 다 들어가게 푹 떠서 훅 먹는 겁니다. 그렇게 제대로 먹고 나서 그다음에 식욕이 있네, 없네 다시 체크해요. 이건 없던 식욕도 머리채 잡고 끌고 오는 맛이니까.”

“……알았어요.”

비난에 못 이겨서 도로 엉덩이를 붙이고 앉았다. 그리고 라쟈냐를 제대로 푹 퍼서 입에 넣었다.

“맛있네요…….”

나는 애써 고개를 끄덕이며 말했다.

분명히 맛있었다. 맛있는데, 정말 맛있는데. 딱히 다른 말을 떠올릴 수는 없었다. 내 머리가 너무 복잡했기 때문이다. 그러자 이지한은 탁, 소리가 나게 포크를 내려놓았다.

“설마 형한테 혼나서, 나한테 삐져서 이럽니까?”

“예?”

“아까 내가 형한테 얘기한 걸로 나한테 삐졌느냐고요. 그래서 이렇게 복수하는 겁니까?”

아니, 내가 삐졌다고 쳐. 근데 이런 걸로 복수가 성립되긴 해? 입맛 없어서 밥 잘 못 먹는 게, 그게 무슨 복수야? 자기가 내 위장도 아니고.

하다하다 별 트집을 다 잡는다 싶어 나는 떫은 입맛을 다셨다.

“그런 거 아니에요. 그냥, 기분 탓이에요. 기분만 괜찮으면, 이러지 않았을 텐데. 그냥 내 기분이 이래서…….”

“기분, 풀어요.”

이지한은 대뜸 명령조로 말했다.

“예?”

나는 귀가 의심스러워 물었다. 그러자 이지한은 진지하게 나를 직시하며 말을 이었다.

“우리 형한테 혼난 거든, 아까 그 남자 마주쳐서 그런 거든. 아무튼 기분 풀어요.”

“설마……. 지금 저 걱정해 주는 거예요?”

믿을 수 없이 감격스러워서 묻자, 이지한은 정색하고 단호하게 대꾸했다.

“식고 있는 치즈 걱정 중입니다.”

“…….”

“더 식기 전에 당장 기분 풀고 맛 똑바로 보라고요.”

아니, 대체 내가 요리 평가하는 게 뭐 그렇게 대단한 일이라고. 왜 이렇게 집착해?

도무지 이해가 안 가 눈을 둥그렇게 뜨고 이지한을 쳐다봤다.

"어떻게 하면 당장 기분이 풀립니까?"

"예?"

"뭐, 휴가라도 줘요?"

"휴가라뇨?"

"내일 하루 쉬는 겁니다. 지금 기분 풀고, 잘 먹으면."

"엇? 정말요? 그럼 내일은 호루라기 절대 안 부는 거예요?"

나는 솔깃해서 눈을 깜빡거렸다.

"그러죠. 지금 잘 먹으면 내일은 호루라기 없는 날로. 그렇게 풀어 주겠습니다."

이지한은 흔쾌히 목에 걸린 호루라기를 들어 보이며 약속했다.

그걸 본 나는 침을 꿀꺽 삼켰다. 한 달 내내 시도 때도 없는 호루라기 소리에 그렇잖아도 노이로제가 걸릴 지경이었는데, 하루라도 저거 없이 살 수 있다니.

마치 목에 걸린 생선 가시가 침을 따라 쑥 내려가는 것처럼 내 목이 뻥 뚫리는 느낌이다.

"식기 전에 빨리 먹어야겠네요."

나는 냉큼 포크를 들이대고 치즈 라쟈냐를 입에 듬뿍 떠 넣었다. 눈앞의 구체적인 공약 덕택인지, 임대철이라는 미지수 불안 요소는 더 이상 내 식욕에 방해가 되지 않았다.

되살아난 식욕으로 세 가지 치즈를 한꺼번에 우물우물 씹자, 굳어 있던 뇌가 쩍 갈라지는 듯이 머릿속에 갖가지 찬사가 떠올랐다. 따라서 내 입은 폭포수처럼 찬사를 콸콸 쏟아 냈다.

이지한은 그런 내 앞에서 입을 꽉 다문 채로 근엄하게 굳은 표정을 지켜 갔다.

물론 늘 그랬듯이, 얼마 안 가 또 자리를 박차고 떠나 버렸지만.

이른바 호루라기 없는 날의 아침이 밝자, 나아정은 거실 이부자리에서 나무늘보처럼 늘어져 잠을 자고 있었다. 근 한 달 동안의 빠릿빠릿하고 근면 성실한 모습은 온데간데없었다.

그래. 이게 이 여자의 민낯이지. 원래는 게을러터진 주제에 지금까지 내 앞에선 아닌 척 연기를 한 것뿐이겠지.

거실로 나온 나는 한심하단 표정으로 나아정을 향해 혀를 쯧쯧 찼다. 그러면서 오늘도 어김없이 예리하게 나아정의 팔뚝을 훑어봤다.

그렇게 해 먹이는데. 왜 살이 안 쪄?

형 눈에서 저절로 콩깍지가 떨어지려면 저 여자가 뒤룩뒤룩 살이 쪄야 하는데. 삼시 세끼 그렇게 해다 먹이는데도 왜 아직 저 모양, 저 두께냐 말이다.

아무래도 식단을 더 기름지게 짜야겠어…….

마치 헨젤과 그레텔을 살찌워서 잡아먹으려는 마녀처럼, 나는 나아정의 살을 찌우기 위해 식단을 궁리했다.

그럼 오늘 아침은 설탕 가득한 프렌치토스트로 할까?

아침 메뉴를 결정한 다음, 호루라기를 입에 물었다. 그러다가 아차 싶어서 도로 호루라기를 입에서 떼어 냈다.

"아, 호루라기 없는 날이지."

약속은 약속이니까.

나는 호루라기를 주머니에 집어넣었다.

말 한마디 뱉지 않고 호루라기 소리로 벌떡벌떡 일어나게 만들 때가 편했건만. 오늘은 좀 성가시게 됐군.

나는 헛기침을 하고서 목소리로 나아정을 깨웠다.

"지금 잠이 옵니까?"

내 품위를 생각해서 점잖게 내놓은 목소리에, 나아정은 꿈쩍도 하지 않았다. 그래서 하는 수 없이 버럭, 목소리로 벼락을 내렸다.

"지금 잠이 옵니까?!"

순간 나아정은 눈도 못 뜬 채로 벌떡 몸을 일으켜 앉았다. 그리고 두리번두리번, 감은 눈으로 주위를 살폈다.

"눈 뜨고 당장 일어납니다."

"어? 예? 아, 예!"

나아정은 영문을 모르는 얼굴로 벌떡 일어나 눈을 비볐다. 그러고서 비로소 눈을 뜬 나아정은 나를 보곤 눈을 껌뻑거렸다.

"오늘……. 휴가 아니에요?"

나아정은 긴가민가한 표정으로 조심스레 물어 왔다.

"맞아요. 그쪽 휴가. 근데 난 그쪽한테 휴가를 준다고 했지, 나까지 휴가라곤 안 했습니다?"

"예?"

"오늘 그쪽은 평소처럼 하지 않아도 됩니다. 하지만 그쪽을 지켜보는 내 평가는 계속될 겁니다. 평소처럼. 똑같은 기준으로. 나는 그쪽에 대한 점수를 계속 매겨 갈 겁니다."

"……."

"그쪽한테 내가 뭘 시키는 일은 없을 테니까. 마음껏 누리시죠. 그쪽 휴가."

"그, 그게 무슨 휴가예요."

"그럼 뭐, 손잡고 쎄쎄쎄 놀러라도 갈 줄 알았습니까?"

"어우. 그런 생각, 하지도 않았거든요?!"

마치 그런 생각이 끔찍하기라도 하단 듯이, 나아정은 팔짝 뛰며 격하게 부정했다. 묘하게 기분 나쁜 반응이라 나는 눈살을 찌푸렸다.

"아니. 우리끼리 쎄쎄쎄 놀러 가는 게, 그게 댁이 기분 나쁠 일입니까? 내가 기분 나쁠 일이지?"

"예?"

"내가 당신이랑 손잡고 쎄쎄쎄 놀러 가는 일은요, 당신이 나한테 제발 그래 달라고 빌어도 절대 일어나지 않을 기적이거든요? 그러니까 그런 예시에 그쪽이 기분 나빠 하지 말죠?"

내 지적에 나아정은 멍해졌다가, 곧 고개를 내저었다.

"아뇨, 그게 기분 나쁜 게 아니라요. 저는……. 제가 감히 그런 생각을 할 리가 없다, 믿어 달라. 그런 의미로다가 격렬하게 제 결백을 알리려고 한 거예요. 기분 나빠한 거 절대 아니에요. 전혀! 어우, 그런 기적이 생긴다면야, 저야 감동이죠. 그런 날이 생기면요, 저 막 일기에도 쓸 거예요. 기념일로 지정해서 해마다 길이길이 기억할 거고요. 꿈엔들 잊히겠어요? 그런 날이?"

나아정은 어느새 잠이 다 깬 초롱초롱한 눈빛으로 해명했다.

하여간 말은 잘하지. 자꾸 듣고 싶게.

"아무튼. 나 지금 아침 만들 거니까. 가서 세수하고, 밥 먹을 준비 제대로 하고 옵니다. 음식 다 만들었는데 곧바로 안 튀어오면 내가 싫어하는 거 알죠?"

"그럼요, 알다마다요. 요리 식기 전에 후딱 뛰어올게요."

싹싹하게 대답하고서, 나아정은 욕실로 뛰어갔다.

꿈에서 국토 대장정이라도 한 건지, 나아정은 걸신들린 사람처럼 프렌치토스트를 먹어 치워 갔다.

다람쥐같이 입은 쪼끄만 게 입술 뒤에 공간이 대체 얼마나 되는 건지. 나아정은 손바닥만 한 토스트 한 장을 꾸역꾸역 죄다 밀어 넣은 채, 우걱우걱 온 얼굴 근육을 다 써 가며 씹어 댔다.

어쩜 저렇게 하나만 알고 둘은 모르는지.

나는 넌지시 우유를 건네면서 훈수를 뒀다.

"이거 마셔 가며 먹어야 더 맛있는 겁니다. 그렇게 한꺼번에 많이 먹으면 느끼할 수 있으니까."

나아정은 재빨리 고개를 끄덕끄덕하고 우유를 쭉 들이켰다. 그러더니 나아정은 발을 동동 구르면서 으으음! 감탄을 터뜨렸다.

"님, 이게 뭐랬죠?"

"프렌치토스트요."

"아니, 그럴 리가 없는데? 이거, 스위스 토스트나, 피렌체 토스트, 뭐 그런 거 아니에요? 제가 아는 프렌치토스트는 이 정도로 까무러칠 맛이 아니거든요? 아주 혀가 살살 녹아요! 이런 프렌치토스트 처음이에요!"

이 여자가 아주 내 귀에 설탕을 뿌려 대고 있네.

어깨가 으쓱 올라가는 기분이지만, 부러 무심한 척 턱을 괴고 딴청을 부렸다.

"오늘 뭐 할 계획입니까?"

"밖에 나가려고요."

나아정은 다시 프렌치토스트 한 장을 포크로 집어 들며 답했다. 그러면서도 밖에 나갈 생각 때문인지 싱글벙글거렸다.

하긴, 내가 없는 바깥에서라면 내 평가를 피할 수 있을 테지. 그럼 제대로 휴가 기분을 만끽할 테고.

나아정의 속셈을 짐작하고서 나는 차가운 목소리로 찬물을 끼얹었다.

"같이 가죠."

순간 나아정의 손에서 포크가 뚝 떨어졌다.

"왜, 왜요?"

"여가 시간을 어떻게 활용하는 여자인지, 지켜보고 점수 매기려고요."

"……."

나아정은 세상이 무너진 듯 또다시 식욕을 잃은 얼굴로 변했지만 나는 번복하지 않았다.

이 요리로 들어야 할 찬양은 이미 들었으니까.

집을 나선 나아정이 향한 곳은 대형 서점이었다. 서점에 들어선 나아정은 진열대 앞에 서더니, 나를 향해 안내원 같은 미소를 머금은 채 사근사근하게 말했다.

"저는 이렇게 시간이 날 때마다 서점을 찾곤 한답니다. 제 취미가 독서거든요."

"딱 봐도 보여 주기용으로 급조한 취미네요."

"어머, 아니에요. 제가 책을 얼마나 좋아하는데요."

나아정은 보란 듯이 진열대에서 책 한 권을 들고 펼쳤다. 그리고 한껏 지적인 척 단아한 표정을 짓고 책 내용을 지그시 바라봤다.

"그쪽, 집에서 거실에 삽니까?"

"예?"

"전에 그쪽 집에 가 보니까 거실에서 자고 있던데. 거실이 그쪽 방이냐고요."

"아, 예. 근데 갑자기 그건 왜……."

"그렇게 책을 좋아하는 분이 자기 방에 책 한 권이 없다는 게 말이 되나 싶어서요. 아니, 심지어 책상도 없던데? 그러고도 취미가 독서세요?"

내가 예리하게 비아냥거리자 나아정은 허를 찔린 듯이 움찔 굳었다. 그러나 나아정은 이내 허허 웃으면서 반문했다.

"아유, 제가 언제 집에서 읽는다고 했나요? 이렇게 서점에서 열심히 읽고, 풍요로운 마음으로 집에 돌아가지요."

"은혜를 공짜로 갚는 분이셨네. 배은망덕하게."

"예?"

"모든 책 속에는 스승이 있다는데, 스승의 은혜를 이런 식으로 무상 취득하다니. 댁한테 스승이 되어 준 이 고마운 책을 그냥 공짜로 읽고도 잠이 옵니까? 이봐요. 남의 창작물을 누릴 때는 마땅한 대가를 제공해야 하는 거예요. 하여간 다방면으로 양심이 없어."

나아정은 슬그머니 책을 내려놓으며 덩달아서 고개를 숙였다.

"지난날의 제가 부끄러워지네요……."

"책은 결제해서 집에 가서 읽는 겁니다."

"예……. 오늘부턴 그럴게요."

나아정은 고개를 끄덕이며 주섬주섬 책을 챙겨 들었다. 그러고는 시무룩해진 얼굴로 계산대로 향했다.

근데 저 시무룩한 뒷모습이 왜 보기 불편하지……? 삼시 세 끼 신나게 먹어 대는 모습에 익숙해져 그런가?

나는 뭔가 껄끄러운 기분에 묘한 입맛을 다시면서 나아정의 뒤를 따라갔다.

서점에서 빠져나온 나아정은 시무룩한 얼굴로 근처 벤치에 앉더니 새로 산 책을 펼쳤다.

"뭡니까? 왜 여기 이러고 앉았어요?"

"정당하게 책 샀으니까, 이제 당당하게 읽으려고요. 저는 정말로 독서가 취미니까요."

나아정은 침울한 목소리로 말했다.

"그럴 거면 어깨나 쫙 펴고 보란 듯이 읽을 것이지, 이게 어딜 봐서 당당한 자세입니까? 바람 빠진 풍선처럼 축 쪼그라들어 가지고는."

뭔가 색다른 의미로 못마땅해서 나는 눈살을 찌푸렸다. 이 여자가 생기 없이 이러고 있는 꼴이 마음에 걸린다고나 할까.

내 지적에 나아정은 허리를 꼿꼿이 세우고 어깨를 폈다. 그러나 나아정의 표정은 여전히 소심하게 그늘이 져 있었다.

"표정도 좀 펴죠?"

"책이 슬퍼서 그래요."

"요리책이 슬플 일이 뭐가 있는데요."

"……이 삼계탕이 되기 위해 닭이 치른 희생이요. 삼계탕 때문에 닭이 죽었잖아요……."

요리책이 무슨 신파 소설이라도 되는 양 나아정은 촉촉한 두 눈으로 책 내용을 바라봤다. 나는 나아정의 시선을 따라 삼계탕 사진을 보고, 기가 차서 헛웃음을 쳤다.

이게 슬퍼 보여? 참나, 누가 봐도 헛소리구만. 그냥 나한테 혼나서 시무룩한 거라고 왜 말을 못해?

"이게 어디 닭이 죽어 슬픈 표정입니까? 혼나서 풀이 죽은 표정이지."

보다 못해 나아정의 팔을 잡고 일으켜 세웠다.

"왜, 왜요?"

"책 볼 거면 궁상떨지 말고 어디 카페라도 가서 봐요."

"카페요? 에이, 카페 돈 들잖아요. 책 읽는 데 커피 값까지 쓰면 낭비벽 심하다고 뭐라 그럴 거면서."

"내가 가고 싶어 그럽니다, 내가!"

뭐 맛난 걸 좀 먹여야지 이 표정이 사라지지 싶어, 나아정을 끌고 근처 카페로 향했다.

나는 이지한이 휴가 종일 쫓아다니면서 나를 괴롭힐 것 같아 암

담했었다. 늘 그래 왔듯 뭘 해도 욕먹을 건 뻔해 보였으니까. 그래서 차라리 아무것도 하지 말잔 체념으로 벤치에 앉았고, 그대로 독서하는 척 멍하니 시간을 흘리려고 했었다.

그런데 이지한은 또 무슨 꿍꿍이인지 나를 이끌고 카페에 자리를 잡았다. 그러더니 자기 마음대로 시원시원하게 음료와 디저트를 주문했다.

얼마 후, 이지한은 트레이를 들고 와서 내 앞에 내려놓았다. 트레이에는 갓 구워져 나온, 아이스크림이 얹어진 애플파이와 두 개의 음료수가 있었다.

이지한은 두 개의 음료수 중 휘핑크림이 잔뜩 올라간 딸기 셰이크를 손에 들었다.

"여기 애플파이 유명해요. 뜨거울 때 빨리 먹어요."

설마 혀를 델 만큼 뜨거운 건 아니겠지? 나 혀 데라고 이러는 건 아니겠지?

조마조마 의심스러운 마음으로 애플파이를 아이스크림과 함께 숟갈로 살짝 떴다. 그리고 후후, 불을 끄듯 열심히 바람을 불고 난 다음 입에 넣었다.

"오! 맛있어요!"

순간 터져 나온 감탄에 이지한은 도도하게 팔짱을 꼈다.

"당연하죠. 누가 추천한 건데."

이지한은 그럴 줄 알았다는 듯이 어째 뿌듯한 표정으로 빨대를 빨았다.

"진짜 완전! 오늘 먹은 프렌치토스트 뺨치는 맛이에요!"

나는 박수까지 치며 이지한의 추천 메뉴를 칭찬했다. 그런데 그때, 이지한의 손에서 딸기 셰이크가 미끄러져 내렸다.

"당신, 지금 내 프렌치토스트랑 이 애플파이를 비교하는 겁니까?"

"예?"

이지한은 무섭도록 얼굴색이 싹 바뀌어 있었다.

"아니, 내 프렌치토스트 먹은 지 얼마나 됐다고. 배 속에 있는 프렌치토스트한테 미안하지도 않습니까?"

이지한은 눈에 쌍심지를 켜고 잡아먹을 기세로 따져 왔다.

"아, 아니. 저는……. 그거 못지않게 이것도 맛있다는 의미로……."

"못지않아요? 못지않아? 내 프렌치토스트가 고작 요 정도 급이라는 말이죠, 지금?"

이 집 애플파이, 맛있다고 추천한 건 자기면서. 이지한은 언제 그랬냐는 듯이 분노하고 있었다.

이 엄청나게 맛있는 애플파이를 고작 요 정도라 칭하다니. 대체 자기 프렌치토스트는 어느 정도라고 생각하는 건지. 의아하다 못해 묻고 싶을 지경이었지만, 이지한의 분노가 무서워서 그저 고개를 도리도리 세차게 저어야 했다.

"와, 나는 이렇게 아무 요리에나 칭찬 들이대는 줄도 모르고……!"

이지한은 정말이지 기가 막힌다는 투로 혼잣말을 터뜨렸다.

"아니에요, 그런 게 아니라요. 저는 이거, 막 그렇게 엄청 맛있지는 않거든요? 근데 님이 추천하신 거라 예의상 맛있다고 한 거예요. 예의상."

"그 예의를 왜 내 프렌치토스트 뺨 때려 가면서 지킵니까?"

"제가 실언을 했어요. 생각 없이……."

프렌치토스트 뺨을 칠 게 아니라 내 주둥이를 쳐야겠다. 젠장,

왜 그런 말은 해 가지고.

나는 후회하며 내 입을 찰싹 때렸다. 하지만 그래 봐야 늦은 건지, 이지한은 벌떡 자리를 박차고 일어났다. 그러더니 그 길로 곧장 카페를 빠져나갔다. 나는 얼른 그의 뒤를 쫓아갔다.

내가 휴가를 나온 건지. 파병을 나온 건지.

나는 장장 한 시간 동안 이지한을 따라다니면서, 감히 애플파이 따위로는 범접할 수 없을 프렌치토스트의 위엄을 찬양했다.

"그리고 제가 님이 만든 애플파이는 못 먹어 봤으니까 그런 거지. 님이 만든 애플파이를 먹어 봤더라면, 저 집 애플파이는 별 느낌도 없었을 걸요?"

슬슬 화가 누그러지나 싶던 이지한이 그 말에 우뚝 다리를 멈춰 세웠다.

"됐습니다. 이제 그놈의 애플파이 얘긴 그만하시죠. 누가 보면 그깟 애플파이 가지고 질투라도 하는 줄 알겠네요."

"……."

"됐으니까, 그쪽 하고 싶은 거나 해요."

그제야 안도감에 온몸에 힘이 쭉 풀리는 듯했다. 과장이 아니라 정말이지 몸과 마음이 모두 녹초였다. 아무것도 하기 싫고, 그냥 아무 데고 좋으니까 마음 편히 드러눕고만 싶었다.

이왕이면 이지한의 지적질이 없는 곳에서 아무 눈치도 보지 않고 말이다.

그런데 대체 어딜 가야 그런 휴식이 가능하단 말인가? 나는 지금 행동 하나하나를 관찰당하며 언행 하나하나를 평가받고 있는데. 이지한의 눈을 가리고, 입을 막아 놓지 않는 한, 내가 마음 편히 쉴 수 있는 곳은 어디에도 없지 않나?

회의적인 생각에 잠겨 고개를 절레절레 내저었다. 그런데 그런 내 눈에, 커다란 극장이 들어왔다. 그걸 본 나는 번뜩 좋은 생각을 떠올렸다.

어두컴컴한 극장 안에서, 팝콘과 콜라를 든 채 조심조심 내 자리를 찾아 앉았다. 비로소 두 다리를 쭉 펴고 앉는 기분에 나는 하아, 황홀하게 숨을 내쉬었다. 이지한이 내 옆자리에 앉았지만, 별반 긴장감 없이 그 사실을 받아들였다.

이 어두운 공간에선 이지한의 감시가 두렵지 않았고, 이 정숙해야 할 공간에선 이지한의 구박도 두렵지 않았기 때문이다.

이제 영화가 상영되는 동안, 나를 불편하게 하는 것은 없으리라.

나는 이런 영특한 생각을 떠올린 스스로를 대견해하며 의기양양하게 스크린을 바라봤다. 스크린에서는 곧 광고가 끝나고, 영화가 시작되었다. 제목조차 살펴보지 않고 오로지 가장 빨리 시작하는 영화를 택한 터라, 나는 어떤 영화일지를 기대하며 팝콘을 입에 넣었다.

영화가 시작한 지 얼마 되지 않아 나는 영화의 내용을 파악할 수 있었다.

영화는……. 남편이 해외 출장에 떠난 사이, 남편의 남동생과 한 집에서 지내게 된 여자의 이야기였다…….

왜인지 꺼림칙한 기분이 들었지만, 남편의 남동생은 열아홉 살, 교복을 입은 고등학생으로 등장하기에 나는 괜한 기분을 떨쳤다.

갑작스레 돌아가신 시부모님 대신 시동생을 아들처럼 키우며 진정한 가족의 의미를 되새겨 보는 훈훈한 가족 영화로구나.

나는 옆자리의 예비 시동생에게 더없이 교훈적인 영화이리라 기대하면서 스크린 속 파릇파릇한 시동생의 교복 차림에 훈훈함을 느꼈다.

그러나 교복 입은 시동생이 교복 벗은 시동생이 되는 순간, 나는 돌처럼 굳어 버렸다.

이건…… 훈훈한 가족 영화가 아니라, 후끈한 에로 영화였다.

교복은커녕 아무것도 입지 않은 시동생이 형수를 껴안자, 형수는 괴로운 듯 고개를 내저으며 시동생을 밀어내려 했다.

[도, 도련님, 이러지 마세요.]

그래, 하지 마! 이러지 말란 말이야! 형수님이 하지 말라잖아!

나는 미간이 꽉 조여질 만큼 인상을 쓰고 스크린을 노려봤다. 스크린 속 도련님은 형수님의 두 손목을 모아 붙들고서 애절하게 물었다.

[당신을 내가 먼저 만났더라면……. 형이 아니라 내가, 먼저 당신을 만났더라면……. 그래도 날 이렇게 밀어냈을까요?]

그렇다고 말해! 너 진짜 진상이라고! 닥치고 꺼지라고 말해!

나는 형수의 답을 기다리며, 활활 타는 목마름으로 콜라를 쭉 빨아들여 입에 한껏 머금었다.

그러나 내 바람과 달리, 형수는 끝내 눈물 한 방울을 떨구면서 고개를 내저었다.

[그럼 마음이 시키는 대로 해요, 우리. 형만 모르면 되잖아요.]

시동생의 애원에 형수는 고개를 끄덕였다. 그러자 시동생은 다시 와락, 형수를 끌어안고는 황홀한 듯 형수의 귀에 속삭였다.

[이대로, 시간이 멈췄으면 좋겠어요.]

젠장, 나야말로 멈췄으면 좋겠거든?!

그때, 내 옆의 예비 시동생은 내 귀에 대고 속삭였다.

"나한테 이 영화를 보자고 한 저의가 뭡니까?"

이를 악문 듯한 목소리였다. 나는 내용을 몰랐을 뿐이라고 얼른 해명하고 싶었지만, 입에 콜라가 잔뜩 들어 있어 불가능했다. 그리고 그 순간에 스크린 속 두 남녀는 식탁 위로 널브러지며 역동적인 키스를 시작했다. 그 바람에 깜짝 놀라 화면에서 고개를 확 돌려 버렸고, 동시에 나도 모르게 콜라를 뿜고 말았다.

"푸어!"

미안하게도 이지한을 향해서…….

"으아, 죄송해요!"

"이 여자가……!"

이지한은 가슴께를 팍팍 털어 내며 화난 목소리를 냈다. 잘 보이진 않았지만, 아무래도 젖었을 것 같아 후딱 매점에서 챙겼던 냅킨을 꺼내 그의 가슴으로 뻗었다. 그리고 정신없이 쓱싹쓱싹, 두 손으로 그의 가슴을 쓸고 닦아 갔다.

"뭐, 뭐 합니까, 지금?"

이지한은 내 손목을 잡아 붙들고 경악하는 얼굴로 흘끗 화면과 나를 번갈아 봤다. 덩달아서 화면을 본 나는 확인할 수 있었다. 도련님의 가슴을 쓸고 닦아 가는 형수님의 손바닥을…….

"아, 아니에요, 저런 거. 저는 그냥 이렇게, 그냥 닦아 드리는 거예요. 저, 저런 뜻, 저는 없어요!"

나는 내 결백을 증명하려 이지한의 가슴으로 냅킨을 훅 들이댔다. 그런데 가슴에서 뭔가 돌기 같은 게 내 손끝에 닿았다.

"어딜 만져요?!"

이지한은 발끈해서 일어났다. 그러자 뒤쪽에서 울컥한 남자들의 항의가 터져 나왔다.

"아! 왜 가려!"

"머리 치워! 머리!"

"비키라고!"

뭐 대단히 중요한 데라도 가린 것처럼, 남자들은 열띤 목소리로 항의했다.

"화장실 다녀와서 두고 봅시다."

이지한은 허리 숙여 내게 이를 갈며 뇌까리고는 그대로 자리를 떠나 버렸다.

홀로 남겨진 나는 죽을 맛을 느끼면서 울상을 지었다. 내가 이러는 와중에도 저놈의 형수와 도련님은 아주 죽고 못 사는 맛에 온몸을 전율하고 있었다.

젠장, 극장에는 왜 리모컨이 없는 건지. 정지 버튼을 누를 수 없으니 나 스스로 눈을 질끈 감아 내 앞의 화면을 꺼 버렸다.

그러자 하아, 아아, 삐거덕삐거덕.

보지 않고도 낯이 뜨거워지는 소리들이 난잡하게 울려 퍼졌다.

이것들이 기어이 식탁에서 그 짓거리를 하고 있나? 웬 삐거덕삐 거덕이야! 이 사람들이! 아청법이 두렵지도 않아?!

나는 팝콘과 콜라를 바닥에 내려놓고 양손으로 두 귀를 막았다. 그렇게 눈과 귀를 모두 닫아 버린 채, 악몽 같은 상영 시간 내내 마음속으로 주기도문과 반야심경을 외워 갔다.

그러는 동안 내 옆의 이지한이 돌아왔는지 어쨌는지. 그를 살펴볼 정신 따위는 내게 없었다.

마침내 영화가 끝나 상영관의 불이 켜졌을 때야 슬그머니 눈을 뜨고 쭈뼛쭈뼛 이지한에게로 고개를 돌렸다.

하지만 내 옆자리는 텅 비어 있었다.

반쯤 넋이 나가 휘청휘청 상영관을 빠져나온 나는 갈등에 휩싸였다. 당장 이지한을 찾으러 가야 할지, 아니면 이참에 남은 하루 동안 이지한 없이 제대로 된 휴가를 누려 볼지.

물론 결정을 내리기까지 긴 시간은 필요하지 않았다. 목에 칼을 들어와도 지금의 나는, 절대로 이지한을 마주할 수 없을 것 같으니까.

결국 후자를 결정하고서 잔뜩 주위를 경계하며 둘러보았다.

설마 이 근처에 이지한이 있는 건 아니겠지? 혹시 극장 앞에서 기다리고 있을지도 모르니까 아예 나가지 말고, 다른 영화나 하나 더 봐야겠다!

나는 가방으로 얼굴을 가리고서 조심조심 매표소로 향했다. 그리고 어차피 이번엔 이지한과 볼 게 아니니까…… 차마 제대로 볼 수 없던 조금 전의 영화를 다시 예매했다.

극장 화장실에서 찬물로 세수까지 해 봤지만 내 얼굴은 도무지 식을 줄을 몰랐다. 나는 귀까지도 새빨개진 내 모습을 거울에 비춰 보다가, 이대로는 나아정을 마주할 수 없단 생각으로 그냥 극장을 빠져나와 버렸다.

택시를 타고 집에 돌아오는 동안 택시 안은 에어컨 바람으로 추울 지경이었지만, 그럼에도 내 얼굴은 식을 줄을 몰랐다.

"잔망스럽게, 어디 그런 영화를 나한테! 어디 그런 손을 내……!"

분통을 터뜨리다 말고 이를 꽉 물었다.

차마 수치스러워서, 너무나도 치욕적이어서. 그 여자가 내 젖꼭지를 만졌다는 사실은 결단코 입에 담을 수가 없었다.

엄마 아닌 여자가 여길 건드리다니……! 아니, 엄마도 여긴 안 건드리잖아!

나는 사춘기 이후부터의 모든 기억을 빠르게 되짚어 보며 내 여기의 순결함을 자신했다. 아니, 순결했었음을 자신했다.

눈 쌓인 비무장 지대 같은 내 여기에 그딴 여자의 족적이 남다니!

족적을 지워 내듯이, 내 손으로 박박 나아정의 손이 닿았던 곳을 문질렀다.

근데 똑같은 델 만지는데, 왜 느낌이 다르지?

아까처럼 찌릿하지 않아서 뭔가 이상한 기분에 손을 멈췄다. 아니, 지금 내 손길에 내가 자극을 못 느끼는 건 이상할 게 없다. 그런데 그 여자의 손길에는 자극을 느꼈었다니. 그게 너무 이상한 거다!

인정하기 싫은 찰나의 짜릿함에 진저리를 치는 사이, 택시는 형의 집 앞에서 멈췄다.

나는 택시 요금을 내고, 택시에서 내려 현관으로 걸어갔다. 그러다가 나보다도 먼저 현관 앞에 도착해 있는 웬 상자를 발견했다.

"택배인가?"

의아해서 혼잣말하며 상자를 향해 고개를 내렸다. 그러나 상자에는 발송인의 이름과 주소 대신 쪽지 하나가 붙어 있을 뿐이었다.

[우리 좋았던 시절을 생각해야 할 사람은 너야.]

"뭐야, 이거?"

수상쩍은 기분에 고개를 갸웃하며 상자를 열었다. 내 몸통만 한 상자 안에는 사진첩과 편지 다발, 인형 등이 들어 있었다.

나는 그중에서 편지 다발을 들고 겉을 훑어봤다. 그러다가 편지 한 장을 슬쩍 펼쳤다. 그러자 낯익은 글씨체가 내 눈을 사로잡았다.

"이거, 형 글씨첸데……."

긴가민가한 마음으로 편지 내용을 읽어 봤다.

이윽고 나는 이 편지가 형이 손수 써 내려간 연애편지임을 확인할 수 있었다. 그리고 그 편지를 받을 사람의 이름 또한 두 눈으로 확인할 수 있었다.

"임대철?"

어제 그놈하고 이름이 똑같잖아?

갑자기 확 불쾌한 기분이 밀려왔지만, 설마 동명이인이겠거니 그렇게 치부하며 고개를 내저었다. 그러면서 이 불쾌한 기분을 완전히 씻어 내고자 사진첩을 꺼냈다.

사진첩을 열면 임대철이라는 여자가 있을 거다. 어제 본 그 소도둑놈과는 아무 상관이 없는 그런 여자가, 이 안에 있을 거다.

나는 믿고 기도하며 사진첩을 펼쳤다.

하지만 사진을 확인하는 순간 벼락을 맞아 외마디 비명을 지르듯이 상욕을 터뜨렸다.

"이, 시바알!"

3. 우리 형이 게이라니!

3. 우리 형이 게이라니!

내가 이성을 되찾았을 때, 눈앞에 보이는 것은 개수대에 가득 남은 잿더미였다. 나는 수도꼭지를 틀어 그 잿더미를 하수구로 흘려보냈다.

한때 형의 사진이었고, 형의 편지였던 그 잿더미를 말이다.

이제 남은 것은 곰 인형 하나. 사진이나 편지처럼 쉽게 태울 수는 없는 물건이라 우선 가위와 칼을 챙긴 다음 곰 인형을 도마 위에 올렸다. 그리고 일단은 칼을 써서 곰 인형의 팔다리를 서걱서걱 토막 냈다.

토막 난 덩어리는 하나하나 가위로 잘게 잘라 냈다. 그런 다음 개수대에 쌓아 놓고 불을 붙였더니, 잘게 잘린 조각들은 금세 까맣게 타들어 갔다. 나는 그 불길을 쏘아보며 부들부들 두 주먹을 떨었다.

우리 형이 게이라니……. 우리 형이 게이라니!

어느덧 눈앞의 불길은 사그라졌지만, 내 안의 불길은 여전히 활활 치솟으며 나를, 내 온몸을 들끓게 하고 있었다.

다 타 버린 곰 인형의 잔해에 물줄기를 퍼붓고서, 나는 침실로 향했다.

침대에 몸을 눕히자, 머리가 핑 돌면서 속이 울렁거려 왔다. 불덩이 같은 피부에 진땀이 흥건해져 갔다.

형이 게이라니……. 형이…….

도무지 믿기 싫은 사실에 고개를 내젓다가, 문득 고개를 멈추고 의문을 가졌다.

그럼 나아정은? 나아정하고 이 결혼은, 왜 하는 거지? 형은 게이면서 왜 그 여자하고 결혼을 고집하는 거지?

나는 번뜩 스치는 희망에 벌떡 몸을 일으키고 앉았다.

혹시 형이 나아정을 통해서 이성애에 눈을 뜬 건가? 게이였던 성 정체성을 뒤집을 만큼 나아정이 매력적이라서?

"……젠장, 그럴 리가 없잖아."

나는 잠시 만에 희망을 잃고, 도로 맥없이 몸을 쓰러뜨렸다.

아무리 나아정이 처음보단 2점쯤 나아졌어도 그래 봐야 마이너스 197점짜리 여잔데. 하느님도 못한다는 성 정체성 바꾸기를 그 여자가 해낼 리가 없지.

꽉 막혀 오는 복장을 주먹으로 턱턱 두드리며 연신 한숨을 내쉬었다.

그래. 처음부터 이상하다 했어. 우리 형이 왜 하필 그런 여자랑 결혼을 하겠다는 건지. 논리적으로 도저히 납득할 수 없는 일이었어.

하지만 형이 게이라니……. 그러니까 차라리 납득이 가려고 한다, 이 결혼.

"그래……. 형은 사랑이 아니었던 거야."

그저 형한테 필요한 신붓감이 딱 나아정이었던 거지.

엄마 친구 딸이니까 엄마 허락은 떼 놓은 당상이고, 오랜 친구니까 정으로 살 수 있을 것 같고. 게다가 이 결혼으로 로또 맞을 여자니까 속인다는 죄책감도 덜할 테고…….

내 생애 가장 불가사의하던 미스터리가 드디어 풀린 것만 같은데. 내 기분은 조금도 풀리지가 않고, 도리어 더욱 참담하기만 했다.

아니, 그렇다고……. 그렇다고 이 결혼이 말이 돼?

나는 여태 나아정이 나에게 보여 줬던, 형에 대한 절절한 사랑을 떠올렸다. 형 때문에 내 앞에서 무릎까지 꿇고 내가 시키는 선 뭐든 하고 있는 그 여자.

그 여자는……. 나아정은 아무것도 모르는데……. 어떻게 이런 사기 결혼을…….

"형……. 그런 사람이었어?"

내가 완벽하다 믿어 왔던 형이. 게이인데 게이가 아닌 척. 그 여자를 사랑하지 않는데 사랑하는 척. 그렇게 엄청난 거짓말들로 나를, 엄마를, 그리고 그 여자를 감쪽같이 속여 왔었다니.

무너지는 억장에 괴로워서 신음했다. 참담한 기분에 눈을 감고, 차라리 다 잊고 싶단 마음으로 머리를 비워 보려 애썼다.

그러다가 한참이 지났을 때, 멀리서 요란하게 현관문이 열리는 소리가 났다. 이어지는 다급한 발소리가 딱 나아정의 발소리라서 경계심 없이 천천히 눈을 떴다. 나아정은 곧바로 침실로 달려오더니 벌컥 문을 열었다.

“저, 저기, 혹시 무슨 상자 같은 거, 봤어요? 있었어요?”

나아정은 방 가운데서 헉헉 숨을 몰아쉬며 물었다. 나는 불편한 마음에 인상을 쓴 채 반문했다.

“무슨 상자요?”

“아, 그, 대철 선배가 여기 뭐 두고 갔다고…….”

나아정은 주위를 두리번거리면서 대답했다.

“그 새끼가 그래요? 여기 뭐 두고 갔다고? 가서 보라고?!”

순간 욱해서 허리를 일으켰다.

그러니까 그 상자가, 일부러 나아정 보라고 가져다 둔 거였어? 나아정 충격 먹이고, 이 결혼 깨뜨리려고?!

머리 위로 화산이 폭발하려는데, 나아정은 당황한 듯 동그래진 눈으로 얼른 고개를 마구 저었다.

“아니요, 지경 씨가 문자로 그러더라고요. 그…… 대철 선배가 집 앞에 뭐 두고 간다고 했다고. 근데 그거, 절대 열어 보면 안 된다고 하더라고요.”

나아정은 형의 당부를 곧이곧대로 믿고 따르려는 얼굴이었다.

“형이…….”

나는 힘없이 고개를 떨어뜨렸다.

“혹시, 보신 거예요?”

나아정의 질문에 고개를 절레절레 저었다. 나는 아직 뭘 어째야 하는지를 모르기에.

“아! 다행이네요. 지경 씨가 그러는데. 대철 선배, 요새 뭐 방문 판매 사업을 한다나 뭐라나. 무작정 상자 두고 갈 테니까, 물건 값은 계좌 이체하라고. 그런 식으로 또 사기를 치나 봐요. 찾아가는 다단계 강매 서비스랄까…….”

나아정은 정말이지 한 치의 의심도 없이 형의 말을 믿고 있었다.

“그러니까 혹시 무슨 상자 보여도 절대 뜯어 보시면 안 돼요! 뜯으면 반품이 안 되거든요. 혹시 상자 보거든. 뜯지 말고 저한테 주세요. 제가 확 반품해 버릴 테니까.”

무조건 형이 시킨 대로만 하려는지, 나아정은 나에게까지 신신당부했다.

저 바보 같은 여자…….

억만 톤의 무게로 마음이 짓눌리는 듯해서, 나는 신음하며 다시 침대에 누워 버렸다.

“님? 어디 아파요?”

나아정은 뭔가 이상하다는 듯이 주춤주춤 침대로 다가왔다.

“얼굴이……. 귀까지 빨개요. 열 있으세요?”

나아정은 침대 곁에 쪼그려 앉아 나를 살펴봤다. 그런 나아정을 볼 낯이 없어서 나아정에게서 몸을 돌려 누웠다.

“나가요.”

“저기. 어디가 어떻게 안 좋은지 알려 주면, 제가 약이라도 지어 올게요.”

“댁이 나가는 게 나한테 약이네요.”

나는 나아정의 호의가 불편해서 차갑게 잘라 말했다.

“그럼……. 저 나갈게요. 저녁은 제가 준비할 테니까. 푹 쉬고, 필요한 거 있으면 바로 불러 주세요. 그냥 호루라기 불어도 되고요.”

나아정은 주눅 든 목소리로 조심조심 말했다. 나는 그저 눈을 질끈 감고 나아정이 나가기만을 기다렸다.

새로 영화표를 끊고서 막 상영관에 입장하려 할 때, 지경에게서 전화가 왔다. 망할 놈의 임대철이 또 메일을 보내왔는데 집 앞에다 뭘 뒀다나 뭐라나. 덕분에 나는 환불할 틈도 없이 부랴부랴 집으로 달려와야 했다.

내 팔자가 그러면 그렇지. 간만에 좋은 구경 좀 하나 했더니.

"괜히 푯값만 날렸네."

나는 주방 휴지통에 영화표를 버리면서 꿍얼거렸다.

"그나저나 이지한은 왜 저러지? 어디가 어떻게 아픈 거야, 대체?"

열이 난다는 건 알겠는데 다른 증상은 알 길이 없어 고개를 갸웃거렸다. 갑자기 감기라도 걸린 건지.

아무튼 아픈 것만은 확실하니까, 죽이라도 준비해야겠다.

나는 휴대 전화를 꺼내 일단 지경에게 메시지를 보냈다. 메일 내용과 달리, 대철 선배는 아무것도 가져다 놓지 않았더라고. 그런 다음 지경에게 물어보았다. 네 동생, 아플 땐 어떤 죽을 먹이는 게 좋겠냐고.

그러자 얼마 후, 지경은 답장을 보내 왔다.

[죽 쑤지 마라.]

지경의 답장에는 어느 호텔 한식당 연락처와 약도가 첨부되어 있었다.

[여기 지한이가 좋아하는 식당이니까. 여기 죽 먹여. 전복죽이면 돼.]

아니. 무슨 죽이 그렇게 대단한 요리라고 이 간단한 걸 굳이 호

텔까지 가서 사 먹어? 그냥 물 넣고 밥 끓이면 되는 거잖아? 야채
죽엔 야채 넣고, 전복죽엔 전복 넣고.

"그 정도는 나도 한다, 이거야."

그리고 사람이 아프다는데. 것도 시댁 식구가 아프다는데 며느리
가 손 하나 까딱 안 하고, 덜렁 밖에서 파는 죽 한 그릇 사 오는 게
말이 돼? 더구나 같이 사는 사이끼리?

"에이, 그건 아니지. 그건 아니야."

나는 고개를 절레절레하면서 혼잣말했다. 잠시 후, 휴대 전화로
전복죽의 레시피를 찾아보며 장을 보기 위해 집을 나섰다.

아플 때 누가 죽 끓여 주는 거, 사실 그거 내 로망이다. 누가 나
아플 때 이런 것 좀 해 줬으면, 하고 바라던 거.

직접 끓인 전복죽을 그릇에 덜어 내면서, 문득 이지한이 정말 부
럽다는 생각을 했다. 내가 만든 거지만 이거 먹을 이지한이 정말
부럽다.

나도 누가 이렇게 죽 좀 끓여 주면 좋았을 텐데.

엄마 없이 새엄마 가족하고 살게 된 후로, 나는 한 번도 그런 정
성을 받아 본 적이 없었다. 눈이 오나 비가 오나. 아플 때나 어떨
때나. 그냥 나는 그 집 거실에 들러붙은 지박령 같은 거였으니까.

부러움을 삼키며 전복죽 그릇을 쟁반에 담고 수저와 물 한 컵을
챙겼다. 그렇게 세 가지를 보기 좋게 담은 쟁반을 들고서 침실로
향했다.

노크 후에 슬그머니 침실로 들어서자 이지한은 침대에서 몸을 일으켰다.

"몸이 안 좋은 거 같아서, 죽 좀 끓여 왔어요."

내 말에 이지한은 침대 바깥으로 발을 내렸다.

"아니, 안 일어나도 돼요. 그냥 침대에서 편하게……."

"나 자는 곳에 음식 냄새 배는 거 싫습니다."

이지한은 냉랭하게 대꾸하며 일어섰다.

"아, 네. 그럼 나가야죠. 나갈게요. 님도 나오세요. 주방으로."

나는 쟁반을 든 채 후다닥 뒷걸음으로 방을 빠져나갔다. 그러자 이지한의 차분한 목소리가 나를 따라왔다.

"옷, 갈아입고 나갈 겁니다."

"아, 그래요. 그럼 이건 식탁에 둘게요."

대답하고서 주방으로 발을 옮기는데, 어째 이지한의 태도가 묘하게 평소와 다르다는 생각이 들었다.

자는 곳에 음식 냄새 배는 게 싫다면서, 왜 음식을 들고 온 건 비난하지 않는 거지? 뭐 하나 꼬투리를 잡았으니 이때다 하고 하이에나처럼 물고 뜯어야 이지한다운 거잖아?

그런데 아무 비난 없이 그냥 넘어가다니…….

너무 기운이 없어서 그런가?

나는 식탁 위에 전복죽과 수저, 물컵을 내려놓은 다음, 쟁반을 원래 있던 자리로 가져다 놓았다. 그러고 나서 요리하느라고 사용했던 조리 도구들을 설거지했다.

잠시 후, 설거지를 마치고 돌아서다 주방 입구에 서서 나를 보고 있는 이지한의 모습에 흠칫 놀랐다.

"아, 깜짝아……! 언제 왔어요?"

나는 당황해서 어깨를 움츠린 채 이지한을 봤다. 왜인지 이지한은 힘없고 서글픈 눈빛으로 나를 응시하고 있었다.

"왜요……? 표정이 왜 그래요? 많이 아파요?"

걱정스러워서 물어봤더니, 이지한은 내게서 휙 고개를 돌리고 한숨을 내쉬었다. 뭐야, 대체?

아무래도 이상해서 얼굴을 찌푸리는 사이, 이지한은 저벅저벅 식탁으로 가 앉았다.

다 죽어 가는 얼굴을 하고도 수저 들 힘은 있는지, 이지한은 자기 앞에 놓인 수저를 들었다. 하긴 말끔하게 옷 갈아입을 기운은 있었던 걸 보니 수저 들 힘 정도는 당연히 있겠지.

아니, 근데 그럴 힘은 있으면서 나 욕할 기운은 왜 없는 건데? 손발은 괜찮은데, 머릿속이 아픈 건가?

나는 이지한의 여기저기를 탐색하며 그의 맞은편에 앉았다. 이지한은 숟가락의 반만 전복죽에 담그더니, 숟가락을 자기 입으로 옮겨 넣었다. 곧이어 이지한은 빈 숟가락을 뱉어 냈다. 여전히 서글픈 데다 이제는 화까지 나는 듯한 얼굴로.

"내가 웬만하면 좋게 말하려고 했는데."

이지한은 나지막이 중얼거렸다.

"이걸 죽이라고 만든 건지. 죽으라고 만든 건지…….

"예? 별로예요?"

"내가 진짜……. 이 와중에도 거짓말은 못 하겠네요. 이 비린 맛에 느끼함의 기괴한 조합은 대체……. 이건 아픈 사람한테 먹일 게 아니라, 아프게 할 사람한테 먹일 요리네요."

"진짜 열심히 만들었는데……. 난 정말 요리에는 재주가 없나 봐요."

시무룩하게 말하자 왜인지 이지한은 아뿔싸 싶은 표정으로 입을 가로막았다. 그러더니 이지한은 이내 두 손으로 얼굴을 가리고서 한숨을 내쉬었다. 뭔가 후회하는 듯이.

아무래도 나한테 저녁을 맡긴 것을 후회하는 모양이다.

하지만 나에게는 아직 비장의 카드가 남아 있으니까.

나는 좌절하지 않고 벌떡 자리에서 일어났다.

"대신! 이건 마음에 들 거예요!"

재빨리 가스레인지로 다가가서 두 개의 냄비 중에 내 전복죽이 아닌 다른 전복죽이 담긴 냄비를 열었다. 그건 아까 지경이 알려준 호텔 한식당의 전복죽이었다. 실패를 대비해서 사 두었던 건데, 역시 사 두길 잘했다.

한식당의 전복죽을 새로 한 그릇 덜어 낸 다음 개선장군처럼 씩씩하게 이지한에게로 걸어갔다. 이번만큼은 정말로 자신이 있기 때문이다.

"이거, 님이 좋아하는 호텔 한식당에서 사 온 거예요."

나는 이지한의 앞에 새 전복죽을 내려놓았다. 그러자 이지한은 왜인지 슬픈 눈빛으로 새 전복죽을 바라봤다.

"왜…… 왜요? 마음에 안 들어요?"

"아니요. 마음이, 안 좋아서요."

"예?"

이지한은 착잡한 표정으로 나지막이 중얼거렸다.

"나한테 이렇게까지, 신경 안 써도 되는데……."

얼레. 나 지금 뭔 소리를 들은 거지?

"어머, 무슨 소리예요? 당연히 써야죠, 당연히! 님이 지경 씨한테 얼마나 소중한 동생인데요."

"형 때문에 나한테 잘할 필요 없습니다."

이지한은 숙연하게 대꾸했다.

뭐지, 이 반응은……

"에이. 형 때문이 아니라 저 때문이죠. 님이 행복해야, 형이 행복하고. 형이 행복해야, 제가 행복하니까. 결국 제가 님한테 잘하는 건, 저 자신을 위해서랍니다."

나는 낭창하게 딸랑딸랑 방울 소리나 다름없는 목소리를 냈다. 하지만 이지한은 한층 더 서글퍼진 표정으로 땅이 꺼져라 한숨을 내쉬었다.

"우리 형이……. 그렇게 좋습니까?"

"아니요, 전……."

영문을 모르겠지만 일단 침착하게 입을 열었다. 아니라는 말이 뜻밖인지 이지한은 다소 의아한 눈빛으로 쳐다봤다. 나는 그 눈에 보이도록 두 손을 어깨높이로 들고, 엄지와 검지를 포개어서 작은 하트 표시를 만들어 보였다.

"지경 씨를, 사랑하는데요."

이지한은 내가 만든 두 개의 하트를 안쓰러운 눈빛으로 바라봤다.

애 진짜 왜 이래……. 뭐, 어디서 영혼이 바뀌고 왔어?

내가 이런 짓을 하면 비웃든가, 비꼬든가. 그게 이지한인데. 얜 왜 이러는 거지?

답지 않은 반응에 얼떨떨해하는데, 이지한이 무거운 목소리로 물어 왔다.

"우리 형, 사랑 안 하면 안 됩니까?"

순간 나는 말문이 막혔다.

내 눈을 바라보는 이지한의 눈이 어찌나 애잔한지, 내 가슴이 다 짠해지려 한다. 당장에라도 그럴게, 하고 고개를 끄덕여 주고 싶을 만큼.

아! 설마 이 인간……. 동정에 호소하려는 건가? 형한테서 떨어져 달라고?

불현듯이 의심이 솟구쳐서 퍼뜩 정신을 차렸다.

"당연히 안 되죠!"

"왜 안 됩니까?"

내가 펄쩍 뛰자 이지한은 더없이 심란해진 얼굴로 물어 왔다.

확실하네, 확실해. 저 얼굴에 저런 슬픈 눈으로 바라보면, 여자들이 차마 거절할 수 없다는 걸 아는 게지. 노렸네, 노렸어.

나는 현혹되지 않으려고 굳건하게 마음을 다잡고서 야무지게 말했다.

"왜 안 되냐면……. 머리로 심장을 멈추는 일은 불가능하니까요."

"?"

"아무리 멈추라고 생각해도 심장은 멈추지 않잖아요? 손이나 발은 생각으로 멈출 수도, 움직일 수도 있지만. 심장은 그게 안 돼요."

나는 내 왼쪽 가슴에 오른손을 올리고 처연하게 이어 말했다.

"그리고 사랑은 이 안에 있기 때문에, 멈출 수가 없는 거예요. 내 머리로든. 내 의지로든."

하는 김에 이것도 할까? 싶어져서 왼손을 마저 올리고 두 손을 모아 가슴 앞에 하트 모양을 만들었다.

"이 심장이 뛰는 한, 제 사랑도 멈출 수 없답니다."

이게 무슨 개소리냐고 내 심장은 항의하듯 뛰어 댔다.

하지만 표정 하나 안 바꾸고 열연을 유지했다. 이것이 내 진심이고, 이 진심이 통하기를 간절히 바라는 듯이.

이지한은 그런 나를 측은하게 응시했다. 그리고 혼잣말을 흘렸다.

"진짜 사랑이 아니고서야……. 맨정신에 저딴 말을 할 수 있을 리가……."

"예?"

내가 묻자 이지한은 고개를 내젓더니, 대답이 아니라 질문을 내놓았다.

"그거 멈추면, 죽을 것 같습니까?"

비꼬는 게 아니라, 따지는 게 아니라. 정말 신중하게 조심스레 물어보는 어조였다.

마치 나를 걱정하기라도 하는 것처럼.

"그럼요!"

왜 이러는지는 모르겠지만, 일단 자신 있게 대답부터 했다. 그러자 이지한은 고개를 푹 떨어뜨렸다.

"정말, 내가 뭘 어째야 하는 건지 모르겠군요."

내가 뭘 어떻게 해야 네가 우리 형에게서 떨어질지 모르겠다. 그 말이지?

괴롭히다 안 되니까, 불쌍한 척 태세 전환이냐? 어림없다, 야.

나는 씩씩하게 숟가락으로 전복죽 한술을 뜨고, 이지한에게로 내밀었다.

"어떻게든 저 떼어 낼 고민하시나 본데. 일단 죽부터 먹어요. 아,

사람이 기운을 차려야지. 이렇게 기운도 없이 뭘 한다고. 일단 이거 먹고 기운 내서 고민해요."

나는 고개 숙인 이지한의 얼굴을 보기 위해 허리를 낮추었다. 그리고 숟가락을 이지한의 입술에 갖다 댔다. 그러자 이지한은 고민하듯 잠시 머뭇거리더니, 이윽고 놀랍도록 순순한 태도로 입을 벌렸다.

마치 경계심 많은 길 고양이가 쭈뼛쭈뼛 내 손의 참치를 받아먹은 것처럼. 나는 숟가락을 받아먹은 이지한의 행동에 놀랍고도 반가운 희열을 느꼈다.

그렇게 한술을 삼킨 이지한은 빈 입을 열고 말했다.

"맛있네요."

"진짜요?!"

맛있을 줄 알긴 알았는데. 이렇게 고분고분 착하게 말해 줄 줄은 몰랐다.

"그쪽은, 안 먹습니까?"

게다가 나까지 챙겨줄 줄은 더더욱 몰랐다. 너무 믿기지 않아 움찔 뒷걸음질 치며 되물었다.

"나, 나요?"

"오늘 내가 요리할 정신이 아니라서. 그쪽 밥 못 챙기겠는데. 이거 나눠 먹죠."

"아, 아니에요! 난 그냥 내가 만든 전복죽 먹으면 돼요. 그 일류 주방장이 만든 전복죽은 님이 다 드세요. 그거 뭐, 양 얼마나 된다고, 저 따위랑 나눠요?"

나는 냉큼 맞은편에 앉았다. 그리고 호텔 전복죽 때문에 옆으로 밀려나 있던 내 전복죽을 향해 손을 뻗었다. 그러자 이지한은 내 손목을 한 손으로 붙들더니 남은 손으로 내 전복죽을 잡았다.

"그럼, 이걸 내가 먹죠."

"예?"

"그쪽은 이거 먹어요."

이지한은 내 손을 놓고, 호텔 전복죽을 내 쪽으로 슥 들이밀었다.

"아니 왜, 아니, 그, 그거 맛없다면서요."

"입에 쓴 게 몸에 낫겠죠."

이지한은 씁쓸하게 대꾸하고서 내 전복죽에 숟가락을 담갔다. 이어서 내 전복죽을 한술 떠서 입 앞까지 들어 올렸다. 하지만 멈칫 이지한은 동작을 멈췄다. 아무래도 내키지가 않는 듯이.

결국 이지한은 숟가락의 전복죽을 도로 그릇에 미끄러뜨렸다. 그리고 이지한은 숟가락을 내려놓았다. 그런데 다음 순간 이지한은 아예 두 손으로 그릇을 들었다. 그러고는 오만상을 찌푸린 채 눈을 꽉 감더니, 사약 들이켜듯 전복죽을 들이켰다.

아니, 저럴 정도로 맛없는 걸 왜 굳이 다 먹어 치우는 거지?

정말이지 모를 일이라서 멀뚱히 눈만 껌뻑이며 지켜보는데, 이윽고 이지한은 싹 비워 낸 그릇을 턱 하니 내려놓았다. 이지한은 한 층 더 찌푸려진 얼굴로 구조를 요청하듯 외쳤다.

"다, 단 거……!"

"예?"

이지한은 벌떡 일어나서 냉장고로 향했다. 그리고 냉장고에서 사이다를 꺼내 병째로 죽 들이켰다.

요상했던 저녁 식사 이후, 이지한은 침실에 틀어박힌 채 나올 줄을 몰랐다. 오늘 아침에만 해도 휴가 내내 감시할 것처럼 선언하더니, 왜인지 자정이 다 될 때까지도 이지한은 감감무소식이었다.

혹시 이거, 보다 강력한 시집살이를 준비하기 위한 정기 점검 시간인가?

이러다 자정이 넘으면 호루라기를 불어 대며 시집살이 확장판을 시작하는 건가?

나는 풀려난 새가 새장 밖으로 차마 나서지 못하는 것처럼, 내내 불 꺼진 거실을 서성이며 불안감에 손톱을 물어뜯었다. 그러면서 휴대 전화 메시지를 통해 지경과 의논을 했다.

[임대철이 언제 찾아올지 모를 일이니까, 아무래도 집은 이사하는 게 좋을 것 같아.]

[그냥 너 지금 외국에 있다고, 집에 아무도 없다고 하면 되지 않아?]

[당장은 그렇게 넘긴다고 쳐도, 우리 결혼하고 나서 찾아오면 골치 아프잖아. 그냥 내일 당장 새집으로 이사해.]

[근데 갑자기 집 이사한다고 하면 네 동생이 이상하게 생각하지 않을까? 마땅한 이유가 없잖아, 이유가.]

내 메시지에 지경은 한동안 답신이 없었다. 그러다가 몇 분 후에야 지경은 답을 보내왔다.

[일단 내가 그러라고 했다고 해.]

[……네가 생각해도 갖다 댈 이유가 없지?]

[응. 스토커가 붙었다고 하면 그 스토커 잡겠다고 일 크게 키울 테고. 집터 핑계를 대자니. 거기 지한이가 풍수지리 전문가 데려다가 직접 고른 터라…….]

[집터? 네 동생 그런 것도 믿어?]

[응. 집에 붙은 부적도 걔가 해 다 준 거야.]

혹시 이지한 이거……. 지금 방 안에서 내 이름 적힌 인형에 바늘 찔러 대고 있는 건 아니겠지.

나는 의심의 눈초리로 침실 쪽을 찌릿 흘겨봤다.

[일단 내 부탁이라고 하고 집부터 바꿔. 지한이가 이유 물어보려고 하면, 이유 떠오를 때까지 연락 피하면 돼.]

[일단 알았어. 네가 그런 식으로 나오면 욕은 나만 먹겠지만. 원래 남편 잘못도 며느리가 대신 욕먹는 게 대한민국 며느리들 팔자니까. 난 괜찮아.]

난 괜찮아. 대신 돌아오면 내 손에 네가 안 괜찮게 될 거다. 나는 그런 깊은 뜻을 담아 메시지를 전송했다.

[……선물 사 갈게.]

자식, 여자한테 사랑받는 법을 안다니까? 대신 여자를 사랑하는 법은 모르는 게 함정이지만.

[아참 그리고 예식장도 바꿔야 하지 않아? 대철 선배가 청첩장 봐 버렸으니까.]

아무리 계약 결혼이래도, 식장에 뱀 풀러 오는 하객은 절대 사양이라서. 나는 지경에게 제안했다.

[응. 그래야 할 것 같아. 장소 바뀌면 청첩장도 수정해야겠네. 미안하다. 번거롭게 해서.]

[아냐, 청첩장 흘린 내가 죄인이지. 그런 놈 사귄 너는 죄 없어.]

한 달 내내 이지한의 화법에 시달려서인지. 나는 그처럼 우아하게 비딱한 표현으로 상대의 잘못을 꼬투리 잡고 있었다.

메시지를 전송하고서 이부자리에 앉아 지경의 답신을 기다렸다. 그런데 갑자기 침실에서 문소리가 났다. 순간 움찔하며 반사적으로 얼른 이부자리에 누웠다. 그리고 자는 척 두 눈을 감고, 이지한의 인기척에 촉각을 기울였다.

만약에 호루라기 소리가 들리면. 그때 벌떡 일어나야지. 속으로 다짐하며 계속 자는 척을 했다.

그런데 이어진 이지한의 발소리는 불길하게도 나를 향해 다가왔다.

저벅, 저벅, 저벅.

머리맡에서 이지한의 발소리가 뚝 멈추었다.

이제 휴가 끝, 지옥 시작이구나. 이제 호루라기 소리로 날 깨우겠구나.

나는 각오하고 호루라기 소리를 기다렸다.

그런데……. 호루라기 소리는 들리지 않았다. 대신 들려온 건 내 옆으로 다가오는 이지한의 발소리였고, 곧이어 느껴진 건 슬그머니 내 어깨를 감싸는 이지한의 팔이었다.

뭐지?!

이어서 이지한의 다른 팔이 내 두 오금을 받쳤다. 그대로 이지한은 천천히, 흔들림이 없도록 나를 들어 올렸다. 그리고 어디론가 발을 움직였다.

왜 이래? 왜 안 깨우고 이래? 설마 나 가져다 버리는 거야? 현관 밖으로?

불안해진 나는 실눈을 뜨고, 여차하면 잠에서 깬 척하자고 마음먹었다. 그런데 이지한이 향하는 곳은 현관 쪽이 아니었다. 잠시만에 이지한이 다다른 곳은, 내가 내 방으로 삼으려 했던 손님방이었다.

날 왜 여기로 데려오는 거지……. 버리려는 게 아니라면 왜 이러는 거지?

이지한의 의도가 궁금해서 다시 눈을 감고서 잠자코 자는 척을 이어 갔다. 그러자 이지한은 좀 더 걸음을 움직이다가 나를 찬찬히 내려놓았다.

어…… 라…….

내 몸을 받아 주는 푹신한 침대가 느껴져서 어안이 벙벙해졌다. 거기다가 이지한은 내 몸 위로 이불을 덮어 주기까지 했다.

아하. 나는 지금 꿈을 꾸고 있구나. 어디서부터 꿈이었는진 모르겠는데. 아무튼 이건 꿈이구나. 그래, 꿈일 수밖에 없지, 이건.

내가 나름의 답을 내려 보는 사이, 꿈치고는 너무 생생한 한숨 소리가 들려왔다. 그러더니 저벅저벅 멀어지는 발소리가 이어졌다. 이윽고 달칵, 조심스럽게 문이 닫히는 소리가 났다.

문소리를 끝으로 아무 소리도 느껴지지 않기에 슬그머니 눈을 떴다. 나는 손님방에 홀로, 침대 위에 고이 눕혀져 있었다. 어리둥절해서 어두운 방 안을 둘러보며, 이게 꿈이 아니란 걸 파악해 갔다.

자고 있는 나를 왜 손님방으로 옮긴 건지. 이지한의 행동을 이해할 수 없어 생각하고, 또 생각했다.

분명히 뭔가 꿍꿍이가 있어. 절대 좋은 의도는 아닐 거잖아? 이건 나를 괴롭힐 새로운 수법인데…….

추리하던 나는 한 달 전, 이 방에 엉덩이를 붙였다가 이내 거실로 나가게 된 이유를 떠올렸다. 바로 이지한의 호루라기 소리를 듣기 위해서였다. 이 방은 침실에서 너무 머니까 이 방에 있으면 침실에서 부는 호루라기 소리를 들을 수가 없고, 그 소리를 못 들으면 이지한이 내 점수를 깎아 댈 테니까.

아아! 이 자식! 자는 나를 손님방으로 옮겨 두고, 침실에서 호루라기를 불 작전인 게야!

이제야 모든 퍼즐 조각이 맞춰지는 기분이었다.

참나, 그런다고 내가 못 들을 줄 알고?

나는 살금살금 침대를 떠나 문으로 다가갔다. 그리고 슬그머니 소리 나지 않게 문을 열고 바깥으로 배꼼 고개를 내밀었다. 그러자 어두운 거실 너머로 불 켜진 침실의 문이 닫히는 게 보였다. 이지한이 막 침실로 들어간 모양이다.

혹시 몰라 도둑처럼 까치발을 한 채, 조심조심 숨죽여서 도로 거실 내 이부자리로 돌아갔다.

호루라기 소리 들리기만 해 봐. 아주 바람같이 날아가서 깜짝 놀라게 해 줄 테다!

나는 호기롭게 가부좌를 틀고 앉아서 팔짱을 끼고 침실 소리에 귀를 기울였다.

하지만 아침이 올 때까지…….

침실에서는 아무 소리도 들려오지 않았다…….

어느덧 꾸벅꾸벅 앉은 채로 졸고 있다 문소리에 번뜩 정신을 차렸다. 나는 억지로 눈을 부릅뜨고서 침실 쪽으로 고개를 돌렸다. 그러자 침실에서 빠져나오는 이지한이 보였다.

이지한은 무심히 거실에 발을 들이다가 나를 발견하고 눈이 휘둥그레졌다. 이어서 이지한은 황당한 표정으로 응시하며 눈을 껌뻑거렸다.

"왜 여기 있습니까?"

"여기가 제 자리니까요. 전 원래 여기서 지내잖아요."

"아니……. 밤에 내가 손님방으로 옮겼는데, 왜 여기 있는 거냐고요."

이지한은 어째 자기가 날 옮겼다는 걸 숨기지 않고 밝혔다. 그 사실을 숨긴 채로 골탕 먹일 줄로 예상했건만. 예상과 다른 전개에 나는 잠깐 마른침을 삼키며 대처법을 새로 정했다.

"밤에, 아, 님이 저 옮기신 거였어요? 저는 제기 몽유병이 생긴 건 줄 알았어요. 자다 깨 보니까 침대 위라서."

나는 아무것도 몰랐던 척 둘러댔다. 깨어 있었으면서 자는 척했다고, 네 계략에 당할까 봐 다시 거실로 나와 있었다고. 사실대로 말할 수는 없는 노릇이니까.

"내가 옮겼어요. 거실에서 자는 거, 보기 안 좋아서."

이지한은 숨김없이 태연하게 말했다.

"아니 그럼 깨우시지. 왜 직접 옮기시고……."

"어젯밤엔 시간 가는 줄을 몰랐다가, 문득 거실에 나와 보니까 그쪽이 자고 있는 게 눈에 들어왔습니다. 깨우기엔 늦은 시간이고, 거기 계속 재우고 싶진 않고. 그래서 옮겼습니다."

또박또박, 진지하게 알려 주는 말에 잠시 멍해졌다.

설마 날 위해서 옮겼다는 거야?

"앞으로는 계속 그 방 쓰도록 해요."

이지한은 덧붙여 말했다.

"아, 왜요?!"

갑작스러운 친절이 믿을 수 없어서 버럭 따지듯이 물었다.

"거실, 불편하잖아요."

님이 언제 나 불편한 걸 신경 썼다고……?

듣고 보니 더 믿을 수가 없어 더욱 경계심을 끌어모았다.

확실해. 내가 손님방을 써야 호루라기 소리를 못 들으니까. 그걸 노리는 게 분명해.

"아니요. 저 거실 편해요. 저 원래 집에서도 거실만 썼고. 더구나 여기 거실은 제집 거실보다 열 배, 스무 배는 큰 걸요? 저 그냥 계속 여기 쓸래요. 여기가 편해요."

"대체 언제부터 거실에서 산 겁니까?"

"예?"

"원래 집에서도 거실만 썼다면서요. 그렇게 거실에서 산 지 얼마나 됐냐고요."

이지한의 질문에 나는 답을 찾기 위해 기억을 더듬었다.

중학교 때, 집 쫄딱 망하고서 빚쟁이를 피해 온 가족이 도망 다니다가 겨우겨우 지금의 집을 마련한 게 나 고등학교 때였고. 그때부터 지금까지 거실을 내 방으로 사용해 왔었다.

새엄마와 아빠, 그리고 이복동생 둘이 쓸 방을 빼고 나니, 남는 건 거실과 화장실뿐이었으니까.

"한 15년 됐나……. 맞다. 그쯤 됐어요. 15년."

"그럼 15년이나 방을 안 써 봐서 그러나 본데, 써 보면 방이 훨씬 편할 겁니다. 잔말하지 말고 일단 써요."

거기까지 말하고서 이지한은 주방으로 발길을 돌렸다.

"아니, 거기 있으면, 저 호루라기……. 듣기 어려운데."

얼른 일어나며 주저주저 말하자 이지한은 발을 멈추고 고개 돌려 다시 나를 봤다.

"호루라기, 버렸습니다."

"예?"

"이제 그거 불 일 없습니다."

"……."

"그러니까 방에 들어가서 자요. 딱 보니 더 자야 될 얼굴인데. 가서 편하게 더 자다가 깨면 아침이나 먹으러 나와요."

이지한은 더 할 말은 없다는 듯 성큼성큼 주방으로 걸어갔다.

그 모습에 나야말로 더 할 말이 없었다. 도대체가 아무 말도 떠오르질 않으니까.

머릿속이 새하얘진 채 멍하니 서 있는 사이, 이지한은 앞치마를 두르고서 냉장고를 열었다. 그리고 정말이지 내게 시킬 일은 없는 것처럼 이지한은 그저 재료를 하나하나 꺼내 재료 손질에만 집중해 갔다.

혹시 날 시험하는 건가? 시키지 않아도 얼마나 잘하는지 보겠다……. 이런 수작인가?

"아니, 아니에요! 아닙니다!"

나는 퍼뜩 정신을 차리고서 쪼르르 이지한에게로 달려갔다.

"저 일할래요, 일하고 싶어요! 뭐 할까요? 청소? 빨래?"

"됐으니까, 쉬라고요."

이지한은 거들떠도 보지 않고 담담하게 야채를 썰어 갔다.

“아니에요, 그냥 일할래요. 그게 편해요. 아! 나가서 잡초 뽑을까요? 어제 하루 쉬었으니까, 그새 새 잡초가 났을지도 모르잖아요.”

“아니, 쉬라는데! 왜 쉬지를 못합니까?!”

이지한은 울컥 화난 얼굴로 버럭 외쳤다.

“방에 가서 쉬라잖아요!”

나는 움찔해서 뒤로 물러났다.

이건, 아무래도 안 쉬면 큰일 날 분위기잖아?

재빠르게 눈치를 살피다 슬금슬금 뒷걸음을 계속 쳤다. 거실을 지나쳐서 손님방에 닿을 때까지.

마주 앉아 아침을 먹는 내내, 언제 돌변할지 몰라 조마조마한 마음으로 흘끔흘끔 이지한의 눈치를 살폈다. 그러나 이지한은 잠자코 식사를 할 뿐이었다.

지난 한 달 동안 그랬듯이, 오늘 역시 요리를 삼킨 내 입에선 찬사가 쏟아져 나왔지만, 지난 한 달과 다르게 어째 이지한은 어디론가 사라지지 않고 묵묵히 자리를 지킬 따름이었다.

대체 왜 저러는 건지.

전에 없던 모습에 나는 찜찜한 입맛을 다셨다. 그러다가 문득 지난밤에 지경과 나누었던 작전을 떠올리고, 일단 내 임무를 수행하려 입을 열었다.

“아. 지경 씨가 그러는데, 신혼집 여기 말고 다른 데로 구하자고. 당장 이 집 비우고, 새집 구하래요.”

"이 집을 비우라고요?"

이지한은 뜻밖인 듯 물어 왔다.

"예. 최대한 빨리 비우라는데, 이유는 나중에 알려 주겠대요."

내 말에 이지한은 잠시 생각에 잠기더니, 고개를 끄덕였다.

"그래요. 당장 오늘 비우는 게 좋겠네요."

너무도 흔쾌한 대답에 눈이 휘둥그레졌다.

"예?"

어느 정도 반발을 예상했건만. 어쩜 이렇게 아무것도 묻지도, 따지지 않고 받아들이는 건지. 나는 믿기지가 않아 물었다. 하지만 이지한은 내 질문을 무시한 채 자기 질문을 던졌다.

"근데, 새집은 구했답니까?"

"예?"

"당장 집 비우려면 어디로 갈지를 알아야죠."

"아……. 오, 오늘 구해 보려고요. 바로 들어갈 수 있는 집으로."

"그런 집 구하는 게 쉽지는 않을 텐데. 일단 집 구할 때까진 내 집에서 지내도록 합시다."

"님 집이라면……. 본가 말이에요?"

"아뇨. 내 명의로 된 도곡동 아파트요."

누군 28년 직장 생활에 퇴직금 얹어도 못 살 아파트를, 스물여덟 살에 갖고 있다니. 이런 이십팔 같은 세상…….

"아니, 아파트도 있으면서 왜 형 집에 계셨어요……?"

"형 집이니까요."

"……."

"유학하고부턴 형 자주 못 봤으니까. 한국 와 있는 동안, 형 집에서라도 지내고 싶었습니다. 또 가면 한참 못 볼 텐데, 여기서 형 간접 체험이라도 하자 싶어서.”

이지한은 형에 대한 아련한 그리움을 내비치며 말했다. 그러나 말이 끝나자 이지한은 왜인지 허망한 눈빛으로 허공을 향해 한숨을 내쉬었다. 마치 다 부질없는 짓이라는 듯이.

“아……. 근데 그런 형 집을, 오늘 갑자기 떠나도…… 괜찮아요?”

나는 조심스레 물었다. 그러자 이지한은 망설임 없이 고개를 끄덕였다.

“밥 먹자마자 짐 싸요. 설거지는 내가 할 테니까.”

이어지는 믿을 수 없는 말에 나도 모르게 수저를 뚝 떨어뜨리고 말았다.

정말로 이지한은 설거지를 했다. 그리고 이지한은 정말로 나를 자신의 아파트로 안내했다.

아파트 현관에서 이지한은 도어락에 손끝을 갖다 대고 차분하게 사용법을 설명했다.

“비밀번호는 이겁니다.”

이지한은 내가 볼 수 있도록 비밀번호를 천천히 눌렀다. 그리고 이지한은 담담하게 덧붙였다.

“헷갈릴 수 있으니까, 따로 메모해 주겠습니다.”

“아, 네…….”

계속되는 친절에 현실감 없이 멍한 기분으로 대답했다. 이지한은 그대로 현관문을 활짝 열고는, 먼저 들어가라는 듯 나를 보며 기다렸다.

나는 얼떨떨해 쭈뼛쭈뼛 걸음을 옮겨 현관 안으로 들어섰다. 이지한은 내 뒤에서 문을 닫고, 나를 지나쳐서 복도를 가로지르며 안내를 이어 갔다.

"형 집보다는 좁습니다. 방은 네 개뿐이고. 그중 안방은 내가 쓸 거니까. 그쪽 방은 나머지 중에서 골라요."

나는 얌전히 이지한의 뒤를 따라 걸으며 주위를 두리번거렸다.

형 집보다 좁다니. 이건 뭐, 별 차이도 없고만. 여기나 거기나, 거실 하나가 새엄마 집 전체보다 넓기는 마찬가지잖아?

혀를 내두르며 따라가는데, 이지한이 우뚝 멈춰 서 돌아봤다.

그리고 단호하게 말했다.

"미리 말하는데, 거실은 안 됩니다."

"그……. 여기서도 호루라기를 안 쓰실 거면, 저도 굳이 거실을 고집할 이유는 없죠."

"안 씁니다, 호루라기. 여기서든 어디서든."

"왜요?"

"이제 그쪽한테 일 시키고 싶지 않으니까요."

"아니, 일을 안 시키면……. 저는 여기서 뭘 하나요?"

"그냥 먹고 자면 됩니다."

이지한은 아무렇지 않게 대답하고서 거실 테이블로 향했다. 그리고 허리를 숙여 테이블 위 만년필과 메모지에 손을 뻗었다. 그 모습을 지켜보며 심각하게 이 현상의 원인을 분석했다.

아니 왜? 갑자기 왜 이렇게 잘해 주는 거지? 어제 몸이 안 좋더니, 밤사이 죽을 고비라도 넘긴 거야? 남은 생은 착하게 살기로 저승사자하고 약속이라도 하고 헤어졌어?

별별 생각을 다 해 보다가 불쑥 떠오르는 가설에 설마 하는 기대감으로 눈을 번쩍 떴다. 때마침 이지한은 비밀번호를 적은 메모지를 든 채 나에게로 마주 섰다. 나는 그런 이지한의 눈을 올려다보며 기대감에 두근거리는 마음으로 입을 열었다.

"혹시, 이제 찬성하는 거예요? 결혼?"

애초에 이지한이 나와 함께 지내면서 나를 고생시켜 온 건, 이 결혼에 반대하기 때문이었다. 그러니까 더 이상 나를 고생시키지 않겠다는 것은, 이제 이 결혼에 반대하지 않겠다는 의미가 아닐까?

아! 제발 이게 정답이면 좋겠다.

나는 두 손을 모아 쥐고 간절하게 이지한의 눈을 바라봤다. 그러자 이지한은 냉정하게 딱 잘라 대답했다.

"전혀요."

와장창 무너지는 기대에 힘없이 두 손을 내렸다. 이지한은 그런 내 눈을 똑똑히 바라보며 이어 말했다.

"이유는 바뀌었지만 결론은 똑같습니다. 나는 이 결혼, 반댑니다."

"그럼 대체 왜 일도 하지 말고 그냥 있으라는 건데요? 이 결혼을 반대할지 찬성할지, 나 지켜보면서 점수 매기면서 다시 생각하기로 한 거잖아요. 그래서 두 달이나 한집에서 살게 된 거고. 근데 나더러 일 없이 그냥 먹고 자라는 건……."

"점수 매길 생각, 없어졌습니다."

"?"

"나는 이제 그쪽이 형한테 모자란 상대라서 반대하는 게 아니니까요.”

“그게 무슨…….”

“그리고 그쪽한테 상처 줘 가면서 반대하지도 않을 겁니다.”

어리둥절해하는 내 눈앞으로, 이지한은 메모지를 내밀었다.

받아요.

눈으로 전하는 말에 나는 얼결에 한 손을 뻗어 메모지를 잡았다. 그러자 메모지를 쥐고 있던 이지한의 손이 스르르 펼쳐졌다. 그리고 그 손은 악수를 권하듯이 내 손에 다가왔다.

이건 또 무슨 의미인가 싶어 망설이는 눈빛으로 이지한의 눈을 봤다. 그런데 그때, 이지한의 손이 내 손을 덥석 그러잡았다. 순간 놀라서 몸이 굳으면서 가슴 속이 흠칫 떨려 왔다. 동시에 내 손이 얼마나 작은 건지, 나는 내 손을 감싼 손바닥의 감촉으로 깨달았다.

“지난 한 달, 미안한 일 많았습니다.”

그대로 악수를 이어 가며, 이지한은 엄숙하게 말했다.

“지금부터 한 달. 페어플레이 약속드리죠. 최대한 그쪽 상처받지 않는 선에서 최선을 다해 반대하겠습니다.”

맹세하듯 말하고서 이지한은 내게서 손을 거두었다.

그러자 망부석처럼 굳어 있는 내 손에서는 메모지가 팔랑 떨어져 내렸다. 그러나 나는 메모지를 내버려 둔 채 멍하니 서 있기만 했다.

나아정에게 방 선택을 맡겨 놓고, 나는 내 침실로 들어와 문을 닫고 한숨을 내쉬었다. 어제부터 지금까지 내 속이 말이 아닌 탓이다.

나를 속인 형에게 화가 나고, 속일 수밖에 없는 형이 안쓰럽고……. 왜 우리 형이 게이일까, 신이 원망스럽고. 그런데 게이인게 죄는 아니잖아? 싶기도 하고. 그래도 왜 하필 우리 형이 게이인지 또 화가 나고……. 안쓰럽고…….

그렇게 1분에도 몇 번이나 내 감정은 미친놈 널뛰듯이 오락가락했다.

밤사이 치열하게 고민했건만 나는 여전히 혼란스러웠고, 이런 채로 형을 마주할 엄두는 나지 않았다. 하물며 형의 비밀을 알고 있다고 고백할 엄두는 더욱이 나지 않았다. 형의 비밀에 대해 형과 함께 이야기를 나누기까지, 내게는 시간이 필요할 것이다.

내가 알고 있으니까 이제 숨길 필요 없노라고. 그렇게 의젓하게 형의 눈을 보고 말할 그 날이 언젠가는 오겠지만. 최소한 지금은 아니다.

그래서 형의 출장 기간이 아직 한 달이나 남아 있음에 감사했다. 그리고 한편으로 그 한 달 동안 내가 나아정을 위해 해야 할 일을 다시금 곱씹었다.

형이 게이라는 사실을 모르는 채로 나아정이 스스로 이 결혼을 포기하게 하자.

형에 대한 사랑을 식게 하든, 형보다 중요한 무언가가 생기게 하든. 아무튼 나아정이 상처받지 않는 선에서 나아정 스스로 기꺼이 이 결혼을 깨게 하자. 형이 돌아오기 전에 최대한 빨리.

나는 이것이 지난 한 달의 괴롭힘에 대해서, 그리고 나아정의 인생을 망칠 뻔한 형의 거짓말에 대해서 나아정에게 속죄할 최선의 방법이라 믿으면서 결연하게 고개를 끄덕였다.

얼마 후, 침실을 빠져나온 나는, 거실 너머 복도에 서 있는 나아정의 뒷모습을 보았다. 나아정은 마치 갈림길에 놓인 것처럼, 양쪽에 있는 방을 이쪽저쪽 번갈아 보며 갈등하고 있었다.

나는 침실 바로 앞에 있는 큰방을 한 번 보고 다시 나아정에게로 고개를 돌렸다. 침실만큼이나 넓고 좋은 방을 두고 왜 저 두 방을 고민하는 건지. 의아한 마음으로 나아정을 향해 걸음을 움직였다.

"뭘 그렇게 고민합니까? 답이 뻔한데."

"예?"

나아정은 내 목소리에 뒤를 돌아봤다. 나는 그런 나아정의 앞에 섰다.

"거기 두 방보다는 저기 저 방이 훨씬 좋습니다."

내가 침실 맞은편 방을 가리키자, 나아정은 왜인지 표정이 굳었다.

"아, 어, 아니요. 저는 이쪽이 더 좋아요."

나아정은 나의 반대편을 가리키며 대꾸했다. 그렇게 우리 둘의 팔은 자석의 N극과 S극처럼 서로 다른 곳을 가리켰다.

"왜요? 내 방하고 멀어서요?"

"……아, 아니요?"

나아정은 당황한 눈빛으로 고개를 마구 저었다.

"그거 아니면 저기보다 여기가 나을 이유가 대체 뭐죠?"

"그야……. 여기가 현관하고 제일 가깝잖아요. 불이 난다거나 지진이 난다거나. 그런 비상시에 탈출하기 제일 좋은 방이랄까?"

“아……. 내가 그 생각을 못 했네요. 하긴 그렇겠죠? 그럼 나도 이참에 방을 옮겨야겠습니다. 이 둘 중에 한 방으로. 비상시 탈출하기 좋게.”

내 반응이 뜻밖인지 나아정은 움찔했다. 그러더니 나아정은 요리조리 눈을 굴리다가 반색하고 천장을 가리켰다.

“근데 저기 위에 스프링클러죠? 불나면 바로 물 터지는. 어머, 불나도 금방 꺼지겠어요! 님, 쓰시던 방 계속 쓰셔도 안전하겠는데요?”

“그럴까요?”

“네, 그러세요.”

나아정은 끄덕끄덕 적극적으로 고개를 흔들었다.

“그럼 그쪽도 내 말 들읍시다.”

나는 나아정의 손목을 낚아채고 침실 앞 방으로 향했다.

“아니, 방은 나한테 고르라고 하셔 놓고…….”

나아정은 질질 끌려오면서 난처한 목소리로 항의했다.

“암만 봐도 그쪽 선택이 잘못된 것 같아서 말입니다.”

성큼성큼 목적지에 도착한 나는 문을 열고 나아정을 문 앞에 세웠다. 그러자 방 안을 본 나아정은 눈이 휘둥그레져서 헉, 소리를 냈다.

“이, 이런 방을 나더러 쓰라고요?!”

난생처음 보는 광경인 양 눈을 의심하는 반응에 어이가 없어 예리하게 지적했다.

“이 방, 아예 열어 보지도 않았던 겁니까?”

“그…… 그랬나 봐요. 제가 깜빡하고…….”

나아정은 얼빠진 표정으로 방을 바라보며 대답했다.

"깜빡은 무슨. 내 방 근처라서 쳐다도 안 본 거겠죠."

나는 미간을 구기고서 따끔하게 말했다. 그러자 나아정은 힐끗 곁눈질하며 소심하게 물어 왔다.

"저, 정말 여기, 내가 써요?"

"그래요."

"여기 텔레비전도 있고 에어컨도 있고. 옷장도 되게 크고. 침대도 퀸 사이즈인데, 이걸 내가 써요?"

"그러니까 쓰라는 겁니다. 그쪽 좋으라고."

"그럴 리가……!"

나아정은 마치 출생의 비밀이라도 들어 버린 양 경악한 얼굴로 털썩 그 자리에 주저앉았다.

뭘 저렇게까지 놀라는지. 의아한 한편으로 불쑥 미안한 마음이 끼어들었다.

하기야 당한 게 많으니까……. 내가 이러는 게 놀랍기는 하겠지.

착잡해져 헛기침을 하고서 내친김에 좀 더 잘해 주려 입을 열었다.

"짐 풀고 밖에 나갑시다. 그쪽 필요한 물건 사러. 난 거실에 있을 테니까, 준비해서 나와요."

날 보며 눈을 깜빡대는 걸 보니 내 말을 듣긴 들은 모양이라서, 나는 어깨를 으쓱해 보이고서 방을 빠져나왔다.

백화점 주차장에 차를 주차한 다음 시동을 끄고 차에서 빠져나왔다. 그리고 문을 열어 주려 조수석으로 다가가는데, 나아정은 내가

도착하기도 전에 냉큼 문을 열고 나왔다.

나아정이 조수석의 문을 닫자 옆쪽에서 호루라기 소리가 들려왔다. 순간 나아정은 퍼뜩 호루라기 소리를 향해 몸을 돌리면서 동시에 외쳤다.

"예, 가요!"

그대로 발을 내딛다가 나아정은 우뚝 동작을 멈췄다. 아마 나아정도 알아차린 모양이다.

호루라기를 불고 있는 건 내가 아니라, 주차 요원이라는 사실을.

"……."

나는 나대로, 나아정은 나아정대로. 잠시 침묵을 이어 갔다.

파블로프의 조건 반사란 이런 건가…….

다시 들려오는 호루라기 소리에 나아정은 어깨를 움찔거렸다.

저 여자를 저 지경으로 만들어 놓은 인간으로서 죄책감에 마음이 무거워져 한숨을 내쉬었다. 한편으로 일을 이 지경으로 만들어 놓은 이지경, 형에게 화가 나려 했다.

애초에 형이 저 여자를 데리고 날 속여 가며 가짜 결혼을 추진하지만 않았어도, 내가 저 여자를 저 지경이 되도록 괴롭히는 일은 없었을 테니까.

하지만 이미 벌어진 일, 후회한들 어쩌겠나. 더 늦기 전에 알게 된 걸 다행으로 여겨야지.

나는 후회 대신 만회를 하기 위해 굳어 있는 나아정의 뒤로 다가갔다. 그리고 나아정의 머리 위로 손바닥을 얹었다.

"그쪽 아니고."

나는 나아정의 머리 방향을 백화점 입구 쪽으로 돌렸다.

"저쪽으로 가죠."

"아."

나아정은 무안한 듯 빨개진 얼굴로 고개를 끄덕이더니 백화점 입구로 발걸음을 움직였다.

나는 나란히 걸어가다가 또다시 들려오는 호루라기 소리에 두 손으로 나아정의 귀를 덮어 주었다.

제일 먼저 백화점의 가구 매장에 들어서서 직원에게 도움을 청했다.

"여자 방에 필요한 건 다 사려는데, 뭐가 필요하죠?"

"예?"

"침대, 옷장, 책상은 있는데. 또 뭐가 필요합니까? 여자 방에."

"아……. 잠시만요."

직원은 긴가민가한 얼굴로 계산대 밑 서랍을 열었다. 그리고 그 안에서 카탈로그를 꺼냈다. 그사이에 슬쩍 뒤를 돌아보니, 나아정은 매장 안을 두리번대고 있었다.

"여기 보시면, 이게 저희 가구들로 꾸며 놓은 여성용 방이거든요. 참고하시면 될 것 같네요."

직원은 카탈로그를 펼쳐 내게 내밀었다. 나는 그 카탈로그를 받아 들고 거기 놓인 가구들을 꼼꼼히 살펴보았다.

흡사 베르사유 궁에 놓여 있을 법한 하얗고 우아한 앤티크 가구들이 정갈하게 놓인 방 안에서, 나아정이 쓸 방에는 없는 가구들을 손끝으로 짚어 보았다.

화장대, 전신 거울, 꽃병, 티 테이블과 간이 의자, 수납장, 곰 인형……. 곰 인형도 가구인가?

"이것도 여기서 파는 겁니까?"

나는 의아해서 침대 위 커다란 곰 인형을 가리키며 직원에게 물어봤다.

"아, 아니에요. 그건 그냥 장식용이에요. 보통 여자 방엔 이런 인형 하나쯤 있으니까요."

"그럼 이것도 사야겠고……."

머릿속으로 곰 인형을 입력하며 중얼거렸다. 그러다가 문득 사진 속에서 딱 한 가지 낯선 것을 발견했다.

"이건 뭐죠?"

나는 침대 위 천장에서부터 침대를 에워싸고 있는 거대한 면사포처럼 생긴 하얀 장막을 가리켰다. 그러자 어느새 내 옆으로 온 나아정이 끼어들었다.

"아, 나 이거 알아요. 이거 모기장이잖아요."

마치 아는 가구 마주쳐서 반가운 듯이 나아정은 나와 같은 곳을 가리키며 명쾌하게 말했다. 그러자 우리 앞의 직원이 조심스레 입을 열었다.

"그건 캐노피…… 인데요."

"캐노피……?"

나아정은 들어도 뭔지 모르겠단 표정으로 질문했다.

"그게 뭐예요?"

나아정의 질문에 직원은 페이지를 넘기더니, 더욱 화려한 캐노피 사진을 찾아냈다. 그리고 직원은 그 사진을 보이며 설명했다.

"이렇게 침대 위에 장식용으로 설치하는 거예요. 예쁘죠? 꼭 공주님 침대같이."

나아정은 확실히 알아들은 듯이 고개를 끄덕거렸다.

"아……. 쓸데없는 거구나."

"쓸데가 없기는요. 여름엔 모기장 효과도 있긴 해요."

"여기 막 이렇게 트였는데요?"

나아정은 캐노피의 열린 입구 부분을 가리키며 지적했다.

"거긴 사람 드나들 수 있게 트인 부분이에요."

"여기로 모기도 드나들 수 있잖아요."

"아무래도 주목적은 장식이다 보니까, 확실하게 모기장 역할을 하기는 좀 어렵죠."

나아정은 어리둥절한 표정으로 캐노피를 응시하며 머리를 긁적였다. 역시 쓸데없어……, 라고 말하는 눈빛이었다. 그 눈빛을 직원 역시 읽어 낸 건지, 직원은 적극적으로 캐노피의 장점을 어필했다.

"그래도 집에 이런 거 하나 있으면 얼마나 좋다고요. 여자들의 로망이잖아요, 하늘하늘한 쉬폰 캐노피."

"에이, 쉬폰이면 세탁하기 얼마나 까다로운데요. 손빨래 필수고……. 어우, 저 정도 얇기면 뭐, 물에 아주 녹겠어요. 비벼 빨기 무섭고."

나아정은 정말이지 엄두가 안 나는 듯 진저리를 쳤다. 나는 그런 나아정에게 대수롭지 않은 투로 말했다.

"그쪽이 세탁할 일 없으니까. 그냥 써요."

"예?"

그러면서 카탈로그의 페이지를 넘겨 처음 보았던 페이지를 펼쳤다. 그리고 거기 있는 사진을 가리키며 직원에게 말했다.

"여기서 침대, 옷장, 책상. 그것 빼고 다 삽니다."

"아, 그러시겠어요?"

직원은 반색하며 계산기를 꺼내 들었다. 옆에서 나아정은 입을 헉 벌린 채로 굳어 있었다. 나는 지갑에서 신용 카드를 꺼내 들고서 신용 카드 모서리로 카탈로그의 한 부분을 툭 가리키고 직원에게 물었다.

"여기 이 곰 인형은, 어디서 살 수 있습니까?"

백화점 내 스타벅스에서 나는 따로 앉힐 의자가 없어 내 몸통보다 큰 곰 인형을 꽉 끌어안고 앉은 채 불안에 떨었다.

여자 방을 만든답시고 가구를 세트로 사질 않나, 여자 옷장을 채운답시고 옷을 무더기로 사질 않나.

거기다 여자 피부에 양보한답시고 화장품까지!

한사코 말렸음에도 계속 지갑을 열던 이지한을 떠올리며 다리를 덜덜 떨었다.

왜지.

왜 나한테 그 많은 걸 사 주는 거지? 무슨 꿍꿍이야?

혹시 그 신용 카드, 이지한이 마구 긁어 대던 그 신용 카드, 나 몰래 내 명의로 발급한 카드인가?!

나는 내 앞으로 날아올 카드 이용 명세서를, 그리고 그걸 갚지 못해 섬으로 팔려 가는 내 모습을 상상하며 파르르 온몸을 떨었다.

“추워서 그럽니까?”

어느새 음료수를 들고 온 이지한이 내 앞에 앉으며 말을 걸었다.

“아, 아니요.”

“근데 왜 떨어요?”

“무서워서…….”

내가 무심결에 대답하자 이지한은 이상한 듯 고개를 비딱하게 기울였다.

“뭐가 무서워요?”

“저기, 죄송한데, 그, 카드, 좀 구경할 수 있을까요……?”

“카드?”

“예. 아까 내내 쓰셨던 그 신용 카드…….”

“그걸 왜 구경하겠다는 거죠?”

“그냥……. 디자인이 예뻐서요.”

“일단 이거.”

이지한은 내 앞으로 아메리카노를 내밀었다. 그리고 자기 앞으로는 휘핑크림이 잔뜩 얹어진 단맛 범벅 프라푸치노를 놓았다. 그런 다음 이지한은 순순히 지갑을 꺼내 신용 카드를 찾아 앞으로 내밀었다.

떨리는 손끝으로 신용 카드를 건네받아 얼른 신용 카드에 박힌 이름을 확인했다.

LEE JI HAN

금빛으로 볼록볼록한 영문 이름을 확인하고 나는 안도했다.

이 인간의 이름이 이렇게나 아름다워 보이다니.

"이야……! 진짜 예쁘네요."

끌려갔던 섬에서 이제 막 풀려난 것처럼, 문득 세상이 다 아름다워 보여 감탄했다.

이윽고 신용 카드를 돌려주자 이지한은 그다지 공감되지 않는 표정으로 심드렁히 신용 카드를 훑어봤다.

조금 진정이 된 나는 이지한이 가져다준 따뜻한 아메리카노를 슬그머니 손에 쥐었다. 그러고 보니 한 달하고도 며칠 전, 공항 스타벅스에서 이지한과 이렇게 마주 앉았던 게 생각난다.

내가 사다 바친 프라푸치노를 도도하게 쥐고 마시던 그때의 이지한은 어딜 간 건지……. 나는 이지한이 사다 준 아메리카노를 홀짝이려다가 멈칫했다.

설마, 아메리카노에 뭘 탔나?

나는 아메리카노에서 흠칫 손을 떼고 몸을 뒤로 물렸다.

"왜요? 뜨거워요?"

"예? 아, 예."

얼결에 고개를 끄덕이자, 이지한은 자기 프라푸치노를 내 아메리카노에 가까이 가져다 놓았다.

"뭐, 뭐예요?"

"얼음 대신 둔 겁니다. 빨리 식게."

"……그럼 이게 녹잖아요."

나는 프라푸치노를 가리켰다. 그러자 이지한은 대수롭지 않은 투로 대꾸했다.

"난 상관없습니다. 찬 거 좀 녹는다고 혀 다치는 건 아니니까."

마치 내 혀가 다칠까 봐 이런다는 말로 들려 더욱 의심이 솟구쳤다.

이렇게까지 해서 아메리카노를 먹이려고 들다니, 필시 뭔가가 있어…….

의심하며 아메리카노를 쏘아보는데, 이지한의 목소리가 들렸다.

"집에 더 필요한 거 있으면 말해요. 난 여자한테 어떤 게 필요한지 잘 모르니까."

더 필요한 건 없고……. 그냥 님이 없었으면 싶다…….

이건 뭐, 잘해 주는 게 더 무서우니까.

오싹한 기분이 들어 곰 인형을 더욱 꽉 끌어안고 마른침을 삼켰다.

끝내 아메리카노는 단 한 방울도 못 마신 채 스타벅스를 나선 나는 이지한을 따라 백화점 식품관을 돌아다녔다.

이지한은 몇 가지 식자재와 와인, 치즈를 골라 결제를 마쳤고, 그제야 백화점에서의 쇼핑은 끝이 났다.

아파트 주차장에 차를 세운 이지한은 모든 쇼핑백을 혼자 들고 차에서 내렸다. 내가 도우려고 들자 이지한은 곰이나 잘 챙기라며 내 손길을 마다했다.

공포 영화에 보면 꼭 그런 장면이 있다. 어디선가 귀신이 튀어나올 게 분명한데, 곧 귀신이 튀어나올 것만 같은데, 그게 언제이고 어디인지, 그걸 몰라서 피가 바짝바짝 말라 가며 몸을 웅크린 채 지켜보게 되는 장면.

나는 그럴 때, 얼마나 무서운 게 튀어나올지 불안해서 견딜 수가

없다. 그래서 차라리 빨리 튀어나오라고, 울면서 귀신에게 기도를
한다.

그런데 지금, 내 심정이 딱 그렇다.

도대체 어떤 무시무시한 음모가 나를 기다리는 것인지. 이지한이
대체 언제, 어떻게 돌변해서 나를 공격하려는지.

이 친절의 시간이 길어질수록 점점 더 불안하고 무서워서 눈물이
찔끔 날 지경이다.

이지한과 승강기에 올라탄 나는 안고 있는 곰 인형의 가슴 앞에
두 손을 꼭 모아 쥐고서 이지한에게 기도를 했다. 차라리 하던 대
로 해 달라고. 나는 몸 힘들고 속 편한 게 낫겠다고.

그러나 아파트에 도착해서 한밤중이 될 때까지, 내 기도는 이루
어지지 않았다.

저녁을 차려 주는 이지한의 태도는 변함없이 친절했고, 식사 이
후 이지한은 어떤 명령도 없이 나를 방치했다. 편히 쉬라는 말도 명
령이라면 명령이겠다만 그것 외에 다른 명령은 전혀 하지 않았다.

왜일까……. 도대체 왜인 걸까…….

내 방 침대 위에 곰 인형과 나란히 쪼그리고 앉아서, 해답을 얻
기 위해 지경이에게 메시지를 보냈다.

[네 동생이 갑자기 잘해 준다…….]

[뭘 어떻게 잘해 주는 건데?]

[전부 다…….]

내가 대답을 전송하자 느닷없이 지경으로부터 전화가 왔다.

"아, 깜짝아……!"

움찔하고서 전화를 받은 나는 주위를 경계하며 목소리를 낮추었다.

"여보세요?"

[무슨 소리야? 다 잘해 준다니?]

지경은 심각하게 물어 왔다.

"그게……."

오늘 새벽부터의 이야기를 나열하려다가 불현듯 내 옆의 곰 인형이 무서워져 입을 막았다. 내가 사양하는데도 이지한이 극구 내 품에 떠안겼던 이 곰 인형…….

혹시 여기 도청 장치 있는 거 아니야?

말도 안 되는 상상인 건 알지만, 그럼에도 이것보다 그럴싸한 이유는 떠오르지 않았다. 이지한이 나에게 곰 인형을 선물할 이유……. 설마 나 좋으라고 사 줬을 리가 없잖아?

아니. 그래도 대체 어느 틈에 도청 장치를 끼웠겠어? 사자마자 내 품에 떠안겼었는데.

내 머리는 이성적으로 내 상상에 반박했다. 하지만 내 손은 본능적으로 곰 인형의 뒷덜미를 잡았다. 나는 그대로 곰 인형을 들고 옷장으로 쪼르르 달려갔다. 그리고 이성 따윈 곰 인형과 함께 옷장 속에 밀어 넣고 옷장 문을 꼭 닫아서 불안을 덜어 냈다.

[아정아? 듣고 있어?]

"응. 이제 됐어."

그러고도 혹시 몰라 침대로 돌아와서 이불을 뒤집어쓴 채 아주 작은 목소리로 대답했다.

[나 회의하다 뛰쳐나왔어. 대체 무슨 소리야? 지한이가 잘해 준다니.]

나는 새벽에 이지한이 나를 침대로 옮겨 놓은 일, 그리고 새집을 구할 때까지 자기 아파트를 빌려준 일. 거기다 온갖 살림을 다 사 준 일 등. 시간 순서별로 차례차례 이지한의 이상 행동을 나열해 갔다.

"이거 대체 뭘까? 무슨 꿍꿍일까?"

마무리로 질문을 던지자 지경은 잠시 침묵하다가 반문했다.

[걔가 널 좋아하게 됐나?]

"뭐?!"

[여자로 말고, 인간적으로.]

"아……."

[걔, 좋은데 싫은 척은 할 수 있어도, 싫은데 좋은 척은 못 하는 성격이거든.]

"그래?"

[전에 얘기했었잖아. 호불호 강한 성격이라고, 싫은 일은 절대 안 한다고.]

"아. 그랬지."

나는 일전에 예습했던 이지한의 특성을 되새겨 보며 고개를 끄덕 거렸다.

[정말로 한 달 동안 마음이 바뀌기는 했나 본데? 결혼 허락까진 아니더라도, 인간적으로는 잘 지내고 싶은가 봐.]

"……정말 그런 걸까? 난 이거 무슨 새로운 작전 같은데."

나는 자신 없이 중얼중얼 말했다.

[작전?]

"잘해 주는 척하다가 뒤통수 때리기. 좋은 데 데려가는 척 함정 에 빠뜨리기. 뭐, 그런 거."

[설마.]

“야, 저번에도 휴가 준답시고 사람 설레게 해 놓고서 말만 휴가지, 따라다니면서 어찌나 괴롭히는지. 파병이 따로 없었거든?”

[그때야, 싫은 사람한테 휴가 덜렁 던져 주는 느낌이라서. 휴가 준달 때부터 감이 수상했다, 난.]

“수상하면 그때 얘길 하지, 왜 지금 말해, 왜?”

[너, 내가 그때 수상하다 그랬으면, 그날 잠도 못 잤을 거잖아. 내일 아침 어떤 불행이 나를 기다리고 있나, 그 불안에 떠느라고.]

“뭐……. 그랬겠지.”

[아무튼, 이번엔 다를 거야. 자기 입으로 미안했다고, 페어플레이하자고 했으면 그건 진심일 거다.]

“그랬으면 좋겠지만…….”

[물론 걱정이 팔자고 불안이 업보인 네가 그걸 마음 편히 믿을 리는 없지.]

내 마음을 딱 알아맞히는 말에, 나도 모르게 고개를 끄덕거렸다. 그러고 있는데, 지경이 고마운 말을 덧붙여 주었다.

[내가 지한이한테 전화해서 한 번 알아볼 테니까, 일단은 걱정하지 말고 있어.]

“응, 고마워.”

훈훈하게 통화를 마치려는데, 때마침 똑똑 노크 소리가 들려왔다. 나는 놀라서 얼른 전화를 끊고 이불을 홱 걷어 냈다. 그러자 문 바깥에서 이지한의 목소리가 들려왔다.

“나와서 얘기 좀 하죠.”

이지한은 밖에서 문을 열지 않고 가만히 내 대답을 기다리는 듯했다.

내 방이란 공간에 문이 달려 있다는 게. 그래서 아무나 함부로 볼 수 없고, 아무나 들락거릴 수 없다는 게 새삼 적응이 되지 않아 얼떨떨했다.

그 바람에 멍하게 있던 나는 잠시 후 재차 들려오는 노크 소리에 얼른 몸을 일으켰다.

"아, 예, 나가요!"

내가 이지한을 따라 주방으로 들어섰을 때, 식탁에는 와인 병과 두 개의 와인 잔이 놓여 있었다. 거기다 과일과 치즈가 담긴 그릇도 보였다.

"내 집에 온 첫날인데, 환영할 겸 와인 한잔하면서 얘기 좀 합시다."

이지한은 내가 앉을 의자를 미리 슬쩍 빼내 주고는 맞은편에 가 앉았다.

이건 또 무슨 수작이지…….

경계하며 주춤주춤 자리에 앉는데, 식탁 위 이지한의 휴대 전화가 드르륵 울린다. 흘끗 휴대 전화를 보자, 액정 화면에 형이라는 한 글자가 떠올라 있었다.

지경이구나. 생각하는 순간 이지한은 휴대 전화를 손에 들더니 액정 화면을 확인했다. 그런데 이지한은 반가운 기색도 없이 어째 심란한 표정으로 그냥 휴대 전화를 꺼 버렸다.

"어? 왜요? 왜 안 받아요?"

뜻밖의 행동이라 나도 모르게 묻고 말았다. 그러자 이지한은 별스럽지 않은 투로 대답했다.

"별일 아닙니다. 와인이나 마시죠."

그러고서 이지한은 와인 병을 땄다.

"지, 지경 씨 전화 같던데……."

내가 지적하자 이지한은 멈칫하더니, 이내 와인 병을 들고 내 잔에다 와인을 따르면서 말했다.

"지금은 할 말이 없어서요, 형한테."

"그게 무슨……."

어리둥절해하는 사이 내 잔은 반쯤 채워졌다. 이지한은 이어서 자기 와인 잔에 와인을 채워 가며 엄숙하게 말했다.

"지금은, 그쪽하고 얘기를 해야겠습니다."

지금은, 너부터 처리해야겠다.

마치 그런 범죄 예고처럼 들려서 나는 무릎 위의 두 손을 꽉 모아 쥐었다.

"자, 건배합시다."

이지한은 차분하게 자기 잔을 들고 나에게로 내밀었다. 그러나 나는 차마 내 잔으로 손을 뻗을 수가 없었다.

혹시 잔에 뭘 뿌려 둔 게 아닐지. 그래서 와인에 그 무언가가 섞여 버린 게 아닌지.

의심스러운 마음에 골똘히 와인 잔을 주시했다. 그러자 잠시 후에 이지한은 살짝 감정이 상한 듯한 목소리로 지적했다.

"왜 안 들어요? 내 손 무안하게."

"아, 저……."

나는 시선을 들어 이지한과 눈을 마주쳤다. 그러자 이지한은 내게 좀 더 가까이로 와인 잔을 내밀었다. 건배를 권하는 보다 적극적인 태도에 마른침을 꼴깍 삼켰다.

왜 저렇게 적극적이지? 정말로 내 잔에 뭘 탔나?

한층 깊어지는 의혹에 번뜩 기지를 발휘했다.

"그……. 저, 제가 그거 마실게요."

나는 이지한이 들고 있는 와인 잔을 냉큼 두 손으로 낚아챘다. 그리고 내 몫으로 놓여 있던 와인 잔을 이지한에게 스윽 밀었다.

"왠지 이게 더 맛있을 거 같아서요."

내 변명에 이지한은 가만히 생각에 빠지더니, 이내 고개를 끄덕거렸다.

"그래요, 그럼."

이지한은 대수롭지 않은 표정으로 내가 내민 와인 잔을 들었다. 이어서 그 잔으로 내게 다시 건배를 청했다. 덕분에 다소 편안해진 마음으로 이지한의 잔에 내 잔을 살짝 부딪쳤다.

건배를 마치자 이지한은 살짝 고개를 돌리고서 와인을 홀짝 삼켰다. 하지만 나는 그 모습을 지켜보기만 했다. 내 잔이었던 저 와인에 아무 문제가 없는지, 끝까지 지켜보기 위해서.

잔을 홀짝이던 이지한은 곁눈으로 넌지시 나를 확인했다. 그러더니 눈을 감고 벌컥벌컥, 아예 단숨에 와인 잔을 비워 갔다.

왜 저러나 싶어 어리둥절하게 지켜보는데, 이내 빈 잔을 내려놓은 이지한이 입을 열었다.

"이걸로 증명됐죠? 내가 그쪽 와인에 이상한 거 안 탔다는 거."

정곡을 훅 치고 들어오는 말에 잠시 말문이 막혔다.

"그러니까 마음 놓고 마십시다."

부드럽게 말하면서 이지한은 빈 잔에 다시 와인을 따라 갔다. 정말로 아무렇지 않은 이지한의 손 움직임에 나는 그의 말이 진실임을 확인했다. 하지만…….

어쩌면 이지한은 내가 와인 잔을 바꾸자고 할 줄 미리 알았는지도 모른다.

나는 내 앞에 놓인, 원래 이지한의 것이었던 와인 잔을 노려보며 추리를 이어 갔다.

어쩌면……. 그래서 처음부터 자기 잔에 뭔가를 탔을지도 몰라. 잔을 바꾼 내가 방심하고 마실 수 있게…….

불안이 불안으로 이어지는 뫼비우스의 띠를 타고 나는 어지러움을 느꼈다. 마시지도 않은 와인에 취한 것처럼 어질어질 머리가 아파 왔다.

그럼에도 계속 뚫어져라 와인 잔을 노려봤다. 그런데 쓱, 갑자기 이지한의 손이 나타나서 내 앞에서 와인 잔을 가지고 갔다.

"거참."

이지한은 혀를 쯧 차더니, 가져간 와인 잔을 자기 입에 들이댔다. 그리고 꿀꺽, 꿀꺽 내게 옆모습을 보인 채로 와인을 삼켜 갔다.

아예 보란 듯이 검지로 목젖을 가리킨 채 이지한은 두 잔째인 와인을 깨끗하게 비워 냈다.

"자, 여기도 확인."

이지한은 아예 빈 잔을 뒤집어 보이고서 다시 잔을 똑바로 식탁에다 내려놓았다.

"나 어느 쪽 와인에도 이상한 거 안 넣었습니다. 이제 그만 의심하고 한잔해요.”

이지한은 와인 병을 들고 와인 잔에 졸졸 와인을 따랐다.

“이제 순순히 믿고 마실 때도 된 것 같은데.”

덧붙이며 이지한은 반쯤 채운 잔을 내 앞으로 내밀었다.

정말 이제는 딱히 떠오르는 의혹이 없어서, 더 버티지 못하고 와인 잔을 받았다. 그러자 이지한은 자신의 잔을 마저 채우고서 내게 재차 건배를 청했다.

나는 마지못해 억지웃음을 지어 보이면서 이지한과 잔을 부딪쳤다. 그리고 홀짝, 모기 눈물만큼만 와인을 입에 삼켰다. 이지한은 그런 나를 지켜보다가 입을 열었다.

“허심탄회하게 얘길 듣고 싶은데 말입니다.”

“무슨 얘기요?”

“우리 형, 왜 좋아하는 겁니까?”

“예?”

“뭐……. 사랑에도 종류가 있는 건데, 그쪽 사랑은 어떤 종류인 건지. 형하고 어떻게 연애를 시작해서, 어쩌다 결혼까지 결심한 건지. 알고 싶어서요.”

부담 갖지는 말라는 듯 이지한은 담담하게 말했다. 그리고 나 역시 그의 질문을 부담 없이 담담하게 받아들였다.

드디어. 아니, 이제야 올 것이 왔구나. 이지경과의 날조된 러브 스토리를, 이 녀석에게 펼쳐 보일 순간이.

언젠가 한 번쯤은 당연히 하게 될 줄 알았기에, 당황하지 않고 침착하게 내가 짜 둔 시나리오를 머릿속에 펼쳤다. 곧이어 나는 그 시나리오대로 입을 움직였다.

"음……. 나랑 지경 씨랑은 어릴 때부터 친구였는데요. 중학교 때 아빠가 빚쟁이에게 쫓기면서 급하게 지방으로 야반도주하느라고, 지경 씨하곤 그때 연락이 끊어졌었어요."

아직까지는 실화의 영역이라서 나는 얌전하게 설명조로 말했다.

"그러다가 4년 전에 내가 처음으로 주연을 맡고, 첫 공연에 오르던 날이었어요."

여기까지도 실화의 영역이었지만, 그때 생각에 황홀해져 두 손을 모아 쥐고 헤실헤실 웃었다. 비록 연극이 망하는 바람에 약속했던 출연료는 한 푼도 받지 못했지만. 그래도 그때가 내 인생에서 가장 행복했던 순간이 아닐까…….

"그때 연극을 보러 왔던 시성이가 나를 알아보고 나한테 인사를 하러 왔어요."

나는 여전히 황홀경에 취한 얼굴로 슬슬 픽션의 영역에 접어들었다.

"그때부터 지경이는 한 달 동안 매일매일 내 공연을 보러 왔어요. 한 달짜리 공연이었는데, 그걸 전부 다 본 거죠."

엄밀히 따지자면 이지경은 임대철이 연출한 공연을 보러 온 거지만. 어쨌든 그 공연이 곧 내 공연이니까.

나는 정말로 지경이가 나를 보러 온 거라고 상상하며, 머릿속에서 임대철의 존재는 지워 버렸다.

"그리고 지경 씨는 올 때마다 꽃을 선물했어요."

이건 나의 바람이었다.

"내 연기에 반했다고, 팬이라고. 매일매일 응원해 줬어요."

진짜……. 그런 사람 있었으면 내가 당장 청혼했을 텐데. 꾸역꾸역 기를 쓰고 노력하는데도 그런 사람은 내 인생, 내 진짜 이야기에 등장하지 않았다. 이렇게 내 꿈에, 내 가짜 이야기에나 등장할 뿐.

"그래서 좋았어요. 그때 나한테는, 그런 사람이 너무너무 필요했거든요. 너 이 길로 쭉 가도 된다, 아직 늦지 않았다, 잘될 거다. 그런 말이 진짜 듣고 싶었는데. 그걸……. 지경이가 해 주더라고요."

아니. 지경이도 그런 말은 해 준 적이 없었다. 중학교 때 모습 그대로인 내 저주받은 키와 동안에, 나는 성인 역을 맡을 기회가 좀처럼 주어지지 않는 배우였다. 아무리 발성을 연습하고 표현력을 늘려 가도, 내가 맡을 수 있는 배역은 늘 한정되어 있었다.

그냥 보기에 어색하단 이유로 매번 나이에 맞지 않는 어린 배역을 맡아야 했고, 그나마도 내 나이가 서른에 가까워져 가면서 입지는 더욱 좁아져만 갔다.

내가 맡을 수 있는 역할이 내 실제 나이와는 맞지 않는다는 게 그 이유였다.

대철 선배의 연극에서 주인공은 10대 소녀였고, 당시 스물아홉이던 나에게 처음이자 마지막 주연 자리일 거라고……. 나는 겸허하게 내 현실을 받아들이고 있었다.

물론 이 연극이 잘되면 내 인생이 나아지지 않을까, 조금쯤 희망을 품어 보긴 했지만 연극의 결과는 참담했다.

내 인생이 그렇지, 뭐.

조금이나마 희망을 품었던 게 주제넘은 일이었지.

나는 그런 마음으로 내 좌절감을, 나 혼자서 달래었었다.

그 기억에 괜히 목이 메어 와서 얼른 이지한에게서 고개를 돌리고서 와인을 삼켰다. 눈을 감고 꿀꺽꿀꺽, 충분히 목을 축인 다음 표정을 관리하고 도로 이지한을 마주했다.

"그때부터 계속 좋아지기 시작했어요. 그리고 어느 순간부터는 그게 사랑인 걸 알게 됐고요."

나의 꿈과 희망이 환상적으로 녹아 있는 나와 이지경의 러브 스토리에 이지한은 인상을 쓰고 있었다.

못마땅한 정도를 넘어서서, 아주 듣기 괴로운 듯이.

하기야, 남의 닭살 돋는 연애사가 즐거울 리 만무하지. 더구나 자기 형과 나 따위의 연애사인데. 그게 듣기 좋으면 쟤가 이지한이 아니지.

나는 이지한의 표정에 개의치 않고 남은 와인을 마저 마셨다. 기분 탓인지, 비싼 탓인지. 와인 맛이 달달하니, 세상에 이런 와인도 있나 싶게 입에 착착 감기는 탓이다. 나는 아예 잔에 입을 대고 와인을 쭉 들이켰다.

"그러니까, 우리 형이 그쪽을 먼저 꼬셨다는 얘기군요."

들려오는 심각한 목소리에 하마터면 와인을 뿜을 뻔했다.

"아예 작정을 했던 거야……."

이지한은 깊이 생각에 빠진 얼굴로 중얼거렸다.

"예? 뭐라고요?"

내 질문에 이지한은 고개를 도리도리 내저었다. 그러고는 영 심기가 불편한 듯 찡그린 얼굴로 팔짱을 꼈다.

"그러니까 정리하자면. 그쪽 사랑은, 형이 나를 인정해 주고, 응원해 주는 사람이라서 시작된 거군요."

"굳이……. 정리를 해야 한다면. 아마도요."

"그럼 그냥 팬클럽 회장으로나 삼을 것이지, 뭘 결혼씩이나 하려고 합니까?"

이지한은 따지듯이 물었다.

"에이, 아시잖아요. 세상에 지경 씨 같은 남자, 잘 없다는 거. 잘생겼죠, 다정하죠, 능력 좋죠…….."

하나하나 손에 꼽으며 이지경의 장점을 나열하는데, 이지한이 불쑥 끼어들어 내 말을 잘랐다.

"벗기고 싶네요."

"예?!"

순간 화들짝 놀란 나와 달리 이지한은 태연하고 무뚝뚝한 표정으로 말을 이었다.

"그 콩깍지."

"아…….."

어우, 십년감수했네.

나는 놀란 마음을 가라앉히느라 와인을 들이마셨다. 딱히 놀라지 않았더라도 마셨을 테지만.

"우리 형, 그냥 얼핏 봐선 최고의 신랑감이지만, 실은 그렇게 좋은 결혼 상대가 못 됩니다."

내가 와인 잔을 바닥내는 사이, 이지한은 허심탄회하게 고해 성사하듯 말했다.

무슨 자기 형을 잘생긴 유재석인 양 티끌만 한 단점 하나 없는 완벽한 존재로 추앙할 땐 언제고, 갑자기 웬 자기 형 흠집 내기인지.

뭔가 의아하고 못 미더워 멀뚱멀뚱 이지한을 쳐다봤다. 그러자 이지한은 내 손에서 빈 잔을 가져간 뒤, 새로 와인을 부어 주며 침울하게 덧붙였다.

"결혼하고 후회하는 사람, 얼마나 많은데요."

"알죠. 그런 사람 많다는 거."

"그런 사람 중에 한 사람 되지 말고. 신중하게 포기합시다, 이 결혼."

이지한은 반쯤 채운 와인 잔을 내게 내밀었다.

"나요. 결혼한 거 뼈저리게 후회하는 엄마 밑에서 그 후회를 몇 년을 보고 자랐어요. 초등학교 때 엄마 이혼하고부터 돌아가실 때까지. 몇 년 동안 나, 엄마하고 살았거든요. 그때 조기 교육으로 충분히 깨우쳤어요. 결혼은, 이 사람하고 행복하게 오래오래 살 수 있겠구나…… 그런 마음으로 하면 안 된다는 걸요."

엄마 생각하니까 더 술이 고파져서 다시 와인을 들이켰다.

"그럼 결혼은, 어떤 마음으로 하면 되는 겁니까?"

꿀꺽. 입안을 비워 내고서 이지한을 마주 봤다. 그리고 내 나름의 철학을 입 밖으로 내뱉었다.

"이 사람하곤 이혼해도 후회가 안 되겠구나."

진심이다. 나는 결혼하고 평생 변함없이 아내만을 사랑하는 그런 남자는 없다고 본다. 아내조차 사랑하지 않는 무성애자가 될지언정, 아내만을 영원히, 처음처럼 사랑하는 남자는 존재하지 않을 거다.

그렇기에 늘 이혼을 염두에 두며 결혼을 상상했었다. 설사 이혼을 하게 되더라도 후회는 남지 않을 것 같은, 그저 단 하루라도 이 남자의 아내로 살아 보면 소원이 없을 것 같은.

그럴 만큼 사랑하는 남자라면 결혼해도 되겠다. 그게 나의 결혼관인데……. 내 팔자에 그런 놈은 없었다.

대신 아주 다른 의미에서 이혼해도 후회되지 않을 것 같은 놈은 있었다.

"바로 지경 씨가 저한테는 그런 사람이에요. 이혼해도 후회되지 않을 사람.”

나는 확신에 찬 두 눈으로 이지한을 보며, 머리 위로 두 손을 올려 커다란 하트 모양을 만들었다.

그래. 내 남편이 지경이라면 절대 후회하지 않을 거다. 계약금에, 연봉에. 그거면 내 소원인 연극 제작사를 차릴 수 있을 텐데, 이 결혼을 내가 왜 후회하겠어? 혹여 이혼을 하더라도 상처는 남지 않고 돈만 남을 텐데.

이지한은 후우, 깊게 숨을 내쉬더니 속에 열불이 나는 사람처럼 와인 한 잔을 단박에 삼켜 버렸다. 그리고 내 머리 위의 큰 사랑을 노려보며 경고했다.

“뵈기 싫으니까, 그 손 당장 내립니다.”

“…….”

“그리고 이혼해도 후회되지 않을 사람, 아닐 겁니다. 우리 형은.”

“에이, 자꾸 악담하고 겁주지 마요.”

나는 두 팔을 내리면서 은근슬쩍 와인 병을 잡아 내 쪽으로 슬금슬금 끌어당겼다. 그런데 이지한의 한 손이 불쑥 내 손목을 붙들었다.

“와인, 그거 아무렇게나 막 따르면 맛 떨어집니다.”

이지한은 내 손목을 붙잡은 채, 다른 한 손으로 와인 병을 잡아 내 손에서 스륵 뽑아냈다. 그리고 이지한은 스스로 내 빈 잔에다 와인을 따랐다. 그러고 보니 이지한은 묘하게 와인 병을 살살 돌리면서 와인을 따라 가고 있었다.

“오……. 뭔가 막, 전문가 같아요.”

“아무튼, 속단하지 말란 말입니다. 난 악담하는 게 아니라 조언을 하는 거예요. 아주 현실적으로. 그쪽 생각해서.”

이지한은 냉철하게 딱 잘라 말하면서 나에게로 와인 잔을 건네주 었다.

나는 두 손으로 잔을 받잡고, 얼른 후루룩 와인을 들이켰다. 그리고 나는 얼마 안 가 빈 잔을 식탁에 내려놓았다. 달달하니 알알한 기분에 나는 흥이 올라 실없이 방긋방긋 웃었다.

"속단 아니에요. 내가 지경이를 얼마나 오래 알았는데. 더 알 것도 없어요, 이젠."

"다 안다고 믿지 마요. 보이는 게 다가 아니니까."

"또, 또! 겁주신다."

어째 내 목소리는 크게 나갔고, 내 손은 더럭 이지한의 앞에 빈 잔을 내밀었다.

"겁주지 말고, 술 주세요, 술."

헤실헤실 웃는 내 앞에서, 이지한은 마음이 무거운 듯 착잡한 표정으로 와인을 따라 주었다.

잠시 후, 이지한은 표정만큼이나 무거운 목소리로 말했다.

"이건 정말 설마 해서 묻는 건데. 설마, 우리 형이랑, 잤어요?"

"예?!"

"물론 결혼도 안 했는데, 그럴 리는 없을 거라 믿습니다."

"아, 아니, 예?!"

삽시간에 불이 번진 것처럼 얼굴이 확 달아올랐다.

"어머, 진짜 미쳤나 봐! 뭐 그런 걸 물어요?"

정말이지 기막히고 놀라워서, 부리나케 냉수 마시듯 와인을 꿀꺽꿀꺽 마셨다. 그러나 이지한은 얼굴색 하나 안 바뀌고, 더없이 심각한 눈빛으로 나를 바라봤다.

"설마, 했습니까?"

"아니, 뭐, 아니, 하면 안 돼요? 나이가 몇인데?"

"안 되죠. 아직 결혼도 안 했는데."

"그게 결혼이랑 무슨 상관이에요. 하고 싶음 하는 거지."

순간 이지한은 뭐 이런 여자가 다 있나, 하는 눈빛으로 나를 가르쳤다.

"이봐요. 그건! 부부 사이에만 하는 겁니다."

"그거야 배우자 얼굴 한 번 못 보고, 첫 만남에 첫날밤 치르는 조선 시대 얘기고요!"

"그래서, 했단 겁니까?!"

이지한은 커다래진 눈에 쌍심지까지 켜고 나를 추궁했다.

"아우! 안 했어요! 안 했어!"

나는 울며 겨자 먹는 표정으로 답을 내주고는, 두 손으로 마구 얼굴에 부채질을 했다. 열이 너무 확 올라서 눈앞이 다 어지러울 지경이었다. 그런데 이지한은 아직 더 올릴 열이 남아 있는지, 더 기가 막힌 말을 내던졌다.

"그럼, 해요."

"예?!"

"그쪽은 속궁합을 맞춰 봐야 될 것 같습니다. 형하고, 결혼 전에."

"방금 전엔 부부 사이에만 하라면서요!"

"그쪽은 그거, 조선 시대 얘기라면서요. 그러니까 그쪽 그 21세기 마인드로 속궁합 맞춰 보고 다시 생각하란 말입니다."

와, 씨. 뭐 저런 말을 저렇게, 경건하게 이성적으로 하고 있어! 지금 나만 더워?! 나만 민망해?

무지하게 덥다 못해 내 몸에서 유체가 이탈하는 느낌이다.

속에 천불이 나서 자동적으로 와인 잔을 들어 입에 댔다. 하필이면 와인 잔은 비어 있었다.

"술! 술이나 더 줘요!"

나는 술을 맡겨 놓은 양 겁도 없이 이지한에게 잔을 들이댔다. 그러자 이지한은 순순히 와인 병을 들어 내 잔에다 와인 병을 기울였다. 그런데…… 이상하게 와인 잔은 채워지지 않았다. 단 한 방울도.

"와인, 이제 없나 봅니다."

이지한은 별스럽지 않은 투로 와인 병을 거둬 갔다.

"없다고요? 왜요?"

나는 믿을 수가 없어 얼른 두 손으로 와인 병을 붙잡았다. 그리고 빼앗다시피 와인 병을 잡아당겨 내 눈앞에 가져다 댔다. 그런데 어째 눈꺼풀이 무거워지면서 내 눈앞에서 와인 병이 사라졌다. 새카맣게.

"진짜 없네……?"

절망하는 내 눈앞에 다시 환하게 와인 병이 나타났다.

"어? 있네! 있어요!"

나는 반색하며 얼른 내 빈 잔에다 와인 병을 기울였다. 그렇지만 와인 병에서는 아무것도 흘러나오지 않았다.

"어어? 없어……."

순간 내 눈은 뜨겁게 젖어 들었다.

"왜……. 왜 없어……? 왜 없는 건데?"

"이거 봐요. 취했습니까?"

어디선가 이지한의 목소리가 들렸지만, 왈칵 쏟아지는 눈물에 눈이 가려졌다. 그래서 아무것도 보지 못하는 채로 나는 그냥 엉엉 울음을 터트렸다.

꼭 수도꼭지가 열린 것처럼 나아정은 줄줄이 눈물을 쏟아 냈다.

"술……. 수우울……."

나아정은 엄마 찾는 미아처럼 엉엉 울면서 엄마를 부르듯이 애타게 술을 불렀다.

갑작스러운 눈물바다에 나는 잠시 굳었다가, 이 여자가 정말 취했구나 싶어 몸을 일으켰다.

"취했으면 방에 가서 잠이나 자요."

나는 곁으로 다가가 나아정의 팔을 잡았다. 그런데 나아정은 팔을 뿌리쳤다. 그리고 냅다 180도로 홱 돌아앉더니, 팔다리로 의자 등을 꽉 끌어안았다. 꼭 무슨 고목나무에 달라붙은 매미처럼 나아정은 의자에 딱 달라붙은 채로 오열했다.

매미가 맴맴, 하고 울듯이. 술술, 하고 울면서.

"수우울……. 수우울!"

"술 없다고요."

"왜……? 왜 없어, 왜……?"

나아정은 대단히 억울한 표정으로 물었다. 마치 내가 일부러 숨겨 놓고 안 주는 줄 아는 듯이.

"그걸 왜 나한테 묻습니까? 그쪽이 다 마셔 놓고. 무슨 와인 병이

옹달샘입니까? 그렇게 퍼마셔 대는데, 마르지 않고 계속 나오게?"

"아, 나 수우울……!"

내가 논리적으로 대꾸하자, 나아정은 듣기 싫다는 듯 오만상을 찡그리고 징징거렸다. 나는 그런 나아정의 어깨를 두 손으로 잡고 설득했다.

"나아정 씨. 술 지금은 없으니까. 내일 마십시다, 내일. 오늘은 일단 자고."

"술, 술, 술, 술!"

"오늘 자면 내일 준다고요. 그놈의 술."

나는 나아정의 어깨를 쥔 손에 힘을 줬다. 그리고 의자에서 나아정을 떼어 내려 했다.

그러나 나아정은 고개를 도리도리 세차게 저으면서, 의자를 꽉 껴안은 채 버텼다. 그래서 안간힘을 써야 했는데, 그럼에도 나아정은 사력을 다해 버텨 냈다. 그런 중에도 나아정은 질질 눈물을 짜고 있었다.

하다하다 손을 뗀 나는 혀를 내두르며 고개를 내저었다.

"이건 뭐, 미친 일곱 살도 아니고. 아, 됐습니다. 여기서 울든지 자든지. 난 내 방 가서 잘 테니까, 알아서 하십시다."

나는 매몰차게 말하고서 나아정을 지나쳤다. 그러자 나아정은 왜인지 아무 소리도 내지 않고 조용해졌다.

몇 걸음 성큼성큼 걸어가다가 뭔가 이상해서 넌지시 뒤를 돌아봤다. 나아정은 물 젖은 빨래처럼 어깨가 축 처져서는 의자 등받이 너머로 고개를 푹 숙이고 있었다. 그런 채로 나아정은 뚝, 뚝, 눈물 방울을 바닥에 떨어뜨리고 있었다.

"저 덜 잠근 수도꼭지, 저거……."

저대로 두면 밤새 뚝뚝 물방울을 흘릴 수도꼭지처럼. 정말이지 못마땅하고 신경 쓰여서 나는 미간을 찌푸린 채 혀를 찼다.

아, 몰라. 그냥 두면 저러고 밤을 새겠지. 아, 난 모른다고.

그렇게 생각하며 나는 나아정에게로 돌아갔다. 그리고 정말 모른다고 속으로 강조하면서 나아정이 앉아 있는 의자를 양손으로 붙잡았다.

"진짜 모를 일이야."

나는 조용히 중얼거리고서 그대로 번쩍, 통째로 의자를 들어 올렸다.

나아정의 방에 도착한 나는 아예 나아정과 의자를 침대까지 데려갔다. 그리고 의자째로 나아정을 침대에 모로 눕혔다.

그럼에도 나아정은 의자를 꽉 붙들어 안은 채, 편히 눕지 않고 계속 울기만 했다.

청승맞게, 사람 신경 쓰이게.

"진짜 하나도 모르겠네. 뭘 어떻게 해야 끝나?"

머리 밑에 베개도 놓아주면서 오만상을 찌푸렸다.

안고 자게 사 준 곰 인형은 대체 어디다 두고 의자를 안고 누운 꼴이라니.

나는 곰 인형을 찾으려 주위를 두리번거렸다. 그걸 가져다가 의자 대신 안겨 주자 싶어서. 하지만 곰 인형은 침대에도, 바닥에도 없었다.

　방 어딘가에 있긴 있을 텐데, 어디 넣어 뒀나 싶어 옷장으로 향했다. 그때, 나아정의 머리맡에서 휴대 전화가 울렸다.

　나아정은 여전히 눈을 감고 우는 주제에 신기하게 팔을 움직여서 머리맡을 더듬다가 휴대 전화를 찾아 잡았다. 그러고서 나아정은 휴대 전화를 귀에 가져다 댔다.

　나는 동작을 멈춘 채, 그런 나아정을 지켜봤다. 수화기 너머에서 누군가의 목소리가 들리는 듯했다.

　잠시 후, 나아정은 수화기에 대고 다급한 목소리로 말했다.

　"지경아아아……. 술이 없어어……!"

　나아정은 다시금 꺼이꺼이, 목 놓아 울어 댔다.

　"어어어……! 흐어어……! 난 술이 없대……!"

　누가 보면 자기만 쏙 빼놓고 다 같이 술 마신 줄 알겠네. 뭐 저렇게 서럽게 울어?

　기가 차서 성큼성큼 다가가 나아정의 휴대 전화를 뺏었다. 그리고 계획대로라면 절대 받지 않았을 형의 전화를 받아 버렸다.

　"여보세요? 난데."

　이 여자 취했고, 내가 괴롭힌 건 결코 아니고, 이건 그냥 술주정이라고 말할 참이었는데, 내가 말을 꺼내기도 전에 형이 먼저 물어왔다.

　[지한이 너, 아정이 술 먹였니?]

　"어떻게 딱 알아맞혀?"

　나는 퉁명하게 되물었다.

　[아정이 원래 취하면 술 찾고 울어. 딱 저렇게.]

형은 그런 나아정의 술버릇이 아주 익숙하다는 투로 대답했다. 나에게 휴대 전화를 뺏긴 나아정은 뺏겼다는 사실조차 모르고서 계속 주먹을 귀에 댄 채 혼자만의 통화를 이어 가고 있다.

"나는 술이 없어……. 술……."

질질 울고 있는 나아정을 바라보며, 왜인지 그 꼴이 답답하고 기분 나빠 나도 모르게 화를 냈다.

"그냥도 찌질한데, 술 마시면 더 찌질해지는 거였어? 아니, 술김에라도 좀 평소와 달라질 순 없는 거야? 간 크게 객기라도 부리든가, 신나게 오두방정을 떨든가."

[속에 억눌린 게 많은 사람이라 그래.]

수화기 너머에서 형은 허심탄회하게 토로했다.

[새엄마 집에서 눈치 보고, 새엄마 자식들한테 치이고. 아버지란 사람은 그냥 계모 남편이고. 그런 집구석에서 하필 되는 일도 없어서, 갈 데 없어 빌붙는 심정으로 살아왔으니까. 그게 인이 박였는지, 취해도 꼭 저러고 울기만 한다. 그냥 내 술 없다고 울기만 해. 남들한테 다 있는 거, 자기한테만 없는 사람처럼.]

형의 말을 증명이라도 하듯, 나아정은 내 앞에서 서러운 듯 울며 허공에다 묻고 있었다.

"왜……? 왜 없어……?"

듣고 보니 더욱이, 참으로 보기 싫은 꼴이었다. 그래서 나는 나아정에게서 고개를 돌렸다. 그리고 나아정을 등지려고 발길을 돌렸다. 그런데…….

그냥 두고 돌아서는 기분이, 더 뭣 같아졌다.

젠장.

나는 소리 나지 않게 입술로 뇌까렸다. 그러다 아랫입술을 잘근 깨물었다. 왜 이렇게까지 마음이 안 좋은 건지. 왜 꼭, 속이 상하는 것처럼 가슴속이 쓰린 건지. 도무지 그냥 두고 갈 수 없는 마음에 다시 나아정을 향해 몸을 돌렸다. 그리고 형에게로 입을 열었다.

"저 여자, 어떻게 해야 돼?"

[뭐?]

"어떻게 해야, 안 울어?"

나는 형에 대한 복잡한 감정을 까맣게 잊은 채로, 그저 눈앞의 나아정만 생각하며 형의 조언을 구했다.

내 질문에 형은 잠시 침묵하더니, 이윽고 대답을 들려줬다.

[달라는 거 먹여야지. 더 취해서 잘 때까지.]

부리나케 아파트를 빠져나온 나는 가장 가까이에 있는 편의점에 서 급한 대로 술을 마구 샀다.

소주, 맥주, 막걸리. 이왕이면 아까 마신 고급 와인을 사고 싶었 지만 편의점엔 그런 것이 없었다. 그렇다고 와인을 사러 더 멀리까 지 갈 수는 없는 노릇이다. 내가 없는 동안 나아정은 혼자 계속 울 고 있을 테니까. 그래서 편의점에 있는 술이나마 종류별로 다 싸 들고서 다시 아파트로 달려갔다.

이윽고 내가 나아정의 방에 들어섰을 때, 나아정은 여전한 모습 으로 울고 있었다. 침대 위에 모로 누워서 의자를 끌어안은 채로.

나는 그런 나아정에게로 다가가서 침대에 걸터앉았다. 그리고 한 손으로 나아정의 어깨를 그러잡고 말을 전했다.

"있습니다, 술."

슬쩍 일으켜 세울 참이었는데, 내 말에 나아정은 마치 불에 덴 듯이 벌떡 몸을 일으켰다.

"술?"

눈물에 퉁퉁 불은 눈을 잘 뜨지도 못하면서 나아정은 내 쪽을 향해 몸을 돌려 앉았다.

나는 우선 먹기 쉬워 보이는 팩 소주를 꺼내 빨대를 꽂았다. 그런 다음 나아정에게 내밀었다. 그러자 나아정은 냉큼 두 손으로 팩 소주를 받아 입에 빨대를 물었다. 그리고 나아정은 눈을 감고 쭉, 소주를 들이마셨다.

꿀꺽. 목젖을 움직이고 난 뒤, 나아정의 입가에는 함박웃음이 차올랐다. 꼭 일생일대의 소원이라도 이룬 것처럼 더없이 만족하는 나아정의 표정에 나까지 마음속이 뿌듯해졌다.

오늘 내가 잘해 주는 내내 불안해하고 경계하던 나아정은 지금 온데간데없었다.

오늘 내내 이런 반응이었으면 좋았을 텐데.

문득 아쉬움을 느끼면서 나아정을 지켜봤다. 여전히 눈을 감은 채 빨대를 물고 눈이 휘어지게 싱글벙글 웃는 나아정을.

그런데……. 대체 이 여자 주량이 얼마인 건지. 어느새 팩 소주를 싹 비워 낸 나아정은 도로 울상이 됐다.

"어…… 없어……?"

나아정의 눈에 또다시 방울방울 눈물이 솟구쳤다. 급한 마음에 얼른 비닐봉지에서 맥주 캔을 꺼내 나아정에게 건넸다.

“있어요, 있어.”

내가 입구를 따 주기도 전에 나아정은 맥주 캔을 덥석 빼앗아 갔다. 그리고 입구를 입에 댄 채 고개를 뒤로 젖혔다.

벌컥벌컥, 나오지도 않는 맥주를 무슨 수로 마셔 대고 있는 건지. 나아정은 캔 입구를 빨며 목젖을 삼켰다.

이 여자, 이대로 둬도 괜찮은 건가? 상태 이상해 보이는데…….

고민하는 사이, 나아정은 마치 맥주를 다 마셔 버린 것처럼 맥주 캔을 머리 위에 거꾸로 들고 탈탈 털었다. 그리고 떨어지는 맥주 방울이 없자 실망 가득한 얼굴로 신음했다.

“없어…….”

뚜껑도 안 딴 맥주 캔을 들고 술이 없다니. 아깐 술이 있고 없고 정도는 파악하더니만, 이젠 그조차도 파악할 수 없게 더욱 취한 모양이다.

“이쯤 취했으면 잘 때도 된 것 같은데.”

내가 혼잣말하자, 나아정은 또 훌쩍훌쩍 울어 댔다.

“술……. 수울…….”

서러워지는 얼굴에 또다시 마음이 언짢아졌다. 마치 나아정의 얼굴처럼 내 속이 구겨지는 느낌이다.

“에라, 모르겠다.”

나는 아예 술이 한가득 담긴 비닐 봉투를 몽땅 나아정에게 내밀었다.

“여기, 술 있습니다. 아주 먹다 죽을 만큼 있으니까, 다 가져가요.”

내가 내민 술 한 다발에 나아정은 눈물을 뚝 그쳤다. 그리고 나아정은 품에 가득 술 다발을 받아 안았다.

"술! 술이다! 술이에요!"

무슨 갓 낳은 아이를 받아 안은 산모처럼 나아정은 기쁨에 벅찬 얼굴로 술 다발을 꼭 끌어안았다.

"안고 자야지……."

듣던 중 반가운 말을 흘리면서 나아정은 침대 위로 몸을 눕혔다. 그러고서 눈을 감은 나아정은 조용해졌다. 내가 사 준 곰 인형이 아니라, 술 다발을 끌어안고서.

나는 그런 나아정의 얼굴을 한참 지켜봤다. 눈물로 범벅이 된 채 세상 다 가진 양 행복에 겨운 나아정의 얼굴을.

"무슨 술 한 다발에 이런 표정이 나와? 이게 뭐 대단한 거라고."

어이없어 혀를 내두르는 한편으로 나아정이 드디어 잠들었다는 결론을 내렸다. 그리고 이제야 나도 자러 갈 수 있겠구나, 안도했다.

그런데 생각과 다르게 내 시선은 나아정의 얼굴에서 떨어지질 않았다. 흥건하던 눈물이 서서히 말라 가고 있는, 짠 냄새가 나는 나아정의 얼굴에서 말이다.

"더러워……."

체액이 무슨 마스크 팩도 아니고. 눈물로 흠뻑 젖은 얼굴이 저리 두껍게 말라붙고 있는데. 대체 저 얼굴로 잠이 와?

"더러워, 더러워, 더러워, 더러워."

나는 도무지 찜찜해서 못 버티겠어서 진저리를 치며 침대에서 일어섰다. 그리고 욕실을 향해 달려갔다. 물수건과 폼 클렌징, 물 바구니를 가져오기 위해서.

똑똑, 노크 소리에 번쩍 눈을 떴다. 동시에 어젯밤의 기억이 태풍처럼 내 머릿속으로 밀려들었다.

"끄아……!"

나도 모르게 비명이 터지려고 해서 나는 얼른 입을 틀어막았다.

아, 어떡해! 나 어떡해?!

내가 부린 추잡스러운 술주정에 온몸이 바들바들 떨렸다.

"거기, 깬 거 다 압니다."

문밖에서 들려오는 이지한의 목소리에 나는 얼음처럼 굳어 버렸다.

"술병 나서 드러누운 거 아니면, 자기 발로 걸어 나옵시다."

술병 나서 드러누운 거면? 안 나가도 되나? 그럼 아픈 척할까? 아냐. 확 죽은 척하자. 아, 그냥 죽자! 죽어!

자괴감에 머리를 쥐어뜯으며 몸부림쳤다. 그러자 문밖에서 무시무시한 말이 들려왔다.

"기어이 내가 들어가서, 들고 나와야 됩니까?"

"아, 아니요!"

나는 채찍을 맞은 듯이 벌떡 자리에서 일어났다. 어차피 피할 수 없을 텐데 더 버텨 봐야 상황만 악화되겠지.

매도 먼저 맞는 게 덜 아플 거란 체념으로 헐레벌떡 방을 뛰쳐나갔다.

문을 열자마자 욕 한 바가지를 끼얹을 줄 알았는데. 내가 문을 열자 예상외로 이지한은 무덤덤한 표정으로 나를 내려다보며 딱 한마디를 했다.

"식탁에 해장국 있으니까, 그쪽으로 가죠."

그러고서 이지한은 몸을 돌려 주방으로 향했다.

"아, 예."

가타부타 따질 겨를 없이 무조건적인 충성 모드로 식탁을 향해 달렸다. 식탁에는 정말로 말간 해장국이 놓여 있었다.

"우와……."

의자에 앉아 감탄하는데, 이지한이 내 앞에 마주 앉았다. 나는 얼른 정신을 차리고 두 손 모아 용서를 구했다.

"아, 어제는 죄송했어요. 제가 취하면 주사가 좀 있어 가지고. 막 울고, 술 달라고 진상 피우고……. 진짜 죄송해요."

내 사과에 이지한은 따가운 눈초리로 쏘아보며 입을 열었다.

"할 말이 그것뿐입니까?"

"예?"

"죄송하다, 그것뿐이냐고요."

"그럼요. 제가 무슨 할 말이 더 있겠어요……. 입이 열 개라도 없죠."

나는 고개를 숙이고서 기어들어 가는 목소리로 대답했다. 그러자 이지한은 꾸짖듯이 말했다.

"고맙다는 말은, 왜 안 합니까?"

"예?"

"내가 침대까지 옮겨 줬고, 술도 새로 사 줬는데. 고맙다고 왜 안 하죠?"

"그, 그랬어요?"

전혀 기억에 없는 일이라서 눈이 휘둥그레졌다. 그러자 이지한은 부리부리하게 눈을 치켜떴다.

"설마, 기억 못 합니까?"

"그……. 제가 여기서 막 울었던 건 기억나는데……. 그 뒤는……."

"어떻게 그걸 기억 못 합니까?!

이지한은 손바닥으로 식탁을 탁, 내리쳤다.

"이봐요. 내가 그쪽한테 얼마나 잘해 줬는데! 그걸 그쪽이 모른다는 게 말이 됩니까, 이게?!"

나는 움찔 굳어서 아무 말도 못 하고 듣기만 했다.

"내가 어제 그쪽, 침대에 눕혀 줬고, 술 찾아서 술도 사다 줬고. 내가! 그쪽 그 더러운 얼굴, 세수까지 시켜 줬습니다."

"세, 세수요?"

"어디 그뿐인 줄 압니까? 하는 김에 어제 산 스킨, 아이크림, 앰플, 에센스, 수분 크림, 영양 크림. 그거 차례차례 다 발랐습니다. 내가, 바로 내가."

이지한은 스스로를 가리키며 '내가'를 강조했다.

"정말요? 왜요?"

나는 소스라치게 놀라 물었다. 그러자 이지한은 유감천만인 표정으로 말했다.

"아마 이렇게 고맙다는 말 한마디 못 듣자고 한 일은 아닐 겁니다."

"아, 고, 고마워요. 그렇게 잘해 주고 계셨을 줄은……."

어안이 벙벙해져 두 손으로 내 뺨을 더듬거렸다. 그러자 낯설도록 곱고 매끄러운 피부가 만져졌다. 확실히, 이건 세수도 않고 그냥 잠든 피부가 아니었다. 그렇다면 정말로 이지한의 말이 사실이란 얘긴데…….

도대체 왜? 왜 이렇게 잘해 주는 거지?

어제와 다름없는. 아니, 어제보다 강력해진 친절에 온몸이 오싹해졌다.

"그게 무슨 고마운 표정입니까? 겁먹고 의심하는 표정이지."

이지한은 눈살을 찌푸리고 말했다. 그 말에 나는 애써 웃어 보였다.

"에이, 아니에요. 저는 너무 고마우면 그런 표정이에요."

"어제 취했을 땐 그런 표정 아니던데."

"그야 취했으니까. 제가 막 평소 같지 않았겠죠."

"그럼 평소 같지 않게 하십시다, 취했을 때처럼."

"취했을 때……. 어쨌는데요?"

"잘해 주면 좋아서 웃습디다."

"아, 그래요?"

나는 좀 더 애를 써서 한껏 입꼬리를 올려 보았다. 그러자 이지한은 착잡한 표정으로 고개를 절레절레 저었다.

"그렇게 억지로 웃는 느낌, 아니었습니다."

이번엔 눈이 감길 만큼 눈웃음을 힘껏 만들었다. 그러자 이지한의 한숨 소리가 들려왔다.

"됐습니다. 지금 바라는 건 내 욕심인 거 같네요. 아직 잘해 준 지 일주일도 안 됐는데. 벌써 그쪽이 마음 놓고 좋아하길 바라다니."

이지한의 애석한 목소리에 나는 의아해져 웃음기를 지우며 눈을 떴다. 그러자 이지한은 태연하게 내 눈을 보며 말했다.

"뭐, 내가 더 잘해 주다 보면, 그런 표정 다시 나오겠죠. 맨정신에도."

어째 지금보다 더 잘해 주겠다는 얘기 같은데…….

나는 영문을 모르겠어서 머리를 긁적긁적하며 열심히 기억을 살리려고 애썼다. 대체 취했을 때 내 표정이 어땠던 건지. 왜 더 잘해 주면서까지 그 표정을 또 바라는 건지. 그런 내 앞에서 이지한은 숟가락을 들며 화제를 전환했다.

"식기 전에 해장국 들어요."

"아, 예!"

아직 빠지지 않은 군기로 재깍 대답하며 숟갈을 들었다. 그리고 해장국 한 숟갈을 입안으로 삼켰다. 순간 나도 모르게 눈을 질끈 감고 탄성을 터뜨렸다.

솟구치는 온갖 찬사를 내뱉으려 다시 눈을 떴는데, 이지한이 싱긋 웃는 얼굴로 나를 보고 있었다. 생각지도 못한, 착하고 부드러운 미소였다.

그 모습에 멍해져서, 내뱉으려던 찬사를 모두 하얗게 잊고 말았다.

이지한은 슬슬 밥그릇을 향해 시선을 옮기고서 숟갈질을 했다. 그러다 아무렇지 않게 질문을 던졌다.

"오늘 뭐 할 겁니까?"

나는 얼른 정신을 다잡고 대답했다.

"오, 오늘요? 오늘……. 집 보러 다녀야죠."

이지한은 그게 아니라는 듯이 고개를 절레절레 저었다.

"그쪽은 집을 볼 게 아니라, 점을 봐야 됩니다."

"예?"

"집은 비서한테 몇 군데 뽑아 오게 할 테니까, 오늘 우린 점이나 보러 가죠."

"갑자기 웬 점을 봐요?"

“궁합 봐야죠. 형하고 그쪽하고, 진짜 결혼해도 되는지.”

이지한은 아주 당연하단 투로 대답했다.

“전 그런 거 안 믿는데요.”

“우리네 선조들은 바보라서 중전 간택에 사주를 봤겠습니까? 하물며 왕족들도 결혼은 궁합 보고 결정하는데, 그쪽이 왕족보다 대단합니까? 감히 세종대왕 무시해요?”

뭘 또 얘기가 조선 시대 왕족 능멸까지 가냐…….

나는 입이 열 개라도 저 말발에 제대로 반박해 낼 자신이 없어졌다. 그래서 순순히 고개를 내저으며 말했다.

“아니요. 절대 아니죠. 듣고 보니 결혼에서 궁합 보기란 아주 필수 불가결한 절차네요. 꼭 한 번 보겠습니다.”

나는 끝으로 두 주먹까지 불끈 쥐어 보이며 고개를 끄덕였다.

4. 호숫물과 금도끼

4. 호숫물과 금도끼

이지한과 나란히 점집 상담실에 앉은 나는 내 앞의 무속인 아주머니가 아니라 그녀 뒤의 제단에 시선이 꽂혀 있었다. 형형색색 갖가지 조각상에, 커다란 촛불들에······.

생애 처음 보는 광경에 반쯤 넋이 나가 있노라니, 내 앞에서 부채를 편 채 나와 이지경의 사주를 보던 무속인이 탁, 부채를 접고 선언했다.

"아가씨. 이 남자랑 결혼하면, 아가씨 죽어."

난데없는 사망 예고에 심장이 쿵 떨어지는 듯했다.

"제가요?"

나는 진짜 떨어질까 봐 왼쪽 가슴을 꾹 눌러 막고 심각하게 물었다.

"그래. 이 남자랑 결혼하면 제 명에 못 살겠네."

"왜요?"

"아가씨는 팔자가 물이야."

"어! 맞아요. 사람들이 저 물로 봐요. 오, 진짜 용하시다."

순간 옆에서 이지한이 피식, 실소를 터뜨렸다. 그러거나 말거나 그저 신기해서 두 손을 모아 쥐고 무속인을 향해 눈을 깜빡거렸다. 그러자 무속인은 탁자 위의 종이에다 획획 글자를 적어 가며 설명을 시작했다.

"사주팔자는 크게 다섯 가지로 나눠지는데. 물, 불, 나무, 흙, 금. 이 중에서 아가씨는 물이란 말이야. 그것도 바닷물이 아니라 호수 물. 주위가 꽉 막혀서, 고인 채로 풀리지가 않아."

"어머, 어머, 대박. 저 진짜 그래요. 그래서요?"

"근데 이 호수 물에 상극이 뭐냐. 바로 나무라는 말이지. 나무가 물을 잡아먹으니까. 근데 하필이면 이 남자가 나무네. 게다가 이 남자, 주위에 나무가 너무 많아."

무속인은 이지경의 이름에 밑줄을 쫙쫙 그으면서 말했다.

"나무가 많다니요?"

"사주에서는 직업 운하고 남자를 나무로 보기도 하는데……. 이 남자가 팔자에 직업 운이 좋거나, 남자가 많거나…….”

이 용한 아줌마가 거기까지 꿰뚫어 보는 거 아냐?!

나는 혹시 무속인의 입에서 게이라는 말이 튀어나올까 봐 숨이 딱 막혔다. 그런데 그때 이지한이 끼어들었다.

"사업하는 남자가 직업 운이 좋으려면, 당연히 주위에 남자도 많아야겠죠."

"그야 그렇지."

다행히 이지한의 말에 무속인은 고개를 끄덕였고, 다시 내 얘기로 돌아왔다.

"아무튼 이 남자가 나무라고. 아가씨랑 상극인 나무. 거기다 이 남자 옆에 수두룩 빡빡 나무 천지야. 물론 아가씨가 태평양 바닷물이면, 나무 까짓 거 백 개라도 괜찮아. 근데 아가씨는 뭐야? 호수 물이지? 여기 고인 물, 뺏기면 안 되잖아. 왜 뺏겨? 말라 죽으려고?"

나는 왜인지 타는 목마름을 느끼면서 마른침을 삼켰다.

"그…… 그럴 리가 없는데."

"내 그럴 줄 알았습니다."

내가 소심하게 부정해 보는데, 이지한은 만족한 표정으로 고개를 끄덕였다. 그걸 본 순간 문득 의심이 자라났다.

혹시 이거……. 짜고 치는 고스톱 아니야? 나랑 이지경 궁합, 무조건 나쁘게 나오도록?

어째 아무래도 수상쩍어 이지한을 위아래로 훑어보다가 다시 무속인에게로 고개를 돌렸다. 그리고 애써 담대하게 말했다.

"그래도 전 이 결혼할 거예요. 어차피 전 이 남자 없으면 죽을 텐데. 이렇게 죽으나 저렇게 죽으나, 그저 단명이 제 팔자라면 받아들일게요."

그리고서 흡사 사랑하는 남자를 위해 대신 총이라도 맞은 여자처럼, 목숨과도 바꿀 법한 절절한 사랑을 두 눈 가득 담아 이지한을 봤다. 이지한은 그런 내 두 눈을 마치 암세포 바라보듯, 어떻게든 떼어 내고픈 눈빛으로 쏘아봤다.

그런 나와 이지한의 시선 사이로, 무속인의 부채가 끼어들었다. 나는 반사적으로 무속인을 봤다. 그러자 무속인은 꾸짖듯이 말했다.

"아가씨, 왜 죽을 생각을 해? 살아서 더 좋은 남자 만나야지."

"아뇨. 저한테는 이 남자가 세상 최고의 남자예요."

“무슨 소리야? 아가씨는 이런 남자 말고. 금을 만나야 숨통 트고 살아. 금.”

“금이요?”

“우리가 금으로는 수도꼭지도 만들고 도끼도 만들 수 있거든? 아가씨한테 필요한 게 바로 그 두 가지야. 고인 물 틀었다 잠갔다 조절해 주고, 물 뺏어 먹는 나무 싹 잘라 주고. 그러니까 그런 금 같은 남자를 만나. 그게 아가씨 살 길이야.”

“아니, 무슨. 진짜 금도 아니고. 무슨 금 같은 남자를 만나래요? 진짜 금이면 내가 금은방 가서 만날 수나 있지. 그런 남잘 대체 어디서 만나라고. 알아보기도 어렵겠구만. 뭐, 금 치렁치렁 달고 다니면 금 같은 남자예요?”

“있어. 남들한텐 칼같이 도끼질인데, 지 마누라, 지 가족한텐 수도꼭지 돼 주는 끔찍한 사람. 그 옛날에 수양 대군이 그렇게 애처가였다는데, 아가씨가 딱 그런 남자 만나게 생겼어.”

“수양 대군이면 그……. 조카 죽이고 왕 된…… 살생부로 막, 피바람…….”

어쩌 간담이 서늘해져서 마른침도 못 삼키고 굳어 있었다.

“아가씨 팔자에 분명히 그런 남자 있어. 좀만 기다려.”

“아뇨, 안 기다릴래요…….”

나는 더럭 겁이 나서 필사적으로 고개를 저어 댔다.

점집을 빠져나온 나는, 울상이 된 채 무속인이 부득부득 손에 쥐

여 준 부적을 내려다봤다.

아가씨가 남 같지 않다느니, 왜인지 마음이 쓰인다느니. 그러면서 공짜로 그려 준 부적인데……. 행운이 따라붙는 행운 부적이라는 데도 어째 이 부적의 기운이 영 불안하기만 했다. 그런 내 옆에서 이지한은 차 키 리모컨으로 차 문의 잠금 상태를 해제하며 말했다.

"그런 거, 막 그렇게 밖에 꺼내고 있으면 효과 떨어집니다. 얼른 가방에 넣어요."

이지한의 잔소리에 마지못해 가방에 부적을 넣으면서 입술을 씰룩거렸다. 그러자 이지한은 내 앞으로 몇 발자국 옮기더니, 내가 들어갈 수 있게 차 조수석의 문을 열어 주었다.

"타죠."

내가 쭈뼛쭈뼛 조수석에 올라타자, 이지한은 문을 툭 닫고 운전석으로 향했다. 곧이어 이지한은 운전석의 문을 열고 들어왔다.

"근데 이거, 페어플레이 맞아요?"

영 찜찜한 기분에 용기 내서 의혹을 제기했다.

"뭔 뜻입니까?"

"이 집은 그쪽 아는 집이잖아요. 혹시 오기 전에 궁합 나쁘게 말하라고 미리 짜 둔 거면……. 그건 페어플레이 아니잖아요."

"그랬다면 페어플레이가 아니겠죠."

"안 그랬다는 얘기예요?"

"안 그랬습니다."

"안 그랬다는 거, 증명할 수 있어요?"

"그걸 내가 어떻게 증명합니까? 내가 한 일은 증거가 남아도, 안 한 일은 증거가 안 남는데. 증거 댈 게 뭐가 있죠?"

“그야……. 그러네요.”

나는 오리 주둥이처럼 입을 내밀고 앞을 쏘아봤다. 옆에서 이지한은 시동을 걸고 차를 몰기 시작했다.

점집 앞을 떠난 차가 골목골목을 빠져나와 큰길에 다다랐을 때, 불현듯이 좋은 생각이 났다.

“아! 우리 다른 점집에도 가 봐요. 우리 둘 다 한 번도 가 본 적 없고, 전혀 모르는 점집으로. 그럼 점괘가 보다 객관적으로 나오지 않겠어요?”

내 말에 이지한은 눈살을 찌푸리고 흘끗 곁눈으로 나를 봤다.

요놈, 걸렸다! 딴 집에 가는 건 자신 없지? 싫지?

나는 심증에 확신을 가지면서 덧붙였다.

“왜요? 싫어요? 뭐……. 모르는 집에 가면, 님이 불리한…… 가?”

그러자 이지한은 피식 웃으면서 도로 앞을 향해 고개를 돌렸다. 그리고 아무렇지 않게 말했다.

“그럼 그렇게 하죠. 어차피 두 사람 궁합, 어딜 가나 똑같을 테니까. 그럼 이번에는 그쪽이 골라요. 어느 집으로 갈지.”

왜인지 이지한은 자신감이 넘쳤다. 당연히 그럴 거라고, 믿어 의심치 않는 듯이.

나는 아예 종목을 바꿔 길거리의 천막 타로 집을 선택했다. 아무래도 사주와는 다른 원리니까, 다른 결과가 나올 확률이 높을 거라 기대하면서.

그럼에도 불구하고 내가 고른 카드들을 살펴보던 점술가는 내 기대를 저버렸다.

"이 결혼은 안 되겠는데요?"

"왜요? 궁합이 그렇게 나빠요?"

"궁합이 문제가 아니라, 그쪽한테 진짜 신랑감이 따로 있대요."

"예?"

"결혼하지 말고. 좀 기다려 봐요."

"에이, 그게 말이 돼요? 저 다음 달이면 이 남자 돌아올 거고, 그 다음다음 주면 결혼식인데. 어떻게 그걸 엎고 마냥 기다려요? 언제 나타날지 알고."

"흠……."

점술가는 뭔가 석연치 않은 투로 턱을 매만졌다. 그러더니 점술가는 혼자서 타로 카드 몇 장을 뽑아 확인했다. 그 카드들을 한참 지켜보던 점술가가 입을 열었다.

"며칠 안 남았어요."

"뭐가요?"

"그쪽 진짜 신랑, 며칠만 기다리면 나타나요."

점술사의 의미심장한 예언에 순간 직감할 수 있었다.

아……. 돈 날렸구나. 여기 엉터리구나.

이지한은 차에 시동을 걸며 의기양양하게 말했다.

"두 군데 다 같은 결론이니까. 포기하죠? 이 결혼."

나는 조수석에서 징징 하소연을 터뜨렸다.

"아, 무슨! 말도 안 돼요. 하나도 안 맞아! 이건 무효예요, 무효라고요!"

"틀렸는지 맞았는지. 며칠 지나보면 알게 되겠죠. 그쪽 진짜 신랑, 며칠이면 나타난다니까."

"아니, 무슨 신랑이 택배예요? 며칠 기다리면 찾아오게?"

내 말에 이지한은 앞을 보며 피식 웃었다. 어째 지난 한 달 저 얼굴에서 본 것보다, 오늘 하루 본 웃음이 더 많은 느낌이다. 물론 비웃음과 코웃음을 제외하면 말이다. 근데 나 왜 저거 볼 때마다 가슴속이 찔끔찔끔 떨리지…….

"택배다 생각하고 기다려 봐요. 내가 찾아올 테니까."

"예?"

"그쪽이 우리 형보다 더 좋아하게 될 남자, 내가 찾아온다고요."

이지한은 점괘를 믿어 의심치 않는 투로 장담했다.

"아니, 그걸 믿어요?"

"그럴 수도 있다, 가능성을 참고하는 겁니다."

"아니, 아니. 애초에 왜 이런 걸 보러 다녀요? 어머님도 지경 씨도, 이런 거 안 보던데?"

이지한은 운전하느라 앞만 보며, 대수롭지 않게 대답했다.

"재미있으니까."

"재미?"

대답이 전혀 뜻밖이라서, 도무지 이해할 수 없어 따지듯 물었다.

"이게 재미있어요? 이게? 이게?"

"뭐 그쪽이야 팔자가 안 좋아서 이해가 안 가겠지만, 내가 워낙 팔자가 좋습니다. 어디 가서 사주를 봐도 12월 첫눈처럼 흠 하나 없는 사주예요. 금수저 물고 태어나서, 황금 마차 타고…….”

말을 하다 말고, 이지한의 표정이 이상하게 어두워졌다.

“황금 마차 타고, 뭐요?”

“아닙니다.”

내가 묻자 이지한은 정색하고 고개를 내저었다.

“아무튼, 내 사주는 어디 가도 좋은 말만 듣습니다. 그러니까 한 번씩 남한테 사주 풀이 듣는 거 재미있습니다.”

한마디로 좋은 말 나올 거 뻔하니까, 그 좋은 말 들으러 다닌다는 거잖아? 나 참. 대체 팔자가 얼마나 좋으면 저래?

하긴. 안 봐도 훤하다. 나하고는 태생부터 딱 다른데, 뭐.

“근데 그쪽이야말로, 어떻게 점을 한 번도 안 보고 살았습니까? 보통은 일 안 풀리고 앞이 깜깜한 사람들이 점 보러 다닌다던데.”

“복채 아까워서요.”

순순히 사실대로 대답했더니, 어째 이지한은 조용해졌다. 힐끔 옆을 확인하자 이지한은 슬픈 표정으로 운전을 하고 있었다.

괜히 솔직하게 대답했나? 이런 지지리 복도, 복채도 없는 여자가 우리 형 짝이라니. 화가 나다 못해 이젠 슬프기까지 한가?

나는 이 녀석이 슬픔을 못 견디고 또 한 달 전의 또라이로 돌변할까 봐, 슬그머니 두 손으로 안전벨트를 꼭 쥐었다. 그런데 이윽고 입을 연 이지한은 지극히 정상적인 태도로 부드럽게 말을 꺼냈다.

“형만큼 돈 많은 남자면 좋겠네요.”

“예?”

“그쪽 진짜 신랑 말입니다.”

“…….”

“형처럼 돈 많고, 형보다 훨씬 그쪽 좋아해 줄 남자. 빨리 나타나면 좋겠습니다.”

기도하듯 경건한 태도에 진심 무서워서 눈물이 났다. 뭐야, 이 진심으로 내 행복을 비는 듯한 소름 돋는 명연기는? 이 자식이 내 행복을 바랄 리가 없는데. 꼭 진짜 그런 것 같잖아?

나는 무섭지만 안전벨트를 더 꽉 붙들고서 애써 입을 열었다.

“아, 아뇨. 저는 지경 씨면 충분해요. 그 사람만 있으면 더 바랄 게…….”

“외모는 어떤 타입 좋아합니까?”

“예?”

“형 비슷한 남자면 되겠어요?”

이지한은 아주 적극적으로, 추궁하듯 내 이상형을 캐물었다.

“피부 건강하게 갈색이고. 쌍꺼풀 진하고. 인상 서글서글하게 좋고. 그 뭐랄까……. 지중해 느낌?”

지중해 느낌…….

한순간에 확 이지경이 떠오르는 표현이다.

이지경이 지중해라면, 이지한은 오호츠크해라고 해야 하나……. 얼음 둥둥 떠다니고, 칼바람 쌩쌩 부는 오호츠크해.

나는 새하얗고 쌍꺼풀 없는, 똑 부러지게 날렵한 이지한의 얼굴을 훑어보며, 달라도 너무 다른 형제를 새삼 속으로 비교했다. 그리고 새삼 입맛을 다셨다. 내가 이런 얼굴을 텔레비전 바깥에서 보고 있다니…….

“말해 봐요. 어떤 얼굴 좋아하는지.”

“오호츠크해요…….”

넋을 놓고 있던 나는 무심결에 대답했다.

"오호츠크해?"

이지한은 이상한 듯 고개 돌려 나를 봤다.

"오호츠크해 같은 얼굴은, 뭐죠?"

"아, 그, 어, 제 말은……."

뒤늦게 제정신을 차리고서 내 망언을 수습하려 머리를 짜냈다. 그사이 이지한은 신호등의 붉은 신호 앞에 서서히 차를 정차시켰다. 그리고 이지한은 다시 내 쪽으로 고개를 돌렸다. 나는 그런 이지한에게 가까스로 둘러댔다.

"저는 지경 씨 얼굴이 지중해가 아니라, 정반대인 오호츠크해였어도 지경 씨를 사랑했을 거다, 이 말이죠. 전, 외모보다 내면을 중시하니까요."

"다행입니다. 돈 많은데 외모까지 좋은 남잔, 찾을 자신 없었는데."

"아니, 찾을 필요 없다니까요?"

나는 정신을 바짝 차리려고 눈을 동그랗게 떴다. 그리고 이지한을 향해 또박또박 분명하게 내 의사를 표시해 갔다.

"제 신랑은 제가 이미 찾았고요. 다른 어떤 남자가 나타나도 제 마음은 변하지 않아요. 왜냐하면 이 세상에 지경 씨보다 좋은 남잔 없으니까요."

"내가 변하게 할 겁니다."

이지한은 단호하게 내 두 눈을 보며 자신했다. 웃지도 않고 찡그리지도 않은, 바르고 진지한 얼굴로.

꼭 그럴 거라고, 약속하는 눈빛으로.

"그……."

순간 말문이 막히고 숨도 막혔다.

나는 말을 멈춘 채로 가만히 이지한을 바라보기만 했다. 그러나 이지한은 흘긋 차 앞을 확인하더니, 다시 정면으로 고개를 돌려 운전을 시작했다. 이지한은 서서히 속력을 높이면서 신호등의 초록 신호를 지나쳤다.

빨라지는 속력 때문인지 가슴속이 떨려 와서, 가슴 앞의 안전벨트를 도로 꼭 붙들어 잡았다. 그러자 이지한은 운전 때문에 주위를 살펴보며 말했다.

"나는 좋은 남자 찾아볼 테니까, 그쪽은 그 행운 부적이나 잘 갖고 다닙시다. 형보다 더 좋은 남자 만나게."

아……. 그 뜻이었어? 내가 변하게 할 겁니다, 내 중매로. 그 뜻이었어?

몇 초 만에 풀린 미스터리에 그제야 숨통이 트여 숨을 내쉬었다. 그런데 왜인지, 한숨을 쉬는 것처럼 기운이 빠지면서 어깨가 축 늘어졌다.

이 좋다 만 것 같은 기분은 뭐지? 생각하는 찰나, 내 가방 속에서 휴대 전화가 징징 울렸다. 나는 냉큼 휴대전화를 꺼내 발신자를 확인했다.

발신자가 극단 동료인 희경이기에 바로 전화를 받았다.

"어, 희경. 웬일이야?"

[아정아, 큰일 났어!]

"어? 왜?"

[오늘 공연, 펑크 나게 생겼어! 지금 공연 두 시간 전인데! 주연 배우 갑자기 문자 하나 딱 날리고 잠수 탔어! 오늘 안 온대!]

"야, 그게 뭔 소리야? 주연이 안 온다니? 공연은 어쩌라고?"

[내 말이! 야, 우리 공연 어떡하지? 하필 오늘 대학교 단체 관람이라, 환불하면 우리 완전 망해!]

"어쩌긴, 빨리 대타 세워야지."

[아정아, 네가 와 주면 안 돼?]

"뭐?"

[이거 초연 때 네가 주연이었잖아. 재연 때도 네가 했고.]

"야, 아무리 그래도. 재연이 벌써 2년 전인데."

[너 이거 첫 주연작이라고, 대사 십만 번씩 외우고 그랬잖아. 막자다 깨서도 대사 술술 외우고. 그리고 너, 솔직히 올해도 하고 싶었잖아. 그 스폰서만 아니었어도…….]

아무래도 껄끄러운 얘기라서인지, 희경이는 말끝을 흐렸다. 듣던 나도 괜히 민망해져서 바닥을 보며 아랫입술을 삼켰다.

[아무튼 지금 당장 너만큼 이거 소화할 사람, 아무도 없어. 응? 아정아, 우리 살려 줘. 너 부잣집 며느리 된다고, 우리 이렇게 힘들 때 모르는 척하면 안 되는 거다?]

이어지는 희경의 읍소에 나는 안절부절 갈등이 일었다. 도와주긴 해야 하는데. 이렇게 갑자기 어떻게…….

돕고 싶은 마음과 자신 없는 마음이 격렬하게 충돌하고 있는데, 갑자기 희경의 숨넘어가는 대성통곡이 들려왔다.

[아정아아아……!]

순간 충돌이고 나발이고, 일단 사람부터 살리자는 다급한 심정으로 외쳤다.

"아, 알았어, 지금 갈게!"

그냥 아무 데나 내려 주면 된다는데도 이지한은 부득부득 대학로 공연장까지 차를 몰았다.

작디작은 소규모 극장에는 이렇다 할 주차 공간이 없었기에 이지한은 일단 극장 앞에 차를 세웠다. 급하게 차 문을 열고 내리며 이지한을 향해 인사를 꾸벅해 보였다.

"태워 줘서 고마워요. 저, 연극 끝내고 갈 테니까. 먼저 들어가요."

나는 빠르게 말하고서 차 문을 닫고 부랴부랴 극장 입구로 들어섰다. 지하로 내려가는 좁고 어두운 계단을 지나, 고작 책상 하나로 만든 매표소에 다다랐을 때, 매표소에 앉아 있던 희경이 벌떡 일어나며 나를 반겼다.

"아정아!"

"야, 의상은?"

"대기실에 있어."

"알았어. 근데 호, 혹시, 대철 선배 여기 오는 건 아니지?"

"뜬금없이 무슨 대철 선배야? 우리 연출 바뀐 게 언젠데."

"그래도 혹시 올까 봐……. 초연 연출가였잖아. 구경 올 수도 있지 않을까?"

나는 만에 하나라는 확률을 걱정하며 희경에게 불안을 호소했다. 그러자 희경은 못 말린단 표정으로 호기롭게 대꾸했다.

"어유! 별걱정을 다 하네. 설마 그 선배가 여길 오겠어? 아니지. 온다고 치자. 온다고 쳐. 그래도 걱정할 거 없어! 극단 남자들 동원해서, 여기 딱 지키고 있을 거니까."

"오케이, 너 꼭 그래야 된다? 약속 지켜, 나 지켜!"

희경에게 신신당부한 다음, 뒤로 돌아 얼른 대기실로 뛰어갔다.

설명을 듣자 하니, 오늘 오를 연극이 바로 4년 전 나아정이 첫 주연을 맡았었던 연극인 건데. 형과 나아정의 빌어먹을 오작교가 되어 버린 이 연극. 한 번 봐야겠단 생각이 들었다.

그래서 극장 주변의 유료 주차장에 차를 주차한 뒤, 나아정이 있을 극장으로 향했다.

도대체 뭘 근거로 이 공간을 극장이라 부르는 건지. 좁아터진 계단을 내려가자, 어두침침한 지하 공간에 고작 책상 하나에 의자만 가져다 놓은 매표소가 보였다. 의자도 고작 하나뿐인데, 웃기게도 거기 앉은 여자 뒤로 남자 둘이 떡하니 조폭처럼 서 있었다.

이거 뭐, 지하 도박장인가?

의심을 품는 순간, 의자에 앉아 있던 여자가 놀란 듯이 나를 가리키며 말을 걸어왔다.

"어? 그때 그…… 맞죠? 며칠 전에 아정이랑 같이 왔던."

가만 보니 이 여자, 일전에 나아정에게 청첩장을 받은 여자 중 하나였다. 그날, 임대철도 나타났었지.

"예."

편치 않은 기억에 떨떠름한 표정으로 답했다.

"아정이 보러 오셨구나."

"표 한 장, 주시죠."

이 여자가 있는 걸 보니 극장이 맞긴 맞는 듯해, 나는 주머니에서 지갑을 꺼냈다.

"아유, 아니에요. 아정이 친구분인데 무슨 돈을 받아요. 그냥 들어가서 보세요."

여자는 돈도 받지 않고 무작정 표 한 장을 내게 내밀었다.

"친구 아닙니다."

나는 나아정과 친구가 아니니까. 딱 잘라 말하고서 지갑에서 지폐를 꺼내 여자에게 내밀었다. 그러자 여자는 아차 하는 얼굴로 말했다.

"아! 맞다. 예비 시동생이셨죠. 제가 깜빡했네요."

나는 몹시도 불쾌해져 돈을 책상에 놓고, 빼앗듯이 여자의 손에서 표를 낚아챘다.

"그건 더더욱, 절대로 아닙니다."

단호하게 정정하고 돌아서서 공연장으로 향했다. 그리고 고작 몇 걸음 만에 금세 공연장에 들어설 수 있었다.

백 명은 고사하고 고작 오십 명이나 들까 싶은 공연장의 규모에 혀를 내둘렀다. 좁기도 좁아터진 데다 퀴퀴한 냄새하며……. 더구나 객석 의자는 등받이도 없는 벤치라니.

한 벤치에 열 명씩 앉는 건지. 나는 벤치마다 열 개씩 붙어 있는 번호표를 확인하며 내 좌석을 찾아갔다. 여덟 줄의 벤치 중에서 내 좌석은 세 번째 줄이었다.

세 번째 줄에서 대학생으로 보이는 관객들 앞을 비집고서 내 자리를 향해 들어갔다. 이윽고 내 자리에 앉고 나니 공연장의 탁한 공기에 헛기침이 나왔다. 가뜩이나 지하인데. 환기나 제대로 하는 건지. 가지가지 모든 것이 못마땅해 인상이 절로 구겨졌다.

무슨 이런 데서 로맨스가 시작됐단 거야? 바퀴들의 로맨스면 모를까.

어둡고, 더럽고, 냄새나고. 딱 바퀴들이 좋아할 법한 공연장을 둘러보며, 4년 전 이곳에서의 나아정과 우리 형을 상상해 봤다. 형도 지금의 나처럼 여기 어딘가에 앉아 있었겠지.

대부분 대학생으로 채워진 관객석을 둘러본 다음, 내 시선은 무대로 향했다. 4년 전 나아정은 저기 어딘가에 서 있었을 거라 생각하면서. 그때, 정말로 나아정이 내 시선에 들어왔다.

핫팬츠에 배꼽이 드러나는 티셔츠. 거기다 허리에 셔츠를 눌러 묶은 채 야구 모자를 쓴 나아정은, 형편없는 무대 위로 성큼 올라와서 어수선한 관객들 앞에 우뚝 섰다.

아, 잘못 봤나?

나는 눈을 세게 감았다가 다시 떴다. 그러나 무대 위의 여자는 나아정이 맞았다. 최소한 생김새만은 분명 나아정이었다.

근데 저 자신만만 표정은, 누구지? 나아정한테 저런 눈빛도 있었나?

의아한 마음에 눈을 찡그리고 한껏 시선을 집중시키자, 나아정은 객석을 향해 한 손을 번쩍 들었다. 그리고 마치 객석이 아닌 다른 것이 보이는 것처럼 큰소리로 씩씩하게 외쳤다.

"참가 번호 10번! 배수진입니다! 직업은 고등학생이고요. 특기는 지금부터 보여 드립니다!"

나아정이 말을 마치자마자 조명 색이 붉게 바뀌면서 에로틱한 팝 (Pop) 음악이 울려 퍼졌다. 이어서 나아정이 그 음악에 맞춰 춤을 추기 시작했다.

이 여자 연극배우가 아니라, 댄서였던가?

저 얼굴에 저 몸으로는 어색해야 정상일 것 같은 야한 안무를, 나아정은 되바라진 표정으로 능숙하게 선보이고 있었다. 사이사이 객석으로 유혹하듯 찡긋 눈짓을 건네어 가면서. 마치 발랑 까진, 여고생인 것처럼.

나아정의 쪼끄만 몸은 현란하게 무대를 꽉 채우고, 나아정의 어린 얼굴은 자신만만하게 여유를 부리고 있었다.

그러다가 나아정이 모자를 벗어 던진 순간, 음악은 딱 멈추고 조명은 본래의 색으로 돌아왔다. 그러자 헝클어진 나아정의 머리칼 사이로 만족한 듯 씩 웃는 입매가 보였다.

대체 그동안 저 끼를 어디 싸매 두고 있었던 건지. 기가 막힌 괴리감에 이상하게 전율마저 느끼고 있었다.

그런데 다음 순간 갑자기 나아정의 뒤로 중년의 여자가 뛰어들어 나아정의 머리채를 잡았다.

"이놈의 기집애가! 하라는 공부는 안 하고!"

"아, 엄마! 이런 데 나 쫓아올 시간 있으면, 집 나간 아빠나 잡아 와!"

"시끄러! 너 오늘 내가 아주 머리를 빡빡 밀어 버릴 거야, 너!"

"그러기만 해! 나도 엄마 머리 밀어 버릴 거니까!"

나아정은 바락바락 과격하게 대들면서 잡아먹을 듯이 눈을 치켜 떴다.

지난 한 달 동안 내 앞에서 손톱이나 물어뜯던 그 소심한 찌질이 가……. 저기서 면도칼도 씹어 먹을 날라리 양아치가 되어 있다니.

꼭 꿈속의 나아정을 보는 것처럼 멍한 기분으로 나는 무대 위의 나아정을 지켜봤다. 그리고 두 시간의 공연 시간 내내, 무대 위의 나아정에게서 내가 알던 나아정의 모습을 찾으려고 애썼다.

그러는 사이사이, 내 기억에서는 지난밤 나아정의 목소리가 문득문득 되살아났다.

[그리고 지경 씨는, 올 때마다 꽃을 선물했어요. 내 연기에 반했다고. 팬이라고. 매일매일 응원해 줬어요.]

[그래서 좋았어요. 그때 나한테는, 그런 사람이 너무너무 필요했거든요. 너 이 길로 쭉 가도 된다. 아직 늦지 않았다. 잘될 거다. 그런 말이 진짜, 듣고 싶었는데. 그걸……. 지경이가 해 주더라고요.]

어쩌면……. 우리 형의 그 행동만은 진실이었을 것 같다.
나아정이 추억하는 형과의 러브 스토리에서, 최소한 그 장면만큼은……. 진짜가 아니었을까……?

5. 호숫물에 빠진 금도끼

5. 호숫물에 빠진 금도끼

연극이 끝나고, 관객이 모두 떠난 극장에서 대기실을 찾았을 때,
나아정은 본래 모습으로 돌아와 있었다.

빨개진 양쪽 볼에 시원한 음료수 캔을 하나씩 댄 채, 나아정은
작은 대기실 구석에 쪼그려 앉아 있었다. 세운 두 무릎 위로 턱을
얹고서, 눈을 감고 있던 나아정은 내가 앞에 도착하자 눈을 떴다.

"어? 아까 집에 안 갔어요?"

나아정은 놀란 눈으로 나를 올려다보며 물었다.

"나 객석에 있는 거, 못 봤습니까?"

"으아! 모, 못 봤는데? 이거 보고 있었어요?!"

"뭡니까? 이 코딱지만 한 극장에서 날 못 봤다는 게 말이 됩니까?"

"원래 무대에선 객석이 잘 안 보여서……."

나아정은 혼날까 봐 그러는지 내 눈치를 보며 소심하게 기어들어
가는 목소리로 웅얼거렸다.

“그래, 이게 나아정이지.”

나는 나도 모르게 혼잣말을 했다. 잠시 후, 나아정의 앞에 무릎을 굽혀 앉았다. 그렇게 나아정과 눈높이를 맞추고서 나는 나아정의 머리 위에 손을 얹었다.

“좀 합디다.”

“예?”

“연기. 진짜 계속해도 되겠습디다.”

나는 나아정의 머리를 툭툭 토닥이며 말했다.

“우리 형이 한 말 중에 그거 하난 분명히 진심이었을 겁니다.”

“무슨…… 말이요?”

나아정은 어안이 벙벙해진 표정으로 물었다. 나는 형이 했다던 말을 떠올리며 또박또박 대답했다.

“이 길로 쭉 가도 된다. 아직 늦지 않았다. 잘될 거다.”

이 여자는 이거 할 때가 제일 멋있으니까. 형도 지금의 나처럼 확신하고 말했을 거다.

딱 지금의 나처럼.

“내 할 말도 같습니다.”

내 말에 나아정은 멍하게 넋이 나간 표정이 되었다.

“지, 진짜예요?”

“형이 하면 진짜고, 내가 하면 가짭니까?”

“그…… 반대죠…….”

“반대?”

“아, 아니.”

정신이 얼얼한지, 나아정을 눈을 질끈 감고 고개를 도리도리 내

저었다. 그러더니 나아정은 아예 양손에 쥔 캔을 이마에 꽉 갖다 붙였다. 그리고 알아듣기 힘들 만큼 빠르게, 작은 목소리로 중얼댔다.

"정신 차려, 정신 차려, 정신 차려."

아무래도 무대 위에 있을 때가 이 여자의 유일하게 멋있는 순간이지 싶다.

"근데 이건 이거대로 귀엽네."

내키는 대로 지껄이고서 나아정의 두 팔을 잡았다. 그러자 나아정이 눈을 뜨고 나를 봤다.

"찌그러져 있지 말고 일어납시다."

나는 내 몸을 일으키는 동시에 나아정을 함께 일으켰다. 세워 놓고 보니, 나아정은 아직 무대 의상조차 갈아입지 않은 모습이었다.

"그쪽은 슬슬 옷 갈아입고 나와요. 난 주차장에서 차 몰고 극장 앞으로 데리러 올 테니까."

어째 아직도 얼이 빠져 있기에, 나는 양손의 캔을 낚아채서 나아정의 두 볼에 꾹 눌렀다. 그러자 나아정은 움찔 놀라 두 눈을 동그랗게 떴다.

"정신 빠뜨리지 말고, 꼭 챙겨 나옵니다."

차가운 캔이 닿아 있는데도, 어째 나아정의 얼굴은 더 빨개지고 있었다.

홀로 극장을 빠져나와 주차장으로 향하면서, 낮에 만난 무속인에게 전화를 걸었다.

"아까 그 여자, 그 호수 물. 정말 그렇게 팔자가 꽉 막혀 있습니까?"

[어이구, 호수 물이 뭐야? 접시 물이지, 접시 물. 아깐 본인 앞이라서 그나마 호수 물이라고 띄워 준 거지, 그보다 더 나빠. 그 접시 물로 뭘 하겠어? 되는 일 하나 없지.]

"그럴 리가 없어 보이는데……. 사주 다시 잘 좀 들여다봐요. 그 여자, 그 접시 점점 자라날 수 있잖습니까? 대기만성처럼."

[다시 본다고 없던 게 생길 줄 알아? 기본 사주는 그냥 접시야.]

"그럼……. 부적 하나 새로 부탁합시다."

[부적? 아까 줬잖아. 그새 잃어버렸어?]

"아니. 이번엔 그 여자 애정 접게 하는 부적 말고, 일 잘 풀리게 하는 부적으로. 부탁합니다."

[그래? 그야 뭐, 어렵지 않지……. 근데 내가 그랬잖아? 그 여잔 금 같은 남자 만나면 다 잘 풀린다고. 부적보다 그게 훨씬 효과 좋을 텐데?]

"그거, 나 놀리려고 지어낸 얘기 아닙니까?"

[이거 무슨 개소리야? 나, 네놈이 하도 부탁해서 그 여자한테 부적은 속였어도, 사주 갖고 장난질은 안 쳐. 내가 봐준 궁합, 사주. 그거 다 진짜라고. 그러기로 했던 거잖아?]

"그렇기야 했지만……. 뜬금없이 금 같은 남자 얘긴, 많이 미심쩍습니다."

[왜? 네 얘기 같아? 네가 금이라서, 내가 너 놀리려고 그랬을까 봐?]

"빙고. 예, 그겁니다."

[글쎄다. 그게 네놈일지 누구일지 나야 모를 일이고. 난 그냥 그 여자 사주대로 말한 것뿐이니까. 알아서들 해.]

“뭐 그렇다면……. 나랑 사주 같은 놈으로 찾아보면 되겠네요.”

[알아서들 하라니까? 새로 부적 써 줄 테니까 받으러나 와. 나 손님 왔어, 끊어.]

무속인은 그대로 전화를 끊어 버렸다.

찜찜해. 영…….

나는 휴대 전화를 주머니에 넣으면서 고개를 절레절레 저었다. 어느덧 주차장은 코앞이었다. 주차장을 향해 좀 더 발걸음을 재촉하려다가 문득 발을 멈춰 세웠다.

길 건너편에 보이는 꽃집 때문에.

옷을 갈아입고 매표소로 나오자, 뒷정리를 하고 있던 희경이 얼른 봉투를 챙겨 내밀었다.

“오늘 진짜 고마웠어. 진짜 수고 많았다. 이거 얼마 안 되지만, 일당이야.”

“어우, 야. 공연 수익 얼마나 된다고 이런 걸 다……. 나중에 술이나 사.”

“너 예전에 이 공연 망해서 돈 한 푼도 못 받았었잖아. 그때 생각하면 더 챙겨 줘야 되는데. 지금도 뭐 딱히 잘되는 건 아니라서 딱 술값만 넣었어.”

희경은 억지로 내 손에 봉투를 쥐여 주고는 눈을 찡긋해 보였다. 나는 멋쩍어서 쭈뼛쭈뼛 가방에다 봉투를 넣으며 중얼거렸다.

“딱 술값이면, 뭐……. 근데 그나저나, 공연 내일부턴 어쩌려고?”

“안 그래도 좀 전에 연락 왔더라. 주연 걔, 내일부턴 나온대.”

“아, 뭐야……. 걔 진짜 왜 그러니?”

“절박함이 없는 거지. 스폰 끼고 주연 쉽게 꿰찬 앤데, 연극 반응 별로니까 그냥 하기 귀찮은 거 아니겠어? 듣자 하니까, 벌써 다른 연극 알아보려고 주위 연출가들 찌르고 다닌다더라.”

날 밀어냈던 어린 후배 소식에 못내 억울한 기분이 들어 아랫입술을 삐죽 내밀었다.

“근데 아정아, 저번에 네가 예비 시동생이라고 소개했던 남자, 오늘 연극도 보러 왔던데. 너랑 대체 무슨 사이니?”

이상한 듯 묻는 말에 순간 당황했다.

“무, 무, 무슨 사이냐니? 뭐, 뭐, 뭐가?”

혹시 대기실을, 보, 본 건가? 이지한 때문에 나, 얼굴 빨개졌던 거?

나는 조금 전 이지한의 앞에서처럼 얼굴이 새빨개졌다. 내 반응에 희경은 고개를 갸웃거리면서 의아한 투로 말했다.

“아까 매표소에서 내가 알아보고 인사했더니, 그 남자가 자긴 너랑 친구도 아니고 예비 시동생도 아니래. 그럼 대체 무슨 사이야?”

“아, 그, 그랬어?”

다행히 대기실을 본 건 아닌 모양이라 안심이 되었다.

“사실 그 사람은 아직 나 마음에 안 들어 하거든. 자기 형이 너무 아깝다나……. 그래서 그렇게 말했나 보다.”

“그런 거야?”

“응. 그냥 그런 거야.”

“근데 그 사람은 뭘 그렇게 널 따라다녀? 마음에 안 든다면서.”

“뭐, 내가 어떤 사람인지 지켜보는 과정이랄까……. 암튼 예비 시동생이 맞아.”

나는 고개를 끄덕이며 말했다.

물론 그건 사실이었다. 이지한은 곧 내 시동생이 될 테니까. 분명 이지한은 내 예비 시동생이 맞다. 그런데, 거짓말이 아닌데도 문득 마음이 불편해졌다.

이지한이 내 예비 시동생이라는 게, 왜인지 말하기가 껄끄러운 기분이랄까.

나는 희정과 인사를 마치고서 극장 바깥으로 나왔다. 극장 밖은 어느덧 캄캄한 밤이 되어 있었다.

극장 입구 옆에 서서 두리번두리번 좌우를 살펴봤지만 이지한의 차는 보이지 않았다.

주차를 멀리 해 뒀나?

휴대 전화로 시간을 확인하고 다시 좌우를 두리번댔다. 이지한이 나타나면 평소처럼 굴자고, 아까처럼 이상하게 빨개지지 말자고. 속으로 또 다짐하면서.

그런데 내가 미처 확인하지 못한 내 뒤편에서 걸걸한 목소리가 들려왔다.

“이야, 이거 나아정이 아니야?”

흠칫 놀라 뒤를 돌아봤을 때, 내 앞에는 대철 선배가 서 있었다.

“엄마아!”

경악한 나는 뒤로 자빠지며 비명을 터뜨렸다.

"뭐냐? 왜 이렇게 놀래? 뭐, 귀신 봤냐?"

임대철은 어슬렁어슬렁 내 앞으로 다가왔다.

"서, 선배님 여긴 어, 어쩐 일로……."

"어쩐 일이긴. 너 보러 왔지."

"예? 저, 저요?"

"그래. 내가 너 보러 여기까지 왔다니까?"

"제, 제가 여기 있는 줄은 어떻게 아시고……."

"인마, 너한테 연락할 길이 없으니까. 내가 이런 짓까지 하는 거 아냐."

"이런 짓이……. 뭐, 뭔데요?"

"오늘 펑크가 그냥 난 줄 아냐?"

임대철은 의미심장하게 내려다보며 말했다. 덕분에 나는 온몸으로 오뉴월 서릿발 같은 한기를 느꼈다.

이 인간이 작정하고, 작정하고 나를 여기까지 불러냈구나.

나는 무서워서 벌렁대는 가슴을 움켜쥐고 겨우겨우 입을 열었다.

"설마 주연 못 오게 한 거……."

"어, 그거 나야. 걔 다른 연극 꽂아 주면서까지 내가 너 불러낸 거라니까? 나아정이 너 만나려고."

임대철은 발끝으로 내 무릎을 툭 건드리며 이어 말했다.

"왠지 알아?"

안다. 이게 다 이지경 때문이라는 거.

하지만 모르는 척하기 위해 고개를 도리도리 저었다.

"모, 몰라요. 근데, 저, 제가, 지금, 시, 시간이 없어서요. 나중에 얘기해요. 나중에."

나는 슬금슬금 뒤로 기어가며 어떻게든 상황을 피하려고 둘러댔다. 그런데 임대철은 덜컥 내 팔을 붙잡아 올렸다.

"나중에는 얼어 죽을. 야, 내가 지금 너한테 아주 중요하게 할 얘기가 있거든? 가자, 어디 조용한 데서 얘기 좀 하게."

"저, 저는 들을 얘기가 없거든요."

나는 시선을 피한 채로 임대철의 손아귀에서 팔을 빼려 안간힘을 썼다. 그러나 임대철은 팔을 놔주지 않고 더 아프게 틀어쥐었다.

"나아정아, 맞기 싫으면 그냥 따라와라."

살벌한 목소리에 찔끔 눈물이 나려 했다. 하지만 한 대 맞을 각오로 아등바등 뒷걸음을 쳤다.

"이게 진짜!"

임대철은 내 두 팔을 놓더니, 두 손으로 덥석 내 머리끄덩이를 휘어잡았다. 순간 머리털이 다 뽑히는 듯이 아파 눈이 질끈 감기면서, 꺄악! 비명이 절로 터져 나왔다. 하지만 임대철은 그대로 나를 끌고 갔다.

아, 진짜 내가 이 지경 때문에 제 명에 못 사는 건가? 그놈과 그놈의 이놈 때문에?

나는 아파서 눈도 못 뜬 채 찔끔 울며 그 와중에도 두 다리를 뻗대었다. 그래 봐야 발바닥이 질질 끌려갈 뿐이었지만.

소리 지를까? 아냐, 그랬다가 남들 다 보는 데서 폭로하면 어떡하지? 너 결혼할 남자 게이라고, 그딴 소릴 남들 앞에서 하면…….그걸 혹시 내 지인이나, 이지한이 듣기라도 하면…….

차라리 순순히 따라가서, 일단 여길 벗어나서 그다음에 도망칠까?

고민하는 내 귓가로 갑자기 커다랗게 경적 소리가 울렸다. 그 소리가 어찌나 큰지, 일순 나는 물론이고 임대철의 동작까지 멈칫했다. 순식간에 경적 소리는 빠르게 가까워지더니, 내 옆에서 끼이익 타이어 소리와 함께 멈췄다.

그 바람에 질끈 감았던 눈을 뜨고 내 옆에 선 차를 봤다. 그때, 차 문이 열리면서 이지한이 튀어나왔다.

아, 안 돼! 이지한이 끼어들면, 안 되는데! 임대철이 하는 소릴 들으면 안 되는데!

머릿속에 경보음이 울리는 사이, 이지한은 성큼 달려들었다. 내 머리채를 잡고 있는 임대철에게로……. 그리고 다짜고짜 팔을 날려 임대철의…… 머리채를 잡아챘다.

"응?"

순간 얼떨떨해서 나도 모르게 소리를 냈다. 동시에 이지한은 그대로 임대철의 머리끄덩이를 높이 들어 올렸다. 그러자 임대철은 내게서 손을 떼고, 으아아 비명을 지르면서 이지한의 손목을 붙잡았다.

임대철에게서 풀려난 나는, 여전히 욱신대는 머리를 감싼 채로 뒷걸음을 쳤다. 이지한이 머리를 들어 올린 탓에 임대철은 까치발을 하고 있었다.

"으아, 너, 너, 뭐야! 이거 안 놔?!"

임대철이 고함치자, 이지한은 임대철의 머리끄덩이를 앞뒤로 흔들어 댔다. 그러자 임대철의 입에서 다른 말은 나올 틈이 없었다. 오직 비명만이 이어질 뿐.

이게 무슨 상황인지 어리둥절해서 눈만 깜빡이는데, 이지한은 그대로 임대철을 끌고 가더니 난데없이 자신의 차 뒷좌석에 처박듯이 밀어 넣었다. 그리고 또 눈 깜짝할 사이, 이지한은 운전석에 올라타 차 문을 잠갔다.

다음 순간, 이지한의 차는 쏜살같이 나를 지나쳤다. 임대철을 태운 채로, 내 눈에 보이지 않을 만큼 멀리.

대체 이게 뭔 상황인지. 덩그러니 남겨진 채 멍하니 눈을 껌뻑거렸다.

나는 잠시 만에 정신을 차리고서 땅바닥에 떨어진 내 휴대 전화를 주워 들었다. 그리고 불안한 마음에 이지한에게 전화를 걸었다. 혹시 임대철이 이지한에게 지경이 얘길 할까 봐서.

그런데 이지한은 10분이 넘도록 전화를 받지 않았다. 자꾸 커지는 불안감에 쩔쩔매며 손톱을 마구 씹어 댔다.

그러다가 20분쯤 되었을 때, 이지한은 차를 몰고 내 앞으로 다시 나타났다. 겁이 나서 쿵쿵대는 심장을 부여잡고 차 안을 보려는데, 이지한이 내 앞에서 차 문을 열고 내렸다. 흘끗 살펴보니, 차 안에 임대철은 없었다. 그사이 이지한은 내 앞에 서서 내 머리에 두 손을 올렸다.

"머리."

이지한의 두 손이 내 머리를 지그시 덮는 게 느껴졌다. 올려다보니, 이지한의 두 눈은 내 머리를 살펴보고 있었다.

"아직 아프면, 병원으로 갑시다."

"아니, 안, 안 아파요, 지금은."

아니, 머리채 좀 뜯겼다고 무슨 병원을 가잔 건지. 나는 당황해서 고개를 내저으며 말을 더듬었다.

"근데 대철 선배는……?"

내 질문에 이지한은 눈살을 찌푸렸다.

"가다 버렸습니다."

"예?"

"이제 못 오니까, 신경 끄죠."

이지한의 한 손이 내 머리를 토닥거렸다.

"왜 이제 못 오는데요?"

"인간은 생존 본능이 있으니까."

의미심장하게 들려오는 낮은 목소리에 어리둥절해졌다. 그러나 다시 물어볼 틈이 없이, 이지한은 내 팔을 살짝 감싸 쥐고 나를 차 조수석으로 이끌었다.

이지한이 내 앞에서 차 조수석 문을 열자 역시 거기 임대철은 없었다. 슬쩍 뒷좌석을 다시 봐도 임대철은 없었다. 그렇게 돌다리를 두드리고 난 후에야 슬며시 조수석에 올라탔다. 그러자 이지한은 문을 닫고 차 뒤쪽으로 이동했다. 그러더니 이지한은 트렁크 문을 열고서 잠시 후에 조수석으로 돌아와 차 문을 열었다. 이지한의 손에는 커다란 꽃다발이 들려 있었고, 그 꽃다발은 곧 내게로 뻗어졌다. 형형색색 갖가지 꽃이 든 꽃다발은 거의 내 몸통만큼 거대했다.

"들고 있어 봐요."

마치 잠깐 맡겨 놓는 듯이 이지한은 대수롭지 않게 말했다.

"아, 예."

무슨 임무를 맡는 기분으로 나는 내 몸통만 한 꽃다발을 한 아름 가득 안아 들었다. 그러자 이지한은 이번에는 조수석 문을 그대로 둔 채, 열어 둔 트렁크로 다시 이동했다.

이윽고 이지한은 또 거대한 꽃다발을 들고 와서 내게 내밀었다.

더구나 이번에는 가타부타 말도 없이 그냥 내 무릎에 꽃다발을 앉혀 놓고 문을 닫았다.

그리고 잠시 후, 이지한은 트렁크 문을 닫고 운전석으로 올라탔다. 이번에는 앞선 꽃다발들보다 더 큰, 꽃바구니를 든 채.

"이건 어깨에 메고 있죠."

"예?"

"안을 수 있으면 안고, 발등에 놓으려면 놓고. 근데 그러긴 불편해 보이니까 어깨에 메는 편이 제일 나을 겁니다."

"아니…… . 이게 다 뭐예요?"

"어떤 걸 좋아할지 몰라서 꽃집에 남은 꽃, 종류별로 다 꽂아 왔습니다. 뭐, 그중 하나쯤은 그쪽 취향이겠죠."

"…… ."

이 꽃을, 저 남자 머리에 꽂아 줘야 할 것 같다…… . 아무래도 저 남자, 미친 것 같으니까.

근데 미친 짓에 설레는 거 보면…… . 내 머리에도 하나쯤은 꽂아야 하나…… .

의문하는 사이, 이지한은 차를 움직이기 시작했다.

우선 나아정을 레스토랑에 앉혀 둔 채 나는 화장실 세면대 앞에 섰다. 그러다 찬물에 세수를 하며 머릿속의 기억을 씻어 내려 애썼다. 그러나 지금도 뒤에 있는 것처럼 뒷좌석에 있던 임대철의 목소리가 생생하게 살아났다.

[당신 뭐야? 뭔데 이래?]

한적한 차도 한복판에 차를 세우고서 임대철을 끄집어냈을 때. 그리고 임대철의 멱살을 잡아 차체에 밀어붙였을 때. 그때 붙잡았던 촉감이 아직 손에 묻어 있는 듯해 세수를 멈추고 손을 박박 씻었다.

그러다가 이어지는 기억에 나는 그때 임대철을 노려봤듯이, 거울을 노려봤다.

[나아정, 이지경하고 결혼 안 해.]

[뭐?]

[그러니까 나아정한테 얼쩡대지 마. 혹시 우연히 마주쳐도, 네가 도망쳐. 살고 싶으면.]

내 경고에 확 구겨지던 임대철의 얼굴이 거울에 아른거렸다.

[인마! 네가 뭔데? 뭘 안다고 갑자기 끼어들어 개소리야?]

내가 그대로 몸을 돌려 반대편 차선으로 와락 들이밀자, 임대철은 바짝 겁에 질려 내 손을 붙들고 입을 다물었다. 임대철을 그렇게 중앙선에 세우자, 임대철의 등 뒤로 차가 쌩 지나갔다.

[내가 그 두 사람 결혼, 기어이 깨 줄 사람이거든.]

나는 정말 당장에라도 떠밀어 버릴 기세로 뇌까렸다.

[난 그럴 능력도 있고, 네 한 몸 없앨 능력도 있는 사람이야. 너 어느 쪽을 확인할래? 조용히 살아서 결혼 깨지는 거 확인할래? 아님, 네 한 몸 어떻게 없어지는 건지. 죽으면서 확인할래?]

그 순간 임대철의 등 뒤로 또 한 차례 차가 스쳐 갔다. 그러자 임대철은 얼어붙어 입도 뻥긋 못하고 나를 보기만 했다. 살려 달라는 듯이 비굴한 눈빛으로.

정말 지우고 싶은 얼굴이다. 그 소도둑놈.

나는 회상을 끊고 눈을 감아 버렸다. 그리고 다시 찬물로 세수를 했다.

형은 대체, 남자를 사귈 거면 뭐 똑바로 된 놈이나 사귀든가. 아니 차라리 나아정이라면 이제 이해는 좀 가능해. 근데 나아정이 아니라, 실은 저딴 놈을 사귀었던 거라니.

세수를 마친 나는 물기를 털어 내듯 세차게 고개를 저어 댔다.

레스토랑의 테이블로 돌아왔을 때, 나아정은 스테이크를 앞에 둔 채 손톱만 오독오독 씹고 있었다. 꼭 당근 먹는 토끼처럼.

"왜 그러고 있어요? 그냥 먼저 먹지."

"저기, 대철 선배, 혹시 이상한 말 안 했어요?"

내가 맞은편에 앉자, 나아정은 불안한 듯 물어 왔다.

"나는 그놈 말 안 들었습니다. 내가 말하기만 했지."

"님은, 무슨 말을 했는데요?"

"그쪽 앞에 나타나면 죽일 거라 했습니다."

"헉, 왜, 왜요?"

그쪽한테 우리 형 게이인 거, 말하게 둘 순 없으니까.

나는 뱉어 낼 수 없는 진실을 목 아래로 삼킨 채, 뱉어 낼 수 있는 진실만 골라서 내뱉었다.

"그쪽 괴롭히는 꼴이 보기 싫으니까."

내 대답에 나아정은 멍해진 표정으로 손에서 포크를 떨어뜨렸다.

아마 생각지 못한 답에 놀란 모양인데. 하긴. 백날 자길 괴롭히던 내가 한 말이니, 안 믿기고 놀라울 만도 하다.

"뭐, 악어의 눈물이라도 본 표정인데. 나 거짓말하는 거 아닙니다. 지난 한 달 동안 그쪽 괴롭히는 권리를 독점했더니. 내가 그 독점권을 당연히 내 거라고 믿게 되었다고나 할까."

나는 어깨를 으쓱해 보이고서, 나이프와 포크를 들어 스테이크를 썰어 갔다.

"아무튼 딴 놈하고 공유하기 싫으니까, 또 괴롭히는 놈 있으면 재깍재깍 나한테 신고합시다."

"아아……."

나아정은 이제야 이해가 간다는 듯이 고개를 끄덕끄덕했다. 그리고 혼잣말로 중얼거렸다.

"난 또 뭐라고……."

"뭐가요?"

내가 묻자 나아정은 정신이 번쩍 돌아온 듯 눈을 동그랗게 뜨고 고개를 내저었다.

"아, 아니요! 아니요."

나아정은 얼른 포크를 고쳐 쥐고 급하게 스테이크를 썰었다. 어찌나 손놀림이 급한지. 배가 많이 고픈 모양이라, 나아정이 스테이크 세 점을 삼킬 때까지 지켜보기만 했다. 말 걸지 않고, 어떤 방해도 하지 않고.

나아정은 오물오물 열심히 식사에 집중했지만, 어째 나아정의 표정은 심각하기만 할 뿐, 별다른 감흥이 없어 보였다. 스테이크의 맛이 그저 그런 건지. 이상해서 내 스테이크를 한 점 입에 넣어 보았다.

이 정도면 상당한 맛인데. 나아정은 왜 저러는 거지?

스테이크를 씹어 삼키고서 나아정을 향해 입을 열었다.

"맛, 없습니까?"

내 질문에 나아정은 잠깐 동작을 멈췄다가 이내 멍하니 고개를 내저었다.

"아뇨. 맛있어요."

"근데 표정이 왜 그저 그런 표정이죠?"

내가 지적하듯 예리하게 묻자, 나아정은 뭐에 찔린 사람처럼 움찔했다. 그리고 동시에 정신이 차려진 듯, 눈을 빛내며 허리를 꼿꼿하게 세웠다.

"아, 그건, 어……. 맛은 있는데요. 어……. 이것도 진짜 맛있지만. 님이 해 준 스테이크가 훨씬 맛있어서요. 어우, 제가 입맛이 예전 같지 않은가 봐요. 님이 해 준 요리에 길이 들어 가지고."

나아정은 눈웃음을 보이면서 정말이지 난처하단 투로 덧붙였다.

"큰일이에요. 입맛만 높아져서. 이러다 아무거나 못 먹게 될까봐 걱정이네요."

은쟁반에 옥구슬 굴러가는 소린 못 들어 봤지만, 은쟁반에 쥐방울 굴러가는 소린 방금 들은 것 같다. 딸랑딸랑, 듣기 좋은 소리가 맞는 말이기까지 하네.

나는 입꼬리가 근질거려 피식 웃었다. 나아정을 적으로 대할 때와 다르게, 이제는 굳이 웃는 모습을 숨길 필요가 없기에 나는 자리를 떠나지 않았다. 그저 나아정을 바라보며 입을 열었다.

"먼 미래는 나중에 걱정하고. 내일 먹을 메뉴나 골라 보죠. 내일은 삼시 세끼 내가 해 줄 테니까. 내일 먹고 싶은 거, 있습니까?"

턱을 괴고 질문하며 나아정을 향해 편하게 씩 웃었다. 그러자 나를 보던 나아정의 얼굴이 갑자기 불을 붙인 것처럼 확 빨개졌다.

왜 저러지? 생각하는 순간 나아정은 벌떡 자리에서 일어났다.

"저, 화, 화장실 좀……!"

그러더니 나아정은 내 반응도 보지 않고 냅다 뛰쳐나갔다.

"배탈이라도 났나……."

쏜살같이 멀어지는 나아정의 뒷모습을 보며 혼자 중얼거렸다. 나아정은 금세 레스토랑 문을 열고 나가 바깥으로 사라졌다.

근데 화장실……. 레스토랑 밖이 아니라 안에 있을 텐데?

혹시 내가 잘못 알았나? 고개를 갸웃거리다가, 일단 나아정을 기다리기로 했다.

그런데 10분이 지나도 나아정은 돌아오지 않았다. 뭔가 이상하다 싶어 휴대 전화를 꺼내 나아정에게로 전화를 걸었다. 그러자 신호음이 울린 지 한참 만에 나아정의 목소리가 들려왔다.

[아, 예, 저기, 저, 지금 갑자기 저희 집에 일이 생겨서요. 지금 집으로 가고 있거든요. 그러니까, 어.]

"갑자기 무슨……."

[저기, 아무튼 저 기다리지 말고, 일단 저 끊을게요. 나중에 연락 드릴게요.]

나아정은 내게 말할 틈도 주지 않고 정신없이 전화를 끊어 버렸다.

"뭐야, 대체?"

그새 대체 무슨 일이 생겼다는 건지. 나는 황당해서 휴대 전화를 바라보며 눈살을 찌푸렸다.

나아정 없이 혼자 집에 돌아온 나는 나아정의 방으로 향했다. 집을 비운 낮 시간 동안 가구 회사 직원들이 새 가구들을 설치하기로 되어 있었기에.

나는 새 가구들을 확인하려 나아정의 방문을 열었다. 그러자 지난번 가구 매장 카탈로그에서 본 것과 같은 화려한 공주님 방이 눈앞으로 펼쳐졌다.

침대 위의 새하얀 캐노피. 방 한가운데의 우아한 하얀 티 테이블. 그 위에 놓인 금빛 화병. 책상 옆의 화장대, 수납장.

하나하나 살펴보다 침대로 다가갔다. 마치 거대한 면사포처럼 느껴지는 하얀 캐노피 속에 딱 하나 빠진 것이 있었다. 카탈로그에는 있었지만 여기에는 없는 것. 바로 곰 인형이다.

"이 여자, 이거 대체 어디 둔 거야?"

나는 주위를 두리번거리다가 옷장으로 향했다. 혹시 하며 옷장 문을 열었을 때, 비로소 곰 인형을 발견할 수 있었다.

"아니, 인형을 왜 옷장에 넣어? 내가 이걸 입으라고 준 줄 아나?"

어이가 없어 혀를 쯧 차고서 곰 인형을 끄집어내 침대 위로 데려갔다. 그리고 카탈로그에서 본 것처럼, 곰 인형을 캐노피 안쪽, 베개 옆에 놓았다.

모든 세팅을 완벽하게 마치고서 두어 발자국 뒤로 물러나 방을 한 바퀴 쭉 둘러봤다. 마지막으로 내 시선은 다시 침대로 돌아갔다. 정확히는 침대 위의 곰 인형에게로.

덩그러니 혼자 놓인 곰 인형을 보며 못마땅한 기분에 얼굴을 찌푸렸다.

"다 가져다 놨는데. 왜 그 여자만 없어."

나는 침대로 다가가서 침대에 걸터앉았다. 그리고 휴대 전화를 꺼내 시간을 확인했다.

밤 아홉 시.

아까 집에 가고 있다고 한 지 한 시간이나 지난 시간이다. 설마 외박을 하겠다는 건가?

"대체 이 여자 언제 들어와?"

왜인지 싫은 기분에 나아정에게로 전화를 걸었다. 그러나 나아정은 통화 중이었다.

통화 시도 두 번째에도, 세 번째에도. 심지어 스무 번째가 될 때까지도. 나아정은 계속해서 통화 중이었다.

그러는 사이 아무래도 내 불쾌지수는 스무 배쯤 더 올라간 것 같았다.

찜질방 구석 자리에서 나는 혹시 누가 알아볼까 히잡처럼 수건을 뒤집어쓴 채 휴대 전화를 붙들고 징징 우는소리를 냈다.

"빨리 와, 지경아아……. 그냥 내일 오면 안 돼? 어? 나 힘들어. 네가 필요해애."

[대체 무슨 일이냐니까? 왜? 지한이가 또 괴롭혀?]

"아니, 그게 아니라……."

반경 10미터 주위에는 아무도 없었지만, 그럼에도 남은 말을 잇지 못했다.

네 동생이 웃었는데, 내 심장에 경련이 왔어!

그런 말을 이지경한테? 어우, 절대 못 하지.

"그냥, 아, 내가 힘들어! 그냥 힘들어! 네 동생하고 한집에서 못 있겠어!"

[전엔 무섭다, 무섭다 하면서도 잘만 버티더니. 정말 무슨 일 있었던 거 아냐?]

"아냐! 없어!"

사실상 이지한은 잘못한 게 없으니까. 나는 고개를 세차게 저어 대며 외쳤다.

내 평생의 소원인 말을 해 주고, 나한테서 대철 선배 쫓아내 주고. 꽃집 다 털어서 꽃다발을 안겨 주고.

거기다 마치 텔레비전 속 로맨스 드라마의 남자 주인공처럼 날 보면서 웃고. 이 행동들 어디에 이지한의 잘못이 있겠는가.

그걸 보고 미친 내가 잘못이지!

나는 차마 할 수 없는 말을 속으로만 외치면서 눈을 질끈 감았다. 그리고 울먹울먹 다 죽어 가는 목소리로 말했다.

"암튼 네 동생은 잘못 없어어……."

[그럼 뭐가 문제인 거야? 지한이가 잘못한 건 없는데, 지한이랑 한집에는 못 있겠다니.]

"그…… 그게……."

나는 눈을 뜨고 손톱을 꼭꼭 씹으면서 애써 핑계를 찾아보려 머리를 굴렸다.

“그게……. 지경아, 이거 절대 아무한테도 말하면 안 된다? 특히 네 동생한텐 더…….”

[그래, 알았어. 말해 봐. 뭐가 문제인데?]

“그 집에……. 그 도곡동 아파트에……. 귀신이 있어.”

참으로 어마어마한 비밀을 전하듯이 심각한 목소리로 속닥거렸다.

“근데 그건 내 눈에만 보이는 것 같아. 그러니까, 괜히 네 동생한테 얘기하지 말고. 그냥 나만 그 집에서 나갈게.”

[…….]

“네 동생은 기도 세고, 어차피 귀신 같은 거 안 보이니까. 아무 문제 없을 거야. 근데 나는 그 반대니까, 일단 너 올 때까지 다른 데 있으려고. 있지, 그래서 말인데. 네 동생한테 딴말은 하지 말고. 그냥 나 그 집에서 나올 수 있게, 잘 얘기해 줄 수 없어?”

[아정아, 그냥 지한이가 너 괴롭혀서 못 버티겠다고 해. 내가 뭐 지한이한테 한 소리 하면, 너 더 곤란해져서 그러는 거야?]

들고 보니 그냥 그럴 걸 그랬다. 그편이 훨씬 현실적인데. 머리는 괜히 굴려 가지고…….

“어, 응……. 네가 한 소리 하면, 내가 곤란하지…….”

왜냐하면 네 동생은 이번엔 진짜 나한테 잘못한 게 없거든…….

“그러니까 절대 아무 소리 말고. 그냥 날 위해서, 내가 너 올 때까지 다른 곳에 지낸다고, 잘 좀 말해 주련?”

나는 양심을 잠깐 외면한 채, 지경이에게 부탁을 전했다.

[그래. 근데 사실 네가 어디서 지내건 걔 허락이 필요한 건 아니니까. 지한이 반응 걱정하지 말고, 너 마음 편한 데서 지내.]

“그, 그치? 어차피 네 동생도 나랑 사는 거 별론데. 너한테서 나

떼어내려고, 억지로 나랑 사는 거였으니까. 네 동생도 나 없으면 더 좋을 거야. 더구나 이젠 페어플레이한답시고 나 괴롭히지도 않으니까, 같이 살 필요 더더욱 없을 거고.”

나는 그렇게 자기 합리화를 하며 고개를 끄덕끄덕했다.

[근데 아정아, 너 그럼 어디서 지내려고?]

“오늘은 찜질방에서 자고. 괜찮다 싶으면 여기서 장기 투숙하려고.”

[너……. 대체 내가 주는 5억은 어디 쓰려고 그래? 그 돈이면 호텔 장기 투숙하고도 훨씬 남을 텐데?]

“아껴 써야지! 그 돈 그런 데다 막 쓸 수 없어. 그걸 내가 어떻게 번 돈인데.”

[이런 걸 줘도 못 먹는다고 하는 건가…….]

“야, 허튼 데다 안 쓴단 것뿐이야. 나도 나름 원대한 계획이 있어.”

[그러지 말고 아정아, 내가 보너스 줄 테니까. 호텔 가서 자.]

“아우, 됐어! 괜히 그런다. 너 찜질방에서 안 자 봐서 그러나 본데, 여기 시설 좋거든? 넌 쓸데없는 거 신경 쓰지 말고 그, 대철 선배나 신경 써. 연락 온 거 없어?”

[응. 아직 없네.]

지경의 대답에 이지한에게 끌려가던 임대철을 돌이켜 봤다. 이지한의 말대로라면 임대철은 그렇게 끌려간 뒤 살해 위협을 받았을 텐데. 설마 그러고도 또 나를 찾아다닐까?

나는 아니기를 바라면서 입을 열었다.

“혹시 또 연락하면 나한테도 알려 줘.”

[알았어. 참, 지한이한텐 너 당분간 친정에서 지낸다고 할게.]

새엄마의 집이 내 친정이라니. 참 안 어울리는 단어이기에 쓴 입맛을 다셨다. 하지만 거기 말고 달리 내 친정이랄 곳은 없으니까. 나는 그저 알겠다고 대답을 꺼냈다.

[근데 너, 진짜 찜질방에서 지낼 거야?]

"응. 너 올 때까지, 안전하게 여기 있을 거야."

[찜질방이 뭐가 안전해? 나 가려면 빨라도 3주는 걸릴 텐데. 그럴 거면 차라리 새로 구한 신혼집에 미리 가 있어.]

"거기 있으면, 이지한이 올 수도 있잖아……."

나는 겁이 나서 나도 모르게 중얼거렸다.

[너, 내 동생 마주치는 게 그 정도로 무서워?]

아니, 내 심장이 떨리는 게 무서워. 이지한 보면, 또 떨릴까 봐. 그게 무서워서 못 보겠어.

나는 손톱으로 모자라서 아예 수건 끝을 물어뜯으며 속으로만 말했다.

[요 며칠 잘해 준다더니. 그 녀석, 그새 또 변한 거야?]

이번엔 내가 변한 건데…….

차마 그렇게는 말할 수가 없어 결국 다르게 말을 뱉었다.

"네가 지금 네 동생 얘길 할 때가 아니거든? 야, 내가 네 구남친 때문에 얼마나 괴로웠는지 알아? 나 막 머리채도 잡혔거든?"

이지한을 욕 먹이느니, 임대철을 욕하는 쪽으로. 나는 아예 비난의 화살을 다른 방향으로 돌려 버렸다. 그리고 나의 비난은 방언이 터진 듯이 줄줄, 한참 동안 이어졌다.

장장 한 시간에 걸친 통화가 끝나자마자, 귀신같은 타이밍으로 이지한의 전화가 걸려 왔다.

아, 왜! 이름만 봤는데, 왜! 나 왜 또 빨개지고 난리야!

나는 순식간에 열이 오른 얼굴에 울상이 된 채, 얼른 휴대 전화를 바닥에 뒤집어 놓았다. 그러자 휴대 전화는 계속해서 드르르르, 드르르르 진동해 댔다. 꼭, 화가 나서 당장 받으라고 으름장을 놓는 것처럼.

그렇지만 차마 전화를 받을 엄두가 나지 않았다. 그래서 머리에 두르고 있던 수건으로 휴대 전화를 덮어 버렸다. 그러자 진동 소리가 조금쯤은 작게 줄어들었다.

좀 있으면 지경이가 중간에서 잘 정리하겠지. 나는 친정에 가 있는 거고, 결혼하는 그 날까지 이지한과 다시 만날 일은 없는 걸로. 그렇게 전화로 잘 정리하겠지.

그렇게 믿으면서 찜질방의 베개 위에다 머리를 내리고서 모로 누웠다. 그리고 새우처럼 몸을 웅크린 채 잠을 청했다.

드르륵 드르르르.

계속되는 진동 소리를 애써 자장가라 믿어 보면서.

잠에 빠져 얼마쯤이 지났는지 모르겠는데, 누군가가 어깨를 흔드는 바람에 비몽사몽간에 눈을 떴다. 그러자 내 앞에는 웬 건장한 아저씨가 나를 보며 앉아 있었다. 나와 눈을 마주치자, 아저씨는 손에 쥔 사진을 확인하고는 다시 나를 봤다.

"학생, 혹시 이름이 뭐야?"

"예?"

"내가 지금 누구 좀 찾고 있는데. 혹시 아가씨인가 해서."

막 잠에서 깬 눈꺼풀은 무겁고 정신은 어지러웠지만, 뭔가 위험할 수도 있단 생각에 억지로 몸을 일으키고 질문했다.

"무슨……. 누굴 찾는데요?"

"어……. 아저씨는 사설탐정인데, 가출한 여학생 찾아 달란 의뢰가 들어왔거든? 근데 학생하고 닮은 거 같아서. 학생, 이름이 뭐야?"

"그……. 찾으시는 학생 이름이 뭔데요?"

아무래도 미심쩍어서 나는 답을 주지 않고 되물었다. 그러자 아저씨는 잠시 머리를 긁적이더니 대답했다.

"김성희."

"아……. 저 아니에요. 저는 나아정이거든요."

"진짜야?"

"예. 탈의실 가서 신분증 보여 드려요?"

내 말에 아저씨는 한 번 더 사진을 들여다봤다. 그리고 뭔가 만족스러운 듯이 턱을 만지면서 미소를 지었다.

뭐지…….

이상해서 고개를 갸웃거리는데, 아저씨는 자리에서 훌쩍 일어났다.

"그래, 그럼 계속 자라. 깨워서 미안."

그러고서 아저씨는 미련 없이 등을 돌리고 떠나갔다.

거참……. 가출 소녀 김성희가 하루빨리 집에 돌아가야 할 텐데.

나는 안타까운 마음에 혀를 쯧쯧 차며 도로 베개를 베고 누웠다.

다시 잠이 들기까지는 그리 오랜 시간이 들지 않았다.

그리고 또 얼마쯤이 지났는지. 난데없이 요란하게 울려 대는 벨 소리에 또다시 잠을 깼다.

"씨……."

나는 눈도 뜨지 않고 오만상을 찡그린 채 손을 더듬어서 휴대 전화를 찾았다. 휴대 전화는 내 얼굴 바로 앞에 놓여 있었다. 나는 한 손으로 휴대 전화를 쥐고 다른 손으로는 짜증스레 눈을 비비며 휴대 전화를 눈앞으로 가져왔다.

"대체 누구야……."

나는 가물가물한 정신으로 눈을 가늘게 뜨고 액정 화면을 봤다. 그러자 이지한, 그 석 자가 떡하니 보였다.

순간 불에 덴 듯 휴대 전화를 떨어뜨려 버렸다. 자는 사이 느슨 해졌던 심장이 다시 펄펄 끓는 듯이 뜀박질을 해 댔다.

이, 이 인간이, 대체 몇 신데 또 전화야? 아직 지경이한테 얘기 못 들은 거야?

내가 굳어 있는 사이, 휴대 전화는 계속해서 요란하게 울어 댔다.

자고 있는 사람들에게 이게 웬 민폐냐 싶어서 일단 휴대 전화를 집어 들었다. 그리고 후딱 휴대 전화의 전원을 꺼 버렸다. 그런데 문득, 한 가지 의문점이 뇌리를 스쳤다.

나, 휴대 전화 진동으로 해 뒀던 거 같은데…….

"아닌가?"

혹시 내가 잘못 기억하나 싶어 머리를 긁적긁적 긁었다.

그래, 아닐 수도 있지. 아닌가 보지.

전원이 꺼진 휴대 전화를 옆에 내려 두고, 몸을 돌려 휴대 전화를 등지고 누웠다.

그런데 잠시 후에 등 뒤에서 왜인지 휴대 전화가 다시 켜지는 소리가 났다.

뭐지? 왜 이런 소리가 나는 거지?

이상해서 뒤를 돌아봤을 때, 바닥에는 휴대 전화가 없었다. 대신 내 휴대 전화가 있던 자리에는 누군가의 두 다리가 있었다. 그 다리를 따라 쭉쭉, 높이 시선을 올렸더니 그제야 내 휴대 전화가 보였다.

이지한의 손에 들려 있는, 내 휴대 전화가.

내 앞에서 이지한은 내 휴대 전화를 쥔 채, 얼음장처럼 싸늘한 눈빛으로 나를 내려다봤다.

오호츠크해의 칼바람이 이런 느낌일까?

바람 한 점 없는 찜질방 구석에서 나는 온몸의 피부가 바짝 얼어붙는 듯한 한기를 느꼈다.

"어, 어떻게 여기……."

"여기가 그쪽 집입니까?"

차디찬 목소리가 내 말꼬리를 댕강 잘라 냈다.

"아니요……."

나는 죽을죄를 지은 사람처럼 고개를 푹 숙이고 대답했다.

"근데 왜 여기 있는 거죠? 집에 일이 생겼다고 간 사람이."

너 보면 심장이 경련해서라고 사실대로 말하느니, 내가 혀를 깨물고 말지.

"그……. 집에 갔다가 일 보고 여기로 온 거예요."

"그리고 내 전화는 무시하고. 여기 누워 있으셨다?"

"아니, 무시한 게 아니라요."

"내 전화인 거 확인하고 전원까지 끈 행동이 무시가 아니면? 그게 존중입니까?"

다 보고 있었구나. 조금 전에 전화 꺼 버리는 거…….

입이 열 개라도 할 말이 없어져서 슬금슬금 무릎을 꿇어앉았다.

손도 들까……? 아냐, 그럴 것까진 없는 것 같아.

"왜 아무 말이 없습니까? 방금처럼 거짓말이라도 해 보시지."

"거짓말…… 이라니요?"

나는 슬그머니 고개를 들어 이지한의 눈치를 살폈다. 그러자 이지한은 미간을 찌푸리고 매섭게 대답했다.

"집에 갔다 여기 왔다는 거, 거짓말인 거 다 압니다."

"예?"

"아까 그쪽 집에 가 보니까, 그쪽은 거기 없었습니다."

"아, 아까 언제…… 요?"

"그쪽이 친정집에 있다고, 형이 전화로 알려 주고 나서."

"아, 그, 서로 길이 엇갈렸나 봐요."

내 변명에 이지한은 무섭도록 굳은 표정으로 천천히 고개를 저었다.

"애초에 그쪽은 집에 들른 적도 없고, 집에서 연락을 받은 일도 없습니다. 내가 설마 거기까지 가서 당신 가족들한테 그 정도 확인 도 안 했겠습니까?"

"……."

나는 도로 고개를 숙이고서, 머리 위로 말없이 두 손을 들었다.

"도대체가, 왜 그딴 거짓말을 하는 겁니까?"

"……."

"집에 간단 여자가 집에 있지도 않아, 전화도 안 받아. 그 바람에 당신 하나 찾자고 지구대별로 사설탐정 몇십 명을 돌렸는지, 알기 나 합니까?"

"아니, 무슨……. 무슨 사설탐정씩이나……."

듣다 보니 이상해서 어리둥절해진 눈으로 이지한을 올려다봤다. 그리고 계속 두 팔을 든 채 물었다.

"그냥 집에 없으면 없는가 보다 할 일이지……. 제가 뭐, 돈 떼 어먹고 도망친 것도 아니고……. 아니, 애초에 집엔…… 저희 집엔 왜 찾아간 거예요? 그냥 내가 내 집에서 자겠다는데, 집에 굳이 찾 아올 이유가……. 뭐예요?"

내 질문에 이지한은 눈을 커다랗게 부릅뜨고 외쳤다.

"내가 허락 안 하니까!"

"예?"

"내 집 놔두고 딴 데서 외박하는 거, 내가 허락 안 하니까! 잡으 러 간 겁니다!"

호통을 마치자마자 이지한은 내 두 팔을 덥석 잡아 번쩍 끌어 올 렸다.

그 바람에 엉겁결에 일어서게 되었는데, 내 두 다리가 중심을 잡기 무섭게 이지한은 한 손으로 내 한 팔을 움켜쥐고 성큼성큼 앞으로 나아갔다.

나는 찜질방의 옷을 내 옷으로 갈아입지도 못한 채, 이지한의 아파트에 끌려와 내 방 한복판에 세워졌다. 나를 데려다 놓은 이지한은 등 뒤에서 엄포했다.

"앞으로 이 방 두고, 딴 데서 잘 생각은 안 하는 걸로 하죠."

하늘하늘 캐노피가 달린 침대를 마주하고서 움찔 놀라 주위를 힐끔힐끔 곁눈질로 봤다.

티 테이블이며, 거울 달린 화장대며, 지금 내 발밑에 깔린 카펫하며……. 내 기준으론 전혀 쓸데없는, 호화로운 사치품들이 방 안을 가득 채워져 있었다.

오늘 집을 나설 때만 해도 이 정도는 아니었는데. 이 숨 막히는 돈 냄새…….

내가 꼿꼿이 서서 눈알만 굴려 대고 있자 이지한은 뒤에서 내 어깨를 두 손으로 그러잡았다.

"좀 제대로 둘러봅시다."

순간 심장이 찔끔거려서 어깨를 쭈뼛 움츠렸다. 그러나 이지한은 내 어깨를 꽉 잡고서 펴 놓더니, 내 몸을 오른쪽으로 돌렸다.

"저기 새로 들여놓은 화장대, 수납대. 보입니까?"

"아, 예, 조, 좋네요."

책상 살 돈도 아까웠던 내 지난날을 생각해 보면, 무슨 화장대에까지 돈을 쓰나 싶긴 한데. 그래도 고개를 끄덕이며 열심히 좋은 체를 했다. 그러자 이지한은 이번에는 왼쪽으로 내 몸을 돌려세웠다.

"이 티 테이블, 품격이 느껴지지 않습니까?"

“느, 느껴져요.”

기능은 느껴지지 않지만. 끄덕끄덕 고개를 마구 흔들면서 맞장구를 쳤다.

“정말 격조가 남다르네요.”

그러자 이지한은 나를 침대에다 이끌어 앉혔다. 그러는 사이, 나는 이지한과 눈을 마주치지 않으려고 고개를 숙이고 있었다. 떠밀리다시피 침대에 앉은 내 앞으로 이지한은 곰 인형을 들이밀었다. 안 받으면 혼이 날 것 같은 직감에 얼른 곰 인형을 받아 들었다.

그런데 이지한은 아예 곰 인형을 내 가슴으로 떠밀고, 내 두 팔을 한 팔 한 팔 차례로 곰 인형 둘레에 갖다 붙였다.

그러더니 이지한은 내 두 볼을 꼬집어 올렸다. 그 바람에 고개가 들리자 무섭게 나를 쏘아보는 이지한의 얼굴이 보였다.

“이런 방을 두고, 그딴 난민 수용소 같은 곳에 가 있다니. 그게 말이 됩니까?”

생각할수록 괘씸하단 듯이 이지한은 이를 악물고 내 볼을 흔들면서 으름장을 놓았다.

“다시 한 번 말하는데. 앞으로 이 방 두고 딴 데서 잘 생각은 안 하는 게 좋을 겁니다.”

“그, 그건!”

꼬집힌 주제에 뭐 좋다고 또 심장이 뛰어 대는지!

정말 울고 싶은 심정으로 눈을 질끈 감고 애써 반발했다.

“그건 말도 안 돼요! 저는 이제, 그냥 저희 집에 가서 살고 싶거든요? 지경 씨 올 때까지, 저 여기 말고 딴 데서, 혼자 지내고 싶다고요!”

큰 손아귀에 뺨을 붙들려 앞뒤로 흔들리면서도 꾸역꾸역 말을 뱉었다. 그러자 이지한은 동작을 뚝 멈췄다.

"형이 올 때까지, 여기 말고 딴 데서 지내겠다. 이겁니까?"

나는 눈을 감은 채로 고개를 끄덕끄덕했다. 그러자 이지한은 내 뺨에서 손을 거두었다. 그리고 한동안 침묵했다.

얼마 후, 답을 기다리다 못해 슬그머니 눈을 뜨고 이지한을 올려다봤다. 이지한은 팔짱을 낀 채 나를 가만히, 못마땅한 눈으로 내려다보고 있었다.

"왜죠?"

"예?"

"그렇게 해야 하는 이유. 그게 뭐냔 말입니다."

"그건……."

너 보면 내 심박이 격해져서라고, 그렇게 자백할 순 없으니까. 나는 머리를 쥐어짜 내 다른 이유를 만들었다.

"결혼 전에 마지막으로 편하게 솔로 생활 누리고 싶……."

"납득 안 갑니다. 기각."

이지한은 내 말이 채 끝나기도 전에 딱 잘라 말했다. 그리고 이지한은 곧장 옷장으로 향했다.

"예? 기각이요?"

나는 옷장을 연 이지한의 뒷모습에 대고 어리둥절해서 물었다. 이지한은 옷장에서 잠옷을 꺼내 내 앞으로 돌아왔다.

"형하고 결혼 포기할 거면, 이 집에서 나가도 됩니다."

이지한은 내 무릎에 잠옷을 툭 내려놓았다.

"근데 그거 아니라면. 그 거적때기 갈아입고, 얌전히 잠이나 자죠."

이지한은 내가 입은 황토색 찜질복을 가리키며 말했다. 그러더니 이지한은 더 들어 줄 말 없단 듯이 성큼성큼 방을 빠져나갔다.

뭐야? 결혼 포기할 거 아니면, 이 집에서 못 나간다 이거야? 이 집 올 때부터 어쩐지 착해졌다 했더니! 이거, 감금이었어?!

갑자기 심장이 다른 의미로 떨려 댄다. 두근거림이 아니라 공포감으로.

오싹해진 기분에 나는 곰 인형을 팔다리로 꽉 끌어안은 채 덜덜 떨었다.

혹시 검사라도 할까 봐서 잠옷을 갈아입은 채, 억지로 침대에 누워 잠을 청해 봤다. 그러나 몇 시간이 지나도록 잠은 오지 않고, 그저 창밖으로 환하게 새벽이 올 뿐이었다.

그래도 아침이 오기 전에 단 몇 분이라도 자야 할 것 같아 몸을 뒤척이며 잠이 들려 노력했다. 그런데 단 한 줄의 문자 메시지로 지경은 나의 잠을 완전히 싹 달아나게 했다.

[너, 남자 있냐?]

머리맡 휴대 전화로 난데없이 날아든 그 문자 때문에 나는 벌떡 일어나서 곧장 지경에게 전화를 걸었다.

"뭐야? 이거 뭔 소리야?"

[거기 새벽일 텐데. 안 자고 있었어?]

"이게 뭔 소리냐니까?"

[임대철한테 메일 왔더라. 너, 남자 있다고.]

“뭐야?!”

[너랑 얘기 중에 갑자기 나타나서, 자길 끌고 갔다는데. 그거 누구냐?]

“야, 그거 네 동생이거든?”

[그 남자가 너하고 나, 결혼 안 할 거라고. 네가 진짜로 사랑하는 건 자기라고 했다는데. 그게 내 동생이라고?]

“뭔 소리야 그게! 네 동생이 그런 말을 왜 해!”

[그러게. 내 동생이 그런 말을 할 리는 없는데……. 혹시 다른 남자인 거 아냐?]

“그럴 남자 있으면 내가 너랑 이런 결혼을 왜 하냐?”

[그럼 대체 이게 무슨 소리지?]

“뭔 소리긴, 네 구남친 또 사기 치는 소리지! 야, 딱 보면 모르겠어? 너랑 나 이간질시키려고 있지도 않은 일 지어낸 거잖아!”

[그런가……? 정말 있지도 않은 일이야?]

“아, 뭐. 네 동생이 갑자기 대철 선배 끌고 간 건 맞는데…….”

나는 바로 어제저녁, 극장 앞에서 이지한에게 끌려가던 대철 선배를 돌이켜 봤다. 그때 대철 선배를 끌고 간 건 틀림없는 이지한이었다.

그런데……, 끌고 가서 무슨 말을 했는지. 사실 직접 보고 들은 바가 없다. 그저 이지한의 입을 통해 전해 들었을 뿐이지.

[그건 맞는데? 다른 건?]

“다른 건……. 사실 나도 보진 못했고……. 그냥 네 동생 말로는, 대철 선배더러 내 앞에 나타나면 죽일 거라고…… 했다던데.”

[그건 그거대로 이상하네. 걔가 왜 그런 말을 하지?]

“그치? 나도 처음에 들을 땐 이상했어. 근데 설명 들어 보니까 별거 아니더라고. 대철 선배가 나 괴롭히는 게 보기 싫었대. 나 괴롭히는 권리는 자기 혼자 독점하고 싶다고, 딴 놈이랑 공유하기 싫다나 뭐라나.”

내가 머리를 긁적이며 해명하자 수화기 너머에서는 정적이 흘렀다.

“왜 이렇게 조용해? 뭐 이상해?”

내 질문에 지경이는 조심스럽게, 조용히 질문을 건넸다.

[아정아. 혹시 내 동생……. 너 좋아하는 건, 아니겠지?]

“으악!”

순간 나는 비명을 터뜨렸다. 너무 놀라서 나도 모르게.

“야, 가, 갑자기, 왜, 왜? 왜?”

[아니다. 신경 쓰지 마. 내가 잠깐 말도 안 되는 생각을 했다.]

“아니, 신경 쓸 건데? 쓰이는데?”

[쓰지 마.]

“쓰여! 쓰이니까 빨리 말해! 이유가 뭐야? 왜 그렇게 생각한 건데?”

[그야……. 보통은 자기가 싫어하는 사람, 남이 괴롭히면 고소해하기 마련인데, 걘 그동안 너 그렇게 괴롭혀 놓고 남이 괴롭히는 건 싫다고 하니까. 혹시 이거, 좋아하는 여자애 괴롭히는 초등학생 심리인가. 아주 잠깐 의심한 거지.]

“아……. 그…… 그럴 수도 있나?”

뜻밖의 관점을 접하고 나자 혹시나 하는 마음으로 다시 이지한의 행동을 돌이켜 보게 되었다.

그래, 어쩌면…… 혹시……? 어제 그렇게 잘해 준 게, 설마……?

의심을 품어 보는데, 이내 이지경의 목소리가 끼어들었다.

[아니. 그럴 수는 없지. 다른 사람이면 모를까. 내 동생이면.]

"너, 그거 무슨 뜻이야?"

[내 동생, 눈 높아.]

지경이의 친절한 답변에 나는 숙연해졌다.

[오해하지 말고 들어, 아정아. 네가 별로라는 게 아니라, 내 동생 눈이 어마어마하게 높다는 뜻이니까.]

"뭐, 얼마나 어마어마한데?"

[그냥……. 누가 봐도 넌 아니다 싶을 정도?]

"그게 대체 어느 정도인데?"

정말이지 궁금해서 질문했다. 이지한은 대체 어떤 여자를 좋아하는지 알고 싶어져서.

[사실 나도 정확히는 모르는데, 어렴풋이 짐작은 해. 걔 마음에 드는 여자, 한 명도 없었거든.]

"한 명도?"

[그래, 한 명도.]

"……혹시 걔도 게이 아냐?"

[내가 보면 아는데. 그건 확실히 아니야. 그냥 여자 보는 눈이 높은 거지.]

그럼 역시 나는 아닌 건가…….

어째 기대했던 사람처럼, 시무룩해져서 나도 모르게 중얼거렸다.

"근데 좋아하지도 않으면서, 꽃은 왜 사 줘 가지고……."

[누가? 지한이가? 설마 너한테?]

지경은 믿기지 않는 투로 물어 왔다.

"응. 나한테. 어제 연극 끝나고, 꽃다발 두 개랑 꽃바구니 한 개

사 줬어.”

나는 기억을 더듬으며 손가락을 하나 둘 셋 꼽았다.

[걔가 그럴 애가 아닌데…….]

“그리고 나 대기실에서 머리도 쓰다듬어 주고, 연기 잘한다고, 칭찬도 해 줬어. 그리고 어…… 귀엽다고도 했어.”

어제 일 중 제일 꿈 같았던 기억에 나는 또 얼굴이 화끈거렸다.

[꿈 아니야?]

“어, 꿈 같아…….”

나는 멍하니 대답하다가 흠칫 정신을 차렸다.

“아, 아니, 꿈 아니야. 진짜야.”

[내 동생이 그럴 리가 없는데……. 왜 그랬지? 꼭 너 좋아하는 사람처럼…….]

이지경은 희대의 불가사의에 빠져든 듯 심각하게 중얼거렸다. 그 말에 나는 눈을 반짝이며 반가운 목소리로 물었다.

“그치? 나 좋아하는 거 같지?”

동시에 문이 벌컥 열리는 바람에 화들짝 놀라 고개를 돌렸다. 그러자 문을 열고 나를 주시하는 이지한이 보였다.

방금 내 말, 드, 들었나?

순간 당황한 나는 혹시 들었을 경우를 대비해서 순발력을 발휘했다. 일단 정면으로 다시 고개를 돌린 다음, 전화기에 대고 이지한이 들을 수 있게 목소리를 높여 말했다.

“나도 좋아하는 거 같아, 지경 씨.”

[목소리가 갑자기 왜 이래? 낯간지럽게.]

“아니, 아니. 내가 더 좋아해. 자기, 빨리 보고 싶은데…….”

갑자기 천둥이 치는 것처럼 쾅 하는 소리가 났다. 깜짝 놀라 옆을 봤더니, 이지한은 온데간데없고 문이 닫혀 있었다. 이쯤에서 연기를 끝낼 수 있다니.

그제야 휴, 하고 가슴을 쓸어내렸다.

[지한이 들어왔었구나?]

"응. 방금 나갔어."

나는 속닥속닥 작은 소리로 대답했다.

[근데 나가는 문소리가 왜 이렇게 커?]

"몰라……. 어제 내가 거짓말하고 찜질방 간 거 때문에 아직 화나 있나 봐."

[그러고 보니, 나가서 지내겠다는 너를 부득부득 집까지 끌고 온 것도 그렇고……. 요즘 너한테 하는 행동들도 그렇고……. 뭔가 이상하긴 한데.]

지경은 잠시 조용해졌다가 이윽고 목소리를 냈다.

[그래도 널 여자로 좋아하는 건 아니야.]

"그런가……?"

나는 왜인지 풀이 죽은 마음으로 아랫입술을 내밀었다.

[그냥 인간 대 인간으로 잘해 주는 거겠지. 널 자기 집에 데려다 놓은 건, 어찌 됐든 나하고 너 사이를 보다 효과적으로 반대하기 위해서일 거고.]

"그럼 이지한이 임대철한테 했다는 말은……. 내가 진짜로 사랑하는 건 자기라고 말한 건……."

[그건 진짜일 리 없다며? 임대철이 사기 친 걸 거라며?]

"혹시 사실일 수도 있지 않을까?"

[조금 전에 네가 그랬잖아. 딱 봐도 너랑 나 이간질시키려고 있지도 않은 일 지어낸 거라고.]

"아……. 그랬지."

나는 몸을 작게 웅크리며 두 무릎을 세워 거기다가 얼굴을 파묻었다. 그리고 자신은 없지만 아주 작은 희망으로나마 혹시나 싶어 조심조심 덧붙였다.

"근데 만에 하나 그게 사실이면……. 그럼 네 동생이 나 좋아하는 거…… 맞을 수도 있나?"

내 질문에 이지경은 생각에 잠긴 듯이 침묵하다가 이윽고 대답을 들려줬다.

[내 동생이라면 절대 그런 말 안 했을 거야.]

"……."

[널 진짜로 사랑하는 건 자기라니……. 걔, 그런 말 절대 안 해. 걔는 절대 아냐.]

이지경은 딱 잘라서 단호하게 단정 지었다. 마치 그런 일은 절대 없어야 한다는 듯이.

전화를 끊고 나서 나는 쪼그려 앉은 채로 생각에 빠져들었다.

물어봐야 빤한 얘기겠지? 지경이 말대로……. 이지한이 날 좋아할 리 없으니까.

그래……. 나 같은 걸 좋아할 리 없잖아. 내가 뭐라고.

가슴 앞의 두 무릎을 두 팔로 꽉 끌어안으며, 혼자 고개를 끄덕거렸다.

물어볼 것 없어. 기대할 건 더 없고.

그렇게 결론을 내리는 참에 이지한이 방문을 열고 들어섰다.

"아침 댓바람부터 무슨 놈의 전화 통화입니까?"

이지한은 영 싫은 얼굴로 다가오며 말했다. 나는 이지한을 보지 않으려고, 고개 돌려 내 발가락이나 바라보며 대답했다.

"그게, 지경 씨하고 통화하느라고요."

"새벽 일곱 시에 말입니까?"

이지한은 날카롭게 따지듯이 질문을 던졌다.

"그야 시차가 있으니까……. 근데, 님은 이 시간에 왜……? 저한테 무슨 볼일 있어요?"

문득 의아해져서 이지한을 보지 않은 채로 물었다.

"그쪽을 볼 일입니다."

"예?"

"이 방에 그쪽이 있나 없나, 보러 왔다. 그 말입니다."

역시 감금이었어…….

또다시 엄습하는 공포감에 모골이 송연해졌다. 그래서 더 바짝 무릎을 껴안았다. 그런데 이지한은 내 팔을 하나씩 잡더니, 양쪽으로 홱 무릎에서 떼어 내고 자신과 마주하게 내 몸을 휙 돌려놓았다.

갑자기 두 팔 벌려 이지한을 마주하게 되자, 나는 순간 얼음처럼 굳어 버렸다. 이지한은 그런 내 앞으로 곰 인형을 들이밀었다. 그리고 어젯밤처럼 이지한은 내가 곰 인형을 끌어안게끔 내 두 팔을 곰 인형에 가져다 붙였다.

"앞으로 이 방에선 이게 기본자세입니다."

얼결에 곰 인형을 끌어안은 채 어리둥절해서 이지한을 올려다봤다. 이지한은 팔짱을 끼고 몇 걸음 뒤로 물러나더니, 방 한가운데에 서서 천장의 캐노피에서부터 내 얼굴, 내가 입은 잠옷, 내 품의 곰 인형으로까지 시선을 훑어 내렸다. 그러고서 이지한은 뭔가 뿌듯한 표정으로 고개를 끄덕였다.

"이제야 여자가 사는 방 같네."

이지한의 혼잣말에 나는 눈썹을 찡그렸다.

이런 방에 사는 건 여자가 아니라 공주겠지. 대체 여자를 뭐로 배운 거야? 동화책?

속으로 꿍얼거리는데, 이지한이 옷장으로 걸어가며 당부했다.

"안으라고 사 준 건 잘 안고 다닙시다. 옷장에 넣지 말고, 아무렇게나 팽개치지도 말고."

이지한은 옷장 문을 열고 그 안의 새 옷들을 살펴봤다. 뭐 하나 없어지기라도 했나, 세어 보는 건지……. 찬찬히 하나하나 옷을 살펴보던 이지한은 원피스 하나를 꺼내 내 앞으로 들고 왔다.

"오늘은 이거 입고 나갑니다."

이지한은 내 옆으로 훌쩍 원피스를 내려놓았다.

"오늘, 저, 나가나요?"

감금의 기본은 외출 금지인 줄 알았는데. 의아해서 물어보자 이지한은 고개를 끄덕거렸다. 그러더니 시계를 확인하며 입을 열었다.

"일단 열 시에 피부 관리 두 시간 코스로 받고, 점심, 그리고 오후 두 시에 미용실에 갑니다."

"예? 갑자기 그런 데는, 왜요?"

"그쪽 맞선이 네 시니까. 준비해야죠."

이지한은 너무나도 당연하단 듯이 태연하게 대답했다.

"……뭐요?"

나는 귀가 의심스러워서 재차 물었다. 그러자 이지한은 엄격한 표정으로 또박또박 네 글자를 말했다.

"맞·선·네·시."

"아니, 마, 맞선에 내가 왜 가요?"

"당연히 그쪽이 가죠. 그쪽 맞선이니까."

"예?! 전 그런 거 하기로 한 적 없는데요?!"

나는 펄쩍 일어나며 반박했다. 그러나 이지한은 표정 하나 안 바꾸고 차분하게 대꾸했다.

"하기로 한 일만 하고 살 수 있는 인간은 없습니다."

이지한은 그대로 내 어깨를 잡아 침대 위로 내리눌렀다.

"오늘 할 일 많으니까. 일단 눈 더 붙이고, 한 시간 뒤에 아침 먹으러 나옵니다."

그렇게 자기 할 말만 덧붙이고서 이지한은 더 들을 말이 없다는 듯이 냉정하게 등을 돌려 방을 빠져나갔다.

피부 관리실과 미용실을 거쳐 마침내 맞선 장소인 카페에 도착했을 때, 시간은 오후 3시 50분이었다.

맞선 상대인 정훈은 아직 보이지 않아 우선 나아정을 붙잡아 빈자리에 앉혔다. 그리고 나아정의 옆자리에 앉았다.

아침부터 내내 우거지 죽상을 하고 있더니만. 나아정은 자리에 앉아서까지 한결같은 표정으로 내 심기를 거슬렀다.

"아니, 대체 뭐가 문젭니까?"

나는 보다 못해 불만을 터뜨렸다.

"머리부터 발끝까지 이렇게 치장 다 시켜 줘, 게다가 남자까지 구해다 줘. 남자도 어디 보통 남자인가? 형만큼은 아니어도 내가 아는 중엔 제일 잘난 남자에, 나만큼은 아니어도 팔자에 금붙이 꽤 나 붙어 있는 남자건만. 만세 삼창 깨춤은 못 출망정, 이 우거지 죽 상은 대체 뭡니까?"

내 타박에 나아정은 하아, 한숨을 내쉬었다. 그러더니 나아정은 말문을 열었다.

"저기요. 아까도 몇 번이나 말했지만, 저는 이런 거 바라지 않았 다고요. 애초에 맞선이라는 게 결혼할 상대가 없는 사람들이 하는 거잖아요? 근데 내가 왜 맞선을 봐야 해요?"

"나도 몇 번이나 대답했죠. 그쪽이 우리 형이랑 결혼하는 일은 없 을 거라고. 그러니까 그쪽이 결혼할 사람, 내가 찾아 주는 거라고."

나아정은 눈을 감고 입술을 꽉 물더니, 속이 막히는지 주먹으로 가슴을 턱, 턱, 쳤다.

속이 답답하긴 피차 마찬가지라서 나는 나대로 직원이 내려놓은 냉수를 단번에 들이마셨다.

형이 게이란 걸 말해 버리면 이 결혼이 확실하고 간단하게 정리 될 텐데. 그럴 수가 없으니, 원.

"무조건 싫다, 안 된다고 생각하지 말고. 열린 마음으로 이 남자, 저 남자 만나 봅시다."

나는 나름의 해결책을 다시금 강요하며, 나아정에게 메뉴판을 내밀었다.

"마실 거나 골라요."

나아정은 메뉴판을 거들떠도 보지 않고, 고개를 푹 숙인 채 울상에 인상까지 썼다.

"이 여자가 진짜……."

덩달아서 인상을 쓰는 찰나, 앞에서 말소리가 들려왔다.

"벌써 와 있었네?"

고갤 돌려 앞을 보자, 정훈이 거기에 서 있었다.

"그래, 오랜만이다."

정훈을 마주 보며 나아정의 옆구리를 팔꿈치로 쿡 찔렀다.

"인사해요. 이쪽은 현정훈. 내 친굽니다."

나아정은 마지못해 고개를 들고 정훈과 눈을 마주쳤다. 그러자 정훈은 나아정의 맞은편에 앉으면서 나아정에게 인사를 건넸다.

"안녕하세요? 현정훈이라고 합니다."

"예……."

나아정은 의욕 없이 고갯짓으로만 인사를 전했다. 그 답답한 꼬락서니에 나는 테이블 아래에서 무릎으로 나아정의 무릎을 툭 쳤다. 그러자 나아정은 힐끔 고갤 돌려 나를 바라봤다. 나는 나아정에게 눈을 부라리며 협박했다.

"이렇게 성의 없이 굴면, 나도 페어플레이고 뭐고 없습니다. 제대로 더티플레이, 체험하고 싶습니까?"

나아정은 더럭 겁이 나는 얼굴로 고개를 도리도리 저었다.

"그럼 똑바로 하십시다. 저 남자가 내 금도끼다, 저 남자를 내 호수에 빠뜨려야 내 명에 살 수 있다. 그런 각오로 이 맞선에 임하라는 얘깁니다.”

무섭게 덧붙이자, 나아정은 곧장 정훈에게로 고개를 돌렸다. 그리고 나아정은 기합이 잔뜩 들어간 목소리로 선서하듯 손을 들고 말했다.

“나아정입니다! 열심히 하겠습니다!”

내가 커피를 주문하고 화장실에 다녀오는 사이, 나아정은 도망가지 않고 정훈의 앞에 앉아 있었다.

어깨를 움츠리고서 두 손으로 음료수를 꼭 쥔 채, 불안한 듯 음료수의 빨대 끝을 잘근잘근 깨물면서 말이다.

내가 정훈의 뒤쪽으로 가까이 다가가자 정훈은 내가 온 줄 모르는 채 고개를 갸웃거렸다.

“난 이거, 맞선인 줄 알았는데. 내가 뭐 잘못 알고 나온 건가요?”

“예?”

“이지한이 그 눈 높은 인간이 좋은 여자 있다길래. 대체 얼마나 좋은 여자인가 싶어서 아무것도 묻지도 않고 나왔더니. 어떻게 이런……. 나 참.”

정훈은 고개를 절레절레 내저으며 냉수를 들이마셨다.

“그러게요……. 황당하시겠어요.”

나아정은 꼭 면목이 없는 사람처럼 침울하게 고개를 숙였다.

“제가 나올 자리가 아닌데.”

자신 없이 중얼거리는 나아정의 꼴에 울컥 기분이 나빠서, 나는 인상을 찌푸린 채 나아정의 옆에 성큼성큼 가 앉았다. 그리고 공격적인 말투로 따지듯이 정훈에게 말했다.

"잘못 안 거 아닌데? 이거 맞선 맞고. 나 이 여자, 좋은 여자라고 생각하는 것도 맞아."

내 옆에서 나아정은 눈이 동그래져서 나를 봤다. 반면 정훈은 이상한 듯 재차 고개를 갸웃거렸다.

"혹시 이 여자한테 내가 들은 거랑 네가 들은 거랑, 얘기가 다른 거 아니야?"

정훈의 질문에 나는 나아정에게로 고개를 돌렸다.

"뭘 어떻게 얘기한 겁니까?"

"그냥 자기소개…… 했는데요. 있는 그대로."

나아정은 도로 고개를 숙이면서 대답했다. 그러자 앞에서 정훈이 끼어들었다.

"나이 서른셋에 무명 연극배우에, 아버지 경비원이시란다. 네가 아는 거랑 똑같은 거 맞냐?"

"맞아."

나는 정훈을 향해 대답했다.

"근데 보다시피 너보다 훨씬 어려 보여. 그리고 유명하진 않지만 연기는 누구보다 잘해."

나는 정훈의 눈을 보며 자신했다. 그러나 정훈은 심드렁한 표정으로 고개 돌려 옆을 봤다.

"네가 말한 그런 부분들이 아쉬운 건 사실이지만, 그게 이 여자를 나쁜 여자로 만들지는 않아. 그럼에도 불구하고 좋은 여자라는 거, 내가 확신해."

"대체 뭐가 장점이면, 그 모든 부분들이 상쇄되는 거냐? 뭐, 밤일을 잘하셔?"

정훈은 영 못 미더운 눈초리로 나아정의 가슴 쪽을 살펴보며 덧붙였다.

"뭐, 별로 그러실 것 같진 않지만. 만에 하나 그런 거면 맞선이 아니라 스폰서를 구한다고 했어야지."

"스폰서? 설마 그거, 내가 지금 생각하는 그 뜻이냐?"

불쾌감에 확 구긴 얼굴로 묻자, 정훈은 나를 마주 보며 똑같이 인상을 구겼다. 그리고 정훈은 거침없이 대답했다.

"당연히 그 뜻이지! 이지한, 너 사람 깊게 안 사귀고 혼자 노는 건 알았지만, 이 정도로 남에 대한 상식이 없는 줄은 몰랐다. 어디 저딴 여자를 나한테 들이대냐? 나, 건설사 회장 아들이야. 스물세 살짜리 유명 여배우를 만나도 내가 아까울 판이라고!"

순간 속에서 열불이 확 오르는데, 정작 나아정은 당연한 얘길 들은 것처럼 뭐라 화낼 의지도 없이 그저 의기소침하게 휴지 조각을 만지작거리고 있었다.

"아! 이 여자가 내 속 다 태워 놓네!"

꼭 불이 난 가슴 속에 휘발유를 삼킨 듯해서, 도저히 못 참을 지경으로 불이 번져서 나는 벌떡 일어나며 외쳤다.

"아니, 이딴 말을 듣고 가만히 있어집니까?"

나아정은 어리둥절한 표정으로 나를 올려다봤다.

"왜요……. 맞는 말인데……."

"맞든 틀리든 기분이 나쁘잖아요! 지금 강 건너 불구경합니까? 자기 얘긴데? 일어나서 뺨이라도 때리든가, 물이라도 끼얹든가!"

“저 별로 기분 안 나빠요.”

만성이라 별 느낌이 없는 듯이 나아정은 아무렇지 않게 대꾸했다.

“내가 나쁩니다, 내가!”

목마른 놈이 우물 판다고. 속 타는 내가 한다, 내가 해!

나는 나아정의 앞에 놓인 물컵을 쥐고, 정훈에게 확 끼얹어 버렸다.

“으아! 뭐, 뭐하는 짓이에요?”

순간 놀란 나아정의 목소리가 들려왔다. 그러나 나는 곧바로 자리를 건너가서 정훈의 팔을 잡아 올렸다.

그리고 그대로 정훈을 끌고 카페 바깥으로 향했다.

나아정이 따라올 수 없게 나는 아예 화장실로 정훈을 끌고 들어갔다. 그런 다음 정훈을 세면대 앞에 두고 팔을 놓았다.

“이지한! 너 미쳤냐?”

정훈은 젖은 얼굴로 노려보며 버럭 소리쳤다.

“사람 앞에 두고 성 상납 운운할 만큼 미치진 않았다.”

“야, 저런 여자랑 결혼한다고 하면 그게 미친 거거든? 대체 넌 뭘 믿고 저런 여잘 내 결혼 상대로 들이미는 거냐?”

나는 정훈의 앞에 바짝 다가가서 정색한 얼굴을 코앞까지 들이밀었다. 그리고 진지하게 눈을 쳐다보며 말했다.

“너, 저 여자가 얼마나 사람 기분 좋게 만드는지 알기나 해?”

정훈은 뭔 소리냐 싶은 얼굴로 나를 봤다.

“내가 지난 한 달 동안 하루 삼시 세끼를 꼬박꼬박 저 여자 때문에 웃었어. 그게 어디 쉬운 일이야? 돈 주고도 못 사는 게 웃음인데. 하루 세 번은 기본이고, 옵션으로 더 웃는 날이 훨씬 많아.”

나아정과의 시간들을 돌이켜 보며, 확신에 가득 찬 눈으로 장담했다.

“너 저 여자 데리고 살면 매일 웃으면서 살 수 있어.”

내 확고한 예언에 정훈은 진지하게 가만히 나를 지켜봤다. 그러다가 정훈은 마침내 입을 열었다.

“그게 뭐가 중요해? 예쁘고 몸매 좋은 게 중요하지.”

“저 여자도 예뻐!”

“뭐?”

“저 여자도 보다 보면 예쁘다고! 처음보다 다음이 더 예쁘고! 볼 때마다 더 예뻐 보여서, 아주 한계가 없는 얼굴이거든?!”

순간 욱해서 속에 있는 말을 닥치는 대로 지껄였다. 그러자 정훈은 기가 찬다는 눈빛으로 고개를 절레절레 저었다.

“너, 양심에 손을 얹고 말해. 태어나서 지금까지 네 눈에 예쁜 여잔 한 명도 없었다더니, 그런 네 눈에 예뻐 보인 여자가, 저 여자라고?”

“그래! 내 눈에 그럴 정돈데. 어지간한 여자 배우 다 예뻐하던 네 눈엔, 저 여자가 앞으로 얼마나 예뻐 보이겠어?”

“……그냥 네 눈이 고장 난 것 같은데.”

정훈은 도무지 못 믿겠단 표정으로 나를 위아래로 훑어봤다.

“얼굴은 그렇다고 쳐. 근데 저 가슴은 어쩔 건데? 뭐, 가슴도 보다 보면 커지냐?”

“됐다, 이 자식아! 이젠 네가 좋다고 해도 내가 못 줘. 너 이런 놈인 거 알았으면 애초에 소개도 안 시켰지.”

“안 커진단 얘기네.”

정훈은 콧방귀를 뀌며 비아냥거렸다.

“너 같은 거한테, 저 여자가 아깝다는 얘기다.”

“놀고 있네. 길 가는 사람 백 명을 붙잡고 물어봐라. 저 여자가 아까운지, 내가 아까운지.”

“백 명이 뭐라고 생각하든! 내 생각은 안 변해. 저 여자, 예쁘고 사람 기분 좋게 하는 데다가, 연기자로 능력까지 있는 여자야. 누가 제대로 믿고 밀어주기만 하면, 이제라도 얼마든지 연기자로 성공할 여자라고. 그러니까 너한테는 저 여자가 백배 천배 아까워. 나 저 여자, 저 가치 알아보고 밀어줄 수 있는 제대로 된 남자한테 줄 거다!”

단호하게 반박하자 정훈은 정말이지 질렸다는 표정으로 고개를 내저었다.

“야, 그렇게 좋으면, 너나 데리고 살아!”

정훈은 악의적인 말투로 쏘아붙이고서, 휙 몸을 돌려 나를 지나쳐 갔다.

“이미 데리고 살고 있다, 이 자식아!”

나는 정훈의 뒤에 대고 버럭 호통치듯 외쳤다.

내가 카페로 돌아왔을 때, 나아정은 보이지 않았다.

“이 여자가 또……!”

또 어디로 사라졌어?

　나는 당장 잡으러 갈 기세로 성큼성큼 테이블로 갔다. 그리고 테이블 위 휴대 전화를 잡으려는데, 왜인지 발아래에서 인기척이 느껴졌다.

　이상해서 테이블 밑을 보자 나아정은 거기에 있었다. 쪼그려 앉아 휴지 뭉치로 바닥 걸레질을 하면서.

　"거기서 뭐 합니까?"

　기가 차서 인상을 찌푸린 채, 나는 나아정을 가리고 있는 테이블을 옆으로 휙 밀어냈다. 그러자 나아정은 나를 올려다보곤 뭐가 문제인지 모르는 얼굴로 대답했다.

　"바닥에 물 좀 닦느라고요."

　"내가 뿌린 물을, 왜 그쪽이 거두고 난립니까?"

　"아, 그게……. 한 달 동안 화장실 물때 청소하던 버릇이 남아서. 여기 바닥 타일 사이에 물때 생길까 봐요."

　나아정은 도로 시선을 내려 타일 사이사이를 꼼꼼하게 닦아 갔다. 그 꼴에 화딱지가 나서 나는 날카롭게 질책했다.

　"그거 몇 방울로 그 걱정이 듭니까?"

　"님이 몇 방울로 그 난리 치셨잖아요."

　나아정은 무심코 대답하더니, 움찔 굳었다.

　"그때는 내가 시킬 때고!"

　나는 발끈해서 나아정의 어깨를 잡아 일으켰다. 그리고 똑똑히 알아듣게 어깨를 흔들면서 큰소리로 가르쳤다.

　"지금은 여기 직원한테 시킬 땝니다!"

　"아니, 쏟은 건 우린데……."

　"직원!"

나는 멀리 직원을 향해 외쳤다. 그러자 카운터에서 딴짓을 하고 있던 직원이 우리를 보고 달려왔다. 나는 내 앞에 도착한 직원에게 질문을 던졌다.

"여기 커피 원두, 어디 거 씁니까?"

"예? 어, 그게……."

기억을 더듬으려는 직원을 기다려 주지 않고 재차 입을 열었다.

"달나라 커피나무에서 뽑아 왔습니까?"

"예?"

"맛으로 보아하니, 아무리 멀리 가도 에티오피아 과테말라 산인데. 다른 카페에서 쓰는 원두 똑같이 쓰면서, 커피 한 잔에 다른 카페 5천 원 받을 때, 여기가 2만 원씩 받는 데엔 이유가 있겠죠?"

직원은 영문을 모르겠는지 고개를 갸웃거리면서 나를 빤히 봤다.

"내 생각에 그 2만 원엔 맛과 서비스가 포함된 거 같은데, 최소한 둘 중 하나라도 해야 할 것 아닙니까? 맛이 있든가, 손님이 바닥에서 물걸레질을 하고 있으면 도와주든가."

나는 검지로 바닥을 가리키며 눈을 부릅떴다. 그러자 직원은 그제야 알아차린 얼굴로 고개를 끄덕였다.

"아, 예, 저희가 치우겠습니다."

직원은 얼른 카운터 옆 비품실로 향했다. 그 모습에 나는 나아정에게로 시선을 돌렸다.

"내가 낸 커피 값에 서비스는 당연히 포함되어 있는 겁니다. 무슨 없는 메뉴 내놓으라는 것도 아니고, 커피콩 대신 완두콩 써 달라는 것도 아니고. 엄연히 우리 떠나면 치워야 할 자리, 지금 치우라는 건데. 그걸 왜 혼자 찌그러져 앉아서 하고 있습니까? 당연한 권리 주장은 하고 삽시다, 좀!”

따끔하게 가르치고서 나아정의 팔을 붙잡고 카페를 빠져나왔다.

차를 몰고 집에 도착할 때까지도 내 가르침은 계속되었다.

왜 이렇게 자존감이 없느냐. 왜 그 상황에 그놈한테 물 한 방울 못 튕기고 가만히 있었느냐. 그렇게 대놓고 무시하는데 어떻게 기분이 안 나쁠 수 있는 거냐.

계속해서 다그치는 내내, 나아정은 뭔가 헷갈리는 표정으로 눈썹을 찡그린 채 아랫입술을 불룩 내밀고 있었다. 그에 더해 나아정은 이따금씩 정말 이상하다는 듯이 눈썹을 더 찡그리며 고개를 갸웃거렸다.

어느덧 거실에 도착한 나는 그런 나아정의 앞에 우뚝 멈춰 서서, 나아정의 관자놀이를 검지 끝으로 톡톡 두드렸다.

“여기 지금 뭔 생각이 들어 있나, 어디 한번 들어 봅시다.”

“별로, 듣기 싫을 말 같은데요.”

나아정은 두려운 눈빛으로 내 눈치를 살폈다.

“듣기 좋고 싫고는 들어 보고 내가 정합니다. 물론 싫을 수도 있겠지만, 아닐 수도 있으니까. 확률은 반반이죠. 근데 아무 말도 안 하면 싫을 확률 100퍼센틉니다. 어느 편이 현명한지, 계산이 안 섭니까?”

“……얘기하면 정상 참작 좀, 해 주나요?”

“어떤 정상 참작 말입니까?”

"기분 나빠도 좀 봐주는 걸로다가."

"그러죠."

내가 흔쾌히 받아들이자 나아정은 결심한 듯 침을 꼴깍 삼켰다. 그리고 다시 입을 열었다.

"자꾸 아까 그 남자가 한 말에 화를 내시는데. 님도 전에 저한테 그랬었잖아요. 그쪽이 뭐 볼 게 있냐고, 우리 형이 왜 그쪽 따위를 좋아하는 거냐고. 12월 첫눈 같은 우리 형 호적 더럽히지 말라고."

그랬지. 맞아, 내가 그랬었지.

새삼 떠오르는 내 지난 막말들에 잠시 말문이 막혔다. 그런 내 앞에서 나아정은 소심한 표정으로, 그럼에도 조곤조곤 끝까지 말을 이어 갔다.

"그때 저는 그러려니 했어요. 그게 어느 정도는 사실이니까. 누가 봐도 지경 씨가 저한테 너무 아까우니까. 그리고 지금도 그러려니 해요. 내가 그사이에 뭐, 갑자기 조건이 좋아진 것도 아니고, 나는 그대로니까. 근데 그때는 제가 그렇게 받아들이는 거, 당연하게 여기시더니. 왜 지금 이렇게 제 반응 가지고 잘못됐다고 하는 건지. 그게 이해가 안 가요. 그때는 맞았는데, 지금은 틀린가요?"

내 인생에 10초 이상 말문이 막혔던 기억은 없었는데. 분하게도 나는 할 말이 떠오르지 않았다.

10초가 되어도, 20초가 되어도. 심지어 나아정이 전화를 받느라고 제 방으로 사라질 때까지도.

나는 우두커니 멈춰 선 채 생각에 생각을 거듭할 뿐이었다.

대체 내가, 왜 그렇게 화가 났던 건지.

하지만 아무래도 쉽게 답이 날 것 같지 않아서 나는 터벅터벅 내 방으로, 내 침대로 향했다.

나에겐 생각할 시간이, 몸을 눕힐 곳이 필요했다.

침대에 누워 내가 선택한 음악은 베토벤의 교향곡이었다. 나는 머릿속을 파고들어 어서 움직이라고 뇌를 두드리는 듯한 그 웅장한 음악을 틀어 놓은 채 열심히 머리를 썼다.

나는 형이 게이라는 걸 알고 있지만, 나아정은 모른다. 나아정은 형이 자길 사랑한다 믿고 있고. 그래서 형과 결혼하려 한다.

그래. 그래서 내가 나아정에게 죄의식을 느끼고 있지. 거기까진 당연하고. 이해가 돼. 그래서 잘해 주고 싶고, 지난날의 잘못을 만회하고 싶지. 그래, 여기까지도 당연해. 자연스러워.

그런데 나아정이 딴 놈한테 무시당한다고 해서 내가 화나는 건 이해가 안 돼.

아무리 나아정이 우리 형에게 속고 있다 해도, 그래도 나아정은 나아정인데. 갑자기 그 여자가 내 호적에 입양된 것도 아니고. 정말 그 여자의 조건은 변한 게 하나도 없는데. 내가 했던 무시를 남이 할 수도 있는 거잖아?

근데 왜 화가 났지?

나는 찬찬히 아까의 상황을 곱씹어 보며 내가 화난 이유를 분석하려 했다.

그런데 현정훈의 말 한 마디 한 마디에 다시금 속에서 열불이 확 올랐다.

"와, 나 진짜 왜 이러지?"

나는 누워 있던 몸을 벌떡 일으켰다.

"이건 안 당연해! 이해가 안 돼!"

나아정이 당한 일에 왜 내가 화를 내지? 꼭 내 요리가 욕을 먹은 것처럼…….

잠깐. 내 요리? 끝내 피워 보지 못한 내 유일한 꽃봉오리?

그 꽃봉오리와 나아정이, 지금 같은 선상에 놓인 건가?

"아하!"

불현듯 답이 떠올라서 나는 손뼉을 쳤다.

내 요리는 인정받을 기회가 없었다. 내가 얼마나 좋아하는지. 얼마나 잘하는지.

그런데 나아정도 마찬가지다. 나아정도 내 요리처럼 인정받을 기회가 없었다.

나는 내 요리의 맛을 아는데.

나는 나아정의 진가를 아는데.

둘 다 제대로 선보이고 인정받을 기회가 없었던 거다.

그러니까 오늘 나는 현정훈에게 화가 날 수밖에 없었다. 이 숨은 꽃봉오리를 알아보라고 기껏 코앞까지 내밀었는데. 나아정의 진가도 몰라보고, 꽃피워 볼 생각도 없이 능멸하다니.

"그 뚫린 입을 뒤통수까지 뚫어 주는 건데."

나는 이를 갈며 미간을 찌푸렸다.

그래. 둘 다 내 꽃봉오리네.

차이가 있다면, 내 요리는 내가 꽃피우길 포기했단 거고, 나아정은 꽃피워 줄 좋은 남자를 내가 찾고 있단 거지.

"오케이. 이제 이해가 돼."

나는 끄덕끄덕 납득을 마친 다음 휴대 전화를 꺼내 들었다.

생각에서 그칠 일이 아니다. 하루빨리 찾아야 한다. 나아정을 꽃 피워 줄 남자를. 형처럼 좋은 남자지만, 형하고는 다르게 정말로 나아정을 좋아해 줄 남자를.

목표를 되새기며 휴대 전화 속 전화번호부를 살펴봤다. 엄마, 형은 당연히 안 되고, 현정훈 이 자식은 지우고. 그 밖에 지인들은······.

몇 줄 안 되는 전화번호부를 죽 훑어가다가, 못마땅한 마음에 눈살을 찌푸렸다.

이 녀석들은 어차피 현정훈보다 못한 녀석들이잖아? 하긴 이 중에서 제일 나은 놈을 고른 게 현정훈이었으니······.

"젠장, 헛살았어!"

나는 지나온 인생에 회의감마저 느끼면서 휴대 전화를 이불 위에 내동댕이쳤다.

젠장, 휴대 전화 속 지인으로는 가망이 없다. 어디 다른 데서 찾는 수밖에······.

골똘히 고민에 잠겼다가 이내 묘안이 떠올라 눈이 커다랗게 뜨였다.

"내 친구 중에 없으면, 엄마 친구 아들 중에서 찾으면 될 것 아냐?"

나는 다시 휴대 전화를 집어 들고 침대에서 일어났다.

우선 엄마 집에 가서 엄마 친구들 연락처를 찾자.

나는 리모컨으로 음악을 끄고, 차 키를 챙겨 주머니에 넣었다. 그런 다음 방을 나서면서 시간을 확인했다.

저녁 여섯 시. 어차피 엄마는 집에 안 계실 테고, 주요 인사 연락 처가 담긴 전화번호부는 엄마 서재에 있을 테고······.

생각하며 복도를 가로지르다 주방 앞에서 우뚝 멈춰 섰다. 그리고 주방을 바라보면서 나아정이 아직 저녁 식사 전이라는 사실을 떠올렸다.

아. 이 여자 밥은 해 주고 나가야지.

나는 발길을 돌려 주방으로 향했다.

멀리 떠나기 전에 곰국 한 솥 끓여 놓는 어머니의 마음이 이런 거려나.

나는 냉장고를 열어 재료들을 살펴보며, 나아정이 가장 좋아할 만한 요리를 궁리했다.

이왕 해 주는 거, 제일 맛있는 걸 해 줘야지.

"흠⋯⋯. 나아정이 뭘 제일 좋아했지?"

어림잡아 백 개쯤인 요리들을 떠올리며, 그것들에 반응하던 나아정을 함께 떠올렸다.

어림잡아 백 번쯤을 감탄하고, 좋아 죽던 나아정을.

"그중에서 뭐가 제일 예뻤더라⋯⋯."

나는 냉장고가 아닌 내 머릿속을 골똘히 들여다봤다. 그러나 마치 내 요리들에 우열을 가리기가 어렵듯이, 그걸 먹는 나아정의 모습 역시 우열을 가리기가 어려웠다.

하긴 그럴 때는 항상 예뻤지.

그리고 보면 그럴 때 진짜 예뻐 보이는데. 현정훈이 그걸 알 턱이 있나.

아! 이번 남자 만날 때는 내가 요리를 해 줄까? 이 집으로 초대해서 여기서 맞선 보면 되잖아?

나는 일단 야채 몇 가지와 소고기를 꺼내 조리대로 옮겼다. 그리고 개수대에서 내 손을 깨끗하게 씻어 냈다. 그러는 사이 내 머릿속에는 나아정의 새 맞선 상대와 나아정, 그리고 내 요리가 여기 식탁에 놓이는 상상이 그려졌다.

"좋아. 계획은 완벽해. 근데 그러려면 일단 남자부터 구해야겠지."

나는 손의 물기를 닦아 내며 혼잣말했다. 그리고 식칼을 들어 우선 양파 껍질을 깠다.

그나저나 형만큼 잘난 남자가 세상에 있긴 할까? 거기다가 사주에 금까지 많아야 하는데. 그런 남자, 정말 있긴 한가?

형처럼 잘나고, 사주에 금이 많은 남자……. 거기에 나아정의 진가를 제대로 알아봐 줄 남자…….

양파의 얇은 껍질을 칼날로 살살 벗겨 내다가, 멈칫 손을 멈췄다. 그리고 나는 불현듯이 떠오른 생각을 입 밖으로 내뱉었다.

"나잖아?"

순간 무슨 계시라도 받은 것처럼, 아까 듣던 베토벤의 교향곡이 머릿속에 울려 퍼졌다.

(웨딩 임파서블 2권에서 계속)

웨딩
임파서블

웨딩 임파서블(리커버 에디션) 2

초판 1쇄 인쇄 2024년 2월 6일
초판 1쇄 발행 2024년 2월 22일

지은이 송정원
펴낸이 최원영
편집장 예숙영
편집 최은지
편집디자인 한방울
영업 김민원 조은걸
물류 이순우 최준혁 박찬수

펴낸곳 ㈜디앤씨미디어
출판등록 2002년 5월 1일 제117-90-51792호
주소 서울시 구로구 디지털로 26길 111 JnK디지털타워 503호
대표전화 (02)333-2513 팩스 (02)333-2514
전자우편 dncbooks@dncmedia.co.kr
디앤씨북스 블로그 http://blog.naver.com/dncbooks

ISBN 979-11-264-7023-5 04810
ISBN 979-11-264-7021-1 (SET)

WEDDING
IMPOSSIBLE
written by Song Jungwon
웨딩! 임파서블
송정원 장편소설
VOL. 2
i BOOK

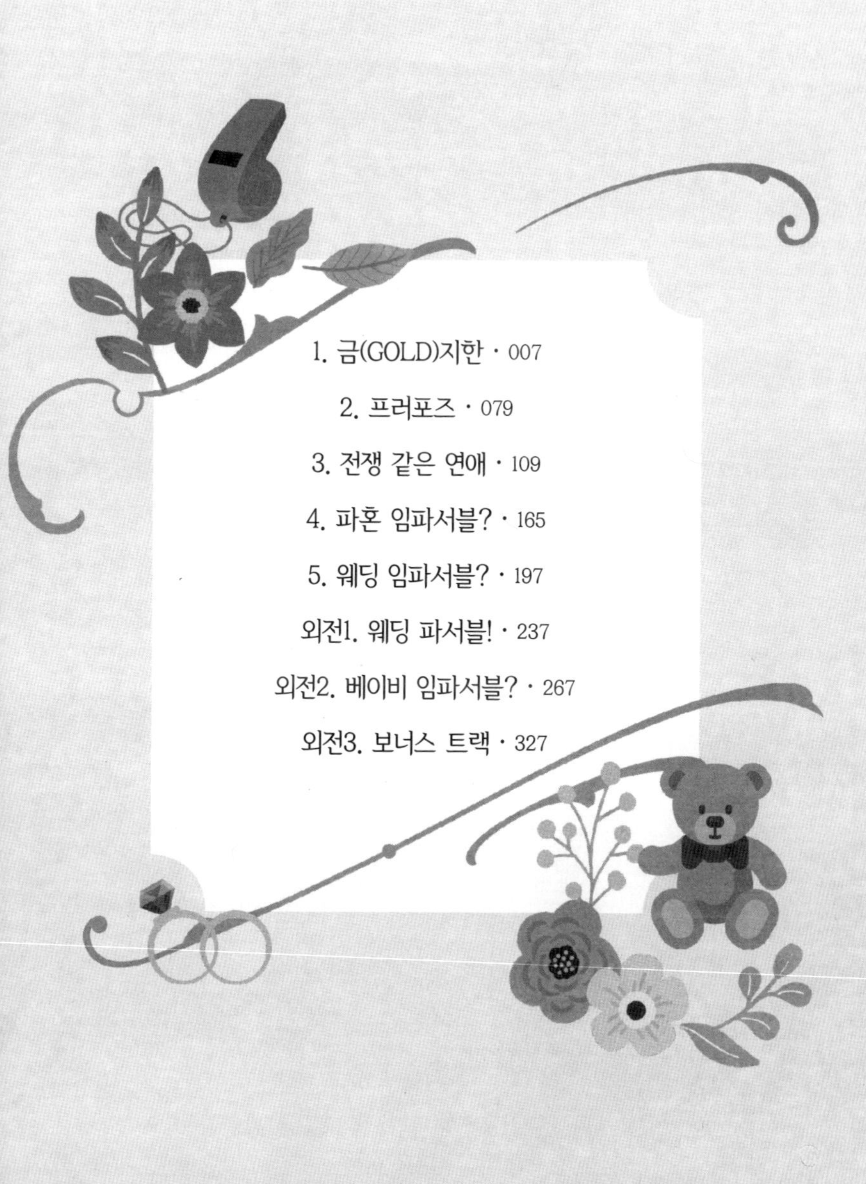

1. 금(GOLD)지한

1. 금(GOLD)지한

네 동생이 맞선을 시켜 줬단 얘기에 지경은 박장대소를 터뜨렸다. 한참을 웃고서야 지경은 개운해진 목소리로 말했다. 역시 내 동생이 널 좋아하는 건 아니었다고. 그래서 다행이라고.

하긴 좋아하는 여자한테 맞선을 강요하는 남자라니, 그게 말이 돼? 시동생이 형수랑 눈 맞는 것만큼 말이 안 되지.

"근데 그건 왜 그런 걸까? 맞선 상대가 나 무시한다고 물 끼얹은 거 말이야."

[그야, 개는 너하고 맞선 상대가 잘되는 게 목적인데. 그게 틀어지니까 열 받았겠지. 우리 형이 아니라 네가 나아정과 결혼해야 하는데, 네가 감히 내 뜻과 다르게 행동하다니, 용서 못 해. 그런 심리였을걸.]

역시 이지한은 날 좋아하는 게 아니었어.

나는 그렇게 나 자신에게 쐐기를 박으면서 지경과의 통화를 마쳤다. 그러고서 슬그머니 방을 빠져나왔을 때, 이지한은 거실에 없었다.

맞선 때의 내 반응이 왜 잘못됐다는 건지 아직 대답을 듣지 못했는데. 이지한은 내가 통화하는 사이 그냥 자기 방에 들어가 버린 모양이다.

내 생각을 증명하듯 이지한의 방에서는 베토벤의 음악 소리가 새어 나오고 있었다.

누가 들어도 이건 베토벤 음악이다, 단박에 알아차릴 수 있는. 그 빠바바밤, 하는 음악이.

뭐, 하긴. 대답이 별거 있긴 할까. 날 좋아하는 것도 아닌데. 지경이가 내준 답이 정답이겠지.

나는 시무룩하게 아랫입술을 내밀고서 도로 내 방으로 돌아갔다. 그리고 괜히 맥이 빠져 침대 위로 엎어졌다. 아침부터 여기저기 얼굴이며 머리를 맡기고 다닌 탓인지 잠이 솔솔 쏟아져 왔다. 그래서 눈을 감고 엎드린 채 잠에 빠져들었다.

다시 눈을 떴을 때, 내 몸은 흔들리고 있었다.

혹시 지진 났나?!

정신이 번쩍 드는 찰나, 이지한의 호통소리가 들려왔다.

"지금 잠이 옵니까?"

"아, 아니요!"

나는 얼떨결에 대답하며 엎드려 있던 몸을 후딱 일으켜 앉았다. 그러자 내 앞에 침대에 걸터앉아 있는 이지한이 보였다. 그와 함께 지진인 줄 알았던 진동은 감쪽같이 사라졌다. 아무래도 날 흔들고 있었던 건 지진이 아니라 이지한의 손이었던 모양이다.

이지한은 왜인지 심기가 불편한 얼굴로 나를 보며 팔짱을 꼈다.

그리고 이지한은 가만히 지켜보기만 했다.

"왜, 왜요? 왜 아무 말도…… 안 해요?"

뭔가 잔소리가 이어질 줄 알았는데. 나는 의아해서 물어봤다. 그러나 이지한은 대꾸 없이 계속 나를 주시했다.

아, 왜……. 설마 맞선 실패한 거, 내 탓을 하려는 건가?

괜스레 눈치 보이고 주눅이 들어 두 손을 모아 쥐고 고개를 숙였다. 그리고 두 엄지를 괜히 비비적거렸다. 그러자 이지한의 탄식이 들려왔다.

"이젠 자다 깬 거까지 예뻐 보이다니."

이어진 혼잣말에 어리둥절해져 고개를 들어 이지한과 눈을 마주쳤다.

"예? 뭐라고요?"

"잘 거면 밥부터 먹고 잡니다."

이지한은 내 질문을 무시하고 자기 할 말만 딱딱하게 뱉었다. 그러더니 이지한은 침대에서 일어났다.

"침 닦고 주방으로 옵니다."

그 말과 함께 이지한은 방 바깥으로 발걸음을 움직였다.

침? 나 침 흘렸어?

나는 얼른 손등으로 입가를 훔쳐봤다. 이지한의 발언이 괜한 말이 아니었음을, 축축한 감촉으로 확인할 수 있었다.

으아! 이런 추한 꼴을 보이다니!

낭패감에 울상을 하고 소매로 입가를 박박 문질렀다.

식탁에서 이지한이 만든 갈비를 뜯는 순간, 나는 침 흘렸던 과거를 잊고 침 튀기는 현재에 집중하게 되었다.

"세상에! 어떻게 이게 갈비죠? 이건 갈비가 아니라, 갈에이. 아니, 갈에이플러스예요!

정말이지 눈이 휘둥그레져서, 침까지 튀겨 가며 내가 느낀 갈비의 맛을 표현해 갔다.

정신없이 말하고, 먹고, 말하고, 먹고.

입이 너무 바쁜 탓에 미처 눈으로 이지한을 확인할 새가 없었다.

어느덧 갈비가 동이 나고서야 겨우 접시에서 눈을 뗄 수 있었다. 부른 배를 문지르며 시선을 올리자 이지한이 보였다. 팔짱을 낀 채 뚫어져라 나를 주시하고 있는 이지한이 말이다.

나는 내 접시에 수북이 쌓인 뼈다귀들을 보고 건너편 이지한의 빈 접시를 봤다. 아무래도 갈비에는 손도 대지 않은 듯한데. 그럴 거면 내내 말 한마디 없이 내 앞에 왜 앉아 있었던 건지. 이상하다 생각하는 찰나, 이지한이 입을 열었다.

"전에 점집에서 받은 부적, 잘 갖고 다닙니까?"

"부적? 아, 그거요……."

행운이 붙는 부적이라나 뭐라나. 무속인이 공짜로 줬던 그거.

그걸 내가 어디 뒀더라……. 그때 가방에 넣고 딱히 안 뺐던 거 같은데. 그 가방이…….

"아아! 가방 안에 있는데. 그거, 찜질방 탈의실에 두고 왔어요.

그때 갑자기 끌려오느라고.”

“그 가방, 내가 챙겨 뒀습니다.”

“진짜요?”

나는 다행이다 싶어 반색했다. 그런데 이지한은 취조하듯 매서운 눈초리로 근엄하게 선언했다.

“검사할 겁니다. 가방 안에 부적 있나, 없나.”

“아, 봐요, 봐. 분명히 거기 있으니까.”

있을 게 뻔하니까. 나는 당당하게 대꾸했다. 그러자 이지한은 몸을 일으키더니 자기 방으로 건너갔다.

잠시 후 이지한은 내 가방을 들고 돌아왔다. 그러더니 이지한은 내 앞에서 식탁에 가방을 내려놓고 내 쪽으로 들이밀었다.

“직접 열어서 꺼냅시다. 여자 가방 함부로 뒤지는 건 실례니까.”

“그러죠, 뭐.”

나는 별생각 없이 가방으로 손을 뻗었다. 그러자 이지한은 휙 가방을 자기 쪽으로 끌고 갔다. 그리고 이지한은 한껏 구긴 얼굴로 따갑게 지적을 시작했다.

“어디 갈비 묻은 손으로 가방을 만집니까? 당신, 그러고도……!”

벼락이 떨어지나 싶어 나도 모르게 움찔 어깨가 움츠러졌는데 갑자기 이지한의 야단이 뚝 끊겼다. 뭐지 싶어 이지한을 보자 이지한은 눈을 감고 인내하듯 심호흡을 내쉬고 있었다. 잠시 후, 이지한은 다시 나를 향해 지그시 눈을 떴다.

“손은 씻고, 가방 만집니다.”

차분하게 가라앉은 목소리에 얼른 고개를 끄덕이고 개수대로 향했다. 그리고 보란 듯이 뽀득뽀득 물비누로 손을 씻었다. 마치 밥 먹기 전에 손 씻는 거 확인받는 미취학 아동처럼.

이지한은 그런 내 등에 대고 잔소리를 덧붙였다.

"원래 식전, 식후. 그리고 어디 나갔다 들어올 땐 손발 꼭꼭 씻는 겁니다."

내가 이 나이에, 다섯 살이나 어린 남자한테 이렇게 어린이 취급을 받고 있다니. 돌아가신 우리 엄마 이후 이런 인간은 처음이다, 진짜!

나는 속으로만 꿍얼대고서 수도꼭지를 잠갔다. 그런 다음에야 다시 식탁으로 가서 가방을 열었다. 뒤져 볼 것도 없이 부적은 가방을 열자마자 바로 보였다. 나는 부적을 꺼내 의기양양하게 이지한을 향해 들어 보였다. 그러자 이지한은 눈살을 찌푸렸다.

"이거, 이렇게 함부로 보관하는 거 아닙니다. 잘 접어서 지갑에 넣고 다니는 겁니다."

이지한은 내 손에서 부적을 낚아채더니 반듯반듯하게 접었다.

"그리고 절대 빠뜨리지 말고 항상 가지고 다닙니다. 알겠습니까?"

이지한은 질문을 건네면서 잘 접힌 부적을 내 앞으로 함께 건넸다.

왜 이렇게 적극적으로 들이미는 건지.

나는 어째 미심쩍어서 받지 않고 질문했다.

"이거 진짜 행운 부적 맞아요? 혹시 이거, 나랑 결혼할 남자 마음 떠나게 하는 부적, 뭐 그런 거 아니에요?"

"그 반댑니다."

"예?"

이지한은 불쑥 내 손목을 잡아 자기 쪽으로 끌어당겼다. 그리고 손바닥이 하늘을 향하도록 뒤집었다. 이지한은 그대로 손목을 잡아 둔 채 남은 손으로 내 손바닥에 부적을 올려놓았다.

"내가 장담하는데. 이게 그쪽한테 인생 최고의 행운, 만들어 줄 겁니다."

이지한의 손바닥이 내 손등을 받치더니 내 손가락 하나하나를 모두 감싸면서 주먹을 그러쥐었다.

내 손까지 주먹이 되어, 부적을 쥘 수 있도록.

"그러니까 이거 행운 부적, 맞습니다."

이지한은 자신하는 눈빛으로 내 얼굴을 보며 보증했다.

"이거 진짜 효과 있으면 내가 그 점집 가서 큰절할 겁니다."

"이거 덕분에 나한테 행운이 오면, 님이 큰절을 한다고요? 이거 그려 준 무속인한테?"

나는 귀가 의심스러워 눈을 크게 뜨고 물었다.

"내가 생각하는 그 행운일 경우에 말이죠."

이지한은 전제 조건을 걸며 대답했다.

"님이 생각하는 행운이 뭔데요?"

"지금은 말 안 됩니다."

"예?"

"말이 되게 만든 다음. 그때 말할 겁니다."

이지한은 더 말할 수 없다는 듯 입을 다물더니 눈과 입술로 미소를 그렸다. 이지한의 손은 여전히 내 주먹을 뒤덮고 있었다. 거기서 전해지는 체온 때문인지, 이지한의 표정이 한결 따뜻하게 느껴졌다.

무섭지 않은데. 가슴이 떨려 오기 시작했다.

"님이 생각하는 그 행운이……. 님한테도 좋은 건가 봐요……? 남한테 큰절할 만큼."

“그쪽한테 압도적으로 좋은 겁니다.”

이지한은 단호하게 장담했다.

“그런데도 내가 그걸 원합니다.”

이지한은 여전히 내 손을 붙잡은 채 내 머리 위로 다른 손을 얹었다. 그러고는 마치 가슴에 손을 얹고 맹세하듯이, 진지하게 덧붙였다.

“그쪽이 좋아지는 게, 보고 싶으니까.”

이지한은 그대로 내 머리 위의 손바닥을 토닥토닥 움직였다.

쿵쿵.

내 가슴은 꼭 누가 쫓아오는 것처럼 뛰어 대고 있었다.

당장 뭘 어째야 할지 모르겠어서. 그 와중에 얼굴은 또 달아올라서. 나는 얼른 이지한의 손바닥 안에서 내 손을 빼며 외쳤다.

“화, 화장실!”

그리고 정말이지 급한 마음으로, 화장실을 향해 줄행랑쳤다.

누가 보는 것도 아닌데, 나는 변기 옆에 몸을 숨기고 앉아 전화기를 꺼내 들었다. 그리고 화장실은 소리가 울릴 테니까, 전화 대신 문자 메시지로 지경에게 상황을 전달했다.

조금 전에 이지한이 했던 말을 모두 전해 주고서, 내가 하고 싶은 말을 적었다.

[이건 또 뭐지? 내 행운을 빌고 있다니. 내가 좋아지는 게 보고 싶다니. 대체 이건 뭐야? 무슨 뜻?]

내 질문에 지경이는 금방 답을 내놓았다.

[너한테 나 말고 다른 남자가 생기기를 간절히 바란다는 뜻이지. 그 남자랑 좋아지라고. 너는 맞선을 봐 놓고도 그걸 모르겠어?]

"아아!"

크나큰 깨달음에 나도 모르게 입으로 소리를 내 버렸다.

[아정아. 내가 말했잖아. 내 동생 눈 높다고. 그러니까 불필요한 오해는 생략하자.]

[오해? 무슨 오해?]

[혹시 날 좋아해서 저러나, 그런 오해 말이야.]

[나 아직 그런 생각 안 했는데?]

[앞으로도 하지 말자.]

이거 혹시라도 이지한이 나를 좋아할까, 착각하지 말라는 얘기 같은데…….

"뭐야. 원래 착각은 자유 아니었어?"

나는 액정 화면에 대고 중얼거렸다.

"난 뭐, 내 마음대로 착각도 못 해?"

괜히 서운한 기분에 입술을 삐죽이고서 답장을 썼다.

[안 해, 절대 안 해!]

그러고서 휴대 전화를 주머니에 집어넣었다. 그리고 세면대 앞에 섰다. 내 얼굴은 아직도 화끈화끈 달아올라 있었다.

얼굴에 난 불을 끄려고 나는 찬물을 틀어 두 손 가득 모아 받았다.

몇 번이나 찬물을 끼얹고서 내친김에 화장 지우기와 세수까지 마

친 다음 화장실을 조용히 빠져나왔다. 슬금슬금 복도를 가로질러 내 방 앞에 섰는데, 맞은편 이지한의 방에서 음악 소리가 희미하게 새어 나왔다.

이지한의 방문으로 다가가서 가만히 귀를 대 보자 아까와 달리 서정적인 클래식 음악이 내 귓가에 선명해졌다. 웅장하게 쿵쾅대던 베토벤의 교향곡과는 영 딴판인, 부드럽고 낭만적인 음악이었다.

이 음악, 뭐였더라……. 작곡가가 비발디인 건 확실한데…….

알 듯 말 듯 해서 나는 좀 더 바짝 귀를 들이대고 방 안의 소리에 집중했다. 그런데 바로 옆에서, 이지한의 목소리가 끼어들었다.

"뭐 합니까?"

놀라서 옆을 보니, 이지한은 바로 내 옆에 있었다.

"으아, 왜 여기 있어요?!"

나는 소스라치며 뒤로 물러났다.

"여기 있으면 안 됩니까? 내 방 앞인데?"

이지한은 어이없다는 듯 반문했다.

"아, 안 되죠. 그, 저렇게 안에 음악 켜 두고 밖에 있으면 안 되죠. 저거 다 전기세로 나오는데."

내가 얼른 둘러대자 이지한은 손에 쥔 찻잔을 내 눈높이로 들어 보였다.

"음악에 차 한잔 곁들이려고 잠깐 주방에 다녀오는 길입니다. 근데 겨우 그 몇 분 가지고 그쪽이 이러쿵저러쿵 참견할 일은 아니죠. 아직 내 마누라도 아니면서."

"아……. 그렇죠. 제가 참견할 일은 아닌 거죠."

딱히 받아칠 말이 없어서 고개를 끄덕끄덕하며 동의했다.

그치. 내가 아직 마누라는 아니…….

응? 아직? 왜 아직이란 말이 붙지?

문득 이상하다 싶어 눈을 껌뻑이는데, 이지한의 예리한 질문이 날아들었다.

"그러는 그쪽이야말로, 내 방 앞에 왜 그러고 있습니까?"

"아, 안에 음악이 궁금해서요."

사실대로 말하는 건데 왜 말이 더듬거리는 건지. 얼굴은 왜 또 더워지는지.

나는 꼭 거짓말을 하는 사람처럼 이지한과 눈도 못 마주치고 아래를 봤다.

"요한 파헬벨의 캐논입니다."

비발디만은 확실하다 믿었건만…….

쓴 입맛을 다시는데, 이지한의 질문이 이어졌다.

"이 음악, 마음에 듭니까? 문에 달라붙어 들을 만큼?"

나는 이번에도 사실대로 고개를 끄덕거렸다. 제목을 궁금해하며 귀를 가져다 댈 만큼, 마음에 드는 음악이었으니까.

"그럼 들어가서 마저 듣죠."

"예?"

번쩍 고개를 들어 이지한을 봤다. 동시에 이지한은 손을 뻗어 문고리를 잡아 비틀었다. 그대로 문을 연 이지한은 내 팔을 잡고는 안으로 이끌었다. 나는 엉겁결에 발을 움직여 이지한을 따라가게 되었다.

이지한은 티 테이블에 찻잔을 내려놓더니, 두 손으로 나를 티 테이블의 의자에 앉혔다. 그리고 이지한은 말했다.

"나아정 씨 방에 오디오가 없다는 걸 내가 간과했습니다. 오디오는 내일 사다 줄 테니까. 오늘은 일단 여기서 듣읍시다.”

“아니, 아니에요. 무슨 오디오씩이나. 됐어요.”

“내 돈 주고 내가 사는 거니까. 되고 안 되고는 내가 정합니다.”

이지한은 딱 잘라 냉정하게 말하더니, 맞은편에 앉아 찻잔을 내 쪽으로 슥 밀었다.

“마시면서 감상하죠. 이 음악에 딱 어울리는 차로 내가 고른 거니까.”

“아니, 전 괜찮아요. 이거, 님이 마시려던 거잖아요.”

“주는데 못 받아먹는 거, 되게 짜증 납니다.”

이지한은 매섭게 눈살을 확 구겼다. 그 바람에 나는 군말 않고 얼른 찻잔을 들어 입에 가져다 댔다. 그리고 홀짝 차를 삼키는 순간, 이지한의 말뜻을 대번에 이해할 수 있었다.

“우와, 진짜 그러네요? 완전 이거 딱, 이 음악 같아요!”

나는 신기해서 눈을 휘둥그레 뜨고, 다시 한 모금을 홀랑 삼켰다.

“와, 진짜 님 대장금이세요? 아, 이 미친 미각 진짜, 와! 저요. 클래식도 차도 쥐뿔 모르지만 이거 하난 알겠네요. 이 차, 진짜 이 음악 맛이에요.”

내 호들갑을 지켜보며 이지한은 흐뭇한 표정으로 턱을 괴었다. 그러다 내가 세 번째로 차를 입에 대자 이지한은 입을 열었다.

“내가 생각할 때 캐논은 첫사랑 같은 느낌인데, 이 차도 그런 느낌이라 어울릴 거라 판단했습니다.”

첫사랑 같은 느낌?

알 듯 말 듯 추상적인 표현에 고개를 갸웃거렸다. 그러자 이지한은 오디오를 향해 시선을 옮기고서 점잖게 이어 말했다.

"12월 첫눈을 녹여 가는 아련한 겨울 태양이, 걷잡을 수 없이 크고 뜨거워져 여름이 되는 느낌이랄까……. 첫사랑은 그런 겁니다. 처음엔 이게 사랑인 걸 모르다가 이게 사랑이다 알아차리는 순간, 열병처럼 감정이 몰아치는 거."

나는 아련하게 시작해 격렬하게 몰아쳐 가는 캐논의 선율을 감상하며 그럭저럭 무슨 말인지 알 것 같아 고개를 끄덕였다.

"그게 님이 생각하는 첫사랑이면, 이 음악도, 차 맛도. 둘 다 첫사랑 느낌인 게 분명하네요."

첫사랑이 정말로 그런 것인지는 내가 직접 겪어 봐야 알 일이지만.

나는 속으로만 덧붙이며 또 한 모금 차를 마셨다. 그러자 이지한은 절레절레 고개를 내저었다.

"이건 내가 생각하는 첫사랑이 아닙니다."

"?"

"내가 느끼는 첫사랑이지."

너무 뜻밖인 말이라서, 차를 입에 머금은 채 잠시 굳었다.

설마 이 인간이 지금 첫사랑을 느낀다는 얘긴가?

대체 누구한테?

나는 입도 뻥긋 못 하고 가만히 이지한을 보기만 했다. 그러고 있는데, 갑자기 이지한의 휴대 전화가 울리기 시작했다. 이지한은 주머니에서 휴대 전화를 꺼내 액정 화면을 확인하더니, 전화를 받았다.

"예. 준비됐습니까?"

이지한은 잠시 동안 상대방의 대답에 귀를 기울였다. 내 자리까진 들려오지 않는 목소리라서, 나는 그저 차를 홀짝일 따름이었다. 이지한은 그런 나를 힐끗 보더니 내게 시선을 고정한 채 대답했다.

"그럼 지금 출발하죠. 내가 아주 급하니까."

이지한은 그대로 전화를 끊고 불쑥 자리에서 일어났다. 그리고 나를 향해 명령조로 말했다.

"저녁 먹고 차도 마셨으니까, 이제 잠옷 입고 곰 인형 안고 침대에 가서 눕습니다."

"벌써요?"

"난 지금 나가서 늦게 들어올 겁니다. 그러니까 나 없다고 딴짓 말고 잠이나 자란 말입니다."

딱딱하게 경고하고서, 이지한은 또 내 머리를 손바닥으로 토닥토닥 두드렸다. 꼭 그래야 한다고, 당부하듯이.

홀로 남겨진 나는 잠옷 바람으로 침대에 누워 곰 인형을 끌어안았다.

이지한이 첫사랑 어쩌고 했는데, 혹시 그게 난가?

아니, 한 달 넘게 나하고만 붙어 살았는데. 내가 아니면 대체 누구란 말이야?

내가 버젓이 눈뜨고 살아 있었는데, 어느 틈에, 어디서, 웬 여자를 만나?

나는 미간을 꽉 좁힌 채로 이지한의 지난 행적들을 곱씹어 봤다. 설마 나 아니고 딴 여자일 리 없어……. 하고 손톱을 씹으면서.

그러다가 정신을 차려 보니, 나도 모르게 곰 인형에 헤드록을 걸고 있었다. 아차 싶어 곰 인형에게서 팔을 풀고, 바람난 놈 뺨 때리

듯 손바닥으로 야무지게 내 머리를 때렸다.

"아정아, 정신 차려!"

이지한이 무려 첫사랑을 느낀다는데, 그게 나일 리가 있냐? 내가 요즘 공주병이 생겼네. 별 착각을 다 하고.

아, 그래도 혹시 모르는 거 아니야?

호떡 뒤집듯이 이랬다저랬다 생각이 바뀌는 통에 나는 머리맡의 휴대 전화를 쥐었다. 그리고 지경이에게 메시지를 보내 보려 휴대 전화 키패드를 두드려 갔다. 그러다가 지경이 불과 몇 시간 전에 남겨 놓은 메시지를 다시 보게 되었다.

[아정아. 내가 말했잖아. 내 동생 눈 높다고. 그러니까 불필요한 오해는 생략하자.]

지경의 메시지를 읽고 나자, 더 물어봐야 또 같은 답이 돌아오겠다는 확신이 섰다.

그리고 그게 현실이라는 확신도 함께 섰다.

에라, 그냥 잠이나 자야겠다. 괜히 착각하고 마음 부풀리지 말고. 아예 아무 생각도 나지 않게 열심히 잠만 자야지.

나는 문을 등지도록 옆으로 돌아누웠다. 그리고 팔다리로 곰 인형을 한껏 끌어안은 채 눈을 감고 잠을 청했다.

예비 시동생이 자신을 좋아한다 말했을 때, 쌍수 들고 좋아라 할

여자가 몇이나 될까?

아니. 다른 여자 반응 따윈 내가 알 바 아니고, 그냥 딱 나아정만 놓고 생각하자.

나아정은 형을 사랑하는데, 무슨 정략결혼도 아니고 정말 사랑해서 하는 결혼인데, 느닷없이 내가 끼어들어 내 감정을 들이밀면. 과연 나아정은 받아들일 수 있을까?

아니, 애초에 믿을 수나 있나? 내가 저를 좋아한다는데. 내가 생각해도 기가 막힌 그 사실을 나아정이 단번에 납득하고 믿을 리가……. 아직까지 내 페어플레이 약속조차 못 믿는 나아정이 퍽이나 그러겠네.

"그래서 뭐? 이번엔 그 여자가 너 좋아하게 하는 부적이라도 써 달라고 왔어?"

맞은편에서 내 얘기를 듣다 말고, 단골 무속인인 강 씨가 퉁명하게 끼어들었다.

"아닙니다. 어차피 형 좋아하는 마음만 없어지면 나 못 받아들일 이유 없고, 그렇게만 되면 내 힘으로 나 좋아하게 만들 수 있으니까 부적은 그 여자가 지금 가진 걸로 충분합니다."

나는 나아정이 행운 부적이라 믿고 있는, 형에 대한 사랑을 식게 하는 부적을 떠올리며 대답했다.

"그럼 여긴 왜 왔어? 그 여자랑 어떻게 될지, 미래 봐 달라고?"

"미래는 내가 정해 뒀습니다. 아줌마가 안 된다고 해도 되게 할 겁니다."

"안 된다고 해도, 되게 할 거라고?"

"네."

단호하게 딱 잘라 대답하자 강 씨는 황당한 듯 눈을 찌푸렸다.

"그럼 대체 왜 온 건데?"

"미래는 내가 정해 놨으니까. 듣기나 하시라고요."

"……."

강 씨의 표정은 풀어지지 않고 더욱 구겨지기만 했다. 강 씨는 그대로 나를 지켜보다 잠시 만에 입을 열었다.

"아니, 그 여자는 네가 좋아한다는 거 믿지도 않을 거라면서? 근데 무슨 수로 되게 만들어?"

"일단 첫 번째로, 그 여자는 자기 자신부터 좋아하게 될 겁니다."

나는 팔짱을 끼고 자신 있게 예언했다.

"내가 볼 때 그 여자 최고의 문제점은 자기 자신을 좋아하지 않는 거니까. 우선 자기가 자기를 좋아해야, 남이 자기를 좋아한단 사실도 믿고 받아들이게 될 겁니다. 일명 자존감 높이기 전략이라고 치죠."

"자기 자신을 좋아하지 않는다……. 나이 서른셋에 그 성격이면, 그거 부모도 못 고친 건데. 그걸 네가 어떻게 고쳐?"

"부모가 못 고친 게 아니라 그럴 부모가 없던 여잡니다. 어머니는 일찍 돌아가시고. 아버진 없느니만 못한 것 같고."

없느니만 못한 그 아버지를 떠올리느라, 나는 며칠 전의 기억을 되돌렸다.

며칠 전 나아정을 찾으려고 나아정의 집에 들렀을 때, 그 집 거실에는 전에 없던 소파와 탁자, 텔레비전이 놓여 있었다. 처음 그곳에 들렀을 때 나아정이 잠들어 있던 바로 그 공간에 말이다.

아직 나아정이 결혼식을 치른 것도 아닌데 나아정이 다시 이 집에 올 리 없다는 것처럼, 거실은 그 집 분수에 맞지도 않은 호화로운 새 물건들로 가득 차 있었다.

거기서 15년을 살았다는 나아정이, 흔적도 느껴지지 않을 만큼.

게다가 날 마주한 나아정의 아버지는, 자기 딸이 연락 두절이라는 데도 별 반응이 없었지. 어디 갈 만한 데도 모른다, 친한 친구도 모른다. 꼭 남의 딸 얘기하듯 심드렁한 태도였고.

그런 아빠가 저런 딸을 만드는구나.

딱 견적이 나오는 부녀다.

"그래요. 확실히 나아정은 그럴 부모가 없었던 겁니다. 무조건 사랑해 주고 믿어 주고. 그럴 사람이 없었던 여자니까. 그러니까 우리 형한테…… 그렇게 쉽게 넘어간 거고."

나는 고개를 끄덕이며 쓴 입맛을 다셨다.

나아정으로서는 우리 형처럼 자길 믿고 응원해 주는 존재가 없었겠지. 그때만 해도.

"그러니까, 자존감이 없는 여자한테 자존감을 만들어 주겠다. 그 거야?"

"그겁니다."

"무슨 수로?"

"여기 오기 전에 극작가를 만났습니다. 요즘 국내에서 제일 알아주는 극작가라는데, 그 사람한테 나아정을 위한 맞춤형 희극을 의뢰했습니다."

"맞춤형 희극?"

"내가 볼 때, 연극배우 나아정의 유일한 문제점은 10대의 얼굴로 30대를 살고 있다는 점입니다. 가뜩이나 맡을 배역도 척박한데 나이는 자꾸 들어가고. 그 여잔 어린 여자 역할밖에 할 수 없는데, 정작 그 역할을 할 수 있는 어린 여자들 사이에선 경쟁력이 떨어지니까.”

“좀 심하기는 했지. 나도 웬 중학생인가 했다니까?”

“그래서 의뢰했습니다. 10대의 얼굴로 30대를 살고 있는, 저주받은 동안의 소유자. 딱 나아정 같은 주인공이 나오는 희곡. 최대한 빨리, 한 달 내로 완성하게.”

나를 보는 강 씨의 입이 놀란 듯이 딱 벌어졌다.

“그걸로 연극배우 나아정이 성공하면 없던 자존감도 쑥쑥 자라 겠죠. 그리고 내친김에 사진작가도 섭외해 뒀습니다. 내일 나아정 몰래 쫓아다니면서 파파라치처럼 나아정만 찍어 줄 사람으로.”

“파, 파파라치는 왜?”

“자기가 평소에 얼마나 예뻐 보이는지, 사진으로 알려 줄 겁니다.”

나는 불과 두어 시간 만에 성사시킨 두 건의 계약을 알리고서 스스로 뿌듯한 기분에 싱글 웃었다.

“허…… 참……. 사람 앞일 모르는 거라더니, 이거 정말 귀신이 곡할 노릇이네.”

강 씨는 혀를 내두르며 고개를 절레절레 저었다. 그 앞에서 나는 천천히 더 크게 고개를 저어 보였다.

“내 조상님이 곡할 노릇이죠. 집안이며, 재산이며. 아무리 봐도 이건 내가 밑지는 연애니까.”

“밑지는 거, 알긴 알아?”

“그 여자 집안이 좋다, 재산이 많다. 물론 그렇게 생각할 순 없죠. 조상님이나, 나나.”

나는 냉정하게 인정하며 고개를 끄덕였다. 하지만 이내 고개를 멈추고서 진심 어린 눈빛으로 강 씨의 눈을 보며 말했다.

"그런데도 나는 그 여자가 좋습니다. 그 여자가 돈도 없고, 집안도 나쁘고, 나이까지 많은데. 그게 아무렇지 않습니다. 그런 조건이 뭐가 문제인가 싶을 만큼, 그 여자가 정말 좋은 여자라서."

"대체 어디가 어떻게 좋은 여잔데?"

강 씨의 질문에 나는 답을 금방 떠올렸다. 내 감정을 깨닫기도 전에, 내가 정훈에게 퍼부었던 말들 속에 그 답이 있었으니까.

[내가 지난 한 달 동안 하루 삼시 세끼를 꼬박꼬박 저 여자 때문에 웃었어. 그게 어디 쉬운 일이야? 돈 주고도 못 사는 게 웃음인데. 하루 세 번은 기본이고, 옵션으로 더 웃는 날이 훨씬 많아.]

[백 명이 뭐라고 생각하든! 내 생각은 안 변해. 저 여자, 예쁘고 사람 기분 좋게 하는 데다가, 연기자로 능력까지 있는 여자야. 누가 제대로 믿고 밀어주기만 하면, 이제라도 얼마든지 연기자로 성공할 여자라고. 그러니까 너한테는 저 여자가 백배 천배 아까워. 나 저 여자, 저 가치 알아보고 밀어줄 수 있는 제대로 된 남자한테 줄 거다!]

기억 속의 내 목소리를 들으며, 가슴속의 감정을 다시 곱씹었다. 그러느라 피식, 자연스레 웃는 얼굴이 된 채 입을 열었다.

"매일 나를 웃게 하고, 내 눈에 제일 예쁘고, 사람 기분 좋게 하고. 거기다 얼마나 더 대단하게 자라날지, 잠재된 가능성에 두근거리게 하는 여자니까. 좋을 수밖에 없는 여잡니다."

강 씨는 한참 말없이 나를 지켜봤다. 그러다가 강 씨는 절레절레 고개를 저으면서 중얼거렸다.

"씌었군, 씌었어."

"압니다. 이런 게 콩깍지라는 거."

"귀신이면 뗄 수나 있지, 하필 콩깍지가 저렇게나 씌어서는."

"귀신이면 떼고 싶겠지만, 이 콩깍지는 떼고 싶지 않습니다. 이거 달고 있으니까 기분 좋을 일이 더 많아졌습니다."

"기분이 좋을 일이라……."

"그 여자가 예뻐 보이는 게 기분 좋은데, 이제 그럴 때가 아주 많아졌거든요. 보고 있으면 계속 기분이 좋습니다."

내 말에 강 씨는 신기해하는 눈빛으로 물끄러미 나를 봤다. 그리고 잠시 후에 고개를 끄덕이며 입을 열었다.

"흠……. 그런 상대라면 잡아야지. 그래, 그럼 첫 번째로 자존감을 높인 다음, 그다음 계획은 뭐지?"

"그때 말할 겁니다. 내가 좋아한다고."

아주 중요한 예언을 하듯, 나는 검지를 들어 보이면서 선언했다.

"그땐 나아정도 믿을 겁니다. 내가 자길 좋아할 수 있단 사실을. 높아진 자존감으로."

그럴싸하다 느끼는지, 강 씨는 수긍이 간단 표정으로 다시 고개를 끄덕끄덕했다.

"마지막으로 나아정이 형보다 나를 사랑하게 하면, 끝."

간단명료하게 말을 마치자 강 씨는 이상한 듯 얼굴을 찌푸렸다.

"잠깐. 그게 그렇게 쉬운 일인가?"

"그게 그럼 어려운 일입니까?"

"보통은 그걸 제일 어려워들 해. 남의 마음 얻는다는 게 절대 쉬운 일이 아니거든."

“그건 보통 사람들 얘깁니다. 내가 아니라.”

나는 강 씨의 눈을 똑바로 보며 정색하고 말했다.

“……망할. 왜 저딴 말이 납득이 가는 거여.”

분한 듯이 강 씨는 부채를 펼쳐 들고 자기 얼굴에 부채질을 해 댔다.

“아무튼, 제 미래는 이렇게 정해져 있습니다. 뭐 더 궁금한 거 있으십니까?”

“아니. 정말 네 얘기나 늘어놓으려고 여길 온 게야?”

기막혀하는 강 씨에게 어깨를 으쓱해 보이고는 차분하게 대답했다.

“그것만은 아닙니다. 전에 부탁했던 그 여자 일 잘 풀리는 부적. 그것도 받을 겸 왔습니다.”

이쯤에서 나는 시계를 확인했다.

“또 한 가지 볼 일이 있으니까. 곧 일어나야겠습니다. 부적, 빨리 부탁드립니다.”

“자기 미래는 자기가 정해 놓는 놈이, 남의 부적은 왜 찾아? 아예 이런 거 믿지도 말지.”

“내 걱정은 안 되는데, 그 여자 걱정은 돼서 그럽니다.”

내가 점을 보는 이유는 내 사주가 훤칠하게 좋기 때문이다. 금수저 물고 태어나서 황금 마차 타고 달리는, 평생이 황금기인 내 사주를 그 분야 전문가에게 듣는 것. 그게 내 기분 전환에 도움이 되니까.

하지만 딱 거기까지다.

내 미래가 내 뜻과 다르다든가, 내가 지금 원하는 것이 이뤄지지 않는다든가. 그런 얘긴 듣지 않는다. 그건 내가 정할 일이니까.

부적의 도움도 나로서는 필요 없다고 생각한다. 하지만 나아정에게라면 얘기가 달라진다. 그 여자에게라면 좋은 거 다 갖다 붙이고 싶으니까.

"아예 여러 장 그립시다. 그 여자 가방마다 안에 박음질해 버리게."

나는 주문을 추가하고서 재차 시계를 확인했다. 오늘의 마지막 할 일인 다음 약속까지 남은 시간 15분. 부적 열 장쯤은 그려 갈 수 있을 시간이다. 그렇기에 한마디를 덧붙였다.

"부적 열 장. 그 여자 일이 최소 열 배는 잘 풀리게 부탁드립니다. 5분 내로."

강 씨는 부적 종이를 꺼내면서 고개를 갸웃거렸다.

"뭐가 그리 급해?"

"15분 뒤에 헤어숍에 도착하려면 시간이 촉박합니다."

"이 시간에? 저녁 아홉 신데?"

"염색하고 들어가면 자정 전엔 내 집에 도착할 수 있을 시간이죠."

"아니, 이 시간에도 예약을 받아 준단 말이야?"

"내 예약은 받습니다."

"……."

"아무튼 빨리 그려 주시죠."

내가 재촉하자 강 씨는 붓을 꺼내 들며 질문을 던졌다.

"그런데, 갑자기 염색은 왜 하려고?"

"내가 금인 거, 광고하려고요."

나는 내 머리를 가리키며 대답했다. 그러자 잠시 내 머리를 지켜보던 강 씨는 곧 내 계획을 딱 알아차린 표정으로 허허 웃었다. 그리고 강 씨는 부적을 그려 나가면서 중얼중얼 혼잣말을 했다.

"원, 별짓을 다 하고. 아주 호수 물에 금도끼가 홀랑 빠졌군."

호수 물에 금도끼라.

그럴듯한 표현이다 싶어 나는 기분 좋게 되새겨 보며 혼자 피식 웃었다.

잠에서 깬 나는 가느다랗게 눈을 떴다. 해가 중천에 걸렸는지 창문을 타 넘은 햇살에 눈이 너무 부셨다. 그래서 얼른 눈을 도로 감고 창문의 반대편으로 몸을 발랑 돌렸다.

이제 눈이 부시지는 않겠지, 생각하며 다시 서서히 눈을 떴다. 그런데 내 예상을 깨고 내 눈앞에는 눈을 부시는 무언가가 있었다.

밝은 금빛.

마치 외국인의 머리카락 같은 금발 머리.

나는 티 테이블에 앉아 책을 읽고 있는 남자의 빛나는 금발 머리에 잠이 번쩍 달아났다.

"누, 누구세요?"

펄쩍 몸을 일으키며 묻자 남자가 나를 향해 고개를 돌렸다. 선이 분명한 남자의 이목구비로.

나는 금방 알아차렸다.

그가 이지한이라는 사실을.

그러나 도무지 영문은 알아차릴 수가 없어, 넋이 빠진 채로 아무 말도 할 수 없었다. 이지한은 아무렇지 않은 얼굴로 책을 덮고 티 테이블 위에 얹어 놓았다.

"깼으면 일어나서 세수부터 합시다. 오늘 할 일이 많으니까."

이지한이 확실하다. 목소리가 확실히 이지한이야.

내가 멍하니 생각하는 사이, 이지한은 자리에서 몸을 일으켰다. 그리고 나를 마주 보며 서서히 침대로 걸어왔다.

이지한이 바로 앞에 서자 휘황찬란한 금발 머리가 아침 햇살을 받아 더욱 밝은 빛을 냈다.

아주 머리에 금칠을 한 것처럼 비현실적인 머리 색이다. 그런데, 어떻게 저게 저렇게 어울리지? 아…… . 얼굴도 비현실적이라 그렇구나.

나는 마치 번쩍번쩍한 금부처를 올려다보듯, 이지한의 얼굴을 우러러봤다.

왠지 절을 해야 할 것 같은 기분이다…… .

이지한은 그런 나를 내려다보다 살짝 눈살을 찌푸리고 말했다.

"나아정 씨 침 흘리는 거 생중계로 안 보여 줘도 됩니다."

"엇, 제가요? 지금?"

나는 퍼뜩 정신을 차리고서 손등으로 쓱쓱 입가를 닦았다.

"봐도 상관은 없지만."

이지한은 조용히 덧붙이고서 허리 숙여 내 팔을 잡았다.

"침 닦는 김에 물로 얼굴 제대로 씻고 나오죠. 아침 먹고 바로 나갈 수 있게."

이지한의 힘에 이끌려서 나는 침대에서 일어났다. 그리고 여전히 영문을 모르는 채, 이지한에게 등을 떠밀려 욕실로 들어서게 되었다.

내가 아침을 먹는 내내 이지한은 방에서 누군가와 통화를 이어 갔다. 그래서 나는 말 한마디 못 붙여 보고 꾸역꾸역 혼자서 식사

만 해치워야 했다.

이윽고 식사를 마치고서 빈 그릇을 개수대에 옮기려 들 때, 이지한은 그제야 성큼성큼 걸어와서는 내 손목을 잡아끌었다.

"갑시다."

"예?"

이지한은 곧장 내 방으로 이끌더니 침대 위를 가리켰다. 어느 틈에 사다 놓은 건지 침대 위에는 쇼핑백이 놓여 있었다.

"이거 입고 바로 출발입니다. 실시."

뭐가 그리 급한 건지 이지한은 재촉하듯 빠르게 말했다. 그러고서 휙 나가 버렸기 때문에 나는 또다시 말을 걸 틈이 없었다.

대체 왜 저러지? 설마 또 맞선인가? 근데, 머리는 또 왜 저래?

궁금증이 머리를 맴돌고 맴돌았지만, 일단 쇼핑백을 열어 옷을 꺼내 들었다.

"어라? 맞선은 아닌 건가?"

마치 좀먹은 것같이 구멍이 송송 뚫린 하얀 티셔츠에 청반바지.

쇼핑백에 들어 있던 그 두 가지를 훑어보며 고개를 갸웃거렸다.

설마 이거 입고 맞선 보라는 건……. 에이, 아니지? 아니겠지?

나는 옷을 갈아입은 다음, 옷장 옆 전신 거울에 비추어 보았다.

보일 듯 말 듯 티셔츠에 송송 뚫린 구멍들은 허리에 조금, 쇄골에 조금씩 있었다. 그래서 우려와 달리 야하거나 불편한 느낌은 아니었다. 나는 전신 거울 앞에서 몸을 한 바퀴 돌려 가며 내 뒷모습까지 체크했다.

화장대에 거울이 붙어 있는데 왜 또 이 거울을 샀는지 이해할 수 없었건만. 이렇게 보니 이유를 알 것도 같다.

머리부터 발끝까지 한 번에 확인할 수 있으니까 편하긴 편하네.

나는 고개를 끄덕끄덕한 뒤 심호흡을 하고 방문으로 향했다. 그리고 문을 여는 순간, 맞은편 문 앞에 선 이지한이 바로 보였다. 그바람에 움찔 멈춰 섰다.

그런데 나를 본 이지한은 천천히, 진지한 표정으로 박수를 쳤다.

"어울릴 줄 알고 산 거지만, 이 정도로 보기 좋을 줄은 몰랐습니다."

"……예?"

설마 지금, 내가 보기 좋다는 거야?

마치 나를 극찬하는 듯한 태도에 나는 정말 괴상망측한 기분이 들어 온 얼굴을 일그러뜨렸다. 그러나 이지한은 개의치 않고 덥석 내 손목을 잡았다. 그리고 이지한은 현관을 향해 성큼성큼 걸음을 옮겼다.

이지한과 승강기에 나란히 선 채, 벼르고 있던 질문을 내뱉었다.

"저기, 지금 어디 가는 건데요?"

"놀러 갑니다."

"놀러? 아니, 뜬금없이 무슨……. 어디로요?"

어리둥절해서 물어보자 이지한은 도리어 내게 질문했다.

"어디 갈 겁니까?"

"예?"

"어디든지 말합시다. 그쪽이 놀잔 데서 놀아 줄 테니까."

"아니……. 갑자기 그게 무슨."

내 말이 끝나기도 전에 승강기가 하강을 멈추더니 우리 앞의 문을 열었다. 그러자 이지한은 또다시 내 손목을 잡고 승강기 바깥으로 나를 데리고 나갔다.

그런데 아파트 건물의 입구를 나서기 직전 이지한은 걸음을 멈추고 나를 마주 세웠다. 이어서 이지한은 내 얼굴을 눈으로 세세하게 살펴봤다. 그러더니 이지한은 손끝으로 내 이마에 붙은 머리카락 몇 올을 걷어 냈다. 그런 다음 이지한은 두 발짝 물러나 내 모습을 전체적으로 슥 훑어봤다.

"이제 됐습니다."

마치 무대에 오르기 전 배우 상태를 확인하는 스태프처럼 이지한은 고개를 끄덕거렸다. 그리고 이지한은 덧붙였다.

"어제보다 이게 낫네."

어제처럼 미용실에 들른 것도 아니고 예쁜 옷을 입은 것도 아닌데. 이지한은 정말 어제보다 훨씬 마음에 드는 듯이 내 모습을 바라보며 피식 웃었다. 그러더니 이지한은 또 한마디를 더했다.

"오늘 진짜 보기 좋습니다."

아무래도 이지한은 작전을 바꾼 것 같다.

나와 형의 결혼을 막기 위해서 내게 남자를 소개시킬 게 아니라, 내 심장을 마비시키기로.

다시 이지한의 손에 이끌려 건물을 빠져나가면서 나는 무리하게 뛰어 대는 심장을 한 손으로 부여잡았다.

운전석에 앉은 이지한은 차에 시동을 걸었다. 이지한의 옆자리에

서 나는 벅찬 숨을 코로 몰아쉬며 왼쪽 가슴을 다독여 댔다. 마치 방금 이지한이 매 준 안전벨트가 내 심장을 조이기라도 하는 듯이.

"어디 갈진 정했습니까?"

"그, 글쎄요. 너무 갑작스러워서. 저는 뭐가 뭔지 하나도 모르겠네요."

"간단합니다. 그쪽이 제일 많이 웃을 수 있는 곳. 그런 데를 알려 주는 겁니다, 나한테."

내가 제일 많이 웃는 곳이라…….

곰곰이 생각에 빠졌지만, 딱히 내가 어디서 몇 번을 웃었는지 기억이 나질 않았다.

아니, 애초에 그런 걸 세어 보는 사람, 없지 않나? 내가 오늘 길에서 몇 번 웃었는지, 집에서 몇 번 웃었는지. 그런 거 일일이 세어 보고 기억하는 사람이 어디 있어?

혹시 몰라 조금 더 생각해 보았지만, 결국 내가 내세울 수 있는 장소는 떠오르지 않았다.

"모르겠어요."

"그럼 놀이공원으로 하죠."

내가 고개를 젓자마자 이지한은 단호하게 말했다.

처음부터 거기 말고 다른 답은 없었던 게 아닐까…….

나는 의심의 눈초리로 힐끔 이지한을 흘겨보았다. 그때 이지한은 왜인지 차창을 내리고서 창밖으로 왼손을 내밀었다. 그런 채로 이지한은 오른손으로 핸들을 움직이며 서서히 차를 출발시켰다.

"뭐 해요? 왜 손을 그렇게 해요?"

"이 차 출발한다고 수신호 보내는 겁니다."

"수신호요? 그건 주위에 누가 있을 때나 하는 거잖아요. 지금 아무도 없는데요?"

"누군가는 보겠죠."

무슨 운전면허 시험 치르는 것도 아니고.

이지한은 보이지 않는 누군가까지 배려해 가며 꼼꼼하게 안전 운전을 실행해 갔다.

광활한 놀이공원 한가운데에서 이지한은 지도를 펼쳐 들었다. 그리고 이지한은 지도에 표시된 놀이 기구들을 하나하나 깐깐하게 살폈다.

"나아정 씨. 하늘에서 뚝 떨어지는 거 잘 탑니까?"

"잘 모르겠어요."

"왜 모릅니까?"

이지한은 이상하단 투로 나를 봤다.

"타 본 적이 없어서 잘 몰라요."

"그럼 여기, 하늘에서 쌩쌩 날아다니는 건 탈 수 있습니까?"

"그것도 잘 모르겠어요. 타 본 적이 없어서."

"그럼 타 본 적이 있는 건 뭡니까?"

"없어요."

"아니. 어떻게 없을 수가 있죠?"

"그야, 와 본 적이 없으니까요."

이지한은 믿을 수가 없는 듯이 눈을 크게 뜨고 정색했다.

"와 본 적이 한 번도 없단 말입니까?"

"예, 그렇긴 한데. 저 같은 사람 꽤 있어요."

내가 대수롭지 않게 대답하자 이지한은 굳은 얼굴로 지도를 접었다.

"그럼 전부 다 탑시다."

"예?"

"오늘 여기 있는 거, 다 타고 집에 갑니다."

이지한은 내 팔을 잡고 가장 가까이 있는 놀이 기구를 향해 성큼 성큼 걸어갔다. 그러다가 이지한은 갑자기 뭔가 생각난 듯 우뚝 멈춰 서더니 뒤를 두리번거렸다. 꼭 뭔가를 찾는 듯한 눈빛으로.

"왜요? 뭐 찾아요?"

내가 묻는 찰나에 이지한은 그 무언가를 발견한 듯 어딘가로 시선을 고정했다. 그리고 작게 고개를 끄덕끄덕했다.

"뭔데요?"

같은 곳을 보려고 고개를 돌리려는데, 이지한의 두 손이 불쑥 내 두 볼을 잡아 고정시켰다.

"뒤에 귀신 따라옵니다."

"예?!"

순간 화들짝했다가, 이내 이성을 찾아 얼굴을 찌푸렸다.

"에이, 그게 말이 돼요? 대낮에 웬 귀신? 내가 그런 거에 속을 거 같아요? 진짜 말도 안 돼. 사람을 뭐로 보고."

"진짜 귀신 말고. 그보다 더 무섭게 분장한 가짜 귀신입니다."

"가짜 귀신이요?"

"가끔 놀이공원에선 공포 체험, 납량 특집 뭐 그런 걸 합니다. 귀신 분장한 직원들이 뒤에 따라다니면서 사람 놀라게 하는 겁니다."

“그, 그런 거 텔레비전에서 본 거 같긴 해요. 막 어디서 튀어나오고, 뒤에서 쫓아오고.”

나는 더럭 겁이 나서 말을 더듬었다.

“그런 거 보고 싶습니까?”

“아니요!”

혹시라도 보여 준답시고 이지한이 잡고 있는 내 얼굴을 뒤로 비틀까 봐 다급하게 버럭 외쳤다. 그러자 이지한은 진지하게 당부했다.

“그럼 뒤는 보지 말고 갑시다.”

나는 바짝 얼어붙은 얼굴로 고개를 마구 끄덕였다. 절대 안 봐, 절대 안 봐. 그렇게 속으로 다짐하면서.

이지한은 그런 내 얼굴에서 손을 내리더니 내 손목을 잡고 말했다.

“표정은 풀죠?”

“뒤에 귀신 있다면서요.”

“뒤에 귀신 있고, 옆에 내가 있고. 누가 더 무섭습니까?”

나는 잠깐 동안 골똘히 둘을 비교해 봤다. 물론 내 기준에서 답은 뻔한 것이었다.

“너요. 아, 아니. 님이요.”

내 대답에 이지한은 피식 웃었다.

“그러니까 귀신도 나 무서워할 겁니다.”

그러더니 이지한은 내 손목에서 손을 내려 내 손을 잡았다. 손바닥이 손을 거머쥐는 순간에, 나는 너무 놀라서인지 가슴이 다 울렁거렸다. 동시에 어깨가 움찔하고 다리가 쭈뼛 뒤로 움직였다. 그러나 이지한은 아무렇지 않게 나를 보며 이어 말했다.

“진짜 귀신이든 가짜 귀신이든. 나같이 기 센 사람 못 건드립니다. 그러니까 귀신 보기 싫으면 이 손 꼭 붙들고 다닙니다.”

정말 그럴싸한 말이다. 귀신이든 사람이든, 누가 이 인간을 함부로 건드릴까? 마음 놓고 건드릴 수 있는 건, 나같이 만만한 인간이지.

그럼 뒤의 귀신이 노릴 만한 인간은……. 나잖아?!

확 소름이 끼쳐 나는 고개를 바들바들 떨 듯이 마구 끄덕였다. 그러자 이지한은 놀이 기구를 향해 발걸음을 옮겼다.

왜인지 기분 좋은 미소를 입에 걸고서, 계속 내 손을 붙잡은 채로.

날이 저물어 놀이공원을 빠져나왔을 때, 드넓은 놀이공원에서 우리가 체험하지 못한 놀이 기구는 단 하나도 없었다.

아……. 내가 오늘 몇 번을 울었던지. 이놈의 속눈썹은 몇 번이나 젖고 말라 댔는지. 아주 속눈썹 털면 소금이 떨어질 거 같다.

덕분에 배웠다. 나는 하늘에서 뚝 떨어지고 하늘에서 쌩쌩 날아다니고. 그런 거 절대 못 탄다. 급물살에 휩쓸리는 보트 같은 것도 절대 사양이다.

그렇지만 그럼에도 불구하고, 떠나기가 아쉬워서 몇 번이고 놀이공원을 뒤돌아보았다. 이제 귀신은 퇴근했기 때문인지 이지한은 내가 뒤를 돌아봐도 말리지 않았다. 그런데 손을 놓지도 않았다.

이지한은 차 조수석에 나를 앉히고서야 내 손을 놓았다. 그리고 이지한은 조수석 문을 닫은 다음 차 앞쪽으로 향했다. 운전석으로 건너가나 싶더니 이지한은 운전석 앞쯤에서 멈춰 서서 전화를 걸었다. 나는 이지한의 금발 머리를 마치 등대 불빛을 보듯 응시했다.

눈물 나게 놀라고 아찔하고 무서울 때가 많았지만, 그럴 때를 제외하면 모든 순간이 즐거웠던 하루였다. 그리고 그럴 때를 포함한 모든 순간은 내가 웃으면서 추억하게 될 하루였다. 내가 처음 놀이공원에 와 본 날로, 두고두고 추억하게 될 그런 하루.

행동의 이유는 모르겠지만 결과는 고마웠다.

물론 행동의 이유를 모른다는 건, 시한폭탄을 멘 것처럼 불안한 일이지만.

나는 고마워하다 말고 또다시 엄습해 온 불안감에 손톱을 잘근잘근 씹으며 이지한을 지켜봤다.

도대체 저 통화 상대는 누구지? 자기가 거는 것 같던데…….

설마 여기서 나를 직거래하는 건가? 왜 막, 드라마 같은 거 보면 애 버리기 전에, 마지막으로 좋은 데 데려가고 그러잖아? 그 좋은 데의 1순위가 놀이공원이고. 아니, 아예 놀이공원에서 버리기도 하잖아? 이제 날 막, 어디 팔아 치우는 거 아니야?

불안감이 마구 증폭되려는데, 이지한은 전화를 끊고 운전석으로 다가왔다.

그러고 보면 저 파격적인 금발 머리. 저것도 위장술이 아닐까? 날 팔아치운 다음 다시 흑발로 돌아가면, 내가 팔리는 걸 본 목격자가 기억하는 용의자는 금발일 테고…….

나는 내가 가진 모든 추리력을 동원해서 지금 내게 벌어질 수 있는 최악의 상황을 상상해 갔다. 그러는 사이 이지한은 운전석에 올라탔다.

"서울까진 사십 분쯤 걸릴 텐데 배고프면 지금 말해요. 여기서 뭐 요기할 거라도 사 가지고 가게."

이지한은 시동을 걸며 말했다.

"예? 저희 서울 가요? 둘이서?"

나만 놓고 가는 거 아니고? 중간에 팔고 가는 거 아니고?

내가 눈이 휘둥그레져서 묻자 이지한은 의아하단 눈빛으로 되물었다.

"그럼 뭐, 귀신까지 셋이서 갑니까? 가서 불러와요?"

"아, 아니요! 아닙니다, 아니에요."

나는 안전벨트를 동아줄 붙잡듯이 꼭 붙잡고서 도리도리 고개를 저어 댔다.

서울의 한 레스토랑에서 내가 주문한 요리가 내 앞에 놓였을 때, 비로소 의심을 내려놓고 포크를 집어 들었다.

내 맞은편에 앉은 이지한은 테이블 위 휴대 전화를 확인하고 있었다. 내가 저를 가지고 어떤 의심의 나래를 펼쳤는지 전혀 모르는 얼굴로.

이지한의 저 금발 머리에 딴 뜻이 있었던 건 아니었구나.

나는 안심하다가 문득 궁금해져 질문을 던졌다.

"근데, 그럼 갑자기 염색은 왜 한 거예요?"

이지한은 여전히 휴대 전화에 시선을 고정한 채 포크를 들고 자기 머리를 딱 가리켰다.

"나 보기를 금같이 하란 뜻입니다."

저 머리 색에 저런 이유가 나올 줄, 누가 상상이나 했을까?

일단 나는 못했다. 딴사람은 몰라도 나는 전혀 못 했다.

아니, 뭐 저런 게 이유야? 나 보기를 금같이 하라니. 그만큼 귀한 존재니까 알아 모시라는 건가?

어안이 벙벙해서 말없이 지켜보는데 이지한은 혼자 고뇌에 빠진 듯이 미간을 찡그렸다. 그러더니 이지한은 계속 휴대 전화를 바라보며 입술만 움직였다.

"나아정 씨. 화장대 놓인 벽에 화장대 위로 벽 공간이 어느 정도 되죠?"

"그건, 잘 모르겠는데요."

내 대답에 이지한은 손끝으로 이마를 문지르며 난감한 듯 중얼거렸다.

"거기 아니면 하나 더 놓을 공간이 없을 텐데……."

"뭘 놓는데요?"

뭔 소린가 싶어 물었더니 이지한은 건성으로 대답했다.

"좀 이따 가서 보면 알 겁니다."

아, 뭘 저렇게 열심히 보는 거래?

문득 궁금해져 포크를 입에 문 채 목을 쭉 내밀어 이지한의 휴대 전화를 훔쳐봤다.

뭔가 사진인 거 같은데……. 갑자기 이지한이 휴대 전화를 자기 눈앞으로 들어 올렸다. 그리고 이번에는 메시지를 작성하듯 두 손으로 휴대 전화를 두드려 갔다.

이윽고 이지한은 휴대 전화를 내려놓았다. 그리고 드디어 나를 보았다. 그것도 웃는 얼굴로.

"나아정 씨 휴가였던 날, 기억납니까?"

뜬금없는 질문에 나는 고개를 갸웃거렸다.

"그야 기억나죠. 이제 겨우 일주일쯤 지난 일인데."

"그때 말한 기적. 내가 당신이랑 손잡고 쎄쎄쎄 놀러 가는 일. 그런 기적이 오늘 벌어졌습니다."

이게 뭔 소린지.

나는 휴가 때의 기억을 되돌렸다. 그러자 그때 쎄쎄쎄를 언급했던 이지한의 목소리가 들려오는 듯했다.

[아니. 우리끼리 쎄쎄쎄 놀러 가는 게, 그게 댁이 기분 나쁠 일입니까? 내가 기분 나쁠 일이지?]

[예?]

[내가 당신이랑 손잡고 쎄쎄쎄 놀러 가는 일은요. 당신이 나한테 제발 그래 달라고 빌어도 절대 일어나지 않을 기적이거든요? 그러니까 그런 예시에 그쪽이 기분 나빠 하지 말죠?]

[아뇨, 그게 기분 나쁜 게 아니라요. 저는……. 제가 감히 그런 생각을 할 리가 없다. 믿어 달라, 그런 의미로다가 격렬하게 제 결백을 알리려고 한 거예요. 기분 나빠한 거 절대 아니에요. 전혀! 어우, 그런 기적이 생긴다면야 저야 감동이죠. 그런 날이 생기면요, 저 막 일기에도 쓸 거예요. 기념일로 지정해서 해마다 길이길이 기억할 거고요. 꿈엔들 잊히겠어요? 그런 날이?]

맞아. 그런 대화가 있었지.

나는 회상을 마치고서 이지한에게 고개를 끄덕끄덕해 보였다.

"예, 그렇죠. 기적이죠, 오늘 일은."

"그럼 그 입으로 한 말, 지킵시다."

이지한은 검지로 내 입술을 가리키며 당부했다.

"설마 그 얘기는……. 오늘 기적을 일기에 쓰란 말씀……?"

"기념일로 지정해서 해마다 길이길이 기억도 하고 말입니다."

"아, 그럼요! 그래야죠."

나는 순발력 있게 냉큼 주먹까지 쥐어 보였다. 그러자 이지한은 나이프로 스테이크를 썰며 덧붙였다.

"기념일은 내년에, 일기는 내일 검사할 겁니다."

설마 이런 날이 진짜로 올 줄이야……. 되도 않게 막 던지던 내 공약을, 진짜로 지켜야 할 줄이야…….

낭패감에 멍해졌지만, 애써 웃는 얼굴로 두 손을 모아 하트 대신 동그라미를 만들어 보였다.

"예, 당연히 그래야죠. 이따 가는 길에 문방구 들러야겠네요. 일기장 사러. 우와……. 이런 꿈 같은 일이 정말 일어나다니. 두고두고 박제할 일기니까, 완전 예쁜 거 사야겠어요."

내 반응이 마음에 들었는지 이지한은 기분 좋은 표정으로 식사를 시작했다.

아……. 서른 넘어 일기장 검사라니.

나는 울며 겨자 먹는 마음으로 식사를 시작했다.

새로 산 일기장을 품에 안은 채 나는 이지한과 함께 아파트로 돌아왔다.

서로의 방이 맞은편에 있기 때문에 이지한은 나와 나란히 복도를 가로질렀다. 그러다가 이지한은 나와 같은 지점에서 발을 멈췄다. 바로 서로의 방문이 마주하는 지점에서.

나는 이지한을 뒤로한 채 별생각 없이 내 방문을 열고 들어가 전등 스위치를 눌렀다.

그런데 전등불이 환하게 방을 비추자 우선은 새로 설치된 오디오가 보였다. 이건 예고됐던 일이니까. 나는 대수롭지 않게 시선을 옮겼다. 그랬더니 이번에는 벽에 가득한 대형 사진 액자들이 눈에 들어왔다.

"어라?"

전에 없었고 예고도 없었던 액자들이라서, 얼떨떨한 기분으로 액자들을 둘러봤다.

붙박이장이 있는 벽과 창문이 있는 벽을 제외하고 나머지 두 개의 벽은 모두 액자들로 채워져 있었다. 어찌나 빼곡히 걸려 있는지. 심지어 화장대 위의 벽면까지도 액자가 걸려 있었다. 그리고 그 액자들에는 내 사진이 담겨 있었다.

긴가민가해서 잠시 더 살펴봤지만 사진 속의 피사체는 정말 내가 맞았다. 사진 속의 나는 불과 몇 시간 전 놀이공원에서 찍힌 듯한 모습이었다.

"아니, 이게 뭐예요?"

나는 어안이 벙벙해져 이지한을 향해 물었다. 이지한은 성큼 내 방 안으로 들어와 있었다.

"뭐긴 뭡니까? 그쪽 사진이지."

이지한은 태연하게 내 옆에 서며 답했다. 그리고 이지한은 감상하듯 내 사진을 바라보며 덧붙였다.

"어제 사진작가 고용해서 오늘 그쪽 사진 한 천 장쯤 찍었습니다. 그리고 이건 천 장 중에 스무 장만 일단 액자로 만든 겁니다."

"처, 천 장……?"

"나머지는 파일로 받았습니다. 그쪽이 보고 더 마음에 드는 사진 있으면 얘기합시다. 이건 내 눈으로 고른 사진이라. 내 눈에만 예뻐 보이는 걸 수도 있으니까."

"뭐라고요?!"

경악하는 내 얼굴은 보지도 않고 이지한은 계속 사진을 바라보며 그저 손을 내 머리 위로 얹었다.

"내 눈에는 이 사진들이 제일 예뻐 보인다, 이 말입니다."

머리 위의 큼지막한 손이 다섯 손가락을 꽉 오므려 내 머리를 쥐었다. 그리고 이지한의 또박또박 단호한 목소리가 이어졌다.

"새겨들읍시다. 이거 좋은 말이니까."

그렇잖아도 뇌에 새겨지고 있었다. 하도 충격이라.

이 인간, 혹시 미친 거야?

충격에 공포까지 밀려와서 나는 몸이 덜덜 떨려 왔다.

"파일은 내일 확인시켜 줄 테니까. 일단 씻고, 일기 쓰고 잡시다."

이지한은 쥐었던 내 머리를 풀어주고 톡톡 토닥이며 말했다.

나는 쭈뼛쭈뼛 겁에 질린 두 눈으로 고개 돌려 이지한을 올려다 봤다. 이지한은 다정하다 싶을 만큼 착한 얼굴로 미소까지 머금은 채 나를 내려다보고 있었다.

저 금빛으로 빛나는 자애로운 미소라니…….

아무래도 이지한은 하룻밤 사이 열반에 올라 금부처가 되신 모양이다.

반면에 나는 돌부처가 된 듯이 그 자리에 꼿꼿이 굳어 버렸다. 이지한이 방을 빠져나가고, 그대로 긴 시간이 지날 때까지.

일단 아침 식사를 끝내고서 나는 나아정의 방 티 테이블에 앉아 나아정의 어제 일기를 펼쳐 들었다. 내 앞에서 나아정은 노트북을 마주하고 있었다. 어제 찍힌 천여 장의 사진이 담긴, 내가 가져다 준 새 노트북을.

나는 일기를 읽으려다 말고 흘끗 나아정을 봤다. 어젯밤 사이 내가 흐뭇하게 지켜보던 사진들을 나아정은 어떤 표정으로 지켜보는지, 그게 궁금해서 나아정의 표정을 살폈다.

나아정은 발그레해진 두 볼을 감싸고서 신기해하는 눈빛으로 노트북을 바라보고 있었다.

마치 이게 자기 자신이라는 게 믿겨지지 않는 것처럼.

"그러고 있으니까 꼭, 자기 얼굴에 자기가 반한 사람 같습니다."

나아정은 내 말에 움찔하더니 얼굴이 새빨개지며 손을 내저었다.

"엇, 아니에요! 그런 게 아니라. 사진이 나 아닌 것처럼 되게 잘 나와서요. 진짜 완전 다른 사람 같아요."

"되게 잘 나오긴 했지만, 그냥 그쪽답게 잘 나온 겁니다. 그쪽 생긴 대로."

"에이, 내가 뭐 이렇게 생겼어요."

"어제 화장도 안 하고 옷도 편한 걸로 입고. 카메라는 전혀 의식도 못 하고. 그렇게 찍힌 사진입니다. 그야말로 내추럴하게."

"내추럴하게 찍었지만 포토샵 하고 보냈겠죠. 내 사진, 거의 성형 수준으로 고친 것 같은데요?"

"내 눈엔 그냥 그 얼굴이, 이 얼굴입니다."

나는 노트북을 가리켰다가 나아정의 얼굴을 가리켰다.

"진짜요?"

나아정은 눈이 휘둥그레져서 나를 봤다.

"나 거울로 볼 땐, 이런 얼굴 아니던데?"

"그건 그쪽 눈에 심각한 병이 있는 거고."

"예? 병이요? 무슨 병이요?"

"남보다 못한 눈으로 자길 보는 거. 그거 병입니다. 고칩시다."

나는 단호하게 명령하듯 말했다. 그러자 나아정은 영문을 모르겠는지 나에게서 시선을 내리고 고개를 갸웃거렸다.

"벽에 걸린 저 사진들, 괜히 붙여 놓은 거 아닙니다. 앞으로 저거 보면서 자아 성찰하란 겁니다. 저게 나다, 저게 나다. 모르겠으면 외워서라도 머리에 입력하십시다."

나는 티 테이블을 손바닥으로 탁탁, 두드려 가며 가르쳤다. 그리고 나는 눈을 부릅뜨고 따끔한 말투로 물었다.

"알겠습니까?"

"예, 아, 알았어요."

나아정은 퍼뜩 고개를 끄덕이며 대답했다. 그 모습에 안심한 나는 다시 일기장으로 시선을 내렸다. 드디어 나아정의 어제 일기를 읽기 시작했다.

×월 ×일. 날씨 맑음.

나는 오늘 놀이공원에 갔다. 님이 함께 가 주었다.

나는 놀이 기구를 전부 다 탔다. 사파리도 체험했다.

나는 굉장히 즐거웠다. 님과 놀이공원에 가다니, 정말 기적 같은 일이었다.

정말, 정말 즐거운 하루였다.

"뭡니까? 이 초딩스런 일기는."

기가 차서 눈살을 찌푸리며 나아정을 봤다. 그러자 나아정은 민망한 듯 또 얼굴을 붉히고서 머리를 긁적긁적하며 말했다.

"어제 너무 동심으로 돌아가는 바람에……. 어린 마음으로다가, 일기가 써졌네요."

"어린 마음? 참나! 그럼 어린이가 치매는 왜 걸립니까?"

"예?"

"내가 사파리 체험 끝나고 2시 40분경에 솜사탕 사 준 거. 그거 왜 빼먹습니까?"

"아, 그거."

"그리고 무서운 거 탈 때마다 내가 손잡아 줬단 사실도 빠져 있습니다."

"그야……."

"점심은 그쪽 먹고 싶단 걸로 뭐든 마음대로 고르게도 해 줬습니다. 그 불량한 패스트푸드를 내가 어떤 마음으로 참아 줬는데! 그건 또 왜 없습니까?"

나는 나아정에게 대꾸할 틈도 주지 않고 지적해 댔다.

“그거 말고도 빠진 게 한두 개가 아닙니다. 왜 그랬죠? 왜? 설마 까먹었습니까?”

“아뇨, 절대 아니죠. 다 기억해요. 다 기억하는데.”

나아정은 당황해서 마구 손을 휘저으며 말했다.

“기억하는데도 안 적었단 말입니까? 실수로 빼먹은 것도 아니고, 고의로 안 적었다?”

“아니, 그렇게 말하니까 되게 나쁜 짓 같은데……. 어……. 저는, 나쁜 뜻이 절대 없었고요. 어……. 기억은 하는데. 적는 걸 까먹었어요! 적는 걸. 아이구, 지금 적어야겠다.”

나아정은 후다닥 책상으로 달려가 펜을 쥐고 티 테이블로 돌아왔다. 그리고 나아정은 내 앞에서 일기장을 가져가 다시 일기를 적어 나갔다. 아예 다음 장에. 날짜부터 다시.

새로 쓴 날짜와 날씨, 그리고 첫 줄까지는 아까 본 일기와 똑같은 내용이었다.

나는 오늘 놀이공원에 갔다. 님이 함께 가 주었다.

그렇게 적힌 첫 줄에서, 나는 두 번째 문장을 가리키며 지적했다.

“근데. 나 왜 님이라고 적습니까?”

“저 원래 님이라고 부르잖아요. 도련님 소린 싫다, 이름 부르는 건 더 싫다. 아니, 제일 싫다. 님이 그랬었잖아요. 그래서 님이라고 하는 건데.”

“그냥 이름으로…….”

부르라고 할까 했는데, 불현듯 다른 생각이 들어 말을 멈췄다.

본래 님이란, 사모하는 사람을 이르는 임의 옛말이지.

“좋습니다. 님. 계속 그렇게 가죠.”

나는 근엄하게 고개를 끄덕이며 님의 사용을 허가했다. 그리고 팔짱을 끼우고서 재차 나아정의 일기장을 지켜봤다. 그러자 나아정은 멈췄던 손을 움직이며 다시 일기를 써 내려갔다.

나는 나아정이 어제 놀이공원에서의 기억을 하나도 빠짐없이 제대로 적어 내는지, 마치 시험지 푸는 학생 감시하는 것처럼 계속 지켜봤다. 중간중간 훈수를 두고, 문장 수정을 요구하면서.

마침내 나아정이 내 마음에 드는 일기를 완성해 냈을 때, 시간은 약 한 시간이 흘러 있었다. 그리고 그때, 내 마음에는 한 가지 바람이 늘어 있었다.

내 오케이 사인에 나아정은 해냈다는 뿌듯한 표정으로 일기장을 덮더니, 일기장을 껴안고서 자리에서 슬쩍 일어났다. 나는 그런 나아정에게 통보하듯 내 마음속 바람을 드러냈다.

"나아정 씨, 앞으로 일기는 매일 쓰는 걸로 합니다. 내가 매일 검사할 테니까."

순간 나아정의 품에서 일기장이 바닥으로 쑥 미끄러졌다. 그리고 나아정은 마치 천군만마를 잃은 듯한 표정으로 나를 봤다. 그러나 나는 말을 번복하지 않고 다음 화제로 넘어갔다.

"이제 가방이나 다 가져와 봅시다."

"가방은 왜요?"

"내가 나아정 씨 운 좋아지라고 부적 열 장 써 왔으니까, 가방 하나에 그거 한 장씩 안에 넣어 둘 겁니다."

“저, 가방 한 갠데요. 매일 들고 다니는 저거.”

나아정은 책상 위에 놓인 크로스 백을 가리켰다.

“저거, 하나?”

나는 못 믿겠단 눈으로 크로스 백을 본 뒤, 나아정을 봤다.

“아, 지경 씨가 전에 사 준 백 하나 더 있어요. 전에 님이 지경 씨 집에서 저랑 처음 마주치던 날, 거실에서 보고 노발대발했던 것 중에 하나였는데.”

“그래 봤자 두 개라는 얘긴데.”

생각지 못한 상황이라 황당하긴 하지만, 해결이 어려울 일도 아니라서 나는 곧 아무렇지 않게 자리에서 일어났다.

“부적 수에 맞춰서 가방 여덟 개, 새로 삽시다.”

부적을 담기 위해 가방을 산다.

간단하게 해결책을 제시하며 나아정의 손목을 잡았다. 그리고 곧장 내 해결책을 실행하기 위해 나아정을 이끌고 방을 빠져나갔다.

저녁 식사 후, 나는 나아정에게 일기 쓰기를 신신당부한 다음 내 방으로 건너왔다. 그리고 침대 위에 가부좌를 트고 앉아, 낮에 사 온 여덟 개의 새 가방을 앞에 늘어놓았다.

가방들의 안쪽에 하나씩 잘 접은 부적을 하나하나 박음질하고 보니, 어느새 한 시간이 훌쩍 넘어 있었다.

“참나. 이게 뭐라고 이렇게 오래 걸려?”

소매로 이마를 훔치고서, 굳어진 허리를 펴느라고 침대 바깥으로 일어섰다. 그런데 그때, 침대 위 휴대 전화로 메시지가 도착했다. 나는 휴대 전화를 잡아 들고 메시지를 확인했다.

[부탁하신 희곡 1차 시놉시스 메일로 보냈습니다. 확인 바랍니다.]

나아정을 위한 희곡을 부탁해 둔, 유명 작가 노희철에게서 온 메시지였다.

나는 메일을 확인하기 위해 티 테이블의 노트북을 켰다. 아직 간단하게 틀만 잡아 놓은 상태겠지만, 업계 최고 작가이니만큼, 시놉시스 떡잎부터 다르겠지.

기대하며 메일을 열어 첨부된 문서를 읽어 내려갔다. 문서에는 간략한 등장인물 소개와 줄거리가 적혀 있었다.

여자 주인공 나아정. 나이 서른셋. 액면가는 열일곱. 저주받은 동안 탓에 성인역 오디션에 번번이 낙방하는 연극배우.

"좋아. 딱 나아정이네."

기대에 딱 부합하는 인물 소개에 만족하며 줄거리로 시선을 옮겼다. 그러나 줄거리 첫 줄에서부터 내 표정은 점점 일그러져 갔다. 그러다가 마침내 마지막 줄을 읽었을 때, 나는 곧장 휴대 전화를 잡아 들었다. 그리고 작가에게 전화를 걸었다.

작가가 전화를 받자마자 나는 다짜고짜 역정을 냈다.

"아니! 여기서 나아정이 여자를 사귀는 건 왜 나옵니까?!"

[아아, 그거요. 아무래도 그런 코드가 들어가야, 예술적인 작품으로 거듭나지 싶어서요.]

"이봐요. 이게 예술입니까? 이렇게 중구난방 말 안 되고 난잡하게 자극적이기만 하면, 그게 예술이에요?"

[이게, 일반인이 줄거리로만 보면 좀 어렵게 느껴지긴 하겠지만요. 무대에서 보면 이거, 아주 죽여줄 겁니다.]

"이걸 무대에서 보면, 내가 죽여줄 겁니다."

나는 살기를 담아 뇌까렸다.

"어차피 고료 일시불로 받았겠다, 이 연극 망해도 내 손해는 안 나겠다. 그런 마음으로 대충 이 얘기 저 얘기 막 짜깁기한 거, 완전 티 납니다."

[그……. 아직 초안이라 그렇게 오해하시나 본데.]

"저주받은 동안의 무명 연극배우가 시한부 선고를 받았는데, 자살하려다가 마주친 여자랑 원나잇에 갑자기 둘이 죽고 못 살아. 근데 그 여자 남편은 알고 보니 20년 전 잃어버린 나아정의 친오빠."

나는 재차 줄거리를 훑어보며 딱딱한 목소리로 요약했다.

"이딴 뼈대에 어떤 살을 붙인들, 난 이게 대중에게 통할 거라 절대 생각하지 않습니다. 무엇보다 이건, 내가 원한 제일 중요한 조건에 전혀 맞지 않아요. 이건 10대 얼굴을 가진 30대 여자를 위한 이야기가 전혀 아닙니다. 여기선 저주받은 동안 설정 자체가 전혀 의미가 없습니다."

[사실……. 그런 여자만이 할 수 있는 이야기를 갑자기 일주일 안에 생각해 낸다는 게……. 더구나 대중성까지 갖춰야 한다는 게 쉬운 게 아니라서 말입니다.]

"쉽지 않으니까 1억이나 드린 겁니다."

[그렇긴 한데……. 저, 시간을 좀 더 주시면 안 됩니까? 한 한 달쯤…….]

한 달이라니. 속이 타는 마음에 한숨이 났다.

"도대체가 나아정을 가지고 만들 수 있는 얘기가 그렇게나 없습니까?"

수화기 너머에서도 한숨 소리가 났다.

"뭐, 그럼 이런 건 어떻습니까? 10대 얼굴을 가진 30대 무명 연극배우가 재벌 3세와 결혼하게 되는 겁니다."

[예?]

"이 여자는 그 남자가 자기 인생 최고의 행운이라고 생각하는데, 알고 보면 이 남자는 게이인 거죠."

[오, 좋은데요? 그래서요?]

"남자는 이 여자를 사랑한 게 아니라, 자기가 게이란 걸 숨기려고 이 여자를 속이고 결혼을……."

나는 실제 나아정의 이야기를 계속 펼치려다가 문득 아차 싶었다. 이런 내용으로 나아정에게 연기를 시켰다간, 나아정이 이게 자기 얘기란 걸 알아차릴지도 모른다. 더구나 내가 선물하는 연극인데, 그렇다면 더더욱 의심을 살 수 있다.

그러니까 이대로는 안 된다. 이렇게 백 퍼센트 실화로 나아정에게 줄 연극을 만들어선 안 된다.

그럼……. 얘기를 좀 틀어 볼까?

"아니. 이렇게 해 보죠. 10대 얼굴을 가진 30대 무명 연극배우가, 게이인 재벌 3세와 **'위장 결혼'**하게 되는 겁니다."

나는 갖은 상상력을 동원하여 이야기를 둔갑시켜 갔다. 진실과는 다른 이야기가 되도록.

나아정이 자기 얘기란 걸 전혀 눈치채지 못하도록.

하루하루 일기를 쓰게 된 지 어언 열흘. 지경이의 귀국은 어느새 2주 앞으로 다가와 있었다.

이지한이 내 열 번째 일기를 검사하는 동안, 나는 벽에 걸린 액자들 앞에 서서 내 사진들을 빤히 올려다봤다.

이 사진이 거울이다, 거울이다.

그렇게 자기 암시를 하면서 사진 하나하나를 집중해서 지켜봤다. 열흘 동안 늘 그래야 했듯이, 이지한이 시킨 대로.

하지만 이 예쁘고 멋진 모습이 정말 난가? 그럴 리가 있나?

또다시 의심이 시작돼서 어느새 고개가 기우뚱 한쪽으로 기울었다. 그러자 등 뒤에서 이지한의 근엄한 목소리가 들려왔다.

"면벽참선의 시간에 딴생각은 하지 않습니다."

이런 걸 면벽참선이라 부르다니…….

나는 고개를 똑바로 세우고서 혀를 내둘렀다. 그리고 벽에 걸린 내 사진을 바라보며 생각했다.

내가 진짜 이렇게 생겼으면 좋긴 하지…….

누가 보면 웃기겠지만, 내 사진을 바라보는 내 눈빛에는 선망이 가득해졌다.

그러고 있노라니 등 뒤에서 일기장을 탁 덮는 소리가 났다.

"오늘도 잘 지내봅시다. 어제처럼."

이 소리는 일기 검사가 끝났다는 의미라서 나는 벽에서 몸을 돌렸다. 그러자 이지한은 열흘 내내 그랬듯이 싱그러운 얼굴로 나를 향해 웃었다. 황금빛 머리카락보다 훨씬 밝아 보이는 미소였다.

아, 익숙해질 때도 됐는데.

나는 두근대는 마음 탓에 도로 벽을 향해 몸을 휙 돌렸다. 그리고 괜히 사진을 다시 훑어보는 척했다. 그러자 등 뒤에서 이지한이 일어나고, 다가오는 소리가 들렸다.

"봤던 거 또 보면서 복습하는 겁니까?"

"예, 보기 좋아서요."

대답을 둘러대고 나자 뒤에서 이지한의 손이 내 어깨를 지그시 그러잡았다. 순간 전기가 오르는 것같이 찌르르 속이 떨려서 나는 손을 꽉 주먹 쥐었다.

"보기 좋은 거, 나도 좀 봅시다."

어차피 사진이야 벽에 가만히 걸려 있는데 그냥 보면 될 것을. 이지한은 마치 나 때문에 사진을 못 보는 양 유감인 투로 말했다.

"보, 보세요."

나는 혹시 내가 가로막고 있나 싶어 몸을 옆으로 슬쩍 옮기면서 말했다. 그러나 이지한은 그쪽이 아니라는 듯이 손에 힘을 줘서 내 몸을 돌려세웠다. 그 바람에 나는 이지한과 마주 서게 되었다. 이지한은 그대로 나를, 내 얼굴을 빤히 봤다.

"저기, 사진은 저기 뒤에 있는데요."

나는 민망해서 고개를 뒤로 돌리고서 손과 눈으로 사진들을 가리켰다. 그러자 이지한은 내 어깨에서 손을 놓았다.

"거길 내가 왜 봅니까? 더 좋은 거 놔두고."

영문 모를 말이 들려오는 동시에 이지한의 두 손이 내 얼굴을 잡아 돌렸다. 그렇게 내 얼굴을 마주한 채, 이지한은 진짜 좋은 것을 보는 듯이 흐뭇하게 웃었다.

아……. 아침마다 환장하겠네.

머릿속이 하얘지는 기분에 정신을 차리려고 아랫입술을 꽉 깨물었다. 그렇게 정신을 다잡고서 나는 다급하게 손으로 침대를 가리켰다.

"저, 전화가……!"

마치 뭔 일이라도 난 것 같은 내 반응에 이지한도 덩달아 침대로 고개를 돌렸다. 나는 그 틈을 타서 후다닥 침대로 달려갔다. 그리고 울리지도 않는 휴대 전화를 들고 전화를 받는 척했다.

"아, 지경 씨? 웬일이에요, 이 시간에."

"전화벨 소리, 전혀 안 났습니다."

내 연기에도 불구하고 이지한은 내게 다가오며 날카롭게 지적했다. 그러나 당황하지 않고 잠시 전화기에서 입을 떼고 이지한에게 대꾸했다.

"진동이었어요."

그러고서 재차 지경이와 통화하는 척, 전화기에 입을 대고 가짜 대화를 이어 갔다.

"아아. 나 웨딩드레스 고르는 것 때문에요? 그러게요. 같이 가면 좋을 텐데. 할 수 없죠, 뭐."

실제로 오늘이 웨딩드레스를 고르는 날이니까. 나는 그 상황에 맞춰 대사를 지어냈다.

"난 괜찮으니까 신경 쓰지 마요. 지경 씨 돌아오려면 2주나 남았는데, 그때부터 결혼식까진 시간이 너무 촉박하니까. 어쩔 수 없잖아요."

하지만 이지한은 내가 통화를 하고 있음에도 내 옆을 떠나지 않고 있었다.

뭐야. 왜 안 나가?

눈을 내리뜬 나는 움직이지 않는 이지한의 발을 힐끗힐끗 보며 슬금슬금 표 안 나게 게걸음을 움직였다. 이지한과 조금이라도 멀어지려고.

그런데 그때, 휴대 전화 벨 소리가 내 고막을 때렸다.

"으아!"

나는 깜짝 놀라 귀에서 휴대 전화를 떼 버렸다. 그러자 옆에서 이지한의 목소리가 들려왔다.

"전화 좀 받죠?"

고개 돌려 이지한을 보자 이지한은 자신의 휴대 전화를 들고 있었다. 나와 눈을 마주친 이지한은 내 휴대 전화를 향해 턱짓했다. 설마 싶어 휴대 전화를 확인했더니, 아니나 다를까 발신자가 이지한이었다.

아, 쪽팔려……!

나는 울상이 된 채 마지못해 전화를 받았다. 그러자 이지한의 목소리가 수화기를 타고 들려왔다.

"왜 피합니까? 오지도 않은 전화 핑계까지 대 가면서."

이지한은 예리하게 나를 쏘아보며 말했다.

"아니, 피하다뇨. 정말 전화 왔었어요."

나는 눈을 동그랗게 뜨고 필사적으로 변명을 짜냈다.

"저는 지경 씨 전화를 받았는데, 보시다시피 통화 중에 갑자기 님 전화가 온 거예요."

나는 전화기를 귀에서 떼고 눈으로 액정 화면을 확인하며 신기한 듯 혼잣말했다.

"어머, 진짜 이게 왜 끊어졌지? 이런 게 그 말로만 듣던 혼선인가?"

그러자 이지한은 내 앞으로 불쑥 다가와서 단호하게 주장했다.

"혼선은 그쪽 전화기가 아니라, 그쪽 감정에 온 겁니다."

그게 무슨 뜻인 건지. 나는 나도 모르게 궁금한 눈빛으로 이지한을 봤다. 이지한은 그런 나를 마주 보며 확고한 눈빛으로 말했다.

"내가 그렇게 만들어 가고 있으니까."

그러더니 이지한은 내 어깨를 잡아 침대에 앉혔다. 그리고 머리맡에 놓인 곰 인형을 잡아다 내게 내밀었다. 순간 나는 생각 없이 반사적으로 곰 인형을 끌어안았다. 한때 호루라기 소리에 몸이 먼저 반응했던 것처럼.

이지한은 천장으로 손을 뻗더니 비뚤어진 캐노피의 모양새를 조절했다. 그런 다음 뒤로 물러난 이지한은 캐노피와 나, 곰 인형을 훑어봤다. 이건 일기 검사를 마친 뒤마다 방을 떠나기 전 매일같이 하던 행동이었다.

그런데 오늘따라 새로운 행동이 추가되었다. 이지한은 거기서 방을 떠나지 않고 티 테이블로 가 일기장을 집어 들었다. 그리고 이지한은 나에게로 다가와 일기장을 내밀었다.

"오늘은 여기 적힌 내용, 복습하고 암기합니다."

얼결에 일단 일기장부터 받아 들고 어리둥절한 표정으로 이지한을 올려다봤다. 그러자 이지한은 엄격한 눈빛으로 훈육하듯 나를 내려다보며 말했다.

"내가 지난 열흘 동안 그쪽한테 얼마나 잘했는지 충분히 숙지하란 말입니다. 그래야 밖에 내보내 줄 겁니다."

“아니, 이걸 다 외우라고요?”

“고작 열 장입니다.”

이지한은 칼같이 딱 잘라 말했다. 그리고 타협의 여지를 주지 않고 곧바로 몸을 돌려 문을 향해 걸어 나갔다.

“고작 열 장은 무슨…….”

나는 이지한이 밖에서 문을 닫은 뒤에야 신음하듯 중얼거렸다. 그러다 일기장을 뒤적이며 한숨을 내쉬었다.

“외울 게 얼마나 많은데…….”

깨알 같은 글자들이 앞뒤로 빼곡히 적힌 일기 열 장.

이게 다 이지한이 나한테 칭찬한 거, 선물한 거, 기타 등등, 잘해 준 거 기록인 건데. 이제 와서 이게 다 외울 것들이라니.

정말 생각지도 못한 일이다. 이지한이 잘해 준 걸 날짜별로 다 기억해야 한다니.

“아니, 이걸 대체 왜 해야 하는 건데?”

정말이지 이해가 안 가 나도 모르게 볼멘소리를 터뜨렸다. 그러고 나자 불현듯이 내 머릿속으로 음모론이 생성되었다.

하필 내가 웨딩드레스를 보러 가는 날에. 열흘 치나 되는 일기를 못 외우면 밖에 못 나간다니.

이지한, 이거…….

이날을 위해 열흘이나 공을 들인 거구나!

어쩐지 왜 잘해 주나 했어! 주야장천 열흘이나 한결같이!

이렇게 외울 거리 잔뜩 만들어서 나 웨딩드레스 못 보러 가게 하려고! 그래서 하필 오늘 이렇게 딱, 이런 말도 안 되는 암기 숙제를 주는 거구나!

정말 엿 먹이는 방법도 가지가지 신박하게 정성스럽다, 이 인간
아! 하마터면 속을 뻔했네!

"웃겨, 내가 못 외울 줄 알고?"

열흘 동안 문득문득 감동하고 불쑥불쑥 설레었던 내가 우스워져
서. 나는 이지한이 괘씸하단 마음에 두 주먹을 불끈 쥐고 투지를
불태웠다.

내가 이거 꼭 다 외울 거라고.

외워서 오늘 반드시 웨딩드레스 보러 갈 거라고.

눈에 불을 켜고 일기를 외운 덕에 나는 예약대로 웨딩드레스 숍
에 도착할 수 있었다.

도대체 그놈의 일기는 과연 내 일기인지 이지한의 선행 일지인
지. 아무튼 그걸 외우느라 눈에 불을 몇 시간이나 켰던 탓에, 정작
내 웨딩드레스를 고르는 눈엔 불을 켤 수 없었다.

가짜 결혼이라 별 느낌이 없어 더 그런 건지. 진열된 웨딩드레스
를 아무리 둘러봐도 그저 심드렁할 따름이었다.

오히려 결혼을 앞둔 자는 이자인 것 같은데…….

나는 영 미심쩍은 눈빛으로 내 옆의 이지한을 흘끗 봤다. 당사자
인 내 눈에는 없는 불을 자기 눈에 켠 채로, 이지한은 진열된 웨딩
드레스를 하나하나 샅샅이 살펴보고 있었다.

누가 보면 이 인간이 내 신랑인 줄 알겠네, 생각하는 찰나. 내 뒤
에서 여직원이 감탄하듯 말했다.

"드레스 고르는 데, 예비 신랑님이 이렇게 적극적인 거 처음 봐
요. 참 보기 좋네요."

"어우! 아니에요! 저 님, 제 예비 신랑 아니에요!"

나는 화들짝 놀라 극구 부인했다.

"어머, 그래요? 죄송해요, 신부님. 보통은 예비 신랑분하고 오셔서
제가 착각을 했네요. 그럼 진짜 예비 신랑님은 못 오시는 건가요?"

조심스러운 질문에 나는 착잡한 척 고개를 끄덕이며 대답했다.

"예. 결혼식 2주 전까지 외국에 있어서요. 오자마자 스튜디오 촬
영부터 해야 할 텐데, 그때 입을 드레스랑 턱시도는 지금 골라 둬
야 시간이 맞거든요. 그래서 촬영용 드레스랑 턱시도는 제가 먼저
고르기로 했어요. 하는 김에 마음에 드는 거 있으면 본식 드레스도
지금 정할 수 있고요."

"아아, 그러시구나. 그럼 같이 오신 분은 누구신지?"

"예비 신랑 동생이에요."

"예? 어머, 그럼 예비 시동생?"

"아마……. 그런 셈이죠."

나는 조마조마해서 대충 얼버무리며 이지한의 눈치를 살폈다. 이
지한은 화가 난 게 분명한 무시무시한 표정으로 한 손에 웨딩드레
스를 쥔 채 나를 쏘아보고 있었다.

어우, 진짜! 예비 시동생을 예비 시동생이라고 부르지도 못하냐?

나는 뱉지 못할 말을 속으로나 떠들면서 내 앞의 웨딩드레스로
시선을 옮겼다. 그렇게 이지한의 시선을 피한 채 웨딩드레스를 훑
어보며 속으로 계속 구시렁거렸다.

아니, 이 결혼이 그렇게 싫으면서 왜 굳이 여기까지 따라와? 무

슨 좋은 꼴을 본다고.

설마 나 도와주러 왔을 리도 없고…….

딱 거기까지 생각했는데, 이지한이 내 앞으로 불쑥 웨딩드레스를 내밀었다.

"일단, 이것부터 입어 보죠."

고개를 돌려 보자 이지한은 여전히 화가 나 있는 듯 무서운 표정을 하고 있었다. 그렇기에 나는 마른침을 삼키면서 군말 없이 웨딩드레스를 받아 들었다. 곧이어 여직원의 안내를 받아 탈의실로 향했다.

직원들의 도움으로 올림머리를 하고 웨딩드레스를 입고, 내 몸에 꼭 맞도록 보정을 받고서 마침내 거울 앞에 섰다.

거울 속의 내가 입은 드레스는 상반신을 꽉 조이는 튜브 탑에, 허리부터 풍성하게 부풀어지는 벨 라인의 드레스였다.

그냥 볼 땐 몰랐는데, 튜브 탑은 예쁘게 잔주름이 가득 잡혀 있어 사랑스러운 모양새를 완성했고, 마치 안개처럼 속이 보일 듯 말 듯 한 스커트 라인에는 우아한 자수가 놓여 있었다.

이런 드레스를 내가 입고 있다니.

나는 탈의실 거울을 바라보며 신기해서 중얼거렸다.

"설마, 진짜로 도와주러 온 건가?"

내 결혼을 반대하는 이지한이 이렇게까지 예쁜 웨딩드레스를 골라 주다니. 정말이지 영문을 모를 일이다.

도와줄 작정이 아니고서야, 왜 이런 드레스를 골라 주지?

아니, 하지만 이지한은 여전히 내 결혼을 반대하고 있잖아. 그런데 날 도와줄 작정일 리 있어? 내 결혼을 반대하면서 내 결혼을 도와줄 이유, 대체 뭐가 있어?

세상에 또 없을 것 같은 아름다운 드레스를 거울로 바라보며, 나는 드레스가 아름다운 만큼 더욱 증폭되는 의구심에 혼란스러워졌다.

왜지……. 이건 무슨 의미지…….

아름다운 것을 바라보던 눈길이 점점 위험한 것을 바라보는 눈길로 변해 가고 있는데, 불쑥 여직원의 목소리가 들려왔다.

"신부님, 이제 커튼 걷을게요."

커튼? 나는 순간 커튼 너머 이지한을 떠올리고 위기감에 고개를 돌렸다. 여직원은 어느새 커튼 가까이에서 커튼에 손을 뻗고 있었다.

"아니! 아니에요! 걷지 마세요!"

나는 얼른 달려가서 여직원의 손을 붙들었다. 그러자 여직원은 어리둥절한 눈빛으로 말했다.

"신부님, 이 커튼을 걷어야 밖의 일행분이 보실 수가……."

"저 혼자 볼 거예요!

"예?"

"저 혼자 보고 결정할 거니까, 커튼 걷지 마세요!"

"그럼 밖에 일행분은……."

"걷지 마요, 걷지 마요, 걷지 마요!"

바로 이 커튼 한 장만 걷어 내면 이지한이 볼 수 있단 생각에, 나는 다급하고 간절하게 외쳐 댔다.

이지한이 이걸 본다니. 방해는 둘째 치고 그냥, 그냥 내 마음이 마구 도망치고 싶은 심정이다. 이지한이 꼬투리를 잡을까 봐도 아니고, 어떤 꿍꿍이가 있을까 봐도 아니고. 그냥, 아무 이유 없이 그 냥. 막 심장이 벌렁대고, 얼굴이 터질 것같이 뜨거워진다. 이지한 이 이걸 볼 거라는 생각만으로.

“아, 알았어요, 신부님. 진정하세요.”

여직원은 당황한 눈빛이었지만, 짐짓 침착하게 대답하며 커튼에서 손을 놓았다. 뒤이어 여직원은 안심하라는 듯이 가슴 위로 두 손을 들어 보였다. 무슨 내가 총을 들이댄 인질범이라도 되는 것처럼.

그런데 그때, 나와 여직원의 옆에서 멀쩡하던 커튼이 거칠게 확 걷어졌다.

“으악!”

나도 모르게 비명을 지르며 옆을 보자, 고작 두어 발짝 너머에 떡하니 서 있는 이지한이 보였다.

“고작 커튼 하나 사이에 두고 그렇게 떠들어 대는 건, 듣고 와서 네가 직접 걷어, 뭐 그런 뜻입니까?”

이지한은 비딱하게 고개를 비틀고서 눈살을 찌푸리며 말했다. 그 모습에 움찔한 나는 재빨리 여직원의 등 뒤로 숨어들었다.

“아, 아니요. 그런 게 아니라요.”

“안 보이면 화나니까. 이리 나오는 게 좋을 겁니다.”

“…….”

“말로 할 때 나옵시다. 직접 끌어내기 전에.”

협박이나 다름없는 무서운 목소리에 나는 마른침을 꿀꺽 삼켰다. 그리고 마지못해 쭈뼛쭈뼛 발을 움직였다.

고개를 푹 숙인 채 벌 받으러 나온 학생처럼 그렇게 나는 이지한 의 앞에 섰다.

그런데 잠시 후에 내 귀에 들려온 건 야단이 아니라 박수 소리였다. 짝, 짝. 천천히 들려오는 박수 소리.

뜻밖의 소리에 나는 의아해져 고개를 들었다. 그러자 이지한은 냉정한 시선으로 나를 보면서 무표정한 얼굴로 두 번 더 박수를 쳤다.

저 얼음물이 뚝뚝 떨어질 것 같은 얼굴에 박수라니. 뭔가 비꼬는 말이 나올 예감인데…….

나는 달싹거리는 이지한의 입술에 시선을 집중했다. 그러자 이지한의 입술은 분한 목소리를 내뱉었다.

"화날 짓을 했으면 예쁘지나 말 것이지."

"?"

"화나서 커튼 걷었는데, 보니까 화도 못 내겠고. 근데 이걸 혼사 보겠다고 그 난리를 친 거라니 또 화나고. 근데 그쪽을 보니 화를 못 내겠고. 진짜 짜증 납니다."

화나는데, 화를 못 내겠어서 짜증난다.

이게 대체 칭찬이야, 짜증이야?

분간이 안 가 멍하니 쳐다보는데, 이지한이 따끔하게 채찍질을 시작했다.

"뭘 그렇게 멀뚱히 보고만 있습니까? 앞뒤 다 보이게 한 바퀴 돌아가면서. 내가 잘못했습니다, 마음껏 보십시오. 그렇게 반성의 태도를 보여야지."

"아, 그, 그래야죠."

엉겁결에 대답하고서 나는 높은 구두 굽 때문에 조심조심 한 바퀴를 돌아 보였다.

돌다 보니 아, 내가 이지한한테 이 모습을 보이고 있구나. 뒤늦게 실감이 들었다.

덕분에 도망치고 싶은 마음이 뜨겁게 되살아나서 한 바퀴 돌아 이지한의 앞에 마주 섰을 때, 나는 이지한이 아니라 땅을 쳐다보게 되었다.

"화 풀렸으니까 고개 듭시다."

"……."

"보고 싶어서 화났던 건데. 또 안 보여주면 뒷감당 힘들 겁니다."

괴롭힘을 예고하는 발언에 나는 고개를 들었다. 이 인간의 괴롭힘을 견디느니, 그냥 부끄러움을 견디는 게 나을 테니까.

내가 눈을 마주치자 이지한은 내내 굳어 있던 표정을 한순간에 풀어 버렸다. 그에 더해 말랑하게 부드러워진 얼굴에 미소를 그렸다.

정말 갑작스럽게, 내 심장이 쿵 떨어지도록.

그러더니 이지한은 미소만큼 부드러운 목소리를 냈다.

"방금 처음으로 든 생각인데. 나아정 씨, 우리 형한테도 아까울 정도로 예쁩니다."

"뭐…… 라…… 고요?"

도저히 믿을 수 없는 말이라서 나는 반쯤 넋이 나가 물었다.

"어디까지 예뻐지나, 오늘 한번 시험해 보죠."

이지한은 어깨를 으쓱해 보이더니 몸을 돌려 진열대로 걸어갔다. 그리고 잠시 만에 새로운 드레스를 들고 내 앞으로 돌아왔다.

"이번엔 이걸로 갈아입고 나옵니다."

이지한은 내 손에 드레스를 떠넘기고서 뒤로 몇 걸음 물러났다. 그리고 이지한은 탈의실의 커튼을 쳐 나와 자신의 사이를 가로막아 버렸다.

어느덧 네 번째 웨딩드레스를 입은 채로 나는 탈의실 안 거울에 나를 비춰 봤다.

두 번째도 예뻤고 세 번째도 예뻤지만, 설마 이번 것까지 예쁠 줄이야!

게다가 나, 이번에는 제법 성숙해 보이기까지 한다?

나는 내 모습이 놀라워서 거울로 손을 뻗었다. 그리고 거울에 비친 내 모습 중에서 봉긋하게 가슴을 뒤덮고 있는 깃털 장식들로 손을 가져다 댔다. 그러자 손에 닿는 건 깃털의 촉감이 아니라 딱딱한 거울의 촉감이었다.

그래, 이건 거울이야. 내 앞에 누구 다른 사람 와 있는 거 아니야. 이게 진짜 나라고, 이게!

나는 실제 내 가슴으로 손을 옮겨 보드라운 깃털을 만졌다. 그리고 그 아래, 가슴 바로 밑을 두르고 있는 은빛 띠 장식을 건드렸다. 부드러운 실크 소재의 띠 아래에서부터는 물 흐르듯 쉬폰 소재의 스커트 라인이 흘러내리고 있었다.

"아, 나……. 여신님인가……?"

나는 홀린 듯이 거울에 비친 나를 보며 물었다. 그러다가 문득 뒤를 확인했다. 아무리 그래도 남 앞에서 이런 말 함부로 하는 건 아니니까. 나는 혹시나 조금 전에 나간 여직원이 그새 들어와 있을까 봐 탈의실 안을 둘러봤다.

다행히 탈의실엔 나 혼자뿐이었다. 그래서 안심하고 다시 거울을 대면했다. 그리고 두 손을 모아 쥐고 마음껏 어깨까지 들썩이며 흥 겹게 거울 속의 내 모습을 감상했다.

그러고 있노라니 커튼 너머에서 이지한의 목소리가 들려왔다.

"안 나옵니까?"

"아, 맞다!"

또 칭찬 들어야지!

나는 들뜬 마음에 쪼르르 커튼으로 종종걸음 쳤다.

이번에도 당연히 예쁘다고 웃어 주겠지? 나는 그렇게 기대하면서 내 손으로 커튼을 걷었다. 그러자 커튼 바로 앞에서, 이지한이 모습을 드러냈다.

"어때요?"

날아갈 듯 신이 나서 다짜고짜 묻는 나를, 이지한은 말없이 진지하게 바라봤다. 그렇게 이지한이 한참 말이 없기에 나는 몸이 달아 발을 동동거리며 재촉했다.

"왜요? 왜 말이 없어요? 왜? 왜? 안 예뻐요? 왜? 난 지금까지 중에 제일 예쁜데?"

"나아정 씨."

순간 예를 갖춰야지 싶어질 만큼 이지한은 엄숙하게 무게 있는 목소리로 나를 불렀다.

그래서 나는 움찔했다. 내가 너무 방방 떠 있느라 방정맞게 비위를 거스른 건 아닌지.

내가 착 가라앉듯 조용해지자 이지한은 보다 분명해진 목소리로 물어 왔다.

"이거 입고, 결혼하고 싶습니까?"

당연히 나는 고개를 끄덕거렸다. 지금까지 본 중에서 제일 예쁜 거니까. 이보다 더 예쁜 건 세상에 또 없을 것 같으니까.

내 대답에 이지한은 나처럼 고개를 끄덕였다.

"나도 그건 찬성입니다. 결혼, 이거 입고 합시다."

"그렇죠? 님이 보기에도, 이게 제일 예쁘죠?"

금세 화색이 번진 내 얼굴에 대고 이지한은 덧붙였다.

"내가 보기에는, 그냥 그쪽이 제일 예쁩니다."

느닷없는 과찬에 나는 얼굴이 확 달아올랐다. 그런데 거기서 멈추지 않고 이지한은 또다시 입술을 움직였다.

"그러니까 결혼, 나하고 합시다."

순간 찬물을 확 끼얹은 듯이 나는 머릿속이 얼얼해졌다.

"그렇게 놀랄 일 아닙니다. 결혼을 당장 할 건 아니니까. 일단 사귀는 것부터 시작하죠."

이지한은 태연하게 내 눈을 보며 눈도 깜짝 않고 말했다. 그리고 내가 정신을 차릴 새도 없이 내 팔을 덥석 잡고 성큼성큼 탈의실을 벗어났다.

"아니, 저기, 저기요……!"

내 부름에 아랑곳하지 않고 이지한은 그대로 드레스 숍의 홀을 가로질렀다. 뭐가 뭔지 하나도 모르겠는데, 내 두 발은 그저 넘어지지 않겠다는 본능으로 이지한을 따라 바삐 움직였다. 그러다가 우뚝 이지한의 발이 멈췄을 때, 내 발도 뒤따라 멈춰졌다.

이지한이 발을 멈춘 곳은 드레스 숍의 데스크였다.

이지한은 데스크에 앉아있는 여직원에게 불쑥 말을 건넸다.

"이 드레스, 내가 살 겁니다. 지금."

“저, 고객님. 죄송하지만 드레스를 구매하시려면 먼저 주문을 하시고, 2주쯤 뒤에 찾아가는 방법이…….”

“왜 그래야 하죠?”

이지한은 납득할 수 없단 투로 냉정하게 질문을 던졌다.

“이 드레스는 신부님 몸에 딱 맞는 사이즈가 아니라서, 저희가 신부님 사이즈에 맞게 제작을 새로 해야 하기 때문에요.”

직원이 대답하자 이지한은 칼날같이 예리한 시선으로 내 등을 확인했다. 드레스가 조금 헐렁한 탓에 내 등에는 허리춤을 맞추느라 시침 핀이 몇 개 꽂혀 있었다.

이지한은 그런 내 등을 훑더니 직원을 향해 말했다.

“그럼 오늘 잰 이 여자 사이즈대로 이 드레스 주문하겠습니다. 2주 뒤에 찾으러 오죠.”

“예, 고객님. 그럼 여기 적힌 연락처로…….”

“그건 그거고, 이건 이겁니다.”

“예?”

“그건 그때 찾겠지만, 이건 지금 사겠다 이 말입니다.”

“아니, 고객님 사이즈가 안 맞으실 텐데…….”

“사이즈는 안 맞아도, 타이밍이 맞습니다.”

이지한은 딱 잘라 대꾸했다. 그리고 한 손으로 주머니 속 카드를 꺼내 데스크에 놓았다.

이지한의 손에 이끌려 끝내 이지한의 차 앞까지 다다랐지만, 나

는 결제 취소의 희망을 안고 다시 한 번 외쳐 보았다.

"아니, 이걸 왜 사는데요, 대체!"

"그럼 훔칩니까?"

"……그런 뜻이 아니라요! 결혼식 날 하루 입을 건데 왜 사냔 뜻이에요! 그냥 대여해서 입지!"

"결혼식 날 하루 입을 거 아닙니다."

"아니, 뭐, 님이 입을 거예요? 난 그날만 입을 건데? 미쳤어, 미쳤어! 진짜 이게 얼마짜린데! 게다가 두 벌이나!"

눈앞에서 수천만 원이 척척 신용 카드로 결제되다니.

나는 그 충격에 눈에 뵈는 것이 없어 언성을 높여 댔다. 그럼에도 꿋꿋이 걸어가던 이지한은 차 조수석의 문 앞에다 나를 세웠다. 그러더니 내 어깨를 잡고 나를 마주 보며 지적했다.

"이것 봐요, 나아정 씨. 지금 내가 드레스 샀단 걸로 바락바락 바가지 긁을 땝니까? 나, 그쪽한테 고백했는데?"

"아, 맞다……!"

드레스의 충격 탓에 나는 고백의 충격을 깜빡 잊고 있었다. 내가 깨달음에 혼잣말을 터뜨리자, 이지한은 기가 찬 듯 헛웃음을 쳤다. 그러더니 이지한은 덜컥 조수석의 문을 열고 나를 그 안으로 떠밀어 넣었다.

"으아!"

억지로 앉혀지는 순간, 등이 따가워서 벌떡 일어나려 했다. 그러나 이지한은 내 어깨를 잡아 눌렀다. 그러자 여기저기 또다시 등이 마구 따가워서 나는 몸부림을 쳤다.

"으앗, 앗!"

“뭡니까?”

“따, 따가워요! 등이! 막 따가워요! 으아! 살려 줘요!”

나는 동아줄 붙잡듯이 이지한의 팔에 꽉 매달려 애원했다. 그러자 이지한은 다행히도 얼른 나를 차 바깥으로 일으켜 꺼내 주었다. 그리고 이지한은 곧장 내 몸을 차 쪽으로 돌려세우고 내 뒤에서 어깨를 붙잡은 채 내 등을 살펴봤다.

일어서고부터는 따가움이 사라진 터라 나는 찔끔 맺힌 눈물을 훔쳐 내며 속을 진정시켜 갔다.

그런데 등 가운데로 슬쩍 손끝이 닿는 것이 느껴졌다. 방금까지 따가웠던 곳이 지그시 만져지자, 나는 바짝 전류가 통한 것 같아 펄쩍 몸을 돌렸다.

“어머, 뭐 하시는 거예요?!”

반 바퀴만 돌아 이지한과 마주 섰는데, 이지한은 곧바로 내 어깨를 잡아 남은 반 바퀴를 훌쩍 돌려 버렸다. 결국 나는 한 바퀴를 돌아 원위치로 돌아온 꼴이었다. 이지한은 그렇게 도로 내 등을 마주한 채 대답했다.

“등에 핀 있습니다.”

“예?”

“이거 달고 차에 앉으면 방금처럼 아플 텐데, 내 손 닿는 게 싫다면야 그쪽 손닿는 데까지 열심히 빼 보시든가.”

“…….”

나는 슬그머니 뒤로 손을 뻗었다. 그리고 더듬더듬 등을 더듬다가 손에 닿는 시침 핀을 느꼈다. 바로 그때, 등이 뻐근하게 결려 오는 것도 함께 느꼈다.

"으아아……."

신음하며 반사적으로 손을 내리자 이지한은 한심하다는 듯 한숨을 내쉬었다.

"손 내리고, 쓸데없는 자립심도 내립니다. 등에 눈도 없으면서 뭘 한다고."

이지한은 타박하며 찰싹, 등짝을 때렸다. 아프지 않은 강도였지만, 내 등은 자극에 움찔했다.

그러거나 말거나 이지한은 한 손으로 내 어깨를 그러잡고 다른 손을 내 등에 가져다 댔다. 이번엔 그냥 손이 닿기만 했는데도 또 등이 움찔거렸다. 하지만 이지한은 개의치 않고 시침 핀을 뽑아냈다.

계속되는 이지한의 손길에 나는 어깨가 바짝 움츠러든 채, 아예 두 손을 꽉 마주 잡고 입술을 깨물었다.

움찔움찔.

손이 닿을 때마다 등에서 전기가 이는 듯했다.

내 등이 이렇게나 민감한 부위였다니!

왜인지 너무 느껴대는 등짝에 속으로 괴로워하는 사이, 이지한은 계속 손을 움직였다. 이윽고 등이 제법 헐렁해졌다 싶을 때 이지한은 내 등에서 손을 떼며 말했다.

"됐습니다."

그러고서 이지한은 곧장 나를 조수석으로 밀어 넣었다.

2. 프러포즈

2. 프러포즈

　이지한의 차가 도착한 곳은 대학로에서 최고 규모를 자랑하는 연극 공연장이었다.

　설마 공연이라도 보자는 건지, 이지한은 공연장의 지하 주차장에 차를 세우고서 나를 끄집어냈다. 그리고 내 손을 잡은 채로 거침없이 승강기를 향해 걸어갔다.

　"뭐예요, 지금? 설마 이 꼴로 공연 보는 거예요?"

　끌려가며 묻는 사이 나는 승강기 앞에 다다랐다. 이지한은 나를 승강기에 태우고서 1층 버튼을 누른 다음 내 옆에 나란히 섰다.

　다른 층도 아니고 1층이라니. 로비가 있을 1층을, 거기 있을 사람들을 상상하며 나는 기겁했다.

　"아니, 진짜! 이 꼴로 공연 봐요, 나? 이 꼴로?"

　나는 다급한 마음에 이지한의 팔을 마구 흔들면서 물었다. 그러자 이지한은 차분하게 나를 보며 반문했다.

"그게 어디 공연 볼 옷차림입니까? 공연할 옷차림이지."

"근데, 왜 여기……."

내 말이 채 끝나기도 전에 승강기의 문이 열렸다.

"안 돼!"

나는 이지한의 등 뒤로 재빨리 몸을 날렸다. 그리고 이지한의 허리를 잡고 이지한의 등에 얼굴을 파묻다시피 했다.

그렇게 잠시 동안, 나는 눈을 꽉 감고서 대책을 생각했다. 이렇게 버티다가 도로 주차장으로 내려간다든가. 이지한의 옷을 빌려 걸친다든가…….

"백 허그를 할 거면 제대로 하시든가."

불쑥 끼어드는 목소리에 나는 당황해서 눈을 떴다.

"예? 이, 이거 백 허그 아닌데요?"

나는 얼른 이지한의 허리에서 손을 놓고 뒷걸음을 쳤다. 그러자 이지한은 뒤로 돌아 나를 마주하더니 순식간에 내 손목을 낚아채고 승강기 바깥으로 빠져나갔다.

정신을 차리고 보니, 어느새 승강기 앞 로비에 다다라 있었다. 그런데 이상하게 로비는 텅 비어 있었다.

로비뿐만 아니라 내 주위 어디에도 사람은 보이지 않았다.

"뭐지? 왜 아무도 없지?"

내 눈에 보이는 이가 없다는 건 나를 보는 이도 없단 얘기니까. 나는 내 웨딩드레스를 가리지 않고 한결 편해진 마음으로 주위를 둘러봤다. 이지한은 그런 나를 공연장으로 이끌어 갔다.

이윽고 이지한이 공연장 문을 열었을 때, 나는 공연장 안에도 사람이 없다는 걸 확인할 수 있었다.

"저기요, 오늘 여기, 공연 없는 거 아니에요?"

이상해서 묻자 이지한은 무대를 바라보며 대답했다.

"여기 공연 보러 온 거 아닙니다."

"그럼요?"

영문을 몰라 다시 물었지만, 이지한은 가만히 무대를 보기만 했다. 그래서 나는 이지한처럼 무대로 시선을 옮겼다. 그러자 무대 위의, 마치 고급 레스토랑 같은 세트장이 눈에 들어왔다.

아무도 없는 공연장에 저런 화려한 세트장이라니.

의아한 광경에 고개를 갸웃거리는데, 이지한은 다시 나를 이끌고 성큼성큼 무대로 향했다.

아예 무대 위로 올라 세트장에 들어섰을 때, 나는 테이블 위 촛불이 진짜 촛불임을 깨달았다. 게다가 테이블 위의 식기들도, 음식들까지도. 모두 진짜로 잘 차려진 저녁 식사였다.

"앉읍시다. 저녁 시간 다 됐으니까."

이지한은 태연하게 무대 한가운데의 테이블에 나를 앉혔다. 그리고 이지한은 맞은편에 가서 앉았다. 자리에 앉은 나는 내 앞의 접시에 담긴 요리를 봤다.

"이거 전부 레스토랑에서 공수해 온 요립니다. 그것도 우리 도착 시간 맞춰서."

"아니……. 왜 그렇게까지……. 왜 굳이, 여기에 이런 걸……."

어안이 벙벙해서 이지한을 향해 눈을 껌뻑였다. 그러자 이지한은 내 두 눈을 똑바로 보며 말했다.

"그쪽한테 딱 맞는 고백을 해야 하니까."

"아, 고백……. 그거 아까 했던 것 같은데……."

맞아, 했었지……. 했었네?!

드레스 숍에서의 고백이 떠올라서 눈을 번쩍 떴다. 그런데 이지한은 그게 아니라는 듯이 고개를 절레절레 저어 보였다.

"그렇게 충동적이고 성의 없는 고백에서 끝낼 내가 아닙니다."

장담하듯 말하고서 이지한은 나이프와 포크를 들었다.

"우선 식사부터 하죠."

"식사? 아니, 지금 식사를 하자고요? 지금?"

아니, 남의 마음에 지진 일으켜 놓고 뭘 하자고 지금?

어안이 벙벙해서 물었더니, 이지한은 아무렇지 않게 접시 위의 요리를 썰며 답했다.

"지금은 식사를 할 땝니다. 내가 준비한 계획적이고 성의 있는 고백, 그 첫 장면은 식사니까."

"첫 장면이라니……? 대체 몇 장면이 더 있는 건데요?"

"먹어요. 그럼 다음 장면으로 넘어갈 테니까."

그러고서 이지한은 포크로 고깃점을 입에 넣었다. 그리고 아주 태연하고 느긋한 시선으로 나를 지켜봤다.

와……. 저게 진짜 고백을 예고한 자의 표정인가?

너무나도 현실성이 없어 눈을 의심하는데, 고깃점을 삼켜 낸 이지한이 다시 입을 열었다.

"왜 안 먹습니까?"

"……지금 먹다 체할 것 같아서요."

"그럼 먹는 시늉이라도 하죠."

"예?"

"옆에 봐요."

이지한은 나이프를 들어 옆을 가리켰다. 그걸 따라 옆을 봤더니, 공연장의 넓은 객석이 눈에 들어왔다.

내가 공연해 온 소극장의 열 배. 아니, 스무 배쯤 되려나? 심지어 2층까지 있으니까. 그래, 그 정도는 되겠다.

벌레 하나 없을 것 같은 깨끗하고 고급스러운 객석을 바라보다가, 잠시 씁쓸해졌다.

어릴 때만 해도 이런 무대에서 공연해 보는 게 소원이었는데. 내 주제에 그런 일은 불가능하단 사실을 인정하기까지 참 긴 시간이 걸렸다. 아무리 해도 안 된다는 걸, 몇 번이나 직접 겪고서야 깨달았다. 이렇게 서른이 넘어서야…….

"나아정 씨 지금 무대에 오른 겁니다."

잠시 상념에 빠진 내 머릿속으로 이지한의 목소리가 파고들었다.

"예?"

"저기 관객이 보고 있으니까. 주어진 역할대로 식사 시늉이라도 합시다."

정신 똑바로 차리라는 듯 이지한은 내 눈을 뚫어지게 주시하며 당부했다.

"관객……. 없는데요?"

나는 텅 빈 객석을 다시 한 번 확인하며 대꾸했다.

"설마 여기 귀신 하나쯤 없겠습니까?"

"예?"

"눈에 안 보인다고 무시하고 그러는 거 아닙니다. 단 한 명의 귀신이라도 보고 있다면 무대에서 최선을 다하는 게 프로 아닙니까?"

"그…… 그렇기는 하지만."

"내가 준비한 식사를 맛있게 한다. 그게 첫 장면에서 나아정 씨 역할입니다. 실시."

이지한은 매서운 눈초리로 단호하게 명령했다. 순간 어디선가 호루라기 소리가 들려오는 듯한 환청이 느껴져서 나도 모르게 포크와 나이프를 집어 들었다. 그리고 얼른 고기를 한입 크기로 썰어 내고 입에 넣었다.

내가 시늉이 아니라 진짜로 고기를 씹어 삼키자 이지한은 나를 보며 흡족한 표정으로 말했다.

"역시 프로답습니다. 때마침 내가 준비해 둔 다음 대사에 딱 맞는 모습이군요."

"다음 대사……? 그게 뭔데요?"

내가 묻자 이지한은 턱을 괴고 흔쾌히 답을 들려줬다.

"나아정 씨는 무대에서 연기할 때가 제일 멋집니다."

"……예?"

"내가 그쪽한테 처음 사랑을 느낀 건, 그쪽이 무대에서 연기하던 그때였습니다."

이지한은 잠시 회상에 잠긴 듯이 시선을 내린 채로 미소를 띠었다. 그러더니 이지한은 이윽고 입술만을 움직였다.

"이 길로 쭉 가도 된다. 아직 늦지 않았다. 잘될 거다. 형이 그쪽 연극을 보고 했다던 그 말들. 그 말들을 나도 하고 싶었을 때. 그때 시작된 겁니다."

회상이 끝났는지, 이지한은 미소를 거두면서 턱에서 손을 내렸다. 그리고 테이블 위에 두 손을 모아 잡고 심각한 표정으로 이어 말했다.

"물론 그쪽은 내가 아니라 형을 사랑하는 거, 압니다. 그쪽이 너무 듣고 싶어 했던 그 말들을 형이 먼저 해 버렸으니까. 내가 먼저 봤더라면 내가 먼저 했을 그 말들을, 하필 형이 먼저 해 버렸으니까."

아니. 지경이는 그런 말, 해 준 적 없다. 그 말들은…….

이지한이 처음으로 해 준 말들이다.

나는 차마 밝힐 수 없는 진짜 이야기를 참느라고 그저 벙어리처럼 입을 꾹 다물고 이지한을 바라보기만 했다. 이지한은 마치 그런 나를 이해한다는 듯이 고개를 끄덕였다.

"이제 와서 내가 이러는 거, 받아들이기 힘들 겁니다. 형 돌아오기까진 2주일밖에 안 남았고, 결혼식은 한 달 뒤. 이 상황에 파혼하고, 더구나 형 동생인 나한테 오라는 거. 그쪽한테 말 안 되는 얘기길 겁니다."

"……."

"그쪽이 나를 사랑해야 말이 될 텐데."

이지한은 의미심장한 눈빛으로 내 눈을 뚫어지게 응시했다.

"내가 대체 어떻게 해야 그런 일이 가능해질까……. 아주 깊이 생각하고 준비한 게 있습니다."

"……."

"이제 나아정 씨가 일어나서 옆 테이블에 놓여 있는 상자를 가져올 차렙니다."

마치 연기를 지시하는 연출가처럼 이지한은 내게 행동을 요구했다.

멍하니 이지한의 말만 듣고 있던 터라, 얼결에 이지한이 시킨 대로 자리에서 일어났다. 그리고 이지한이 눈으로 가리키는 테이블로 걸어갔다.

테이블 위에는 마치 반지 케이스처럼 작은 상자가 놓여 있었다. 나는 그 상자를 가지고 내 자리로 돌아왔다.

설마 반지인가? 설마?

불안한 건지, 두근거리는 건지. 가슴속이 헷갈리게 요동쳐댔다.

"앉아서 열어 봅시다."

이지한의 권유대로 나는 자리에 앉아 상자의 뚜껑을 조심조심 열었다. 그러자 상자 속에서는 반지가 아니라, 금빛 찬란한 USB가 모습을 드러냈다.

"……이게 뭐예요?"

갑자기 USB라니. 도무지 감이 오지 않아 이지한을 향해 물었다.

"극작가 노희철 씨가 그쪽을 주인공으로 희곡을 쓰고 있는데."

"예?"

"아직 완성된 건 아니지만. 대략적인 시놉시스는 거기 들어 있습니다."

"……예?"

"이게 완성되면 나아정 씨가 주연으로 연기하게 될 겁니다. 이건 나아정 씨한테 꼭 맞춘 연극이니까. 나아정 씨만큼 완벽하게 소화해 낼 배우는 없습니다."

"……예?"

"그리고 공연장은, 여기로 하죠."

"……예?"

"그놈의 예 소리는 언제까지 할 겁니까?"

"……예?"

"……."

이지한은 뭔가 못마땅한 표정으로 팔짱을 끼고 나를 바라봤다. 그러더니 이지한은 체념한 듯 고개를 절레절레 흔들고서 다시 입을 열었다.

"됐고. 지금부터 진짜 중요한 대목이니까. 그냥 입 다물고 들읍시다."

나도 모르게 또 예 소리가 나오려고 해서 얼른 두 손으로 입을 틀어막았다. 그리고 이지한을 보며 고개만 끄덕끄덕했다. 그러자 이지한은 침착하게 내 눈을 똑똑히 지켜보며 말했다.

"나한테 오면 나아정 씨, 이 길로 쭉 가게 될 겁니다. 나아정 씨는 정말로 늦지 않았고 잘될 사람이니까. 나는 믿는 만큼 같이 가 줄 겁니다."

"……."

"당신 잘될 거라고. 그렇게 당신 가치를 말해 준 건 형이 먼저였겠지만. 당신 잘되게 하려고 이렇게 깊이 생각하고 행동하는 건, 나 따라올 사람 없습니다."

이지한은 자신 있게 굳건한 눈빛으로 장담했다. 그러더니 이지한은 한결 마음이 편해진 양 미소를 지었다.

"그러니까 이제 그 손 내리고, 나한테 옵시다."

이지한은 입을 틀어막고 있는 내 두 손을 보며 말했다.

마치 자신이 준비한 그 계획적이고 성의 있는 고백은 이것으로 끝이라는 듯이.

그리고 이제 내가 해야 할 일은, 그것뿐이라는 듯이.

그러나 나는 아무것도, 아무 말도 할 수 없었다. 입에서 손을 내리는 법도 까먹고 아예 숨을 쉬는 것조차 까먹은 채.

나는 꿈인지 생시인지 모를 이 순간에 멈춰 있기만 했다.

고백 이후 한참 동안 나는 멈춰 있었다. 당연히 고백에 대답을 하는 일도 불가능했다.

그러나 나와 달리 이지한은 멈춰 있지 않았다. 이지한은 태연하다 못해 우아하다 싶을 만큼 평소와 똑같은 모습으로 식사를 계속했다.

식사를 마친 이지한이 차로 이동하는 동안에도. 차를 운전해서 집에 도착하는 동안에도. 멈춰 버린 나는 이지한의 옆에 이끌려갈 뿐이었다.

그러다가 마침내 내 방 침대에 앉혀졌을 때, 나는 몸에 밴 습관대로 멍하니 곰 인형을 끌어안았다. 그리고서 이지한을 올려다봤다.

내가 곰 인형을 안을 때마다 늘 그랬듯이 이지한은 흐뭇하게 내려다보며 미소를 짓고 있었다.

역시 평소와 다를 바가 전혀 없는 모습이잖아?

혹시, 꿈이었나? 이지한이 고백한 거, 그냥 꿈이었나? 내가 밥 먹다가 깜빡 졸았나?

그래. 차라리 꿈인 게 더 말이 되잖아?

의문하는 사이 이지한은 내 어깨를 잡으면서 허리를 숙였다. 그리고 내 눈앞에 눈높이를 맞추고서 말했다.

"형 때문에 고민하는 건, 오늘 하루로 끝냅시다."

"……."

“그쪽 인생이 가장 행복해지는 길은 이쪽이니까. 이쪽으로 와야 하는 겁니다.”

“…….”

“지금 당장은 나보다 형을 더 사랑하고 있겠지만, 그래도 무조건 나한테 오는 겁니다. 그쪽이 날 사랑할 이유는 내가 충분히 갖고 있으니까, 형 생각은 오늘 내로 정리하고 내일 아침부턴 내 생각만 하는 걸로 합시다.”

아, 꿈이 아니네…….

나는 내 어깨를 잡은 이지한의 손을 의식하며 생각했다.

근데 왜 아직도 꿈만 같지?

정신이 어질어질 몽롱한 것이 아무래도 꿈만 같아서. 나는 곰 인형 아래로 손을 집어넣고 내 허벅지를 꼬집어 보았다. 그런데…….

“어, 뭐야, 안 아프잖아?”

순간 확 치솟는 실망감에 나도 모르게 중얼거렸다.

“진짜 꿈이었어…….”

울상으로 허벅지를 내려다보며 덧붙이는데, 내 어깨에서 느껴지던 이지한의 손도 사라졌다.

나는 역시 꿈이라는 생각에 시무룩하게 시선을 들었다. 그랬더니 티 테이블에서 일기장을 집어 드는 이지한이 보였다.

이어서 이지한은 내게로 걸어와 일기장을 내밀었다.

“아무래도 정신이 완전 나간 모양인데. 정신 똑바로 차리고 오늘 들은 내 고백, 여기 한 글자도 빼먹지 말고 기록합시다.”

“예?”

“내 고백 되새기면서 한 글자 한 글자 손으로 적으란 얘깁니다.

그럼 내 고백이 어떤 의미인지, 제대로 느껴질 테니까."

내가 멍하니 보고만 있자 이지한은 내 머리 위로 일기장을 턱 올리고 덧붙였다.

"이거 쓰고 나면, 오늘이 실감 날 겁니다."

그러고서 이지한은 문을 향해 몸을 돌렸다.

"저기……!"

내가 부르자 이지한은 나를 향해 고개를 돌렸다.

"일기……. 일기요."

나는 아직도 실감이 나지 않아 꿈결인 듯 멍한 정신으로 말했다.

"제가 이 정신으로는, 제대로 못 쓸 거 같은데……."

이지한은 뭔 소린가 싶은 표정으로 아예 몸을 돌려 나를 마주했다. 나는 그런 이지한에게 잠꼬대하듯 이어 말했다.

"아까 그 고백……. 다시 해 주면…… 안 돼요?"

이지한은 아예 휴대 전화의 녹음 기능을 켜 둔 채로 극장에서의 고백을 다시금 들려주었다.

이윽고 이지한이 방을 떠난 뒤, 나는 홀로 남아 책상에 앉았다. 그리고 녹음된 음성을 재생하고서 또박또박 일기장에 받아 적어 갔다.

[나한테 오면 나아정 씨, 이 길로 쭉 가게 될 겁니다. 나아정 씨는 정말로 늦지 않았고, 잘될 사람이니까. 나는 믿는 만큼, 같이 가 줄 겁니다. 당신 잘될 거라고. 그렇게 당신 가치를 말해 준 건 형이

먼저였겠지만, 당신 잘되게 하려고. 이렇게 깊이 생각하고 행동하는 건, 나 따라올 사람 없습니다.]

수없이 반복되는 고백 속에 나는 빠짐없는 일기를 완성해 냈다. 그리고 마침내 일기장을 덮었을 때에야 이게 현실임을 인지할 수밖에 없었다.

이지한이 내게 고백했다.

이지한은 나를 좋아한다.

이건 꿈이 아니다.

"세상에……."

이게 말이 돼? 왜 하필 나를? 내가 뭐 볼 게 있다고?

명백해진 현실에 내가 현실적인 잣대를 들이대는 순간, 녹음된 음성에서 이지한의 당부가 흘러나왔다.

[오늘 일기 다 쓰면, 첫 장부터 다시 읽습니다. 그리고 한 장 읽고 넘길 때마다 벽에 걸린 사진들을 하나하나 뚫어지게 봅니다.]

그 말을 끝으로 음성은 멈추었다.

뭔가 뜻이 있는 듯한 당부라서, 나는 얼른 일기장을 펼쳤다.

일기를 한 장 읽고, 벽에 걸린 내 사진들을 보고. 또 일기를 한 장 읽고, 사진들을 보고.

그러다 보니, 나는 차차 이지한의 관점에서 나를 바라보게 되었다.

이지한의 눈엔 내가 저렇게 예뻐 보이는구나…….

나는 사진을 보며 고개를 끄덕이다가 일기장으로 시선을 내렸다.

그래서 이지한은 나를 이렇게 대했구나…….

나는 일기를 읽으면서도 고개를 끄덕였다.

이해가 간다. 이해가…….

그러다가 문득 고개를 멈칫했다.

“어머, 내가 미쳤나? 나 공주병이야?”

저건 일류 사진작가가 찍은 사진이잖아? 호박을 가져다 놔도 수박으로 찍어 낼 수 있는, 그런 초일류 사진작가가 찍은 건데! 아무리 나라도 예뻐 보이는 게 당연하지!

“나아정, 정신 차려! 저건 진짜 네가 아니야! 네가 저렇게 예쁠 리가 없잖아?”

나는 벌떡 자리에서 일어나 전신 거울로 향했다.

“나는, 원래 이렇게 생겼다고!”

나 자신을 일깨우려고 나는 거울 앞에 서서 나를 비추었다.

순간 나는 두 가지를 깨달았다. 하나는 내가 아직 웨딩드레스 차림이란 사실이고. 또 하나는…….

“예쁘잖아……?”

또 하나는, 내 눈에도 내가 예쁘다는 사실이다…….

진짜, 진짜, 진짜! 진짜구나!

확 깨어나는 정신에 눈을 번쩍 떴다. 그리고 거울 속의 나를 향해 외쳤다.

“진짜야! 이지한이 너를 진짜 좋아해!”

거울 속의 내가 믿을 수 없단 표정이기에, 나는 거울을 붙들고서 앞뒤로 흔들었다.

“진짜, 진짜라니까?!”

내가 마구 흔들다가 손을 멈추자, 거울 속의 나는 활짝 웃음을 머금었다.

눈이 없어질 것처럼, 입이 찢어질 것처럼.

내가 이렇게까지 행복해 보인 적이 있었을까?

아니. 아무리 생각해도 지금 이 얼굴은, 서른셋 인생 동안 정말이지…… 처음 보는 얼굴이었다.

나는 고개를 내저으며 내 가슴에 두 손을 얹었다. 그러자 살이 떨리도록 방방 뛰어 대는 심장이 느껴졌다.

당장 뛰어가라고, 뛰어가서 너도 고백하라고. 심장이 나를 재촉하며 일깨워 줬다. 너도, 이지한을 좋아하는 거라고.

"그래, 잡을 거야!"

나는 외치고서 냉큼 문을 향해 돌진했다.

그런데 그때, 책상에서 휴대 전화가 울렸다. 메시지가 도착했단 신호음이었다.

뭐지? 혹시 이지한인가? 또 할 말이 있는 건가?

나는 잠깐 멈칫했다가 얼른 책상으로 달려가 메시지를 확인했다. 그러나 메시지를 보낸 이는 이지한이 아니었다.

그건, 지경이었다.

[오늘 웨딩드레스 본다며? 잘 골랐어?]

구름 위로 날아가다 갑자기 벼락을 맞은 기분이다. 한순간 심장이 멎고, 온몸이 저 아래로 뚝 떨어지는 그런 기분.

"아……. 나 어떡해……."

순식간에 울상으로 일그러진 채 바닥으로 주저앉아 버렸다.

[궁금하네. 사진 보내 줘.]

이어서 들어온 메시지에 나는 땅이 꺼져라 한숨을 내쉬었다. 그러자 눈치 없이 또 새로운 메시지가 도착했다.

[명색이 내가 신랑인데, 내 신부 웨딩드레스는 내가 제일 먼저 봐야지. 안 그래?]

"안 그래……. 딴 놈이 먼저 봤어……. 근데 그놈이 네 동생이야……."

나는 두 손으로 얼굴을 가리고서 참담하게 혼잣말했다.

하필 결혼이 코앞일 때, 결혼할 남자 동생한테…… 처음으로 반하다니…….

"내가 미쳤지, 내가 미쳤어……."

고개를 마구 내저으며 나를 탓하다가 문득 고개를 멈추고서 손을 내렸다. 그리고 멀리 전신 거울을 향해 고개 돌려 물었다.

"근데 어떻게 안 좋아해?"

거울 속에 쪼그려 앉은 내 표정은 잘 보이지 않았다. 하지만 개의치 않고 벌떡 일어나서 벽에 걸린 사진들을 가리키며 말했다.

"날 이렇게 본다잖아? 게다가……!"

나는 책상 위의 일기장을 들어 거울에다 내밀었다.

"게다가 날 이렇게 대하는데! 나 이런 남자 처음인데! 근데 어떻게 안 좋아해? 심지어 이지한은 내가 자기 형하고 결혼한다는데, 그런데도 날 좋아해! 그 정도로 날 좋아한다고!"

억울한 듯 항변하던 나는 또 갑자기 끈 떨어진 연처럼 바닥으로 풀썩 무너졌다.

"그래……. 그런데도 날 좋아하는 거야……. 이 결혼이 진짜 결혼인 줄…… 속고 있으면서……."

나는 멍하니 중얼거렸다.

"나는……. 이지한을 속여 왔어……."

네 형을 사랑한다고. 그래서 결혼할 거라고.

그렇게 연기해 온 지난 시간들이 주마등처럼 스쳐 갔다.

이지한은 그게 다 사실인 줄 알 텐데……. 나 어떡해야 하지?

나는 사랑이 아니라 돈 때문에. 계약금 5억 때문에 가짜 결혼을 연기해 온 사기꾼인데…….

이걸 이지한이 알면, 그래도 날 사랑할 수 있을까?

내가 이런 사기꾼에, 거짓말쟁이인데?

"아니야, 안 그럴 거야……."

나는 내 머리를 쥐어뜯으면서, 울먹이며 자답했다.

형하고의 결혼. 형에 대한 사랑.

그 모든 게 거짓인 걸 알아 버리면 이지한은 내 모든 걸 불신하게 될 거야. 아니, 경멸하게 될 거야. 그게 당연해…….

[지금 당장은 나보다 형을 더 사랑하고 있겠지만, 그래도 무조건 나한테 오는 겁니다.]

떠오르는 이지한의 목소리에 찔끔 눈물이 났다.

형을 사랑하지 않는 데도 그에게 갈 수가 없는 거구나.

나는 눈물을 훔치면서 바닥으로 고개를 떨구었다. 그러자 어느새 떨어뜨린 건지, 바닥에 떨어진 일기장과 휴대 전화가 눈에 들어왔다.

나는 나도 모르게, 내 손에서 둘 다를 놓쳤던 모양이다.

나는 둘 중 어느 것도 다시 잡지 못한 채 물끄러미 바라보기만 했다.

그래. 나는 둘 다를 놓쳤다. 이래서야, 지경이한테 갈 수도 없는 거다.

이지한이 나한테 어떤 마음인지 뻔히 알면서 어떻게 이지한의 형과 결혼을 해?

안 될 말이지. 그건 진짜, 몹쓸 짓이지.

나는 울면서 고개를 내저었다. 그리고 질질 흐르는 눈물을 손등으로 훔쳐 내다가 무심코 웨딩드레스에 젖은 손을 닦으려 했다. 그러나 고급스러운 감촉이 손에 닿는 순간, 정신이 번쩍 들었다.

"으아, 이거 비싼 건데! 환불할 건데!"

천만다행으로 얼른 손을 떼며 외쳤다. 다행히 눈물이 묻진 않은 것 같다.

그럼 이건 어디다 닦지?

나는 어정쩡히 손을 든 채 주위를 둘러봤다. 그러느라 내 방 모든 것을 둘러보게 되었다.

처음 가져본 내 방에는, 처음 가져 본 것투성이였다.

난 이런 걸 가질 자격이 없었는데.

이런 방에 있을 자격도, 이지한의 마음에 있을 자격도 없는 인간인데…….

죄책감에 또다시 고개를 떨어뜨렸다. 그리고 손이 마르도록 내버려 둔 채 바닥의 일기장을 바라봤다.

그래. 나는 저 일기 속에서 내내 파렴치한 인간이었어. 날 그렇게 진심으로 대해 준 사람 속이기나 하고…….

나는 저 일기 속에서처럼 사랑받을 자격, 하나도 없어.

나 자신이 너무 싫어져서 또 눈물이 펑펑 쏟아졌다.

아…… 안 되는데…….. 이 드레스 환불해야 하는데. 젖으면 안 되는데.

나는 턱 밑으로 뚝뚝 떨어지는 눈물을 손바닥으로 받쳤다. 그리고 재차 주위를 둘러보다가 화장대 위 휴지를 향해 달려갔다.

아무래도 드레스는 벗고 울어야겠어.

마르지 않는 눈물을 얼른얼른 훔쳐 내면서 다짐했다.

눈물 한 방울 안 묻히고 드레스를 벗어 내자고.

그리고 울 만큼 실컷 운 다음, 이지한에게 내 죄를 자백하자고.

적어도 마지막 한 번만큼은, 나도 진심을 다하자고.

나도 이지한처럼. 진심으로 고백하고, 벌을 받자고.

나한테 속은 채로, 나 같은 걸 계속 좋아하게 둘 순 없으니까.

내 인생은 원래 이런 식이다.

열심히 한 보상은 언제 올지 모르겠는데, 잘못한 대가는 꼬박꼬박 확실하게 돌아온다.

그렇게 체념하고 받아들이면서 이지한의 방문 앞에 무릎을 꿇고 앉았다. 그리고 이지한이 나올 때까지 하염없이 기다렸다.

밤사이 켜 놓고 잠든 건지, 아니면 벌써 일어나서 켜 둔 건지. 이지한의 방 안에서는 음악 소리가 새어 나오고 있었다. 귀에 익은 멜로디라서 그 음악이 캐논이라는 사실을 금세 알아차렸다.

얼마 지나서 캐논이 멈추었을 때, 나는 무릎 위의 두 주먹을 꽉 쥐었다. 그리고 입술을 꾹 깨물며 각오를 다졌다.

울지 말자, 울지 말자, 울지 말자.

밤새 울었던 눈이 또 젖으려 들었지만, 재빨리 눈을 비벼 내고 눈물을 삼켰다. 그러고서 손을 내리는데 내 앞에서 불쑥 문이 열렸다.

순간 왈칵 겁이 나서 눈을 감고 말았다. 하지만 곧 심호흡을 한 번 하고 비장하게 눈을 뜨고 위를 봤다.

그러자 이지한은 당황한 눈빛으로 나를 내려다보고 있었다.

"뭡니까? 이 꼭두새벽부터."

"제가, 고백할 게 있어서요."

나는 용기 내서 또박또박 최대한 침착하게 말했다.

"그걸 꼭 이 자세로 해야 합니까? 무슨 석고대죄도 아니고."

"아닌 게 아니라서요……."

"아닌 게 아니라니."

이지한은 눈살을 찌푸리고 뭔가 심상찮은 투로 덧붙였다.

"설마 어제 준 USB 잃어버렸습니까?"

"예? 아니, 그건 아니고."

"아니긴 뭐가 아닙니까?"

이지한은 퉁명하게 쏘아붙이더니 바지 주머니에서 금빛 USB를 꺼냈다.

"어제 극장에서 고백 받고 이거 챙기지도 않던데. 그땐 저 여자가 넋을 놔서 저렇겠거니 이해하고 챙겼습니다만. 설마 아직까지 잃어버린 줄도 몰랐던 겁니까?"

"……."

어쩔 줄을 몰라 굳어 버린 내게, 이지한은 떨떠름한 표정으로 USB를 건넸다.

"죄송해요, 이것도……."

지은 죄를 고백하기도 전에 또 하나의 죄가 생기다니.

나는 얼른 사죄하며 두 손으로 USB를 받아 주머니에 넣었다. 그러자 이지한은 팔짱을 끼고 예리한 눈빛으로 질문을 던졌다.

"반응을 보아하니 USB 때문은 아닌 것 같고. 그럼 대체 뭡니까? 이 석고대죄의 이유."

나는 다시금 심호흡을 했다. 그리고 아플 만큼 두 주먹을 꽉 쥐고서 기어이 마음속의 비밀을 털어놓았다.

"죄송해요. 제가……. 실은 이지한 씨를, 속이고 있었어요. 저 사실, 지경 씨 사랑해서 결혼하려던 거, 아니에요."

"사랑해서 결혼하려던 게, 아니다?"

"예. 저 사실은……."

더없이 심각해진 이지한의 표정에 나는 무서워서 도저히 못 버티고 고개를 푹 숙였다. 그렇지만 눈을 질끈 감고 해야 할 고백만큼은 분명하게 확 내뱉었다.

"지경 씨 돈 때문에, 결혼할 생각이었어요!"

질렀다. 이제 주워 담을 수 없는 거다.

나는 그렇게 마음을 다잡고서 남은 말을 이어 갔다.

"나는 지경 씨 사랑 안 하는데. 막상 지경 씨가 결혼하자니까……. 그냥 하자 싶었어요. 지경 씨 돈이 욕심나서……."

본질적으로는 이게 맞는 말이다. 나는 지경이가 주는 계약금을 받으려고 결혼을 결심한 거니까.

한마디로 돈 욕심에, 돈 때문에 결혼을 결심한 거다. 사랑도 없으면서, 돈 때문에.

그러니까 여기까지만 말하자.

이건 애초에 지경이가 원한 위장 결혼이라고. 그 말까지 해 버리면 지경이가 곤란해질 테니까.

지경이도 나를 사랑하지 않느니, 게이라느니. 그런 말이 나올 일은 없게 하자.

나는 스스로를 단속하며 이지한의 반응을 기다렸다. 그러자 잠시 후에 이지한의 목소리가 들려왔다.

"형을 사랑하지도 않는데, 결혼 허락받겠다고 나한테 그렇게까지 필사적이었다, 그 말입니까?"

감정을 읽어 낼 수 없는 차분한 목소리였다.

"네……."

내 대답에 이지한은 잠자코 침묵했다. 그러다가 이지한은 뜻밖의 질문으로 침묵을 깼다.

"그런데 왜 이걸 자백합니까?"

"예?"

나는 나도 모르게 고개를 들고 이지한을 봤다. 그러자 이지한은 표정 없이 냉정한 눈초리로 쏘아보며 말했다.

"돈 때문에 형하고 결혼 결심했고, 그렇게까지 필사적으로 내 허락 얻으려고 했고. 그럼 끝까지 버텨야지 왜 갑자기 양심선언이냐, 이겁니다."

"더 버티지 않으려고요. 그냥, 결혼 포기하려고요."

"왜죠?"

"어제 이지한 씨 고백 듣고. 더는 이지한 씨 속여서는 안 되겠다 생각하게 됐어요. 그래서……."

"내 고백이야 거절하면 그만입니다."

이지한은 딱 잘라 냉정하게 말했다.

"예?"

“난 당신 형을 사랑한다. 그러니까 그 고백 못 받아준다. 그렇게 나 거절하고 나아정 씨는 그냥 형하고 결혼할 수 있었습니다. 그런데 왜 포기합니까?”

“그렇게 하기 싫어요. 내가 그러면, 이지한 씨 힘들 거니까…….”

“그게 그쪽하고 무슨 상관이죠? 내가 힘들다고 우리 형 돈이 사라지는 것도 아닌데. 나아정 씨가 지금 왜 나 때문에 돈을 포기하는 건지, 나는 이유를 모르겠습니다.”

“그건…….”

솔직하게 다 털어놓자 다짐했는데 왜 결정적인 한마디가 목에 막혀 버리는지.

나는 차마 아무 말도 못 하고 땅바닥으로 시선을 떨어뜨렸다. 그러자 내 머리 위에서 이지한이 거칠게 한숨을 터뜨렸다. 그러더니 이지한은 화난 듯이 외쳤다.

“그걸 몰라서 그러고 앉았습니까?!”

“예?”

놀라서 위를 보자 이지한은 덥석 내 어깨를 잡아 일으켜 세웠다. 그리고 이지한은 부릅뜬 두 눈으로 나를 노려보며 호통쳤다.

“당신, 나 좋아하는 거잖아!”

“예?”

“나아정 씨, 나 좋아하는 거라고! 빨리 말 안 합니까?!”

이지한은 다그치며 내 어깨를 흔들어 댔다.

“해, 해요! 좋아해요!”

목에 걸린 그 한마디를 뱉어 내자 이지한은 동작을 우뚝 멈췄다. 그러다 아직 분이 가시지 않는 눈빛으로 나를 쏘아보며 말했다.

“1분만 늦었어도 멱살 잡을 뻔했습니다.”

“……..”

그냥 하는 말이 아니라, 정말 그랬을 거 같다.

서슬 퍼런 눈살에 모골이 송연해져 꼴깍 침을 삼켰다.

그러자 이지한은 내 어깨를 풀어주었다.

대체 내가 고백을 치른 건지, 한바탕 취조를 겪은 건지.

얼얼해하는 나를 앞에 두고서 이지한은 눈을 감고 깊게 숨을 내쉬었다. 다시 눈을 떴을 때, 이지한의 눈빛은 한결 편안해져 있었다. 이지한은 눈빛처럼 편안해진 표정으로 나를 향해 입을 열었다.

“돈 때문이든 사랑 때문이든. 이유가 뭐가 됐든 그쪽은 형하고 결혼할 사람이었습니다.”

“……..”

“아직도 나보다 형하고의 결혼이 더 중요할 수 있었을 텐데, 이렇게 고백했다는 건. 형하고 결혼할 이유가 뭐였건, 그보다 내가 더 중요해진 거니까. 나아정이 나 좋아하는 거니까. 됐습니다. 그럼 된 겁니다.”

이지한은 또다시 내 어깨를 잡았다. 그리고 엄숙하게 덧붙였다.

“상황 정리 끝났으니까. 도장 하나 찍읍시다.”

“도장? 그거 여기 없어요. 그거……”

새엄마 집에 있을 텐데? 라고 말할 생각이었다.

하지만 그럴 새가 없이 이지한의 입술이 내 입술을 가로막았다.

살짝, 내 입술에 도장을 찍는 듯이.

세상에! 내 인생이 이렇게 쉽게 풀리다니!

믿기지 않는데! 믿고 싶다! 아니, 기필코 믿을 거다!

이건 진짜다! 꿈이 아냐, 진짜야!

허물 벗고 다시 태어날 듯이, 욕조에서 온몸을 박박 씻어 내며 나 자신을 세뇌시켰다.

개운하게 목욕재계를 마치고서, 정말이지 다시 태어난 마음으로 욕실을 나섰을 때, 어디선가 호루라기 소리가 난 것 같은 착각이 들었다.

이상하네. 꼭 이지한이 불던 호루라기 소리 같잖아?

멈칫 서서 고개를 갸웃거리는데 호루라기 소리가 멈췄다. 그러더니 이지한의 목소리가 들려왔다.

"욕실에서 나온 거 다 압니다. 빨리 안 옵니까?"

뒤이어 또다시 호루라기 소리가 울려 퍼졌다.

"아, 예! 가요!"

순간 채찍을 맞은 듯이 얼른 대답을 뱉고, 소리를 향해 달려갔다.

소리의 진원지는 주방이었다. 식탁에 앉아 호루라기를 불고 있던 이지한은 나를 보고서야 호루라기를 멈추었다.

"어, 그건 왜……? 호루라기 버렸다면서요? 근데 왜…….."

"그쪽 목욕하는 사이에 다시 사 온 겁니다."

"왜요?"

"이제부터 쓸 거니까."

“예?”

“일단 앉죠.”

이지한은 식탁에서 자기 맞은편 자리를 눈짓으로 가리켰다. 식탁에는 낯익은 요리가 놓여 있었다.

“이거, 비프 부르기뇽이네요?”

“맞혔으니 1점입니다.”

“예?”

“내가 이걸 왜 만들었는지도 맞히는 게 좋을 겁니다. 왜겠습니까?”

“그건…….”

난데없는 질문에 잠시 고민하다가, 나름의 추측을 내뱉었다.

“저한테 처음 해 줬던 요리니까……. 그래서 해 준 거…… 죠?”

“맞습니다. 1점 추가.”

이지한은 짝짝, 천천히 두 번 박수를 쳤다. 그러고서 이지한은 근엄하게 덧붙였다.

“연애 첫날이니까 처음에 걸맞는 메뉴로 준비한 겁니다.”

연애 첫날……! 갑자기 귓가에서 폭죽이 터지는 듯하다.

나는 벅찬 감격에 두 손을 모아 쥐었다.

“그럼 저는 처음처럼 먹을게요!”

신이 나서 외치고는 얼른 수저를 들었다. 그러자 이지한은 턱을 괴고 감상하듯 나를 지켜봤다. 나는 소고기 한 점에 양념을 잔뜩 묻히고 보란 듯이 입에 넣고 꼭꼭 씹어 삼켰다.

“어라? 이거 처음이랑 맛이 달라요.”

뭔가 이상해서 말하자 이지한의 눈살이 구겨졌다.

“그럴 리 없습니다. 똑같은 레시피로 만든 건데…….”

"달라요, 훨씬, 더 맛있어요! 아니, 어떻게 이러지? 님 혹시 그
새, 나 몰래 요리 학원 다녔어요? 왜 이렇게 손맛이 더 좋아졌지?"

홍분해서 나도 모르게 마구 칭찬을 늘어놓자 이지한은 얼굴 가득
씩 웃음을 걸치고서 중얼거렸다.

"이 여자가 백 점을 한 방에 따 가네."

아까부터 왜 자꾸 점수 타령인지 궁금했지만 묻지 않았다.

먹고, 먹고, 먹느라고. 내 입은 말할 틈이 없기 때문에.

3. 전쟁 같은 연애

3. 전쟁 같은 연애

배부르게 식사를 마친 나를 침대에 앉혀 두고 이지한은 내 앞에서 엄숙하게 운을 뗐다.

"지금부터 우리 연애, 오리엔테이션을 시작하겠습니다."

나는 알아서 곰 인형을 끌어안은 채, 들뜬 마음으로 이지한을 올려다봤다.

이지한은 그런 나에게 호루라기를 들어 보였다.

"이 호루라기가 어떤 의미인지부터 설명하죠. 이건 형 때문에 필사적이었던 과거의 나아정을 상징하는 유물 같은 겁니다."

"예?"

"나아정 씨는 근 한 달 동안 나한테 결혼 허락받으려고 이 호루라기에 최선을 다해 반응했습니다. 자다가도 벌떡 깨고, 저 멀리서 한달음에 뛰어오고."

"그야 그랬지만. 그건 지경 씨를 사랑해서가 아니라……."

“물론 형의 돈 때문이지만. 돈 때문이든 사랑 때문이든 이유가 뭐가 됐든, 나아정 씨는 형하고 결혼하고 싶어서. 형 때문에 이 호루라기에 필사적으로 반응했던 겁니다.”

“그……”

“난 이 호루라기 볼 때마다 형 때문에 필사적이었던 나아정 씨가 생각날 거고, 나아정 씨가 나한테 했던 거짓말이 생각날 겁니다.”

“그럼 호루라기, 안 보이게 할게요. 제가 미리미리 주위 다 살펴보고 호루라기 있으면 다 치우고 다닐게요.”

“그게 가당키나 합니까? 잠자는 숲속의 미녀, 모릅니까?”

“에이, 나 그거 알아요. 설마 그걸 모를까. 그거 공주가 물레방아에 찔려서 잠드는 얘기잖아요.”

“물레 바늘입니다, 물레 바늘. 대체 물레방아에 어떻게 찔립니까?”

“아, 맞다. 물레 바늘이지.”

“아무튼, 그 여자 부모도 자기 딸 죽을까 봐 물레 바늘 죄 태우고 없앴는데, 결국 그 여자는 어디 처박혀 있던 물레 바늘에 찔려 잠들지 않습니까? 지구상에서 한 가지 아이템 싹 쓸어 없애는 거, 동화 속 왕족도 못 한 일입니다. 하물며 현실 속 평민은 오죽할까.”

이지한은 고개 저으면서 쯧쯧, 혀를 찼다.

“그런 현실성 없는 계획 말고, 내가 제대로 된 해결책을 제시하죠.”

“뭔데요?”

“이제부터 한 달 동안은 나 때문에 필사적으로 이 호루라기에 반응하는 겁니다.”

“하, 한 달 동안이요?!”

나는 놀라서 하얗게 질린 얼굴로 물었다.

"뭡니까, 이 반응은? 형 때문엔 할 수 있어도 나 때문엔 못 하겠다, 이겁니까?"

"아니, 그…… 그런 게 아니라……."

그거야 시집살이니까 참은 거지! 시집살이는 원래 그런 거니까! 근데 누가 연애를 그렇게 해!

억울해서 울상이 된 내 앞에서 이지한은 단호하게 호루라기를 불었다. 그 소리에 마지못해 몸을 일으켰지만, 내 얼굴은 사탕 뺏긴 아이처럼 삐죽삐죽 구겨졌다.

아냐! 내가 꿈꾼 연애는 이런 게 아니야!

속으로 외쳐 보는데, 이지한이 호루라기를 내려놓고 입을 열었다.

"나아정 씨. 설마 내가 무리한 거 시키겠습니까?"

"그거 불 땐 충분히 시켰잖아요."

나는 바닥을 내려다보며 소심하게 꿍얼거렸다. 그러자 이지한의 목소리가 들려왔다.

"그때랑 같을 리가 없습니다. 그땐 시집살이시킬 때고, 지금은 연애할 땐데."

그 말에 마음이 솔깃해져서 슬그머니 이지한을 향해 시선을 올렸다. 이지한은 그런 나를 보며 두 팔을 벌려 보였다.

"일단 와서 안읍시다."

멋쩍지만 쭈뼛쭈뼛, 나는 이지한에게 다가가서 허리에 팔을 둘렀다. 그러자 이지한의 두 팔이 내 어깨를 감싸 안았다. 그리고 이지한은 차분한 목소리로 말했다.

"이런 과정 안 거치면, 나 어쩌다 한 번씩 당신한테 속았던 게 화 날 것 같아 그럽니다."

“…….”

“지금은 괜찮은 것 같아도 시간 지날수록 앙금 커지는 일도 있는 법이니까. 티끌만 한 앙금도 없게 지금 다 걸러 내는 과정이다, 그렇게 생각하고 이해합시다.”

듣고 보니 맞는 말이다.

나는 큰 거짓말을 했던 사람인데 어떤 벌도 받지 않고 너무 쉽게 받아들여졌으니까……. 잘못에 책임을 지는 과정은 반드시 필요하겠지. 이지한을 위해서도, 나를 위해서도.

그렇게 납득하며 고개를 끄덕였다. 당장 연애의 단꿈에 부풀어서는 철없이 이 과정을 억울하다 느꼈었다니. 뒤따라오는 부끄러운 마음에 차마 입도 뻥긋할 수 없어졌다.

“그럼 연애 첫 달은 호루라기와 함께하는 걸로 알고. 이상으로 오리엔테이션은 마칩니다.”

이지한은 내 등을 토닥토닥하고서 팔을 풀고 살짝 물러났다. 그리고 두 손으로 내 볼을 감싸 나와 눈을 마주친 채 다시 입을 열었다.

“자, 오리엔테이션은 끝났으니까. 이제 청문회를 시작하죠.”

“……예? 뭘 하자고요?”

“지금껏 나아정 씨가 한 말 중에 뭐가 거짓이고 뭐가 진실인지. 오늘 낱낱이 파헤치고 말 겁니다. 여기 티 테이블에 앉아요.”

이지한은 또다시 호루라기를 입에 물었다. 그리고 가차 없이 호루라기를 불었다.

몇 시간에 걸친 청문회가 드디어 막을 내렸을 때, 창밖은 노을이
지고 있었다.

기 빨리는 취조 끝에 녹초가 된 채, 나는 비틀비틀 침대로 가 쓰
러지듯 누웠다. 취조 도중 점심이랍시고 이지한이 설렁탕을 시켜
줬건만, 난 또 그걸 꾸역꾸역 다 먹어 냈건만. 나는 피죽 한 그릇
못 얻어먹은 사람처럼 기운이 하나도 없었다.

"이게 진짜 무슨 연애야……."

나도 모르게 신음처럼 혼잣말이 새어 나갔다. 그러자 이지한이
내 옆에 걸터앉으면서 대구를 건넸다.

"이제부터 데이트니까 옷 갈아입고 나와요. 이게 진짜 무슨 연애
인지, 이제 알게 될 겁니다."

이지한은 나를 보며 싱글벙글 웃고 있었다.

와……. 사람 이 지경으로 만들어 놓고, 자긴 웃어……. 그리고
뭐? 지금 나가자고? 옷까지 갈아입고?

"님……. 그냥 쉬면 안 돼요? 나 너무 피곤한데……."

나는 도저히 엄두가 안 나 애처롭게 물었다. 그런데 이지한은 여
전히 싱글벙글하는 얼굴이었다.

"나가서 쉽시다. 나가서."

"나, 손 하나도 까딱하기 싫은데……."

내가 다 죽어 가는 목소리로 말하자, 이지한은 불쑥 내 목 뒤와
오금으로 두 팔을 각각 비집어 넣었다. 순간 당황해서 몸을 들썩이

려는데, 그럴 새도 없이 이지한이 나를 들어 올렸다. 여전히 싱글 벙글, 입을 귀에 걸친 채로.

"뭐, 뭐예요……!"

"손 하나 까딱 안 하게 내가 잘 데리고 나갈 겁니다. 가만히 있기나 하죠."

"아니, 옷은……! 그럼 옷은요?"

"갈아입을 거 없습니다. 내가 보기엔 이대로도 좋으니까."

"아, 됐어요, 됐어. 내려 줘요. 내가 알아서 나갈게요."

무슨 신혼여행 첫날밤도 아니고, 연애 첫날 저녁에 이 무슨 해괴한 자세인지!

얼굴이 화끈거려 얼른 내려가려는데, 이지한은 그냥 몸을 돌려 성큼성큼 문으로 향했다.

기어이 차 조수석까지 나를 들어 옮겨 놓고서, 이지한은 운전석에 올라탔다. 여기까지 오는 내내 나는 창피해서 울 지경이었는데, 이상하게 이지한은 그 와중에도 내내 웃는 얼굴이었다.

이상하네, 진짜…….

정확히 청문회 직후부터 저 얼굴이었는데. 청문회가 웃겼나? 그게 웃겼어?

나는 청문회를 돌이켜 보며 미스터리에 빠져들었다.

지난 시간 내가 했던 말을 하나하나 들추면서 이거 진짭니까? 사실입니까? 그렇게 꼬치꼬치 물어 대던 몇 시간 동안, 이지한은 지극히 예리하고 이성적인 태도로만 나를 대했었다.

"기억이 안 납니다."

내가 불리하다 싶어 그 한마디 뱉었다가 어찌나 혼이 탈탈 털렸던지. 어우, 다시 생각해도 진저리가 난다.

이렇게 나로서는 거듭 떠올려 봐도 웃을 일이 전혀 없는데, 이지한은 왜 저렇게 웃는 건지. 혹시 청문회 말고 다른 생각을 하고 있는 건지. 영 모르겠어서 고개를 갸웃거렸다.

"나아정 씨, 뭐 이상한 거 있습니까?"

순간 넌지시 묻는 말에 흠칫했다. 어쩜 저렇게나 예리한지. 나는 내심 놀란 눈으로 이지한을 보며 대답했다.

"아, 그게……. 님이 계속 웃고 있어서, 왜 그런가 싶어서요."

"청문회 생각하니 좋아서 웃습니다."

정말로 웃는 이유가 청문회 때문이라니. 대체 왜?

"아니, 거기서 웃을 일이 뭐가 있어서요?"

"원래 거짓말은 나쁜 건데, 나아정 씨 거짓말은 기쁜 거라 그렇습니다."

"예?"

"이 길로 쭉 가도 된다. 아직 늦지 않았다. 잘될 거다. 형이 그 말 나보다 먼저 처음으로 해 줬다던 것도 거짓말이고, 형과의 러브 스토리도 거짓말이고. 이 심장이 뛰는 한 제 사랑도 멈출 수 없다느니, 우리 그냥 사랑하게 해 달라느니. 형에 대한 그딴 절절한 사랑 타령도 전부 거짓말이었고."

재차 까발려진 내 거짓말이 창피해서 얼굴이 붉어졌다. 하지만 이지한은 줄곧 싱글싱글 웃으면서 계속 말했다.

“그런 게 하나하나 거짓말로 드러날 때마다, 내가 화는 안 나고 기쁘기만 해서 두고두고 웃을 일이 됐습니다.”

“…….”

“그래서 웃고 있습니다. 이전보다 더 사랑하는 기분으로.”

싱글대던 이지한은 아예 눈이 다 감길 만큼 환하게 웃어 보였다.

순간 이지한이 발산하는 광채가 느껴졌다면, 내가 미친 건가……?

나는 멍하니 이지한의 금빛 머리와 그보다 더 빛나는 미소를 바라보며 두 손을 모아 쥐었다.

아……. 자수해서 광명 찾는다는 건 이런 거구나…….

큰 깨달음을 얻는 동시에 넘치는 기운까지 얻었다. 당장 뭐라도 할 수 있을 것 같은. 아니, 뭐라도 해야 할 것 같은!

방금까지 손 하나도 까딱 못 하게 지쳐 있던 나는 대체 어디로 쫓겨난 건지, 나는 넘치는 기운에 눈까지 반짝이며 이지한을 바라봤다.

“우리 오늘 뭐 해요? 뭐 할까요?”

뭐라도 꼭 같이 하고픈 마음으로, 나는 기운차게 물어 댔다.

“우선 밥부터 먹고.”

“그리고요? 그리고?”

“영화 볼 겁니다.”

“영화, 어떤 거요?”

“뒤가 궁금한 게 있어서 그거 볼 겁니다.”

“뒤가 궁금한 거? 그게 뭔데요?”

들떠서 수다스럽게 꼬치꼬치 묻는 내게, 이지한은 귀찮은 기색 없이 흐뭇한 미소로 대답했다.

“우리 처음 봤던 영화요.”

"……예?"

순간 나는 전기선을 확 뽑아 버린 로봇처럼 동작이 멈춰 버렸다. 그런 내 앞에서 이지한은 아무렇지 않은 얼굴로 차에 시동을 걸며 말했다.

"난 그거 끝까지 못 봤으니까. 대체 그 형수와 도련님은 어떻게 끝나는지 확인 좀 해야겠습니다."

내 기억에만 그 영화가 에로인 건지, 이지한은 얼굴색 하나 안 붉히고 그대로 차를 출발시켰다.

불 꺼진 상영관의 스크린에서는 영화가 상영되고 있건만 내 옆에서 나아정은 스크린 대신 품 안의 팝콘을 내려다보고 있었다.

"왜 그러고 있습니까? 영화 안 봅니까?"

상영관을 통째로 빌린 터라, 나는 목소리를 낮추지 않고 말했다. 어차피 들을 사람은 나아정뿐이니까.

"이제 좀 있으면 막, 저 도련님이 막, 교복 벗고 그러잖아요."

나아정은 팝콘만 바라보며 울상으로 대답했다.

"설마 그러기야 하겠습니까?"

나는 결코 그럴 리가 없단 투로 팝콘을 잡아 휙 뺏어 냈다. 그러자 나아정은 황당한 듯 둥그레진 눈으로 나를 봤다.

"설마라니……! 전에 같이 봐 놓고 무슨 설마예요! 저기서 막, 저, 저 식탁에서 막 형수랑 도련님이랑, 기억 안 나요?"

"두고 봅시다. 그런 일은 없을 테니까."

나는 침착하게 장담하면서 나아정의 고개를 잡아 스크린 쪽으로 돌려 고정시켰다. 그러자 나아정은 화들짝 놀라 두 손으로 자기 눈을 가렸다.

"어머! 어머, 미쳤나 봐! 이런 걸 어떻게 봐요, 내가!"

나아정은 어쩔 줄을 몰라 발까지 동동 구르면서 외쳤다. 하지만 잠시 후, 나아정은 잠잠해졌다. 그리고 뭔가 이상한 듯 슬그머니 손가락들 사이로 눈을 떴다. 그런 채로 한동안, 나아정은 스크린을 지켜봤다. 그러다가 나아정은 헛것을 본 양 얼떨떨한 눈으로 나를 봤다.

"어……. 분명히 이쯤에서 19금 장면이 나왔는데……."

"그거 내가 삭제시켰습니다. 청소년 관람가로."

"예?"

"미리 극장 측에 편집 요구해서 불필요한 야한 장면 다 빼 뒀습니다. 그러니까 안심하고 그냥 보죠."

"세상에, 그런 일도 가능해요?"

"나는 가능합니다."

"우와……."

나아정은 신기한 듯 입을 벌렸다.

"나아정 씨한테 그런 장면 보여 줄 만큼, 나 상식 없지 않습니다."

내가 나의 상식을 보장하자 나아정은 왜인지 착잡해진 얼굴로 스르르 스크린을 향해 고개를 돌렸다. 그리고 조용히 중얼거렸다.

"하필 상식은 있어 가지고……."

뭐야, 저 반응은?

"혹시 삭제한 게 불만입니까?"

내 질문에 나아정은 움찔했다. 그러더니 이내 입술을 삐죽이며 볼멘소리를 냈다.

"아니, 나도 한 사람의 예술인으로서 이건 좀 아니지 않나, 그런 생각이 드네요. 아니, 암만 개인의 취향에 껄끄러워도 엄연히 창작자의 혼이 담긴 창작물인데. 그걸 막, 저렇게 막, 가위질하고 그러는 거는. 난 좀, 아니라고 봐요."

생각지 못한 반응에 나는 잠자코 나아정을 지켜봤다. 그러자 나아정은 정말 불만 가득한 표정으로 팝콘을 입에 가득 욱여넣었다. 그리고 스크린을 쏘아보며 우걱우걱 전투적으로 팝콘을 씹어 댔다.

내가 궁금해했던 영화의 결말은 다음과 같았다.

형이 해외 출장을 떠난 동안, 도련님은 형수와 밀애를 이어 간다. 그런데 둘 사이를 의심한 형은 예정보다 일찍, 연락 없이 귀국해 집으로 향한다. 그리해서 결국 자신의 눈으로 두 사람의 부정을 확인한 형은…….

탕!

난데없는 총성에 나아정은 덜컥 몸을 돌려 좌석 등받이를 끌어안았다.

스크린 속 황당한 결말에 눈살을 찌푸렸던 나는, 그런 나아정의 반응에 더욱 험악하게 눈살을 찌푸렸다.

"지금 그거 끌어안을 땝니까? 옆에 나를 두고?"

내가 질책하는데도 나아정은 등받이를 계속 껴안은 채 바들바들 떨리는 목소리로 대꾸했다.

"여기서 님 끌어안았다가 그거 지경이가 보면 어떡해요……."

"형 지금 한국에 없습니다."

"혹시 벌써 귀국했을지도 모르잖아요……. 우리 모르게……."

"그럼 뭐, 저 영화에서처럼. 내가 형 쏠까 봐요?"

"……."

"나 참! 내가 형을 쏠 리가 없잖습니까?"

나는 엔딩 크레딧이 떠오르는 스크린을 쏘아보며 덧붙였다.

"쏠 거면 이 영화 만든 감독을 쏘고 말지. 대체 무슨 영화를 이따위로 만들어? 뜬금없이 동생이 형을 왜 쏘는데? 형이 쏘면 모를까. 아니, 더구나 이 대한민국 가정집에! 권총이 왜 있는데? 갑자기 그게 서랍에서 왜 튀어나와?"

할 수 있다면 감독 머리채라도 휘어잡을 작정이건만, 보이는 머리채라곤 나아정의 머리채뿐이라서 나는 별수 없이 분을 삭이면서 자리에서 일어났다.

그리고 좌석 등받이를 끌어안고 있는 나아정의 뒷모습에 대고 말했다.

"저런 말도 안 되는 결말, 우리하곤 절대 상관없는 결말이니까 쓸데없이 감정 이입하지 맙시다. 우리 끝은 절대로 저럴 리가 없습니다. 그리고."

나는 덥석 나아정의 팔을 잡아 일으켰다.

"무서울 땐 이걸 안는 겁니다."

가르치듯 말하고서 나는 나아정의 두 팔을 내 허리에 두르게 했다. 꼭 곰 인형을 안겨 줄 때처럼. 그렇게 나아정에게 나를 안겨 줬다.

"영화가 이따윈 줄 알았으면 그냥 안 보고 마는 건데. 이 여자 이거, 오늘 잠도 못 자는 거 아닌지, 원."

나는 혼잣말처럼 내 걱정을 들려주며 나아정의 등을 토닥거렸다.
그러자 나아정은 불안한 듯 이리저리 주위를 살펴보며 물어 왔다.

"저기, 진짜 지경 씨 아직 출장 중인 건 맞죠? 맞겠죠?"

아무래도 내 걱정이 괜한 걱정은 아닌 것 같군.

나는 어휴, 한숨을 쉬며 고개를 절레절레 내저었다.

집에 돌아와서도 형에 대한 나아정의 걱정은 끊이지를 않았다.
물론, 내가 형을 쏠 거라는 걱정은 진작 그쳤지만.

남은 걱정들로 나아정은 휴대 전화를 꼭 잡아 쥔 채, 방을 서성
이며 울상으로 혼잣말을 해 댔다.

"어떡하지……? 어떻게 말을 하지……? 아, 어떡해……. 문자
로 파혼하자는 건 너무 예의가 아닌데……. 말로 해야 하는데…….
아, 그걸 어떡해……!"

티 테이블에 앉아 그런 나아정을 지켜보고 있노라니, 나는 마음
에서 갈등이 일었다.

나아정은 이유를 모르는 채 연애의 과정 없이 갑작스레 형의 청
혼을 받았고 그저 형의 조건에 혹해 청혼을 받아들였을 뿐, 정작
형이 게이란 사실까진 모를 텐데……. 지금 그 사실을 알려 주면
나아정은 형에게 덜 미안해질까? 그래서 파혼을 요구하기가 한결
편해질까?

아니. 하지만 그건 형이 위장 결혼을 시도하면서까지 숨기려는

비밀이다. 형이 그토록 숨기려는 비밀을 내가 함부로 폭로할 수는 없지…….

어느 쪽으로도 기울지 않는 팽팽한 갈등에 나는 답이 나오질 않아 마른세수를 했다. 그때, 나아정은 침대에 쓰러지듯 엎드렸다.

"아, 나 진짜 어떡해……!"

나아정은 베개에 얼굴을 처박으며 울듯이 한탄했다. 나는 그 모습에 속이 상해 눈살을 구겼다.

"그러게 왜 자기가 하겠다고 나섭니까? 내가 알아서 하겠다는데."

"안 돼요, 그건 내가 해야 돼……."

"하지도 못할 거면서 고집은. 애초에 내가 한다는 걸 그렇게나 뜯어말리더니 지금 이게 몇 시간쨉니까? 됐으니까, 나아정 씨는 빠져요. 내가 형한테 전화해서……."

"내, 내가 한다니까요!"

나아정은 벌떡 몸을 일으키며 다급하게 외쳤다. 마치 내가 전화하면 큰일이라도 나는 것처럼.

"이 결혼은 나하고 지경이 사이의 문제니까 내가 하는 게 맞아요. 그게 예의지."

"글쎄 그 예의를 나 죽고 내 제사상 차리면서 차릴까 봐 그럽니다. 대체 어느 세월에 하려고 이러는지."

내 지적에 나아정은 시무룩하게 입술을 내밀고서 중얼거렸다.

"아니, 뭐 내가 며칠이나 끌었다고……. 그래 봐야 한 시간 끌었는데……."

"그러지 말고 나한테 맡깁시다."

"아뇨! 아니에요! 내가 할 거예요!"

"지금 당장 할 겁니까?"

"그건…….."

나아정은 자신 없이 고개를 떨어뜨렸다.

"이렇게 다짐하고 또 다짐한 말도 못 뱉으면서, 그 소심한 성격에 대체 연기는 어떻게 그렇게까지 잘합니까?"

"그거야……. 연기할 땐 내가 아닌 사람이 되는 거니까……. 내가 아니다 생각하고 하면, 못할 게 없거든요."

"그럼 이번에도 내가 아니다, 생각하고 내지릅시다. 형한테 파혼 선언."

"그건 잘 안 돼요."

나아정은 고개 들어 나를 보며 하소연하듯 대꾸했다.

"파혼하고 싶은 건 너무 진심이라서, 내가 아닌 것처럼 못하겠어요. 그냥 막 소심해지고, 불안하고, 겁나고……. 나 어제도 밤새 얼마나 고민했는데요."

나아정은 다시 고개를 떨구더니 소심하게 덧붙였다.

"아침까지 잠도 못 자고, 진짜 기를 쓰고 용기 낸 거라고요."

"잠도 못 자고 한 겁니까? 그 고백?"

뜻밖이라 의아해서 묻자 나아정은 눈을 내리뜬 채 고개를 끄덕였다. 그리고 부끄러운 얼굴로 괜히 꼬깃꼬깃 베개 귀퉁이를 만지면서 말했다.

"그거, 엄청 노력한 거예요."

순간 가슴이 들썩거려서, 나는 호루라기를 불었다. 그러자 나아정은 재빨리 몸을 일으키고 나를 봤다.

"노력해서 얻은 것치곤 날 너무 방치하는데."

나는 나아정을 향해 의자를 돌려 앉았다.

"와서 누려야지, 뭐 합니까?"

내가 두 팔을 벌려 보였지만, 나아정은 멍하게 내 가슴을 보며 서 있기만 했다. 꼭 실감이 나지 않는 것처럼.

그래서 나는 다시 호루라기를 입에 물고 불었다. 그러자 나아정은 정신없이 후다닥 나에게로 달려왔다. 부딪치듯 닿은 몸을 나는 두 팔로 부둥켜안았다.

"나한테 고백하느라고 오늘 나아정 씨 수고가 많았으니까. 오늘 당장 형한테까지 고백하라고는 안 하겠습니다."

"앗, 진짜요?"

나아정은 반가운 듯 반응했다.

"형한테 하는 고백에도 하룻밤쯤은 필요할 테니까. 딱 그만큼은 참아 줄 겁니다. 대신, 내일은 꼭 하는 겁니다."

나는 꼭 붙어 있던 가슴을 뒤로 살짝 떼며 나아정의 눈을 확인했다. 앉은 채로 안았더니 키가 얼추 비슷해져서, 나는 꼿꼿이 허리를 세운 채로 나아정과 눈높이를 맞출 수 있었다.

내가 눈을 마주치자 나아정은 반짝이는 눈으로 고개를 끄덕였다.

"할 거예요, 내일은 꼭."

"그럼 그 고백은 내가 내일 확인하는 걸로 하고, 대신 오늘 나아정 씨는 USB 좀 확인합시다."

"USB요? 아, 그거."

"거기 담긴 연극 내용 확인하고. 좋은지 싫은지 말 좀 합시다. 그래야 작가한테 수정을 요구하든 그대로 진행을 요구하든 하지."

"알았어요. 그건 당장 할 수 있어요. 할게요."

나아정은 믿으라는 눈빛으로 고개를 끄덕끄덕 적극적으로 움직였다. 그러다가 끄덕임을 멈췄을 때, 나는 나아정의 입에 입을 맞췄다. 허리를 숙일 필요 없이, 고개만 살짝 비튼 채로.

허리를 숙여야 했던 처음과는 다른 자세 때문인지, 나는 처음처럼 가슴이 뛰어 댔다.

마치 처음 할 때처럼. 처음인 것처럼.

정말 자세 때문인가?

궁금증에 입을 맞춘 채로 몸을 일으켰다. 그리고 처음 할 때처럼 허리를 숙이고서 내 입술로 나아정의 입술을 누르고 매만져 갔다.

그러나 처음과 같은 자세임에도, 내 가슴은 역시나 처음 겪는 일처럼 뛰어 대기만 했다.

이지한이 지켜보는 앞에서 나는 티 테이블에 노트북을 두고 앉았다. 그리고 주머니에서 금빛 USB를 끄집어내 노트북에 연결했다.

이윽고 USB에 저장된 문서 파일을 실행시키자, 이지한이 선물한 시놉시스가 드디어 모습을 드러냈다.

시놉시스의 첫 장에는 커다란 글씨로 제목이 적혀 있었다. 나는 들뜬 마음으로 소리 내서 제목을 읽어 갔다.

"이 결혼…… 반댈세?"

무슨 제목이 이래?

황당한 기분에 나도 모르게 미간을 찡그렸다.

"왜요? 별룹니까?"

"어째 소리 내서 읽기 부끄러운데……. 작가님한테 제목 바꿔 달라고 하면 안 될까요?"

"제목, 내가 지은 겁니다."

나는 잠시 움찔했지만 얼른 웃어 보이면서 사근사근하게 둘러댔다.

"어쩐지 부끄럽더라고요. 아, 나 왜 이렇게 님 생각할 때처럼 얼굴이 빨개지고 부끄러운 기분일까 했더니, 어머, 제목에서 님이 느껴져서 그랬나 봐요. 본능이랄까, 영혼의 울림이랄까……."

"그럼 그 영혼의 울림, 줄거리에서 또 느끼게 될 겁니다. 줄거리도 내가 지었으니까."

"우와! 진짜요?"

나는 기대하는 눈빛으로 모니터를 바라보며 문서의 스크롤을 내렸다. 그리고 줄거리를 소리 내서 읽기 시작했다.

"서른셋의 무명 연극배우 나아정. 그녀는 고작 10대로밖에 보이지 않는 극심한 동안의 소유자다."

두 문장을 읽고 나서, 나는 신기해서 이지한을 봤다.

"어머, 이거, 진짜 내 얘기네요?"

"어제 말했잖아요. 나아정 씨한테 꼭 맞춘 연극이라고. 일단 끝까지 읽기나 하죠."

이지한은 차분히 노트북을 가리키며 권했다. 나는 다시 모니터로 시선을 내리고 뒷줄을 이어 읽었다.

"나이에 맞지 않는 외모 탓에 연극배우로서의 입지는 점점 좁아져만 가고……. 와, 소름! 내가 이 안에 있어!"

나는 눈이 휘둥그레져서 이지한을 봤다. 그러자 이지한은 흡족한 듯 미소를 지었다.

"세상에, 세상에. 이건 무슨……! 연극이 아니라 나아정 전기문인데요?! 그래서! 난 이제 어떻게 되는 거지?!"

나는 뒤가 궁금해서 금세 모니터로 시선을 내리고 줄거리를 마저 읽어 갔다.

"그런 그녀는 재벌 3세인 게이와 위장……."

말을 하다 말고, 나는 충격으로 얼어 버렸다.

재벌 3세인 게이와 위장 결혼…….

이 문장이 여기 왜 있지……? 이거……. 이거 진짜 나랑 지경이 얘긴데…….

하지만 이건……. 이건 이지한이 쓴 줄거리인데? 나더러, 나한테 꼭 맞춘 연극이라고…… 이지한이 적은 건데……?

그, 그럼 이지한이……. 이지한이?!

"아, 알고 있었어요?!"

나는 기겁해서 이지한을 쳐다보며 외쳤다.

"뭘 말입니까?"

"게이인 거요!"

내 대답에 이지한은 벌떡 일어나며 외쳤다.

"그걸, 아는 겁니까?!"

"역시 아는 거였어!"

줄거리를 보면 영혼의 울림을 느낄 거라더니! 이건 아주 영혼의 지진이다, 지진!

"대체 언제부터! 언제부터 안 겁니까?!"

"니, 님은요?! 님은 언제부터 알았는데요?"

"내가 먼저 물었습니다!"

참을성이 바닥난 듯 이지한이 내 어깨를 덥석 잡고 탈탈 흔들어 댔다.

"내 질문에 대답부터 해요! 대체 언제부터 안 겁니까?!"

대체 언제였지? 언제였더라?

나는 흔들리는 머릿속으로 답을 찾기 위해 기억을 되짚어 봤다. 하지만 몇 년이나 지난 일이라서 정확히 언제라는 답은 선뜻 떠오르지 않았다.

"그, 그건, 그건……. 너무 예전이라……."

"뭐라고요?"

내 뭉뚱그린 대답에 이지한은 멈칫 손을 멈췄다.

"너, 너무 예전이라 정확하게 언제인지는 잘 생각이 안 나요. 아무튼 지경 씨가 내 연극 보러 오고 나서 몇 달 안 돼서니까……. 얼추 4년 전일 거예요."

"4년……."

이지한은 넋이 나간 표정으로 자리에 털썩 주저앉았다.

"왜, 왜 그래요?"

나는 얼른 일어나서 이지한의 옆에 다가섰다. 그리고 걱정되는 마음에 이지한의 어깨를 조심스레 콕 찔렀다.

"저기, 정신 차려 봐요. 예? 갑자기 왜 그러는 건데요?"

아무 반응이 없어 나는 이지한을 좀 더 콕콕 찔러 봤다. 그러나 이지한은 계속 멍하니 있기만 했다.

그러다가 불현듯, 이지한은 정신이 돌아온 것처럼 눈을 커다랗게 떴다. 그리고 이지한은 이내 벌떡 자리에서 일어났다.

"어떻게 형이 나한테 이럴 수가 있어!"

분기탱천한 무시무시한 눈빛으로 이지한은 허공에 대고 외쳤다.

"어떻게 혈육인 나도 모르는 걸! 나아정이 알게 해!"

"예?"

"나한테는 입도 뻥긋 안 해 놓고! 고작 친구인 나아정한텐 다 말했다, 이거지?!"

이지한은 빠득 어금니를 깨물고서 빡빡 갈았다.

"저기……. 지금 님보다 내가 먼저 알았다는 게, 그게 싫은 거예요?"

"당연하죠! 난 동생인데! 그것도 하나뿐인 동생인데! 난 하나뿐인 동생이고, 그쪽은 형 머리털만큼 많고 많은 친구 중에 하나일 뿐인데! 어떻게 그쪽부터 알게 합니까?!"

맞다, 이 인간……. 브라더 콤플렉스였지.

새삼스러운 깨달음에 말문이 막혔다.

"내가 이 형을 진짜!"

이지한은 흥분한 채 주머니에서 휴대 전화를 꺼내 들었다. 그리고 곧장 어딘가로 전화를 걸었다.

"어, 어디 거는 거예요? 갑자기?"

돌발적인 상황에 더럭 겁이 나서 이지한의 팔을 붙잡았다. 그러나 이지한은 아랑곳하지 않고 휴대 전화를 귀에 바짝 들이댔다. 그러더니 잠시 만에 이지한은 입을 열었다.

"형이 나한테 어떻게 이래! 어떻게 이러냐고!"

"으아! 잠깐만요!"

내가 말려 볼 새도 없이 이지한은 다음 말을 터뜨렸다.

"형 게이라는 거! 왜 나아정은 알고, 나는 몰랐던 건데! 왜!"

"으아아!"

내 비명이 들리지도 않는지, 이지한은 속사포처럼 팡팡 폭로를 이어 나갔다.

"그래! 나 다 알아! 형 게이인 거! 이미 알고 있었다고! 나아정하고 결혼하려던 이유도! 형이 게이라서 그런 거잖아!"

수화기 너머에서 지경이가 뭐라 말하는 것 같은데, 이지한은 잠시 듣다가 또다시 외쳤다.

"어떻게 알긴! 형 옛날 애인이 알려 줬다! 왜! 설마 나아정이 말했을까 봐?"

"으아! 이지한 씨! 이성을 찾으세요! 이성을!"

나는 제발 그만하라고 이지한의 팔을 마구 흔들었다.

그러자 이지한은 휙 고개를 돌려 날카롭게 쏘아봤다. 순간 움찔해서 나도 모르게 팔을 놓고 말았다. 그런 나를 계속 쏘아보면서 이지한은 이지경에게 말을 이어 갔다.

"이 여자는 끝까지 형 그 비밀 숨겨 주려고 나한테 자기 잘못만 고백하고 혼자 독박 쓴 여자거든?"

제발 그만하시라고, 나는 울 것 같은 얼굴로 두 손을 모아 쥐고 절절하게 이지한을 바라봤다. 그러나 이지한은 그런 나를 보며 괘씸한 듯 이를 악물고 뇌까렸다.

"아주 둘이 우정 눈물겹네, 눈물겨워!"

"저, 저기 그게, 저희 막 그렇게 눈물로 바라보실 애절한 사이는 아니라요. 아, 당연히 지경이한텐 저보다 동생님이 소중……."

내가 뭐라 변명하려 하자 이지한은 갑자기 휴대 전화를 내리더니 나를 향해 쏘아붙였다.

"내 앞에서 딴 남자 마음 다 아는 것처럼 말하지 말죠."

브라더 콤플렉스에서 의처증으로.

이지한의 분노 이유가 손바닥 뒤집듯이 돌변하는 순간이었다.

"아, 아니요. 제가 지경이 마음을 어떻게 알겠어요? 전혀, 전혀 모르죠. 진짜, 전혀."

"그럼 모르는 사람답게 빠져요. 나한테서 형 지키려고 변호하는 거, 나보다 형이 더 소중해 보이니까."

그러고서 이지한은 매몰차게 홱 등을 돌렸다. 그리고 휴대 전화를 귀에 대고 외쳐 댔다.

"됐어! 이제 형 따위는 필요 없어! 필요 없다고!"

으아, 대체 뭘 어떻게 해야 저 화가 가라앉을 건지!

나는 안절부절못하면서도 차마 뭘 시도할 수 없었다. 괜히 내가 나서다가 기름만 더 끼얹을까 봐. 그래서 나는 이지한의 뒤에서 발만 동동 굴러 댔다.

어떡하지? 어떡하지?

그러고 있는데 이지한에게서 청천벽력 같은 선언이 터져 나왔다.

"이제 형 입장 봐줄 거 없어! 나! 나아정하고 사귄다!"

순간 털썩, 주저앉고 말았다.

어디선가…… 핵폭탄이 터진 듯한 지진을 느끼면서…….

"나 열 받아서 그냥 하는 소리 아니고! 진짜 사귀고 있어! 나아정하고!"

이지한은 그대로 전화를 끊어 버리더니 휴대 전화 전원을 꺼 버렸다.

"아니! 그, 그 얘기를 해 버리면 어떡해요? 내가, 내가 내일 직접 한다고……. 파혼은 나하고 지경이 문제라고. 기다려 달라고 했잖아요⋯⋯!”

나는 주저앉은 채로 이지한을 올려다보며 따졌다. 그러자 이지한은 차갑게 딱 잘라 말했다.

“내가 언제 파혼 얘기했습니까?”

“예?”

“나 그쪽이랑 형 파혼 얘기, 입도 뻥긋 안 했습니다. 그냥 내가 그쪽이랑 사귄다는 얘기만 했지. 그러니까 난, 약속 지킨 겁니다. 파혼 선언은 그쪽이 할 수 있게.”

와, 씨! 뭐 이런 논리적인 개소리가 다 있어?!

나는 개소리에 질 수 없다, 다짐하며 반박했다.

“어차피 그게 그거죠! 아니, 파혼할 것도 아니면서 내가 님하고 사귈 리가 없는데! 사귄다는 얘기했음, 파혼 선언한 거나 다름없지!”

기가 막혀 반박했더니, 이지한은 뻔뻔하다 싶을 만큼 당당하게 대꾸했다.

“그럼 사귀는데 안 사귄다고 거짓말해야 합니까?”

“거짓말을 하라는 게 아니라, 사귄다는 말을 하지 말라고요! 아, 왜 묻지도 않은 말을 해요, 왜!”

“나아정 씨, 나한테 그런 요구는 한 적 없습니다.”

이지한은 갑자기 정색을 하고 착 가라앉은 목소리로 말했다.

“사귄다는 말을 안 하라니. 나 그런 요구, 방금 처음 듣습니다. 진작 말을 하지 그랬습니까? 내가 말하기 전에.”

졌다⋯⋯.

더는 받아칠 말이 안 떠오른다. 아니, 아예 아무 말도 안 떠오른다. 뭔 개소리가 이렇게 철옹성 논리를 갖췄는지. 이쯤 되면 진짜 내 잘못인가? 싶을 지경이다.

그런데 갑자기 침대 위에서 내 휴대 전화가 울어 대기 시작했다. 그 소리에 반사적으로 뒤를 돌아봤다. 하지만 보나 마나 이지경일 것 같아서, 휴대 전화를 가지러 갈 엄두는 나지 않았다.

그런데 그런 나를 제치고 이지한이 선뜻 침대로 가 휴대 전화를 손에 들었다. 그러더니 이지한은 휴대 전화 전원을 꺼 버렸다.

"뭐, 뭐 하는 거예요?"

"내일 아침까지 형한테 아무 연락도 하면 안 됩니다."

"예?"

"어차피 그쪽 파혼 고백, 내일 할 거였으니까 계획대로 내일 하라고요. 그동안이라도 이놈의 형, 어디 속 좀 끓어 보라지."

이지한은 치를 떠는 표정으로 휴대 전화를 자기 주머니에 넣었다. 그리고 이지한은 냉혹한 눈초리로 다시 한 번 나를 향해 당부했다.

"이건 내일 돌려줄 테니까 그때까지 나아정 씨는 절대 형하고 연락하지 않습니다. 알겠습니까?"

"아, 알았어요. 알았다고요."

"그럼 잘 자고 내일 아침에 봅시다. 나는 나보다 당신을 더 믿었던 우리 형, 꿈에서 머리채 좀 잡고 올 테니까."

이지한은 말을 마치고서 곧바로 훌쩍 내 방을 떠나 버렸다. 하지만 나는 바닥에 주저앉은 채로 꼼짝도 할 수 없었다.

형이 게이란 걸 이지한이 알고 있었다니. 그것만으로도 충격인데 게다가 이지경이 나와 자기 동생이 사귄단 걸 알게 되다니.

뻥뻥 폭탄처럼 연달아 터져 버린 폭로에, 내 정신은 꼭 전쟁 직후 폐허처럼 너덜너덜 넝마가 되어 있었다.

대체 이게 연애인지, 전쟁인지.

이 전쟁 같은 연애……. 내일은 평화로울 수 있을까?

다음 날, 나는 멀리에서 쿵쿵거리는 소음에 눈을 떴다.

뭐, 또 어디서 전쟁 났어?

나는 비몽사몽인 채 어리둥절해서 방을 빠져나갔다. 그리고 소리를 따라가다 주방에 도착했다.

그러자 주방 식탁에 앉아 있는 이지한이 보였다. 식탁에 신문지를 펼쳐 둔 채 쾅쾅, 북어를 내리쳐 대고 있는 이지한이 말이다.

"뭐, 뭐 해요?"

이지한은 계속 북어로 망치질을 하며 대답했다.

"북엇국 할 겁니다."

"아니……. 술도 안 마셨는데. 웬 북엇국……."

"술은 안 마셨지만. 속풀이는 해야겠습니다."

속풀이가 아니라 화풀이 같은데…….

이리저리 튀어 대는 북어 파편을 보며 속으로만 생각했다.

"나아정 씨는 가서 더 자야겠습니다. 북엇국 다 되려면 아직 멀었으니까."

북엇국이 아니라. 화풀이가 다 되려면 아직 먼 거겠지…….

나는 이지한의 옆에 쌓인 필요 이상으로 많은 북어들을 바라보며 짐작했다. 그리고 이대로는 안 되겠단 생각에 이지한의 앞에 가 앉았다.

"저기, 오해가 좀 있는 거 같은데."

"오해?"

이지한은 망치질을 멈추고서 나를 봤다.

"내가 4년 전에 지경이 비밀을 알게 된 건 순전히 우연이었어요. 지경인 나한테 알리려던 게 아닌데 어쩌다 운 나쁘게 나한테 들킨 거죠."

이지한은 무표정한 얼굴로 아무 반응도 드러내지 않았다.

"만약 그 일이 아니었으면 지경인 나한테 게이란 거 고백 절대 안 했을 거예요."

"……."

"그러니까 내 말은, 지경이가 나를 동생보다 더 믿어서 동생보다 더 친해서 나한테만 고백한 게 절대 아니라는 얘기예요."

내가 설명을 마치자 이지한은 한숨 쉬듯 크게 숨을 내쉬었다. 그리고 이지한은 드디어 입을 열고 무뚝뚝한 목소리로 반응을 드러냈다.

"형의 비밀을 나아정 씨가 어떻게 알게 됐건, 그건 중요하지 않습니다."

"그럼요?"

"어쨌든 나아정 씨는 4년 전에 그 비밀을 알게 된 거고, 4년 동안 그 비밀을 지켜 줬습니다."

"그랬죠."

"다시 말해서 형은, 지난 4년 동안 충분히 기회가 있었던 겁니다."

"기회? 무슨 기회요?"

"생판 남인 친구도 아는 걸 하나뿐인 동생이 모르는 그 상황. 지난 4년 동안 얼마든지 고칠 기회가 있었다는 얘깁니다. 하지만 형은 그러지 않았죠. 고칠 생각, 전혀 없었던 겁니다."

이지한은 다시 북어를 높이 들었다. 그리고 쾅, 내리치며 이어 말했다.

"그 와중에 계약 결혼이나 준비하고."

이지한은 내가 아니라 머릿속의 누군가를 보는 눈빛으로 또 한 차례 북어를 쾅! 내리쳤다.

"아주 평생 나를 속여 먹으려고!"

나를 향한 분풀이가 아님에도 모골이 송연해져 꿀꺽 침을 삼켰다.

북엇국에 아침밥을 다 먹고서야 이지한에게서 휴대 전화를 돌려받을 수 있었다.

어차피 알아 버린 거, 한시라도 빨리 내 입으로 이 상황을 해명해야지. 그리고 어째 됐든 계약도 약속이니까, 못 지켜서 미안하다 사과하고 선처를 부탁해야지.

그렇게 다짐하며 얼른 내 방으로 돌아와 휴대 전화 전원을 켰다.

지잉— 지잉— 지잉— 나는 한꺼번에 몰아닥치는 메시지를 확인하며 침대로 건너갔다. 역시나 메시지는 모두 지경이가 보낸 것이었다. 대체 무슨 일이냐, 이지한의 말이 전부 사실이냐. 그렇게 물어 대는 지경의 메시지에서 지경이의 초조하고 불안한 감정을 느낄 수 있었다.

빨리 전화해 줘야겠다.

결심으로 고개를 끄덕이고 막 지경에게 전화를 거는 찰나, 이지한이 문을 열고 들어왔다.

"형하고 통화할 거면 나 있는 데서 통화합시다."

이지한은 단호하게 말하며 내 옆으로 성큼성큼 다가왔다.

"아, 그건 좀⋯⋯."

난처해서 말려 보려는데 수화기 너머에서 웬 여자의 목소리가 들려왔다.

[전원이 꺼져 있어, 삐 소리 후 소리샘으로 연결되오며⋯⋯.]

"어라?"

나는 이상해서 액정 화면을 확인했다. 나 분명 지경이에게 전화한 거 맞는데⋯⋯ 왜 전화가 꺼져 있지? 내 전화 애타게 기다릴 텐데⋯⋯?

"뭡니까?"

"지경이 전화가 꺼져 있어요."

내 대답에 이지한은 못 미더운 얼굴로 고개를 낮춰 휴대 전화에 귀를 가져다 댔다. 잘 들어 보라고 아예 이지한의 귀에 수화기를 들이댔다.

"흠. 꺼진 거 맞네요."

"아, 뭐. 그럼 제가 속이는 걸까 봐요?"

나는 억울해서 입을 삐죽이며 말했다. 그러자 이지한은 똑바로 앉아 팔짱을 끼고 당당하게 반문했다.

"두 분. 그 사랑보다 깊은 우정으로 또 뭔 작당을 꾸밀지 누가 압니까?"

작당을 꾸몄던 건 사실이라서 나는 움찔 속이 찔렸다. 하지만 사랑보다 깊은 우정이라니. 이건 억울하다 싶어 이내 입을 열었다.

"사, 사랑보다 안 깊거든요?"

"사랑보다 안 깊으면 친구로나 지낼 일이지, 부부 될 결심은 대체 왜 한 겁니까? 우리 형 게이인 거 뻔히 알면서."

이지한은 나무라듯 엄한 얼굴로 일침을 가했다.

"그렇게 결혼하면 평생 남편 사랑 못 받을 거 몰랐습니까?"

"그건……. 알지만, 상관없어서요."

나는 고개를 숙이고서 대답했다. 그렇게 이지한의 시선을 피한 채 휴대 전화로 지경이에게 메시지를 작성해 갔다. 이 메시지 보면 연락 달라고.

"왜 상관이 없습니까?"

이지한은 심각한 목소리로 물어 왔다. 그러나 나는 별일 아닌 듯이 가볍게 대꾸했다.

"전에 그랬잖아요. 이혼한 엄마 보면서 깨우쳤다고. 그렇게 남편 사랑이라는 건 있다가도 없어지는 건데, 그거 좀 못 받고 사는 게 뭐 그리 대수인가 싶었어요. 사랑 없어지면 어차피 의리로 살 거, 지경이랑 처음부터 우정이다 못 박고 의리로 사는 것도 괜찮지 싶기도 했고. 계약금도 욕심났고……."

메시지는 이미 전송되었지만, 나는 괜히 메시지를 계속 쓰는 척했다. 그러자 이지한은 잠시 만에 입을 열었다.

"그래서, 남편 사랑은 상관없으니까 돈만큼은 확실하게 남는 결혼을 선택했다?"

나는 면목 없는 과거에 고개를 더욱 푹 숙이고 끄덕끄덕했다. 그리고 낯부끄러운 마음속의 진심을 끄집어냈다.

“그땐 그게 내가 할 수 있는 결혼 중엔 제일이라고 생각했는데, 이젠 그냥 그 결혼을 못 하게 되더라도 이지한 씨랑 연애 한번 해 보는 게 내가 가진 행운 중에 제일인 것 같아요.”

“…….”

“그래서 결혼 엎은 거잖아요. 이지한 씨보다 중요한 게 없어서. 이 사랑보다 깊은 감정, 나는 느껴 본 적 없으니까.”

나는 정말이지 진심이지만 말만으론 부족할까 싶어 자신이 없어졌다. 그래서 숙인 고개 위로 슬그머니 두 손을 들었다. 그리고 엄지와 검지를 맞붙여서 작은 하트 표시를 만들었다. 그러자 이지한은 잠시 침묵하더니, 이윽고 나지막이 목소리를 들려주었다.

“하트가 작습니다.”

“예?”

생각지도 못한 말이라서 고갤 들어 이지한을 봤다. 그러자 이지한은 불만 가득한 표정으로 말했다.

“지난번에 형 사랑하는 척하면서 만든 하트. 그거보다 작습니다.”

“아, 그, 그래요?”

나는 얼른 두 손을 모아 아까보다 크게, 가슴 앞에 하트 모양을 만들었다. 그럼에도 이지한은 표정을 풀지 않고 머리 위로 두 손을 올려 커다란 하트 모양을 만들었다.

“머리 위로 이따만 한 하트도 만들었었는데, 기억 안 납니까?”

덩달아서 얼른 같은 자세를 취하고서, 나는 최대한 내 하트가 커지도록 팔꿈치를 높이 올렸다.

“이만큼 크진 않았어요!”

나는 이지한의 눈을 똑바로 보며 장담했다. 정말 진짜니까, 꼭 믿으라는 눈빛으로. 그러자 이지한의 표정이 피식, 웃음으로 풀렸다.

팔을 너무 높이 든 탓에 어깨며 옆구리에 근육통이 몰려왔지만 나는 팔을 내릴 생각이 들지 않았다.

저 웃는 얼굴을, 계속 보고 싶어서.

지경의 연락을 기다리느라고 나는 어딜 가든 휴대 전화를 손에 꼭 쥐고 다녔다. 하지만 집을 나와 이지한의 차를 타고 이지한이 이끄는 대로 호텔에 도착할 때까지, 지경이는 아무런 연락이 없었다.

호텔 로비에서 한 번 더 지경에게 전화를 걸었지만, 지경의 휴대 전화는 여전히 꺼져 있는 상태였다.

"일이 너무 바쁜가……?"

의아해하며 전화를 끊는 사이, 프런트에 다녀온 이지한이 내 빈 손을 잡았다.

"가죠."

이지한은 그대로 나를 호텔 안쪽으로 이끌려고 들었다. 하지만 나는 버티고 서서 불안한 눈빛으로 물었다.

"운동하러 가자더니, 여긴 호텔이잖아요?"

"내가 다니는 헬스클럽이 이 안에 있습니다."

이지한은 대수롭지 않은 투로 대꾸했다.

"예? 아니, 하고많은 헬스클럽 두고, 무슨 호텔 헬스클럽으로 운동을 와요? 호텔은 잠자러 오는 덴데……?"

"여기 헬스클럽이 회원제로 운영되는데 시설이 좋습니다. 그래서 나도 다니는 거고. 앞으로 나아정 씨도 다니게 될 거고.”

“그…… 그래요?”

아니. 잠자러 오는 곳 헬스클럽이 좋아 봤자, 뭐 얼마나 좋다고?

나는 긴가민가한 표정으로 고개를 갸웃거렸다.

“가서 보면 압니다.”

이지한은 망설일 것 없단 투로 시원스레 말하고서 내 손을 잡아 끌었다. 나는 마지못해 이지한을 따라가며 그럼에도 떨쳐지지 않는 의혹에 불안해했다.

왜 하필 호텔이지……. 왜 하필 호텔인 거야……?

승강기에 올라타자 이지한은 아무렇지 않게 층 버튼을 눌렀다. 그러자 문이 닫힌 승강기는 점점 이지한이 누른 층수를 향해 올라 갔다.

이대로 도착하는 장소가…… 사실은 객실인 거 아니야?

몸이 떠오르는 느낌에 비례해서 점점 고조되는 불안감에 심장이 뛰어 댔다.

이지한이 계획하는 그 운동이, 내가 생각한 그 운동이 아닌 걸 수 있잖아……. 아, 어떡하지? 이거 어떡하지?

너무 불안해서 터질 듯이 심장이 뛰어 대는데, 한 손에는 휴대 전화가, 다른 한 손에는 이지한의 손이 잡혀 있어 손톱을 입에 물 수도 없었다. 불안한데 손톱도 못 깨무니 더 미칠 것 같다.

아. 나, 속옷 신경 못 썼는데! 아무거나 입었는데!

불현듯 떠오른 생각에 미쳐 날뛸 지경이라서 손톱 대신 빈 입으로라도 소리 나게 딱딱 이를 부딪쳐 댔다.

그사이, 목적지에 도착한 승강기의 문이 열렸다.

"으아아—!"

나는 기겁해서 나도 모르게 소리를 터뜨리며 이지한의 손을 꽉 쥐었다. 그러자 이지한은 황당하단 눈빛으로 나를 봤다.

"뭐 이렇게 겁을 냅니까? 혹시 뭐, 운동에 트라우마 있습니까?"

뭘 해 봤어야 트라우마가 있지!

나는 휴대 전화 쥔 손으로 입을 막은 채 속으로만 버럭 대꾸했다. 이지한은 그런 내게 차분한 목소리로 말했다.

"격하게 안 시킬 겁니다. 살살 다룰 거니까 안심하고 갑시다."

나만 이 대사가 야하게 들리는 건가?! 나만 그래?

나는 얼굴이 빨개진 채 어쩔 줄을 몰라 쩔쩔매는 눈빛으로 이지한의 눈을 봤다. 그러나 이지한은 내게서 고개를 돌리더니 성큼 승강기 바깥으로 몸을 움직였다.

또다시 비명이 나오려는 걸 꾹 참으면서, 눈을 질끈 감고 이지한을 따라 승강기를 빠져나갔다. 이윽고 이지한은 목적지에 도착했는지 걸음을 멈췄다.

"여깁니다."

아, 어떡해……! 속옷 짝짝이로 입었는데……!

나는 울고 싶은 심정으로 실눈을 뜨고 슬그머니 앞을 확인했다. 그런데 생각과는 다른 광경이 보여 금세 눈을 동그랗게 떴다.

"아, 뭐야……."

잔뜩 흥분했던 가슴으로 찬물이 확 끼얹어지는 느낌이다.

"진짜 헬스클럽이네."

나는 나도 모르게 정색한 얼굴로, 낮은 목소리로 중얼거렸다.

바람 빠진 풍선처럼 내 기분은 축 늘어져 있었다. 덩달아서 몸까지 축 늘어진 건지, 탈의실에서 옷을 벗는 내 몸은 느릿느릿 굼뜨게 움직였다. 그러다가 운동복을 입는 사이, 꼭 놀림 받은 것처럼 슬슬 약이 올랐다.

아니, 왜? 왜 호텔까지 와서 그냥 운동만 해? 아, 이럴 거면, 호텔 왜 왔어!

삐죽삐죽 입술을 내민 채 성난 발걸음으로 탈의실을 빠져나갔다.

이지한의 장담대로 헬스클럽의 시설은 좋아 보였다. 내 전용 헬스클럽은 집 근처 초등학교 운동장이었던 터라 여기가 다른 헬스클럽보다 뭐 얼마나 좋은 건진 확신할 수 없었지만, 다른 곳과 비교할 것 없이 최고급 시설이란 확신은 들었다.

넓은 공간에 번쩍번쩍 새것 같은 운동 기구들에 유리 벽 너머 수영장까지. 모든 것이 다 좋아 보이는 가운데, 그중에서도 가장 좋아 보이는 게 저 멀리 남자 탈의실 입구에서 나타났다.

그건 바로 이지한이었다. 흔한 디자인의 운동복을, 흔치 않은 몸매 위에 훤칠하게 걸쳐 입은 이지한.

나는 확 눈에 띄는 그의 금발 머리에 무심코 시선을 보냈다가 그 아래의 얼굴에 시선이 꽂혀 버렸다.

예쁘게 잘생겼네…….

멀리서도 윤곽이 분명한 이지한의 이목구비를 감상하며, 나는 헤벌쭉 미소를 지었다. 그런 나를 보고 이지한이 내 쪽으로 뚜벅뚜벅 걸어왔다.

쌍꺼풀 있는 눈도 저렇게 크긴 어려울 텐데. 저 눈은 쌍꺼풀 하나 없이 어쩜 저렇게나 또렷하고 커다란지. 아……. 저 매끈하게 높은 코는 자꾸 만져 보고 싶고……. 입술은 또 어떻게 저래? 시원스레 미소를 걸쳐 주는 저 늘씬한 입술……. 입에 대면 연하고 보드럽고…….

순간 내 입술에 닿았던 저 입술의 촉감이 떠올라서, 화르르 순식간에 얼굴이 타올랐다. 그래서 나는 두 손으로 뺨을 가린 채로 이지한을 지켜봤다. 내 얼굴이 타든 말든, 나는 저 얼굴에서 시선을 뗄 수 없으니까.

"어울릴 줄 알고 고른 운동복이지만, 이 정도로 예뻐 보일 줄은 몰랐습니다."

어느덧 바로 앞에 도착한 이지한이 나를 향해 칭찬을 건넸다.

어? 이 남자가 나한테 말을 거네. 아! 이 남자랑 나랑 사귀지? 우와……. 나 복 받은 거네?!

조금 전까지 삐죽대던 불만은 다 어디로 사라진 건지. 나는 색다르게 느껴지는 운동복 차림의 이지한 앞에서 세상 근심마저 다 사라지는 듯한 환희를 느꼈다.

보통 이럴 때는 상투스가 울려 퍼진다는데, 희한하게 나는 목탁 소리가 들려왔다. 마치 절에 모신 금부처 앞에 와 있는 것처럼.

그러고 있는 내 앞에서 이지한은 믿을 수 없단 듯이 내 얼굴을 예리하게 훑어봤다.

"설마 예뻐 보이려고 탈의실에서 화장한 겁니까?"

"예? 아, 아니요? 운동할 때 화장하는 거 아니라면서요. 이거 민낯이에요."

"정말인가?"

이지한은 엄지로 내 이마를 슥 닦아 냈다. 그리고 엄지를 확인하더니 고개를 끄덕였다.

"좋습니다. 화장도 안 했고 운동복도 갖춰 입었고. 이제 유산소 운동부터 시작하죠."

"아……. 그냥 보고만 있고 싶은데……."

나도 모르게 중얼거리자 이지한은 피식 웃었다. 그러더니 이지한은 엄지를 댔던 내 이마에 이번에는 입술을 가져다 댔다. 그러자 연하고 보드라운 감촉이 내 이마에서 심장까지 찌르르…… 묘한 전율을 전달했다. 그리고 잠시 후, 이지한은 입술을 떼고 살짝 물러나서 말했다.

"보고만 있으면 보고만 있게 됩니다."

"……예?"

"나랑 이런 거 안 하고 그냥 보고만 있을 겁니까?"

"엇, 아니요? 안 그럴 건데요? 이런 거, 또 하고 싶은데요?"

"그럼 보고만 있지 말고 움직입시다."

이지한은 내 앞에다 기합을 넣듯 짝, 하고 손뼉을 쳤다. 그런 다음 이지한은 내 팔을 잡고 러닝머신으로 향했다.

"일단 10분 뛰고 근력 운동 들어갑니다."

이지한은 나를 러닝머신에 올려놓고, 러닝머신의 조작 버튼으로 속도를 입력해 가며 설명을 늘어놓았다.

"지금부터 유산소 운동, 근력 운동, 마무리 스트레칭까지 정확히 한 시간 동안 내 지시에 따라 움직입니다."

"하, 한 시간이나요?"

"대신 가르치는 대로 잘 따라오면 10분에 한 번씩 아까처럼 포상할 겁니다."

이지한은 그렇게 약속하며 마침내 시작 버튼을 눌렀다. 그러자 발밑에서 러닝머신이 작동을 시작했다. 그 움직임을 따라 일단 두 다리를 움직였다. 그리고 이지한에게 질문을 던졌다.

"근데 갑자기 나한테 운동은 왜 시키는 건데요?"

질문을 하자마자 불현듯이 스치는 게 있어, 나는 움찔하고 재차 물었다.

"나, 살쪘어요? 그쵸? 살찐 거죠? 그래서 살 빼라는 거죠?"

나는 마치 나라 뺏기기 직전인 것처럼 두렵고 절박한 심정으로 답을 기다렸다.

"나아정 씨는 더 쪄도 됩니다."

이지한은 단호하게 대답했다. 그리고 러닝머신의 속도를 더 높이면서 설명을 덧붙였다.

"나야 쪄도 좋고 안 쪄도 좋으니까, 찌든지 말든지 그건 나아정 씨 좋을 대로 하고. 이 운동의 목적은 체력 증진입니다. 체력 증진."

"체, 체력, 증, 진이요?"

빨라진 속도 탓에 뛰느라고 숨을 헐떡이며 물었다.

"원래 체력 관리는 놀고먹을 때도 필요한 거지만, 앞으로 연극 준비하려면 더더욱 필요한 거니까. 지금 체력 길러 놔야 나중에 연극 들어갈 때 몸이 튼튼하게 버팁니다. 그래서 시키는 겁니다."

대답을 마친 이지한은 내 머리를 살짝 잡더니 정면을 바라보게 조정했다. 그러고서 손을 뗀 다음, 이지한은 당부했다.

"넘어지지 않게 정면 보고 달립니다. 입맞춤까지 9분 40초 남았습니다."

9분 40초!

나는 의지를 바짝 모아 가며 두 주먹을 불끈 쥐었다. 그리고 군

말 없이 씩씩하게 이 악물고 달리기를 이어 나갔다.

운동에 샤워까지 마친 후, 나는 기진맥진한 몸으로 휘청휘청 헬스클럽을 나섰다. 그러자 입구에서 기다리고 있던 이지한이 나를 보곤 혀를 내둘렀다.

"이 정도로 몸치인데 어떻게 그런 춤을 췄던 건지."

"……춤이요? 뭔 춤?"

나는 지쳐 혼미한 정신으로 물었다. 그러자 이지한은 내 팔을 부축하며 승강기로 향하면서 대답했다.

"연극 때 췄던 춤 말입니다."

"아, 그거……."

나는 부축에 기대는 척 이지한의 팔에 팔짱을 꼭 낀 채로 후들거리는 다리를 옮겨 갔다.

"그거, 연극에 필요하다 그래서 그 춤만 죽어라고 연습했던 거예요. 나 원래는 몸치라, 춤 그렇게 못 추거든요."

"흠. 그럼 댄스 학원에 다닌 겁니까?"

"아니요. 그냥 안무 동영상 계속 돌려 보면서 혼자 연습했어요. 그 역할이 너무 하고 싶어서 한 달 동안 하루에 열 시간씩은 췄을걸요?"

때마침 승강기에 다다라서 나와 이지한은 승강기에 올라탔다. 그리고 층 버튼을 누른 다음, 이지한은 생각에 빠진 얼굴로 아무 말이 없었다.

이윽고 1층에서 문이 열리자 이지한의 말문도 열렸다.

"제대로 배웠으면 시간 오래 안 걸렸을 겁니다."

"뭐가요? 아, 춤이요?"

이지한은 고개를 끄덕였다. 그리고 승강기 바깥으로 나를 이끌면서 말했다.

"오늘부터 춤도 제대로 배웁시다. 그것도 분명 연기에 도움 될 테니까."

"예? 오늘, 오늘부터요? 뭘요? 춤을요?"

"뭐, 일단 오늘은 학원 알아보고 상담 받고 등록하는 것만 하죠. 나한테 운동 배우느라 더 움직일 기력은 안 남은 것 같으니까."

이지한은 혼자서 신속하게 계획을 짠 채 의욕에 찬 흔쾌한 얼굴로 호텔 정문을 바라보며 걸었다. 내 걸음에 맞추느라 속도는 느렸지만, 이지한의 마음은 이미 저 바깥에 달려 나가 있는 듯했다.

아, 진짜 이렇게 그냥 호텔 떠나는 건가?

피곤한데 잠깐 쉬었다 가죠, 이런 거 없는 거야?

객실에서 라면 먹고 갈래요, 뭐 이런 것도 없어?

나는 자꾸자꾸 뒤를 돌아보며 멀어지는 호텔을 아쉬운 눈빛으로 바라봤다.

집에 돌아가는 차 안에서야 지경이가 떠올라 휴대 전화를 꺼냈다. 갑자기 댄스 학원 탐방만 해도 어리둥절한데, 영어 학원에다 피아노 학원, 보컬 학원까지. 열혈 학부모인 양 이지한이 연기에

도움 되는 학원이란 학원은 죄 찾아다니는 통에, 그를 따라다니는 동안 지경이를 깜빡 잊고 있었다.

그 바람에 저녁이 다 된 지금에야 휴대 전화를 확인한 건데, 아직까지 지경에게서는 어떤 연락도 오지 않은 상태였다.

"지경이가 왜 아직도 연락이 없지……?"

이상해서 지경에게 전화를 걸었다. 한편으로 나는 옆에서 운전 중인 이지한의 눈치를 살폈다. 이지한은 내 알 바 아니라는 냉정한 표정으로 앞만 보고 운전을 해 나갔다.

아직 전화기가 꺼져 있나 했는데, 내 귀에서는 뚜르르 연결 신호음이 울렸다.

"으아! 전화기가 켜져 있다!"

나는 놀라서 엉겁결에 외쳤다. 그리고 손톱을 입에 문 채 지경이가 전화를 받길 기다리며 잘근잘근 손톱을 깨물었다.

그런데 기다리는 지경의 목소리는 안 들리고 옆에서 이지한의 목소리가 들려왔다.

"불안하면 손톱 무는 그 버릇 어쩔 겁니까?"

"예?"

"손톱 다 상하고 턱에도 안 좋다던데, 다른 버릇으로 고칩시다."

설마 버릇 고치는 학원까지 알아보는 건 아니겠지…….

나는 질린 얼굴로 입에 물고 있던 손톱을 스르르 내렸다.

"불안하면 나 찾는 걸로 합시다, 새 버릇. 옆에 없으면 전화로 찾고, 옆에 있으면 몸으로 찾고."

"몸으로 찾는 게 뭔데요?"

"손을 잡든 와서 안든 손톱 대신 입술을 물든."

이지한은 태연하게 앞만 보며 말했다.

손톱 대신 입술…….

나는 이지한이 알려 준 대로 내 아랫입술을 물었다. 그사이 휴대 전화에서 신호 연결음은 끊어졌다. 그리고 연결이 되지 않는다는 안내 음성이 시작되었다. 덕분에 나는 내 입술을 손톱처럼 잘근잘근 깨물게 되었다.

이지경이 왜 전화를 안 받지? 전화기가 켜져 있다는 건 내 메시지랑 부재중 전화 기록을 봤단 얘긴데. 나한테 전화도 문자도 안 하고 내 전화도 안 받고…….

"그쪽 말고 내 쪽. 여기 말입니다."

한창 불안이 고조되어 가는데 이지한이 불쑥 끼어들었다. 고개 돌려 이지한을 보자 이지한은 여전히 시선을 정면에 둔 채 운전을 하고 있었다. 그렇지만 이지한은 곧 내 눈을 흘끗 확인하고서 도로 앞을 보며 한 손으로 자기 입술을 가리켰다.

"그쪽 입술이 아니라 여기 이쪽 입술 물라는 얘깁니다."

"아……. 아아!"

뜻을 알아채자 부끄러움이 확 밀려와서, 나는 빨개진 두 볼을 잡고 고개를 내저어 댔다.

"아, 부끄럽게 어떻게 그런 짓을 해요."

"부끄럽지 않습디다."

이지한은 단호하게 말했다.

"내가 입 맞출 때 중간중간 물어봤으니까 장담할 수 있습니다. 안 부끄럽고 좋습니다. 뭐, 그쪽은 물려 보기만 해서 모르겠지만."

아니, 뭐 이런 낯 뜨거운 얘길 저런 말짱한 얼굴로 하고 있어? 얼굴색 하나 안 바꾸고?

나는 더 빨개지는 얼굴에 손으로 부채질을 했다.

근데 입술로 입술 무는 거, 어떤 느낌일지 궁금하긴 하네…….
물리는 느낌하곤 다르려나……. 어디 한번…….

"한번 해 보죠?"

"지, 지금요?!"

한번 해 보자는 생각을 막 하려던 참인데. 나는 들킨 듯해 화들
짝 놀라 반문했다.

"지금은 운전 중이니까 안 되죠. 집에 도착해서 합시다."

그러더니 이지한은 액셀을 꾹 밟아서 차의 속력을 높였다. 법이
허용하는 최대치의 속력까지. 그리고 아파트 주차장에 도착할 때
까지 그 속력은 변함이 없었다.

마침내 주차장에 도착하자 이지한은 신속하게 차 문을 열고 내렸
다. 평소라면 이지한이 조수석의 문을 열어 주러 올 텐데, 나는 나대
로 급한 마음에 기다리긴 개뿔이고 후다닥 문을 열고 내렸다. 그런
다음 성큼성큼 빠르게 걸어오고 있는 이지한을 향해서 뛰어갔다.

그리고는 무슨 이산가족 상봉하는 양, 드디어 차 앞에서 이지한
과 마주한 나는 이지한을 와락 끌어안았다. 그러자 이지한은 나를
안은 채로 훌쩍 들어 차 보닛에 올려 앉혔다. 그렇게 눈높이를 맞
추고서, 이지한이 내 입술로 입술을 들이밀었다.

그렇지만 두 입술이 닿기 직전에 이지한은 돌진을 멈추었다. 그
대로 내 입술 바로 앞에서 이지한의 입술이 닿을 듯 말 듯 하게 움
직였다.

"아프게 물면 가만 안 둡니다."

아슬아슬해서 떨리는 기분으로, 나는 눈을 내리뜬 채 이지한의 아랫입술을 슬쩍 물었다.

아……. 이래서 좋은 거구나.

깨달으며 나도 모르게 눈을 감았다. 그리고 좀 더 깊게, 입에 문 입술을 내 안으로 삼켜 갔다. 그러자 이지한의 손이 내 허리를 잡고 가까이로 당기는 게 느껴졌다.

나만 좋은 게 아닌가 보다. 그렇게 짐작하며 이번에는 윗입술을 입에 물어 보는데, 차 한 대가 스르르 우리 앞을 지나치는 소리가 났다. 순간 여기서 이러는 건 민폐겠다 싶어, 나는 물었던 입술을 놓고 뒤로 물러나려 했다. 그런데 곧장 이지한의 손이 내 얼굴을 붙잡았다. 동시에 나는 이지한의 입술에 입술이 물려 버렸다.

내 얼굴을 잡은 손이 뜨겁게 느껴지는데……. 어쩌면 그냥 내 얼굴이 뜨거운 걸지도 모르겠다. 아니, 둘 다인가.

촉감에 정신이 팔려 분별력을 잃은 채로, 나는 이지한의 허리춤을 잡았다.

그런데 느닷없이 고막이 터지도록 커다랗게 경적 소리가 울려 퍼졌다.

움찔해서 나와 이지한은 입술을 떼고 소리가 난 옆쪽을 향해 함께 고개를 움직였다. 그러자 조금 떨어진 곳에서 우리를 향해 후진하는 차가 보였다.

아무래도 아까 우릴 지나갔던 차 같은데…….

그렇게 생각하는 사이 차는 우리 앞에 멈춰 섰다. 그리고 차 문이 열린 순간, 나는 벼락을 맞은 듯한 충격에 휩싸였다.

차에서 이지경이, 우리를 쏘아보며 차 문을 빠져나왔기 때문에.

“이, 이지경?”

나는 내가 본 걸 믿을 수가 없어 이지한의 팔을 붙잡았다. 그리고 다급하게 흔들면서 이지한에게 물었다.

“저, 저기, 저기 지경이, 님도 보여요?”

이지한은 놀랍지도 않은지 냉랭한 눈빛으로 지경이를 바라보며 대답했다.

“보입니다.”

“그, 근데 왜 아무렇지 않아요? 안 놀라워요?”

“어제 통화 끊자마자 전세기 빌려 타고 왔나 보죠.”

이지한은 대수롭지 않은 투로 반응했다. 한편 지경이는 기막힌 표정으로 나와 이지한을 번갈아 봤다. 그러다가 지경이는 나에게로 시선을 고정한 채, 저벅저벅 우리에게로 다가왔다.

“나아정, 너 대체 이게 무슨 상황이야?”

지경은 도저히 믿기지가 않는 듯이 내게 물었다. 그런데 미처 대답할 새도 없이 이지한의 등이 내 앞을 가로막았다.

“보다시피 목하 열애 중인 상황이지. 말했잖아? 나하고 나아정, 우리 사귄다고.”

“지한아, 우리 얘긴 나중에 하자. 아정이하고 나, 둘이서 할 얘기가 있으니까. 넌 집에 올라가 있어.”

“나, 형한테 화나 있어. 내 아정 씨 괴롭혀서 화 돋우지 말고 형이나 돌아가 있어. 형 출장지로.”

"뭐? 내 아정 씨? 너 정말 이래도 되는 거냐? 머리 꼴은 이게 다 뭐고……!"

"남의 취향은 건드리는 거 아냐. 그래서 난 형 취향 갖고 뭐라 안 하거든?"

이지한은 날카롭게 쏘아붙이더니 뒤로 돌아 나를 봤다. 그리고 내 허리를 안아 들고 차 아래로 내려 주었다.

나는 가시방석에 놓인 듯이 안절부절못하는 마음으로 이지한의 눈을 올려다봤다. 그러자 이지한은 내 머리를 다독이며 차분한 눈빛으로 말했다.

"올라가서 쉽시다. 근데 걸을 수는 있겠습니까? 피곤한데 놀라기까지 해서 힘들 텐데."

"거, 걸을 수야 있죠. 당연히. 괜찮아요. 근데……."

앞에 있는 이지한의 다정함이 내 가슴을 녹여 왔지만, 뒤에 있는 이지경을 생각하니 등골은 서늘해져 온다.

아……. 이 앞뒤의 온도 차이. 이거 어쩔 거야…….

"근데 지경이하고 얘기를 하긴 해야겠어요. 어차피 전화로 하려던 얘기니까 이렇게 얼굴 마주 보고 직접……. 직접 나누는 게 나을 것 같아요."

내 말에 이지한은 엄하게 표정을 굳혔다.

"무슨 말이 더 필요합니까? 눈으로 확인까지 다 했으면 저 형이 양심껏 알아서 백기 들어야지."

"무슨 양심? 무슨 백기?"

지경은 기가 찬 듯 우리 옆쪽으로 끼어들어 물었다. 그러자 이지한은 칼날같이 돌변한 눈빛으로 지경이를 흘겨보며 대꾸했다.

"여태 나 속인 거 미안한 줄 알면, 가타부타할 것 없이 백기 흔들면서 축하나 해 주는 게 양심 아닌가?"

"축하? 뭘 축하해야 하는 건데?"

지경은 미간을 찌푸리며 반문했다. 반면에 이지한은 한 줄의 구김도 없이 당당한 표정으로 말했다.

"형 하나뿐인 동생한테 애인 생긴 거."

"뭐? 야, 이 자식아. 형이 아무리, 아무리 널 속였어도. 그래도……. 그렇다고 네가 형 결혼할 여자하고, 뭐? 애인? 이럴 수는 없는 거지!"

"왜 없어? 그 결혼, 어차피 진짜 결혼도 아니었는데."

"진짜는 아니어도 진짜라고 믿는 사람들이 있어!"

지경의 반박에 나는 움찔했다.

진짜 결혼은 아니지만 진짜라고 믿는 사람들. 새삼 그들의 존재가 떠올라서 덜컥 겁이 나려 했다. 그렇지만 이지한은 너무나 아무렇지 않게 지경이를 향해 냉정한 태도로 대꾸했다.

"그러게 왜 그딴 가짜 결혼을 꾸며?"

"그건……!"

지경은 막막한 눈빛으로 이지한을 쳐다보다가 말을 잇지 못하고 한숨을 내쉬었다.

"알아. 결혼으로 숨기고 싶었겠지. 형이 어떤 사람인지."

이지한의 목소리는 냉철했다. 하지만 비난으로 느껴지지는 않는, 감정을 배제한 철저히 이성적인 목소리였다.

"형은 형을 보는 다른 사람들 눈이 아주 많이 중요한 사람이니까."

"……."

“그리고 형이 숨기려는 그 사실이 그 사람들에게는 잘 받아들여지지 않을 테니까.”

“…….”

“그래도 형. 나한테는 말했어야 했어.”

이지한은 단호해진 목소리로 완강하게 말했다.

“형이 숨기려는 건 형의 정체성이지 잘못이 아니라고. 나는 그렇게 받아들일 수 있으니까. 나한테는 형 자신을 솔직하게 보여 줬어야 했어.”

“네가…… 그렇게 받아들일 수 있다고?”

지경은 전혀 뜻밖인 듯 흔들리는 눈동자로 이지한을 바라봤다. 그러자 이지한은 날을 세운 눈빛으로 변해 비난하듯 대꾸했다.

“그래. 근데 형은 나한테 그럴 기회 안 줬잖아? 내가 형을 얼마나 따르고, 얼마나 좋아했는데! 형은 나를, 속일 생각만 한 거잖아!”

갑자기 쩌렁쩌렁해진 이지한의 목소리에 당황해서 주위를 살펴봤다. 오가다 보는 눈이 있을 텐데 동네 시끄럽게 왜 여기서 이러는 건지. 난처한 마음에 둘 사이에 끼어들려 입을 열었다.

“아, 저기, 이럴 거면 집에 들어가서…….”

“형 대체, 날 뭐로 생각한 거야?!”

내 말이 채 끝나기도 전에 이지한은 지경이를 향해 재차 외쳤다.

“대체 날 어떤 인간으로 생각해서! 이런 가짜 결혼까지 준비하고 날 평생 속일 생각을 했어? 아니, 형 나를 좋아하긴 했어?”

“뭐?”

“날 좋아하긴 했던 거냐고!”

“너, 그게 무슨 말이야?”

나야말로 묻고 싶다. 날 좋아하긴 했던 거냐니……. 이건 헤어질 때 연인 사이에서나 나올 법한 대사 아닌가……? 아니, 그걸 지금 왜 형한테 하고 있는 건데?

나는 어리둥절해서 말문이 막힌 채로 이지한을 쳐다봤다.

"최소한 내가 형 좋아했던 반만큼이라도 형이 나 좋아했으면, 형 나 그렇게 못 속였어. 미안해서라도 차마 나 그렇게는 못 속였을 거라고!"

"인마, 나는!"

이번에는 지경이까지 버럭 목청을 높여 나를 놀라게 했다.

"좋아서 말 못 한 거잖아!"

"뭐?!"

나는 순간 소스라치며 나도 모르게 지경에게 묻고 말았다. 그러나 지경은 이지한만 쳐다보며 진지하게 이어 말했다.

"네가 내 동생이니까, 다른 누구보다 중요한 내 가족이니까. 그런 얘기, 절대 할 수 없었어. 얘기하면 네가 형을, 전처럼 생각할 수 없을까 봐. 네가 형을, 혐오하고 싫어할까 봐. 하나뿐인 내 동생 잃을까 봐. 그래서 그런 거야. 너를 좋아하지 않아서가 아니라 아주 많이 좋아해서."

"그거, 사실이야?"

이지한은 못 미더운 눈초리로 지경을 쏘아보며 물었다. 그러자 지경은 천천히 고개를 끄덕였다.

어째, 두 분 예쁜 사랑 하시라고……. 내가 자리를 피해 줘야 할 것 같은 분위긴데…….

이지한은 팔짱을 끼고 시선을 내린 채로 생각에 잠겼다. 그러더니 잠시 후, 이지한은 고개 들며 입을 열었다.

"좋아. 그럼 형이 나 속인 거, 백번 양보해서 없던 일로 해 줄 테니까. 대신 형은 나하고 나아정 사귀는 거 반대하지 마."

아, 그래. 내가 이 남자랑 사귀는 거지? 내가 이 남자 애인이지?

나는 새삼 되찾은 내 정체성에 안도하며 혼자 고개를 끄덕끄덕했다. 그리고 이번에는 이지경을 향해서 부탁하는 눈빛으로 고개를 끄덕끄덕해 보였다. 제발 이지한의 뜻대로 해 달라고. 우리 그냥, 연애하게 해 달라고.

그런데……. 나와 달리 지경이는 이지한을 향해 고개를 가로저었다.

"그건 별개의 문제라고 본다."

"뭐?"

"뭐?"

누가 먼저랄 것 없이 나와 이지한은 똑같은 말을 내뱉었다. 그렇게 두 입이 한목소리를 내자, 지경이는 정말이지 기가 찬 눈빛으로 나와 이지한을 번갈아 봤다. 그러다가 지경이는 울컥한 목소리로 외쳤다.

"이것들이 양쪽에서 나 붙들고 서로 욕할 때는 언제고!"

"원래 욕하면서 정드는 거 몰랐어?"

그걸 몰랐다니 놀랍다는 투로 이지한은 도도하게 질문을 던졌다.

와……. 저 어이를 뺏어 가는 말발 보소. 진짜 할 말 없게 하네.

나는 이지한이 내 적이었던 과거가 떠올라서 새삼 현재에 감사하게 되었다. 이 인간이 내 편이라 얼마나 다행인지…….

그런데 이지한의 말발에 밀리지 않고 지경은 금세 대답을 내놓았다.

"그래, 몰랐다. 그리고 내 친구 나아정이 이렇게 약속 함부로 내팽개치는 의리 없는 녀석인지도 몰랐다."

말을 마치면서 지경은 나를 찌릿 째려봤다. 순간 뜨끔해서 고개 숙이는데 이지한이 불쑥 내 앞을 가로막고 섰다. 그리고 이지한은 지경에게 맞서 대꾸했다.

"우정 갖고 협박하지 마. 내 사랑이 훨씬 대단하니까."

"뭐야?"

"친구인 형, 애인인 나. 둘 중 하나 택하라는 그딴 협박일랑 꺼내지도 말란 뜻이야. 어차피 나 선택할 게 당연한데 괜히 형만 치사스럽고 없어 보이니까."

"뭐, 치사? 없어 보여?"

이지한은 몸을 돌려 내 손을 잡더니 다시 지경이를 향해 마주 섰다.

"우리, 반대할 거면 해."

"뭐?"

"어차피 한 번 사는 인생, 각자 살고 싶은 대로 사는 거지. 우린 사귀고, 형은 반대하고. 그렇게 살아."

이지한은 딱 잘라 말하고서 승강기를 향해 성큼성큼 발을 움직였다. 손이 잡혀 있어 나 역시도 그를 따라 움직이게 되었다. 그러면서 나는 미안한 눈빛으로 연신 힐끔힐끔 지경이를 뒤돌아봤다.

"너, 이지한, 너 이 자식!"

뒤에서 지경은 황당한 듯 멈춰 있다가 이내 정신을 차리고서 황망히 우리를 따라왔다.

지경은 승강기에서 내내 무슨 말을 하고 있었다. 입이 움직이는

걸로 봐서, 분명 그랬을 거다. 다만 내 귀가 막혀 있어서 그 말을 들을 수가 없었다. 두 손으로 내 귀를 막고 있는 이지한이 지경에게 뭐라고 반박하는 건지, 나는 그 역시도 들을 수가 없었다. 다만 기가 막혀 말을 멈추고 주먹으로 가슴을 턱턱 치는 지경이가 보일 뿐.

승강기를 떠나 아파트 현관에 도착할 때까지 이지한은 내 귀에서 손을 떼지 않았다. 그러다가 손을 떼자마자 이지한은 재빨리 현관 문을 열고 그 안으로 나를 데리고 들어섰다. 이어서 지경이가 따라 들어올 틈도 없이 너무나도 민첩하게 문을 닫아 잠갔다.

"엇, 문 왜 잠가요? 지경이는요?"

"형은 형 집 가면 됩니다."

"아니, 우리 때문에 비행기 타고 여기까지 왔는데 이렇게 문전 박대하는 건 너무하잖아요."

"문 안에서 박대하는 건 괜찮습니까?"

"아, 아니요."

문 안에서 박대라니. 나는 마구 고개를 저었다. 내 경험에 비추어 볼 때, 그건 문전 박대보다 더한 곤욕이지 싶다. 그런데 그때 바깥에서 지경이가 문을 두드리는 소리가 났다.

"이지한, 문 안 열어? 나 당장 내일 아침까지밖에 시간 없어. 스케줄 겨우 빼서 잠깐 온 거라고. 그러니까 문 열고 형하고 얘기 제대로 해."

화난 지경의 목소리에 나는 마음이 무거워졌다. 그래서 잠시 망설이다가 이지한의 팔을 잡고 말했다.

"그럼 님은 그냥 문전 박대해요. 나는 나가서 지경이랑 얘기 좀 하고 올게요."

내가 결연하게 전한 말에 이지한은 눈살을 구겼다. 하지만 이지한이 뭐라 하기 전에 나는 또 내 할 말을 꿋꿋이 이었다.

"나는 지경이하고 원래 할 말이 있었잖아요. 파혼 때문에. 그래서 오늘 계속 전화 기다렸었고. 근데 이렇게 지경이하고 얼굴 마주하고 얘기해 볼 기회가 생겼는데, 나는 내가 하고 싶은 말은 하나도 못했어요. 그 와중에 두 형제, 사랑보다 깊은 우애 잘 봤고요."

이지한은 내 태도가 의외라는 듯이 잠자코 나를 지켜봤다.

"파혼은 나랑 지경이가 하는 거고 연애는 나랑 이지한 씨가 하는 건데. 왜 나는 두 사람 대화에서 들러리만 해요?"

"……."

"나도 할 말 있어요. 내 일이니까. 그러니까 할래요. 그러니까 나가게 해 줘요."

지경이를 그냥 이렇게는 절대 못 보내겠어서 나는 고집스러운 마음으로 이지한을 바라봤다. 그러자 이지한은 잠시 못마땅한 얼굴로 생각에 잠기더니, 이윽고 하는 수 없단 투로 입을 열었다.

"정 그러면 그냥 형을 들어오게 하죠. 박대 안 할 테니까 안에서 둘이 얘기하는 걸로. 그렇게 합의 봅시다."

그러고서 이지한은 현관을 향해 몸을 움직였다.

4. 파혼 임파서블?

4. 파혼 임파서블?

지경이와 나는 내 방에서 티 테이블을 사이에 두고 마주 앉았다. 그리고 이지한은 침대에 걸터앉은 채 팔짱을 끼고 우리를 예의 주시했다.

"그래. 어디 네 입으로 말해 봐. 대체 이게 무슨 상황인지."

지경은 화난 눈빛으로 나를 쏘아보며 말했다. 나는 옆에 있는 이지한을 의식하지 않으려고 애쓰면서 눈앞의 지경에게 온 신경을 집중했다. 무릎 위의 두 손을 꼭 그러쥐면서 지경에게 미안한 마음으로.

"내가 네 동생하고 이렇게 돼서……. 계약을 못 지키게 됐어. 미안해."

나는 면목이 없어 시선을 떨어뜨린 채로 사과했다. 이유가 무엇이건 내가 계약을 못 지키게 된 건 사실이니까. 그래서 피해를 보게 된 지경이니까.

"이게 미안하단 말로 끝날 일 같아?"

지경의 목소리는 비난하듯 따가웠다.

"미안해. 미안하단 말로 끝날 일 아닌데, 그래도 미안해."

"상견례도 마쳤고 청첩장도 돌렸어. 게다가 결혼식까지 이제 겨우 4주 남았어. 근데 이걸 깨자고?"

"그래서 내가 생각해 봤는데. 나한테, 신부한테 심각하게 문제가 있었던 걸로 하면……. 그럼 너 피해 보는 일, 별로…… 없지 않을까……?"

나는 조심스레 지경을 보며 되물었다. 그러자 지경은 기가 막힌 듯이 하, 숨을 내뱉었다.

"결혼 코앞에 두고 신부가 내 동생하고 눈이 맞았다. 그래, 그건 아주 심각한 문제지. 근데 그 문제 알려지면 그건 그거대로 내 꼴 우스워지는 거고, 내 동생 파렴치한 되는 거고. 한마디로 우리 집안 망신이야, 그거!"

"그 문제는 사람들이 모르게 할게. 우리 파혼 이유는 다른 문제라고 해. 그냥 여자가 알고 보니 과거가 이상하다든가, 애 딸린 미혼모였다든가……. 뭐든 상관없으니까. 너 좋을 대로 최대한 너한테 피해 안 가도록. 그렇게 이유를 대면. 우리 파혼이 너한테 오점이 되진 않을 거야."

"그렇게 이유 대면 그거, 너한테는 오점인 거 몰라?"

"알아."

"근데 그렇게 해 가면서 꼭 파혼을 해야겠어?"

지경은 나를 노려보며 질책하듯 물었다.

"응. 꼭 파혼해야겠어. 그러니까……. 나 이렇게 부탁할게."

나는 결연한 마음으로 일어나서 티 테이블 옆쪽으로 한 발짝을 옮겼다. 내가 무릎을 꿇어도 티 테이블이 나와 지경의 시선을 가로

막지 못하도록. 그리고 천천히 무릎을 접으면서 바닥으로 무릎을 내려갔다.

그런데 내 무릎이 바닥에 채 닿기도 전에 내 어깨는 이지한의 손에 잡혀 번쩍 들어 올려졌다. 그 바람에 내 무릎도 곧게 세워졌다. 이지한은 그렇게 나를 마주 세워 놓고, 화난 얼굴로 혼을 내듯 말했다.

"이 여자가 진짜! 내 앞에서 꿇는 것도 다신 보기 싫은데, 어디 남 앞에서 꿇을 생각을 합니까?"

"아, 아니, 나는, 이렇게라도 해야 지경이가……."

"나한테든 누구한테든 이 무릎 한 번만 더 꿇으면 아주 깁스를 채워 버릴 겁니다."

이지한은 단호하게 말했다.

"아, 알았으니까 끼어들지 마요. 안 끼어들기로 약속했잖아요."

나는 지경이를 의식해서 쩔쩔매는 얼굴로 이지한에게 부탁했다. 이지한은 못마땅한 듯 눈살을 찌푸린 채 검지 끝으로 자기 눈을 가리켰다.

"지켜보고 있습니다."

이지한의 검지 끝이 이번에는 내 눈을 가리켰다.

"무릎 꿇지 않습니다."

세뇌하듯 말하고서 이지한은 침대로 돌아갔다. 그런 이지한을, 그리고 나를, 지경은 어처구니없는 얼굴로 번갈아 봤다.

나는 무릎을 꿇지 못한 대신 벌이라도 서는 마음으로 자리에 앉지 않고 계속 선 채 대화를 이어 갔다.

"아무튼 지경아. 내가 네 동생하고 이렇게 되어 버렸는데 이 상황에 내가 너하고 결혼할 순 없는 거니까……."

"지한이하고 헤어져. 그리고 계약대로 나하고 결혼해."

지경은 고집스러운 눈빛으로 강요했다.

"뭐?"

"나하고 계약이 먼저였어. 그러니까 그 약속 지켜."

"지경아, 그건……. 아니, 이젠 내가 네 동생을 좋아하는데 너랑 결혼을 어떻게 해?"

"그럼 나는? 나는 어떡하라고?"

지경은 정색하며 반문했다.

"내 상황 다 알고 이해하고 결혼할 여자, 너 말고 또 있어?"

"야, 그건……."

"네가 나랑 결혼 안 하면 난 평생 결혼 못 할 텐데. 그럼 사람들이 날 두고 이상하단 생각, 안 하겠어?"

"형 미쳤어?"

이지한은 침대에서 또 벌떡 일어났다.

"뭐야?"

"남도 아니고 동생이 사랑하는 여자라는데! 남의 눈 때문에 기어이 이 여자랑 결혼을 하겠다고? 무슨 말 같지도 않은 소리를 해!"

이지한은 성난 걸음으로 쿵쿵 다가와서 내 왼팔을 잡았다.

"무슨 이런 말 같지도 않은 소릴 들어주고 있습니까? 집어치웁시다."

이지한은 곧장 나를 끌고 문으로 향했다.

"아니, 아직 나 얘기 안 끝났어요……!"

힘에 끌려 얼떨결에 몇 걸음을 움직이다가 나는 발을 멈추고 버티려 들었다. 그런데 그때 옆으로 다가온 지경이 내 오른팔을 낚아챘다.

“말 같든 아니든, 계약은 계약이야!”

지경이가 반대편에서 내 팔을 잡아당기자, 내 두 팔은 줄다리기 줄처럼 두 형제 사이에서 팽팽해졌다.

“아무리 계약이어도 해지하면 그만이지!”

소리치며 이지한이 잡아당기자 나는 왼쪽으로 미끄러지듯 끌려갔다.

“뭐? 해지?”

이번에는 지경이 잡아당겨서 나는 오른쪽으로 휘청거렸다. 그러자 이지한은 다시 나를 왼쪽으로 휙 당겼다.

“회사 대 회사 계약도 해지하는데 친구 대 친구 계약, 까짓 못 물러 줘?”

“그래? 못 물러 줄 거 없지!”

양쪽에서 팔이 아프고 귀가 얼얼하고. 하나뿐인 머릿속은 어질어질하고. 그야말로 정신없이 휘청거리는데 지경이 갑자기 내 팔을 놔 버렸다. 그 바람에 나는 이지한에게로 넘어지듯 부딪혔다. 그러자 이지한은 얼른 내 어깨를 잡아 주었다. 그렇게 부축을 받고 섰는데, 지경의 화난 목소리가 들려왔다.

“야, 나아정! 계약 해지, 네 마음대로 해!”

“저, 정말?”

갑작스러운 허락이 놀라워서 눈을 크게 뜨고 지경을 봤다. 그러자 지경은 도끼눈을 하고서 나를 손가락질하며 말했다.

“대신 너, 위약금 열 배인 거 알지? 50억!”

“5…… 50억?”

순간 나는 머릿속이 띵해졌다.

"계약할 때 내가 말했지? 계약 해지하면 위약금 열 배라고. 너, 그 돈 있으면 해지해! 얼마든지! 내가 깔끔하게 정리해 줄 테니까. 근데 너, 50억 못 물 거면 파혼 꿈도 꾸지 마라! 내 동생 만날 생각도 말고!"

"야, 그건……."

충격으로 멍한 머릿속에서 언젠가 지경에게 들었던 말이 되살아났다.

'나 돌아올 때까지 딴 놈이랑 바람나지 말고 있어. 너, 마음 바뀌면 안 된다? 계약 파기하면 위약금 열 배. 알지?'

"그, 그거……. 농담 아니었어……?"

"난 농담 아니었거든? 구두 계약도 엄연히 효력이 있는 거다, 너."

계약금이 5억인데. 위약금이……. 그거 열 배면……. 그럼 진짜 50억…….

꼭 시간이 멈춘 것처럼, 나는 귀가 먹먹해져 아무 소리도 들리지 않았다.

눈앞에서 이지한이 지경에게 달려들고 계속해서 말싸움을 이어 가는 입 모양인데, 나는 이내 눈에 보이는 것도 없어지고, 멍하던 머릿속에 온갖 생각이 빙글빙글 돌았다.

50억……. 나 아직 결혼식 날 받을 계약금 5억도 못 받았는데. 위약금 50억…….

그걸 어떻게 물지……?

그거……. 내 장기 다 팔아도 못 벌 돈인데…….

그거 있어야만 파혼하고 이지한 만날 수 있단 거야……?

그럼 50억이 없으면 이지한을 포기해야 하는 거야……?

이지한 없이, 예전처럼 살아야 하는 거야?

불현듯이 울컥, 절대로 그러고 싶지 않은 반발심에 사로잡혔다. 그래서 나는 내 앞의 지경을 똑바로 봤다. 그리고 뭐에 홀린 것처럼 정신없이 입을 열었다.

"이지경. 나 그 돈 못 물어내."

순간 두 형제는 말을 멈추고 나에게로 시선을 돌렸다.

"나는 아무리 생각해도 그 돈 물어낼 능력이 안 돼. 내가 오장육부 다 팔아도 50억은 못 받으니까. 내가 50억 무는 일은 도저히 불가능한 일이야."

나는 잠시 시선을 내려놓고 한 번 더 생각해 봤다. 그러나 역시 50억은 도저히 불가능한 액수였다. 그렇기에 다시 시선을 들고 지경을 봤다.

"그런데 그건 너도 알잖아. 나 도저히 그만큼은 못 물어낼 거, 네가 제일 잘 알잖아. 그런데도 나한테 그거 물어내야 파혼해 준다는 건……. 그냥 이지한 씨 포기하란 말이잖아."

"그래. 그냥 포기해. 포기하란 말이야."

지경은 아무렇지 않게 나를 향해 포기를 요구했다.

마치 그게, 내가 쉽게 할 수 있는 일인 것처럼.

"아니. 그렇게는 못 하겠어."

나는 재차 울컥하는 감정에 고개를 내저었다. 그리고 내 안에서 솟구치는 이야기를 참지 않고 내뱉었다.

"지경아, 나는……. 나는 연기하고 있을 때가 제일 좋았어. 왜냐면 연기할 땐 내가 아니니까. 내가 아니라 그 역할이 돼서 내가 아닌 것처럼 살아 볼 수 있으니까. 나는 그렇게 딴사람으로 살고 있을 때가 제일 좋았어."

"뜬금없이 무슨……."

"나보다 새엄마 자식들 더 사랑하는 아버지 보면서, 엄마 닮았다고 나 싫어하는 아버지 보면서. 아버지한테조차 친아버지한테조차 사랑받지 못하는 내가……. 어디 가도 사랑 못 받을 것 같고. 그게 너무 당연한 것 같고……. 그런 내가 너무 싫었어."

눈앞이 뿌옇게 흐려져서 지경의 표정을 볼 수 없었지만, 나는 개의치 않고 그저 몰아치는 내 감정대로 입을 움직였다.

"그래서 나로 살기 싫어서 연기를 시작했어. 나로 사는 게…… 너무 싫으니까."

목이 메서 힘겹게 침을 삼키는 사이 눈이 깜빡거렸다. 그리고 나자 눈앞이 선명해지고 지경의 표정이 시야에 들어왔다.

"근데 나. 처음으로…… 나로 살고 싶어졌어."

나는 굳어 있는 지경의 눈을 보며 분명하게 말을 전했다.

"나로 산다는 게 이렇게 좋을 수도 있구나……. 그런 생각이 들어. 이지한 씨하고 있으면."

"……."

"그래서 나는 포기할 수가 없어. 이렇게 꼭 한 번은 살아 보고 싶어서."

"……."

"이렇게 사랑받고 사랑하면서. 계속 나로 살고 싶어."

다시 눈앞이 흐려진 채로 나는 고개를 가로저었다.

“그래서 난 포기 안 할 거야. 포기 안 해.”

눈물이 떨어지기 전에 나는 얼른 눈을 훔쳐 냈다. 그러자 눈앞이 선명해지고 일그러져 있는 지경의 표정이 보였다. 나는 그런 지경에게 또박또박 최대한 침착하게 약속을 걸었다.

“대신 내가 할 수 있는 방법으로 내가 최선을 다해서 너한테 이 빚 갚을게. 너하고 약속 못 지킨 거, 평생 갚으면서 살게.”

지경은 어두워진 얼굴로 시선을 내렸다.

“꼭 돈으로 갚아야 하는 거면……. 매일매일 내가 버는 만큼 갚아 갈게. 네가 원하는 만큼은 안 되겠지만, 그래도……. 내가 가질 수 있는 전부는 줄 수 있어.”

나는 절박한 마음으로 약속을 마치고서 지경을 바라봤다. 하지만 지경은 어떤 대답도 주지 않고 침묵했다. 그래서 애타게 지경의 대답을 기다리는데, 지경은 갑자기 훌쩍 방을 나가 버렸다.

“지, 지경아……!”

나는 당황해서 뒤를 따라가려 발을 움직였다. 그런데 이지한이 그런 나를 가로막았다.

“그만하면 됐습니다. 나아정 씨는 할 만큼 한 겁니다.”

이지한은 내 어깨를 잡고 단호하게 말했다.

“아니, 해결된 게 없잖아요……! 아직 지경이가…….”

“나아정 씨 속에 있던 말. 다 했잖아요.”

“예?”

“형한테 하고 싶은 말, 더 남았습니까?”

이지한의 질문에 멈칫 내 마음을 들여다봤다. 이윽고 고개를 절레절레 저었다. 나는 지경이에게, 가슴속에 차올랐던 모든 말을 내 보였으니까.

"그럼 더 얘기해 봐야 도돌이폽니다. 나아정 씨는 할 수 있는 최선의 약속을 했고, 이제 나아정 씨가 할 일은 형한테 생각할 시간을 주는 겁니다."

이지한은 침착하게 진중한 목소리로 말했다.

"지경이가……. 지경이가 생각을, 해 줄까요?"

불안하고 막막한 마음으로 묻자 이지한은 나를 끌어안았다.

"이제부턴 내가 최선을 다할 테니까 아무것도 걱정하지 맙시다."

이지한은 장담하며 내 등을 어루만졌다.

"내가 진작 그랬어야 했는데. 형한테 너무 내 감정대로만 행동했습니다. 나아정 씨 입장은 생각 안 하고. 나 좋을 대로만."

"……."

"나아정 씨 마음, 이제 다 알았으니까. 나 믿고 나한테 맡깁시다. 내가 나아정 씨 꼭, 지금처럼 살게 할 테니까."

이지한은 내 귓가에 그렇게 약속하고서 도장을 찍듯 입술을 맞춰 왔다.

그대로 나는 이지한에게 끌어안긴 채, 왈칵 터져 나오는 대로 참지 않고 울음을 쏟아 냈다.

이지한을 기다리다가 깜빡 잠이 들었던 모양이다.

거실 소파에서 눈을 뜬 나는 얼른 주위를 둘러봤다. 창밖은 이지한이 떠날 때처럼 여전히 새카만 밤이었다.

많이 잔 건 아니다 싶어 안도하며 휴대 전화를 꺼내 들었다. 그런데 내 예상과 달리 시간은 벌써 새벽 세 시가 넘어 있었다.

아니, 왜 이 시간까지 연락이 없지?!

화들짝 놀라 몸을 벌떡 일으켰다. 그러자 밀려드는 근육통에 으으 신음이 터졌다. 보나 마나 어제 운동의 후유증일 텐데. 도로 눕고 싶은 몸의 괴로움에도 불구하고 애써 몸을 움직여 이지한의 방으로 향했다. 혹시라도 이지한이 방에 있는가를 확인하려고. 동시에 이지한에게 전화를 걸었다.

귓가의 신호음을 들으며 이지한의 방에 들어섰다. 역시나 이지한은 방에 없었다.

설마 아직도 지경이와 같이 있는 건가? 혹시 뭔가, 잘못되고 있는 건가? 불안이 엄습하는 찰나, 수화기 너머에서 이지한의 목소리가 들려왔다.

[왜 아직 안 잡니까?]

"어, 어디예요? 왜 집에 안 와요? 무슨, 뭐 잘못된 거예요?"

[아직 형하고 얘기 중입니다.]

이지한은 놀라울 만큼 부드러운 목소리로 대답했다. 몇 시간 전 형을 대할 때와는 전혀 다른 사람인 것처럼.

"지, 지금까지요?"

[우리 얘기, 잘하고 있으니까 걱정할 거 없습니다. 나아정 씨는 마음 편하게 더 자 둬요.]

"저기, 정말 얘기 잘하고 있는 거죠? 흥분 안 하고……. 지경이한테 허락, 받고 있는 거죠? 치고받고 그러는 거…… 아니죠?"

내 질문에 피식, 웃는 듯한 콧소리가 났다. 그리고 잠시 만에 이지한의 목소리가 이어졌다.

[확인하게 될 겁니다. 몇 시간 뒤에.]

"예?"

[마음 편히 잘 자고 있으면 내가 시간 맞춰서 데리러 갈 겁니다. 그리고 형 있는 데로 데려다줄 거니까, 나아정 씨하고 형은 그때 얘기하면 됩니다.]

이지한은 믿음직하게 차분한 목소리로 말했다. 그러더니 이지한은 곧 혼잣말하듯 나지막이 중얼거렸다.

[불안할 때 나 찾으라고 했더니, 진짜 찾아 주네.]

"아…….”

[옆에 있었으면, 몸으로 찾아 줬을 텐데.]

이지한은 아쉬운 듯 덧붙이더니 이내 말을 이었다.

[지금 불안한 거 일시 정지하고, 이따 내가 깨울 때 다시 재생합시다.]

정말이지 우리 사이에 아무 장애가 없는 것처럼 이지한은 여유롭고 낙천적인 말투로 당부했다. 그런 이지한의 태도 덕분에 불안이 제법 가라앉는 듯했다.

하지만 그렇다고 보고 싶은 마음까지 가라앉는 것은 아니라서, 통화를 마친 나는 슬그머니 이지한의 침대로 걸어갔다. 그리고 침대에 내려앉아 베개에 머리를 눕혔다. 그러자 침대에서 이지한의 체취가 희미하게 느껴졌다.

그대로 눈을 감은 채, 나는 아예 베개를 끌어안고 얼굴을 파묻었다.

마치 이지한 대신인 것처럼.

그렇게 베개를 끌어안고, 나는 그곳에서 잠이 들었다.

몇 시간 뒤 완전히 날이 밝았을 때, 이지한은 약속대로 나를 데리러 왔다. 그리고 이지한은 나를 차에 태우고 인천 공항으로 출발했다.

도대체 어떤 얘기가 오간 건지 궁금해서 자꾸 물어 댔지만, 이지한은 이동하는 내내 그저 잘됐다는 말과 형에게 직접 들으라는 말로 일관했다.

이지한이 잘됐다고 하니까. 그리고 무엇보다 이지한의 표정이 밝으니까. 정말로 잘됐을 것 같은 막연한 믿음은 느껴졌다.

하지만 어제 봤던 지경의 완강한 태도가 문득 떠오를 때마다 대체 하룻밤 사이 지경의 뜻이 어떻게 바뀌었단 건지, 도무지 상상은 가지 않았다.

마침내 인천 공항에 도착하고서 이지한은 스타벅스로 나를 데리고 갔다. 여기가 약속 장소라는 말에, 긴장한 채 스타벅스로 들어섰지만 지경은 어느 자리에도 앉아 있지 않았다. 아직 도착 전인 모양이다.

"여기, 우리 처음으로 마주 앉았던 덴데. 기억납니까?"

이지한은 스타벅스 내부를 둘러보며 질문을 건넸다.

"당연히 기억하죠."

출장 가는 지경을 배웅하던 그 날. 등 뒤의 이지한과 딱 마주쳐서는 도살장 끌려가는 심정으로 이지한을 따라 여길 들어왔었지. 그때의 이지한은 지금 생각해도 오싹하다.

“어우…….”

회상에 빠졌던 나는 나도 모르게 진저리를 치며 팔뚝을 비볐다.

“기억 못 하면서 기억하는 척하는 거 아닙니까?”

“어우, 아니에요. 내 인생에서 손꼽히게 무서운 기억인데요?”

“그럼 우리 앉았던 자리, 맞혀 봅시다.”

이지한의 요구에 주저 없이 우리가 앉았던 테이블을 가리켰다. 그러자 이지한은 픽 웃고는 내 머리에 손을 얹고 토닥거렸다.

“정답. 기념으로 저기 가서 앉죠.”

“그럴까요?”

나는 내가 가리켰던 테이블로 향했다. 그리고 그때처럼 똑같은 의자에 앉아 이지한을 마주했다. 이지한은 계속 입꼬리를 예쁘게 올린 채, 나를 보며 흐뭇한 듯 눈웃음을 지었다.

같은 장소, 같은 사람인데 어쩌면 이렇게까지 다른 사람이 되어 있는지.

“형이 좀 늦는가 본데, 먼저 주문합시다.”

“기념으로 내가 사 올게요! 그때처럼.”

눈앞의 기적에 뭐라도 대접하고 싶어서 선뜻 몸을 일으켰다. 그리고 그대로 주문대로 향하려는데 이지한이 내 손목을 붙잡았다.

“내가 뭐 시킬지도 모르면서 그냥 갑니까?”

“여기서 제일 단 거잖아요. 이지한 씨가 좋아하는 거.”

나는 그때 이지한이 마셨던 음료를 떠올리며 대답했다.

“아니. 이번엔 그렇게까지 안 달아도 됩니다.”

“엇, 그래요? 왜요? 단 거 좋아하는 거 아니었어요?”

“열 받을 땐 단 게 좋습니다만. 요즘은 어째 단 거 생각이 안 납니다.”

“왜요? 열 받을 일이 잘 없어서요? 나 때문에 막, 계속 좋고 그래서요?”

나는 그게 정답이라 기대하며 이지한을 바라봤다. 그러나 이지한은 딱 잘라 대꾸했다.

“열 받을 일은 그간 제법 있었습니다.”

금세 시무룩해져서 나는 고개를 숙이고서 아랫입술을 내밀었다.

“근데 요즘은 열 받아도 단 게 생각 안 납니다. 나아정 씨 생각만 나지.”

나는 번쩍 고개를 들고 되살아난 기분에 눈을 반짝거렸다. 입꼬리는 절로 올라가서 귀에 닿으려고 했다.

“그럼 가서 뭐 주문할까요?”

내가 싱글벙글 물어보자 이지한은 내 손을 잡은 채로 일어섰다.

“가긴 어딜 갑니까? 내가 가야지. 나아정 씨가 뭐 마실지나 말해요.”

“에이, 기념으로 내가 사 온다니까요? 전에 여기서 내가 사 왔잖아요.”

“그때하고 지금하고 내가 얼마나 변했나 티 내려고 그럽니다.”

이지한은 그렇게 말하면서 나를 내 자리에 데려다 어깨를 눌러 앉혔다. 그러더니 이지한은 허리 숙여 내 이마에 슬쩍 입을 맞췄다. 그런 다음 이지한은 살짝 물러나서 내 눈을 보며 말했다.

“형하고 결혼하겠다는 여자 내가 꼬리 쳐서 가로챈 건데, 내가 그 여자 손 하나 까딱하게 할 것 같습니까?”

빈말이 절대 아니라고. 예전이나 지금이나 한결같이 직설적인 이지한의 눈빛이 말을 하고 있었다.

나는 괜히 코끝이 찡해서 앉은 채로 이지한의 허리를 끌어안았다. 그렇게 눈을 감고 감동에 취해 보는데, 옆에서 익숙한 목소리가 들려왔다.

"어제는 차 위에서 붙어 있더니만."

순간 화들짝 놀라 얼른 팔을 풀고 이지한에게서 떨어졌다. 그러자 이지한의 등 뒤에 선 지경이 보였다. 지경은 착잡한 표정으로 우리를 지켜보고 있었다. 나는 당황해서 얼굴이 새빨개졌다.

"어째 내가 올 때마다 이러고 있어? 나 보라고 일부러 이러고 있는 거냐?"

"아, 아니야."

민망해서 얼른 대꾸하는데 이지한은 태연하게 답했다.

"형 올 때마다 이러는 거 아니야. 늘 이러고 있는 거지."

지경은 그야말로 떫은 표정이 돼서 고개를 절레절레 저었다.

잠시 후 이지한이 세 사람의 음료를 주문하러 간 사이, 마주 앉아 둘만 남게 된 나와 지경의 사이에는 어색한 침묵이 흘렀다. 나는 고개 숙여 마른 입술을 삼키다가 먼저 입을 열었다.

"내가 이기적인 선택한 거……. 미안해."

더 말을 하려는데, 어제와는 전혀 다른 부드러운 지경이의 목소리가 들려왔다.

"어차피 나도 이기적이었어."

"응?"

예전처럼 다정해진 지경의 목소리에 나는 고개를 들었다. 그리고 나를 보고 있는 지경과 눈을 마주쳤다. 지경의 눈빛은 목소리만큼 다정해 보였다.

"나는 나로 살기 싫어서. 아니, 나로 사는 걸 들키기 싫어서 너 이용해서 가짜 결혼하려고 했던 건데……. 우리 아직 결혼한 것도 아니고. 지금 파혼해도 이혼처럼 기록이 남는 것도 아닌데. 나는 그냥 내 계획대로 하고 싶어서. 너랑 결혼하면 내가 날 숨기기 편하니까. 파혼 못 한다고 고집부린 거야. 이기적으로."

지경은 담담하게 내 눈을 지켜보며 허심탄회한 고백을 이어 갔다.

"그리고 어제 50억 얘기는 열 받아서 홧김에 뱉은 소리야. 어제는 너무 경황이 없었고 배신감이 앞서서……. 그래서 네 사정, 네 입장에서 생각할 여유가 없었어."

"……."

"어제 밤새 생각해 봤다. 그러다 보니까 그때 생각이 나더라. 네가 내 결혼 제안 승낙했을 때, 너 그때 그런 말 했었잖아."

지경은 다시 그때를 떠올려보듯 눈을 내리뜨고 이어 말했다.

"세상 사람 다 속이고 가족까지 속이는 결혼을 연기해야 할 만큼, 나는 진짜 나로 살아갈 자신이 없는 거라고. 그리고 그런 나라서 너는 내 연기의 파트너가 될 수 있겠다고."

맞다. 내가 그런 말을 했었지.

나조차도 잊고 있던 사실이기에 새삼 깨달으며 고개를 끄덕거렸다.

"어째 전우애가 느껴진다고도 했었지. 전우로서 내가 마음 편히 살 수 있게 이 연극 도와주고 싶다고."

지경은 피식 웃었다. 그러더니 곧 차분히 진지해진 표정으로 덧붙였다.

"그때 네 말, 이제야 이해가 가. 그리고 그래서 지금 네 마음도 이해가 돼."

“……..”

“아정아. 나도 전우로서 바라는데, 넌 지금이 행복하다면 계속 그렇게 살아.”

지경은 당부를 하듯 단단한 목소리로 말했다.

“계속……. 이렇게 살라고……?”

무슨 의미인지 얼떨떨해 물었다. 어렴풋이 알 것 같은데, 확실하게 믿을 수가 없어서.

“나랑 결혼할 거 없고 지한이랑 헤어질 것도 없단 얘기야. 우리 계약, 없던 일로 칠 테니까.”

지경은 대답해 주고, 시선을 내려 손목시계를 확인했다. 그러더니 지경은 자리에서 일어났다.

“그만 가 봐야겠다. 출국 시간 다 됐네.”

지경은 그대로 성큼성큼 스타벅스 바깥으로 걸어 나갔다.

“지, 지경아.”

나는 다급하게 일어나서 지경이를 쫓아갔다. 그러자 지경은 걷다 말고 나를 향해 멈춰 섰다. 그리고 여유로운 미소를 걸친 채로 내게 한 손을 내밀었다.

“결혼은 못 했지만. 파혼은 잘해 보자.”

아, 그런 뜻이구나. 정말 그런 뜻이구나!

한순간에 확 실감이 나면서 가슴속이 벅차 왔다. 그렇지만 나는 지경의 손을 잡지 않았다. 내 두 팔은 지경의 몸을 와락 끌어안느라고 여유가 없었으니까.

“아마 남편 사랑 못 받는 여자 중엔, 네가 세상에서 제일 행복한 신부일 거라고. 지난번에 이 공항에서 내가 장담했었는데.”

지경은 내 몸을 마주 안아 주며 아쉬운 듯 말했다.

"그 장담 진심이었어. 여자로는 사랑할 수 없겠지만, 그래도 행복하게는 해 주고 싶었으니까."

그러자 언제 다가온 건지 바로 옆에서 이지한의 목소리가 끼어들었다.

"대신 남편 사랑받는 여자 중에 세상에서 제일 행복한 신부 될 거라고. 이번에 이 공항에서 내가 장담하잖아."

너무나도 당연한 걸 이야기하듯, 이지한은 내 옆에 선 채 태연하게 나와의 결혼을 장담했다.

이 인간, 형 앞에선 생각보다 실없는 캐릭터였네. 사귄 지 얼마나 됐다고 저런 농담을…….

나는 이지한의 새로운 면을 발견한 채, 내 친구 지경이를 더 꽉 안아 주었다.

나 혼자 행복하지 않으려고. 내 행운을 나눠 주려고.

내가 이지한을 만나 나로 살고 싶어진 것처럼. 지경에게도 그와 같은 기적이 일어나길 기도하면서.

예식장 취소하기. 스튜디오, 드레스, 메이크업 취소하기. 청첩장 나눠 준 사람들에게 파혼 사실 알리기.

책상에 앉아 파혼 계획표를 적어 보다가, 나는 한숨을 내쉬었다.

이제 와서 예약을 취소하면 전액 환불은 어려울 테지. 하지만 그보다 더 내 마음을 무겁게 만드는 건, 파혼을 알려야 하는 사람 중에 아버지와 새엄마가 있단 사실이다.

"아……. 또 날 얼마나 한심하게 볼 거야……."

나는 참담한 기분마저 들어 책상에 머리를 쿵, 떨어뜨렸다.

그냥 이대로 시집간 셈 치시라고 당당하게 선언하고 집 나와서 인연 끊고 살까……?

"근데 집 나오면 당장 지낼 곳이 없잖아……."

스스로 대답하면서 나는 책상에 박은 고개를 도리도리 저었다.

파란 극단은 한창 공연 중이라서 연습실에 신세 지긴 어려울 거고, 그렇다고 이제 이지한 씨 집에 계속 있을 명분도 없잖아? 전에야 결혼 허락받으려고 예비 시집살이하러 들어온 거지만, 지경이랑 파혼하는 마당에 계속 여기 산다는 게 어떻게 예비 시집살이겠어? 동거지.

"어우! 안 돼, 안 돼."

나는 벌떡 고개를 들고 세차게 고개를 저었다.

이지한이 예비 시동생일 때랑 지금은 엄연히 달라. 그때야 성적으로 뭘 느끼면 안 될 때고, 지금은…….

"좋을 때다……."

나도 모르게 귀까지 발그레해진 채 두 손을 모아 쥐고 중얼거렸다.

그래. 이제 여긴 위험해. 뭘 느껴도 되는 관계끼리 한집 살이라니. 무슨 일이 벌어질지 빤한 거 아냐?

아니, 설사 안 벌어져도 남들 눈엔 그래 보일 테잖아?

물론 안 벌어질 리도 없고 말이야.

아무리 생각해도 내 판단이 맞지 싶어서 나는 노트를 덮었다. 그리고 떠날 짐을 챙기려고 자리에서 일어났다. 그런데 잊고 있던 근육통이 왈칵 허벅지로 밀려들었다.

"으아아!"

공항에서 너무 기뻐 지경을 끌어안을 때는 이깟 근육통 신경도 쓰이지 않았는데. 그렇게 마음의 괴로움을 던지고 나니 이젠 몸의 괴로움이 자기 차례라고 기승을 부려 대는 모양이다.

"으이구, 삭신이야……."

나는 구부정하게 허리를 숙이고서 뭉친 허벅지를 문지르며 주위를 둘러봤다. 챙겨야 할 짐이 무엇인지 눈으로 슥 살펴보며 천천히 옷장으로 다리를 움직였다. 그리고 처음 들어올 때 가져왔던 낡은 가방을 옷장에서 꺼냈다.

폼 나게 트렁크 가방을 끌고 나가고 싶지만 딱히 짐이 많진 않으니까 이 가방 하나면 충분할 것이다. 그런 판단으로 나는 가방에 짐을 하나하나 집어넣었다.

내가 입고 왔던 옷. 내가 들고 왔던 휴대 전화. 충전기. 지갑. 끝.

얼마 안 가 가방을 다 싼 나는 일단 가방을 침대 위에 올려뒀다. 아직 환한 낮이니까 벌써 떠날 필요는 없을 것 같아서. 이 집 생활의 마지막 날인 오늘을 종일 특별하게 보내다가 떠나려고. 그래서 나는 도로 책상으로 돌아가 노트를 펼치고 앉았다. 그리고 오늘 이지한과 무엇을 할지 내가 하고 싶은 일을 적어 나갔다. 꼭 이 집에서만 할 수 있는 일로 고심하고 골라내면서.

얼마 후, 나는 곰 인형을 끌어안고 이지한의 방문 앞에 섰다. 그렇게 긴장되는 가슴을 곰 인형으로 달래면서 문에 노크를 했다. 그러고서 잠시 지나자 이지한이 문을 열어 주었다.

"뭡니까? 안 잡니까? 어젯밤에 그 난리 치르고 오늘 아침에 인천까지 다녀왔는데."

"저, 탕수육 해 주세요!"

나는 용기 내서 불쑥 내뱉었다. 그러자 이지한은 귀를 의심하듯 굳은 얼굴로 물어 왔다.

"방금 뭐라고 한 겁니까?"

"탕수육…… 먹고 싶어서요. 이지한 씨가 해 주는 걸로…….'

"탕수육을, 나더러 해 달라는 겁니까?"

이지한은 내가 정말 그렇게 말한 건지 도저히 못 믿겠단 투로 물었다.

안, 안 되는 건가? 내가 못할 말을 했나? 무리한 부탁인가……?

나는 용기가 슬슬 빠져나가서 슬그머니 고개를 숙였다. 그리고 한 손에 쥐고 있던 노트를 눈앞에 들어 올려 탕수육 아래로 적힌 글자를 읽어 갔다.

"아니면 닭갈비나……. 잡채, 불고기, 유부 초밥, 떡볶이…… 중에 하나라도 안 될까요?"

나는 다시 넌지시 이지한을 올려다봤다. 그러자 이지한은 내 손에서 노트를 쑥 뺏어 갔다.

"뭡니까, 이건?"

이지한은 노트에 적힌 글자들을 쭉 읽어 내려갔다.

"나아정 씨가 오늘 먹고 싶은 것들입니까?"

"아뇨, 오늘 님이랑 하고 싶은 것들인데요."

"님이 해 주는 탕수육 먹기. 님이 해 주는 닭갈비 먹기. 님이 해 주는 잡채 먹기……."

글자들을 소리 내서 읽다가 이지한은 기가 찬 듯 멈추고 내게 노트를 되돌려 줬다.

"이게 어디 나랑 하고 싶은 일 목록입니까? 나더러 만들라고 하고 싶은 음식 나열이지."

"아니, 나는 그냥 님이랑 하고 싶은 일을 생각하다 보니까 님이 한 번도 안 해 준 요리들이 생각이 나고, 님이 하면 어떤 맛일까 궁금하고. 먹고 싶고……."

"좋습니다."

"예?"

불쑥 끼어든 이지한의 목소리에 나는 눈을 껌뻑거렸다.

"나아정 씨 나한테 뭐 해 달라고 한 거, 처음인 거 압니까?"

"아, 그런가……?"

나는 혼잣말하듯 중얼거렸다.

"그래서 방금 전에 탕수육 해 달라고 했을 때, 좀 놀랐습니다. 나아정 씨가 좀 변한 것 같아서."

이지한은 흐뭇하게 미소를 지었다. 그러더니 얼굴을 가까이 내려 내 볼에 입을 살짝 맞추고서 말했다.

"이런 변화, 좋습니다."

덧붙이고 이지한은 다시 노트를 슬쩍 잡아 들었다. 그리고 슥 훑어보며 말했다.

"이거 오늘 다 해 줄 수는 있는데, 오늘 다 먹을 수는 있습니까?"

"아, 아니요. 그중에 하나라도 해 주면 돼요."

"하나는 무슨. 수라상처럼 12첩 반상 차릴 겁니다. 양은 조금씩, 메뉴는 여기 있는 걸로 다."

"으아, 진짜요?! 나 막 그렇게까진 기대 안 했는데!"

"바랄 거면 샥스핀이나 곰 발바닥 같은 산해진미를 바랄 것이지, 고작 이런 거 바라 놓고 이 정도도 못 해 줄 줄 알았습니까?"

이지한은 대수롭지 않은 투로 말했다. 덕분에 나는 근육통도 잊을 만큼 신이 나서 방방 어깨춤을 추며 곰 인형을 흔들었다.

방에서 낮잠을 자던 나는 이지한의 부름에 눈을 떴다. 그리고 비몽사몽간에 이지한의 손을 잡고 주방으로 걸어갔다.

이윽고 내가 이지한과 식탁에 마주 앉았을 때, 식탁에는 내가 소원했던 모든 요리가 한 주먹씩 가지런히 놓여 있었다.

"아, 진짜……! 이거 진짜 임금님 수라상 같아요!"

나는 신기해서 눈을 비비고서 재차 12첩 반상을 둘러봤다.

"나 막, 세종, 중종, 문종. 이런 임금님 된 기분이에요. 아정이가 아니라, 아종! 아종 된 거 같다!"

넋 놓고 막 내뱉는 말에 이지한은 시원스레 웃음을 터뜨렸다. 그 모습에 나도 덩달아서 실실 웃다가 탕수육을 입에 넣었다.

바삭, 새콤달콤한 튀김옷이 씹히면서 두툼한 돼지고기가 고소하게 내 혀에 육즙을 쏟아 냈다. 순간 방언처럼 중국말을 터뜨렸다.

"우와! 이런, 니취팔러마!"

더 할 말은 없었다. 내 입은 허겁지겁 먹느라고 바빠 죽겠는데 무슨 말이 더 나올까.

"모자라면 말해요. 더 튀겨 줄 테니까."

이지한의 목소리에 나는 끄덕끄덕 고개를 끄덕이며 계속 탕수육을 먹어 치웠다.

나는 그렇게 하나하나 12첩 반상을 모조리 비워 낸 다음, 부른 배를 두드리며 행복에 겨워했다.

앞으로 이지한이 만들어 주는 요리를 이렇게 매일 즐길 수는 없을 텐데. 이 한 끼의 기억으로 최소 열두 끼는 남의 요릴 먹고도 버틸 수 있을 것 같다. 아니, 굶어도 버틸 수 있을 것 같다.

기분 좋게 등받이에 기대고서 헤죽헤죽 웃고 있는데 이지한의 목소리가 들려왔다.

"이 결혼 반댈세, 그 연극 말입니다. 시놉시스는 그렇게 오케이 했고 노 작가가 오늘부터 대본 작업 시작한답니다."

"아, 그래요?"

"초고 완성되면 바로 보내 줄 겁니다."

나를 주인공으로 한 연극이라니. 여전히 실감이 나지 않아 얼떨떨한 기분으로 고개만 끄덕였다.

"자, 다 먹었으니까. 슬슬 일어나죠. 밖에서 데이트하게."

이지한은 그렇게 덧붙이며 자리에서 일어났다.

"엇, 아니요. 나 오늘 안 나갈 거예요."

내가 얼른 손을 내저으며 말하자, 이지한은 멈칫 서서 의아한 듯 나를 봤다.

"데이트 안 하고 집에 있을 겁니까?"

"아뇨. 데이트하면서 집에 있으려고요."

내 대답에 이지한은 더욱 의아해진 표정이었다.

"밖에서 말고 집에서 하자고요. 데이트. 나, 오늘 집에만 있고 싶거든요."

나는 덧붙이고서 싱글벙글 웃었다. 비록 노트에 적어 뒀던 열두 가지 소원이 12첩 반상 한 방으로 다 이루어져 버렸지만. 그래서 더 무엇을 해야 할지 다시 생각해야겠지만.

어쨌거나 무엇을 하게 되든, 다 좋을 것만 같아서.

그런데 이지한은 나와 다르게 난감한 표정을 지었다.

"나아정 씨, 지금 근육통 못 느낍니까?"

뜬금없는 질문에 고개를 갸웃거렸다.

"예? 근육통이요? 그야 엄청 느끼는데……. 왜요?"

"어제 그렇게 운동했으면 느끼는 게 당연합니다. 그리고 그건 내가 풀어 줘야 마땅한 거고."

이지한은 눈빛으로 의무감을 드러내며 말했다.

"그래서 오늘 마사지 예약해 뒀는데. 나가기 싫습니까?"

"마사지요?"

"풀코스니까 두 시간쯤 걸릴 거고, 끝나면 저녁까지 먹고 들어올 계획이었는데."

마사지에 귀가 솔깃하긴 했지만 그래도 이 집에서의 마지막 시간인데 그중 몇 시간이나 밖에서 보내자니……. 나는 갈등하다가 결국 도리도리 고개를 저었다.

"아, 안 돼요. 그건 내일 해도 되는 거니까 오늘은 그냥 집에서만 놀래요."

"그건 내일 해도 되는 거?"

이지한은 뭔가 이상하다는 듯 살짝 미간을 찌푸렸다.

"그럼 집에서만 노는 건 내일 할 수 없는 일입니까?"

이어지는 예리한 지적에 순순히 고개를 끄덕였다. 어차피 곧 꺼낼 얘기였으니까.

"나, 오늘 밤까지만 여기서 지내고 이사 가려고요."

"뜬금없이 무슨 소립니까?"

"이제 지경이도 우리 사이 아는데 내가 계속 여기서 지내는 건 지경이 보기 이상하잖아요."

"이상하지 않습니다."

이지한은 단호하게 딱 잘라 말했다.

"그거야 이지한 씨 생각이고."

"우리 형 생각이기도 합니다."

"예?"

"형은 나아정 씨 계속 여기서 지내는 거, 이미 찬성했습니다."

"어, 언제요?"

"새벽에 나아정 씨 자는 사이에. 나 형한테 무릎 꿇고 허락 다 받았습니다."

이지한은 아무렇지 않은 표정으로 담담하게 대답했다. 그래서 나는 귀를 의심해야 했다.

저 대쪽 같은 성질머리가 뭘…… 했다고? 뭘를 꿇어?

"……뭐요? 무릎을, 뭐요?"

내 질문에 이지한은 내 눈을 똑똑히 쳐다보며 대꾸했다.

"나아정 씨가 나 때문에 처음으로 자기 자신으로 살고 싶어졌다는데, 내가 형 허락받으려고 그 정도도 못 하겠습니까?"

“아니⋯⋯. 나한테는 무릎 꿇지 말라더니, 형 허락도 필요 없다
더니⋯⋯.”

“형 허락, 나는 필요 없는데 나아정 씨는 필요하다고 생각할 테
니까. 그게 있어야 나아정 씬 완전히 행복할 수 있을 테니까. 내 무
릎 한 번 꿇었습니다.”

“그, 그럼 지경이가 허락한 게⋯⋯. 님이 무릎 꿇은 것 때문⋯⋯.”

“어차피 형도 나아정 씨 그 고백 듣고 나니까 허락할 수밖에 없
어졌답니다. 거기다 내 무릎이 종지부 찍은 거고.”

이지한이 무릎을 꿇었다니. 도무지 믿기지가 않아 얼얼한 정신으
로 눈을 껌뻑거렸다.

“그러니까 형은 나아정 씨가 나랑 사귀는 것도 찬성이고 여기서
지내는 것도 찬성입니다. 이상하게 생각 안 합니다. 오히려 나아정
씨 파혼 후에 새엄마 집에서 지내기 힘들 거라고 나더러 나아정 씨
잘 데리고 있으라고 했습니다.”

이지한은 마음 놓으라는 듯이 해사하게 부드러운 미소를 지어 보
였다.

“아, 그, 그래도⋯⋯.”

반쯤 넋이 나간 채, 나는 애써 정신을 다그쳤다.

넘어가면 안 돼! 아무리 지경이가 허락했대도 여기서 그냥 지낼
수는 없는 거야!

“그래도 이건 아니죠. 지경이는 그렇다 쳐도 새엄마나 아버지는
분명히 이상하게 볼 거잖아요. 파혼하고도 시동생 집에 있겠다니.”

“결혼 전에 깔끔하게 파혼하고 새 사랑 찾은 사람이, 결혼 후에
더럽게 이혼하고 새 사랑 찾은 사람 손가락질을 받아야 합니까?”

이지한은 지극히 객관적인 태도로 냉정하게 지적했다.

결혼 후에 더럽게 이혼…….

그래. 내 아버지는 그랬다. 이혼 전부터 두 집 살림에 이혼 안 한다는 엄마 괴롭히고…….

생각하니 그러네? 내가 지금 누구 손가락질을 걱정하는 거야? 울컥해서 고개를 끄덕이며 말했다.

"맞아요. 나 다른 사람은 몰라도 새엄마나 아버지한텐 욕먹을 상황 아닌 거 같아요."

"그러니까 신경 쓰지 말고 집에는 파혼 소식만 전하고, 나아정 씨는 계속 여기서 지냅시다."

그…… 그래도 되는 건가? 되나……? 듣다 보니 남들은 문제 될 게 아닌데…….

아니, 그렇지만 우리끼리 한집에서 지내는 건 우리 자체가 문제잖아? 서로 사랑하는 성인 남녀가 한집에서 지내는데, 아무 일도 안 생길 리가…….

나는 머릿속이 살색으로 물들어서 마른침을 꼴깍 삼켰다.

그런데 그때, 이지한이 손을 뻗어 내 손을 잡았다.

"나아정 씨. 나, 이제 한 달 뒤면 미국으로 돌아가야 합니다."

"예?"

"한 달 뒤에 학기 시작되면 미국에서 지내야 하니까."

그 말에 새삼 깨달았다. 이지한은 미국 유학 중에 잠시 귀국한 것뿐 다음 달이면 다시 미국으로 돌아가야 한단 사실을.

그 사실을 깨닫자 땅이 꺼지는 것처럼 가슴이 내려앉는 기분이었다. 이지한은 그런 내 손을 잡은 채 이어서 말했다.

“나는 그때까지 나아정 씨하고 최대한 많은 시간 보내고 싶습니다. 그래서 밤낮으로 매일매일 한집에서 같이 지내고 싶은데, 안 됩니까?”

앞으로 고작 한 달이라니…….

나는 더 망설일 것 없이 고개를 끄덕거렸다. 남은 한 달 중의 하루라도. 아니, 1분이라도 놓치기가 싫어서.

5. 웨딩 임파서블?

5. 웨딩 임파서블?

나아정의 방에서 침대 위 낡은 가방을 노려보며 나는 기가 차서 헛웃음을 쳤다.

"나 참. 이걸 짐이라고 싸 놓은 겁니까?"

"왜요?"

나아정은 뭐가 문제인지 전혀 모르는 얼굴로 물어 왔다.

"여기 나아정 씨 물건이 사방 천지에 널렸는데, 고작 이 가방 하나 들고 나갈 생각이었습니까?"

"가방 하나 들고 가려던 거 아니에요. 가방 안에 다른 물건들도 있어요. 봐요."

나아정은 가방을 열어 자기 말을 증명해 보였다. 가방 안에는 옷 두어 벌에 휴대 전화, 충전기, 지갑이 들어 있었다.

"아니, 이것들은 나아정 씨가 여기 들어올 때 들고 왔던 거고. 내 말은 새로 생긴 물건은 왜 하나도 안 챙겼냐는 얘깁니다."

"아아. 그거야 새엄마 집에 가져가도 놓을 자리가 없어서요."

하기야 그 좁아터진 집구석 거실이면 곰 인형 하나도 앉혀 놓기 버겁겠다만 그것도 옛날 얘기지. 지금 그 집구석 거실에는 나아정 본인이 들어앉을 공간조차 없을 거다. 이제 나아정이 눕던 곳엔 소파와 텔레비전이 들어앉아 있으니까.

나는 얼마 전에 보았던 그 집구석 거실을 떠올리며 못마땅해 고개를 저었다.

이 여자는 그것도 모르면서 가긴 어딜 간다고. 나 참…….

"어디 딴 데 갈 생각은 여기보다 좋은 데가 생겼을 때 하는 겁니다."

나는 근엄하게 세뇌하며 마주 선 나아정의 머리를 잡았다.

"물론 나는 그런 데가 없게 할 테지만."

덧붙이고서, 나는 내 입술로 나아정의 입술을 찾았다. 그대로 내 입술은 나아정의 입술에 눌러앉았다. 어디 딴 입술에 갈 생각은 전혀 없이. 여기보다 좋은 데는 없을 거라 확신하면서.

아니. 여기보다 좋은 데가 또 있을지도 모르니까…….

나는 고개를 움직여서 나아정의 볼에 입술을 댔다.

여기도 만만치가 않고…….

다음으로 나는 나아정의 귓불을 입술로 건드렸다. 순간 나아정이 흠칫 옆으로 고개를 돌리면서 말리듯이 내 팔을 붙잡았다. 그 바람에 내 입에서는 나아정의 귓불이 빠져나갔다.

"아, 뭐, 뭐예요?"

나아정은 금세 빨개진 얼굴로 황당한 듯 나를 봤다.

"방금 거기가 입술보다 부드러웠던 거 같은데."

"예?"

"확인 좀 합시다."

나는 나아정의 허리를 잡고 곁에 있는 티 테이블 위로 훌쩍 들어 앉혔다.

높이도 편해졌겠다, 나는 허리를 구부릴 필요 없이 곧장 귓불에 입술을 들이댔다. 또 피할 수 없게 두 손으로 나아정의 뒷머리를 꼭 잡은 채로.

나아정은 으앗 하며 몸을 들썩였지만, 내 입에서 귓불을 빼어 내진 못했다.

입술보다 보들보들한데 입술처럼 촉촉하지는 않다. 입술처럼 움직여 주지도 않고. 그런데…….

"아, 왜 그런 이상한 데를……! 아, 좀!"

나아정은 유난히 몸을 비틀면서 난처해했다.

"나아정 씨한텐 귀가 이상한 뎁니까?"

나는 입을 떼고 따지듯이 물었다.

"이, 이상하잖아요, 느낌이!"

"나는 좋은데. 나아정 씨는 이상합니까?"

뜻밖이라 물어보자 나아정은 뭔가 곤란한 듯 시선을 내리고서 답을 주저했다.

"나아정 씨가 이상하면 내가 안 해야죠."

나는 선뜻 포기의 뜻을 드러냈다. 그러자 나아정은 재빨리 고개를 도리도리 저었다.

"아니, 아니. 계속 하, 하다 보면 적응될 거 같긴 해요."

그러고서 나아정은 눈을 꾹 감고 내 쪽으로 귀를 내밀었다. 눈썹까지 찡그린 채 적응해 보려는 나아정을 보며, 나는 씁쓸하게 입맛을 다셨다.

"그냥 좋은 데를 찾아보죠. 굳이 싫은 데를 적응시킬 것까지야, 뭐 있습니까?"

"예?"

나아정은 당황한 듯 눈을 뜨고 나를 봤다.

"지금부터 싫으면 싫다고 바로 말합시다. 그럼 멈춰 볼 테니까."

약속하고 나는 곧장 나아정의 목을 향해 입술을 내렸다. 내 입술이 닿자마자 나아정은 움찔 몸을 비틀며 내 어깨를 잡았다. 그렇지만 나아정은 이내 몸짓을 멈추더니, 내 어깨에서 한 손을 떼고서 아무 소리도 내지 않았다. 다만 입술에 닿은 나아정의 목이 꼴깍 움직이는 게 느껴졌다.

좋은 건지 싫은 건지 알 수 없는 나아정의 반응에 슬쩍 입술을 떼고 나아정을 봤다. 그러자 나아정은 한 손으로 입을 틀어막은 채 뭔가를 꾹 참는 듯한 모습이었다.

"뭐 합니까, 지금?"

내 목소리에 나아정은 나와 눈을 마주쳤다. 그런 채로 잠시 굳었다가, 나아정은 이내 손바닥에 대고 헛기침을 했다.

"에취! 아, 그게. 재, 재채기가, 나려고 해서. 에, 에취!"

재채기를 끝내고서 나아정은 입에서 손을 내렸다. 그리고 검지로 자기 목을 톡톡 두드리며 재촉하듯 말했다.

"여기, 하던 거 마저 해요."

나는 나아정이 가리키는 목을 바라봤다.

"거긴 이미 했는데."

"아, 그럼 이제……. 다음은……."

목 위에서 나아정의 손이 천천히, 슬그머니 쇄골로 미끄러져 갔다. 거기까지 시선을 따라 보내다가 멈칫 시선을 멈추고서 고개를 돌려 버렸다.

"거기까지 합시다."

"예?!"

"그 이상은 위험하니까."

나는 나아정의 허리를 잡고 티 테이블에서 내려 주었다. 그러자 나아정은 어리둥절한 목소리로 질문했다.

"뭐, 뭐가 위험한데요?"

"그 이상은 혼전 심의 규정에 맞지 않는 행동입니다."

"혼전…… 뭐요?"

"미성년자 관람 불가 행위는 결혼 뒤에 하는 겁니다."

나는 욕구를 내리누른 채로 최대한 무뚝뚝하게 설명했다. 그러자 나아정은 설마 하는 눈빛으로 눈을 커다랗게 떴다.

"그, 그럼……. 설마 우리 진도는 여기까진 거예요?"

나아정은 내 입술이 닿았던 자신의 목을 가리키며 물어 왔다.

"결혼 전엔 거기까집니다."

나는 칼같이 대답하며 고개를 끄덕였다.

"아니, 왜요?!"

"나는 내 부인하고만 자는 게 요람에서부터 내 가치관이자, 무덤까지 평생 목푭니다."

"예?!"

나아정은 도저히 믿을 수가 없단 듯이 크게 외쳤다.

"나아정 씨는 지금 그걸 무너뜨리려는 최초의 여자니까. 나는 잠시 나아정 씨로부터 멀리 떨어져서 나를 좀 지켜야겠습니다."

나는 딱 거기까지 말하고서 나아정에게서 얼른 고개를 돌렸다. 그리고 두 주먹을 꽉 쥔 채로 성큼성큼 방을 빠져나갔다.

나는 내 방으로 들어와서 문을 닫고 티 테이블에 앉아 리모컨으로 오디오를 켰다. 그리고 눈을 감고 팔짱을 꼈다.

곧이어 시작된 클래식 음악에 나는 깊게 심호흡을 시작했다. 그렇게 마음이 깨끗해지는 클래식 음악의 도움으로 내 마음의 불순물을 조금씩 몰아냈다.

12월 첫눈처럼 내 정조를 지키는 일쯤이야. 지금까진 아무것도 아니었는데…….

이렇게 한순간에, 이렇게나 어려운 일이 되다니.

"하마터면 발자국이 생길 뻔했어."

나는 혼잣말을 내뱉으며 가슴을 쓸어내렸다.

결혼식까지만. 딱 그때까지만 참는 거다. 딱 그때까지…….

도대체 언제가 그때인진 모르겠지만 아무튼 그때까진 참는 거라고. 나는 나 자신을 엄격하게 단속했다.

그게 언제든 분명 나아정과 결혼하게 될 테니까. 분명 그날은 올 테니까. 당장 충동에 못 이겨서 내 처음을 망치지 말자.

지상 최고의 신혼 여행지에서 밤하늘에 별이 보이는 최고로 낭만적인 시간에. 최고급 침대에 샴페인에……. 모든 것을 최고로 준비해 둔, 누구보다 특별한 첫날밤을 치러야지 어디 이런 식으로 욕정에 못 이겨서 허둥지둥. 이건 아니다. 절대로 이건 아니다.

나는 단호하게 고개까지 내저으며 단속의 강도를 높였다.

그런데 문득 석연치 않은 생각이 들어 고갯짓을 멈췄다.

나아정에게 프러포즈를 준비했던 그 날, 웨딩드레스 숍의 볼일을 마친 다음 차분히 극장에서 프러포즈를 시작하려 했던 그 날. 나는 충동에 휩싸여서 나아정에게 계획과 다른 청혼을 하지 않았던가? 그때 웨딩드레스를 입은 나아정의 환상적인 모습에 홀려서 결혼하잔 속마음이 불쑥 튀어나가고 말았었는데…….

"그때 나아정, 대답을 안 했잖아?"

기분 나쁜 깨달음에 나는 인상을 찌푸렸다.

그러고 보니 나아정은 그때 대답을 안 했었다. 내가 극장에서 계획대로인 프러포즈를 마쳤을 때도 그렇고. 심지어 다음 날 내게 답을 줄 때에도 나아정은 나를 좋아한다는 말만 했지, 나와 결혼할 거라는 대답을 들려주진 않았었다.

그땐 그저 나아정이 나를 받아들였다는 사실만으로도 정신없이 좋아서 경황이 없었으니 몰랐는데…….

"이 여자, 나랑 결혼할 생각이 있긴 한 건가?"

의심이 싹을 틔우자 어제 나아정이 형에게 했던 말도 마음에 거슬렸다.

'그 문제 말고. 다른 문제라고 해, 지경아. 그냥……. 그냥 신부가 알고 보니 과거가 이상하다든가, 애 딸린 미혼모였다든가……. 아무튼 너 좋을 대로 최대한 너한테 피해 안 가도록. 그렇게 이유를 대면…….'

그거……. 나하고의 결혼은 안중에도 없는 발언이잖아?

자기 과거가 이상하다든가 자기가 애 딸린 미혼모라든가. 그런 거짓말로 파혼의 이유를 대면 형의 어머니는 쌍수 들고 파혼을 찬성할 수 있겠지.

……근데, 그 형의 어머니가 내 엄마잖아?

4주 남은 결혼식을 얼씨구나 엎을 만큼 엄청난 하자를 가진 여자를 다시 며느리로 들이고픈 부모가 어디 있어? 더구나 큰며느리로 들일 뻔한 여잘 둘째 며느리로 들이는 건데.

대체 이 여자가 내 엄마한테 우리 결혼은 어떻게 허락받으려고 그런 엄청난 장애물을 설치하려 한 거야?

갑자기 괘씸한 생각이 들어 자리에서 벌떡 일어났다.

나는 형의 허락을 받겠다고 형 앞에서 무릎까지 꿇었는데! 그래야 우리 결혼할 때 내 아정이 마음 편할 거라고, 내 평생에 처음으로 이 무릎을 꿇었는데!

'너, 너 정말, 아정이 하나 때문에 이렇게까지 하는 거냐?'

어젯밤 호텔 객실에서 무릎 꿇은 내 모습에 기겁하던 형의 표정이 떠올랐다.

'형 동생이 지금 이 모양이야. 나아정 때문에 무릎까지 꿇는 이 모양이 돼 버렸다고. 내가 이렇게까지 그 여자 사랑하고 있다는데. 근데 형이 허락 안 할 수 있어?'

그때 내가 한 말 그대로, 나는 나아정 때문에 무릎까지 꿇는 남자가 되어 있건만. 설마 이 여자는…… 설마 나랑 연애만 할 생각인가?

"설마 이 여자가!"

확 치솟는 의심에 참지 못하고 나아정의 방으로 성큼성큼 달려갔다.

문을 열고 들어서자 나아정은 침대에서 이불을 머리까지 뒤집어쓰고 누워 있었다.

이 벌건 대낮에 왜 이러고 있는 건지. 내가 침대로 걸어가는 사이, 이불 속 나아정의 발이 허공을 뻥뻥 차 댔다.

"나아정 씨."

나는 침대 옆에 서자마자 나아정을 불렀다. 그러자 멈칫 이불 속의 동작이 멈추더니 나아정이 벌떡 일어나 나를 봤다. 빨갛게 익은 당황한 얼굴로.

"어, 언제 들어왔어요?"

대답할 겨를도 없이 다짜고짜 내 용건을 내던졌다.

"나아정 씨, 나랑 결혼할 겁니까?"

"예?!"

나아정은 눈이 휘둥그레졌다. 마치 전혀 생각지도 못한 말을 들은 것처럼.

"설마 나랑 결혼, 안 할 겁니까?!"

당장 답을 내놓으라고, 나는 부리부리하게 눈에 불을 켜고 나아정을 주시했다.

느닷없이 결혼을 할 거냐 안 할 거냐 윽박지르듯이 묻는 말에, 나는 당혹스러워서 얼떨떨하게 대꾸했다.

"아니, 그야 더 지켜봐야 알 일이잖아요."

"지금은 생각 없다 이겁니까?"

이지한은 또다시 매섭게 질문을 던졌다.

"당연히, 어차피 지금은 못 하잖아요?"

"당연히 지금은 못 하다니, 왜죠?"

"아니 어떻게! 지경이랑 결혼 무른 지 얼마나 됐다고 내가 지금 결혼을 해요? 그걸 설명해야 알아요?"

"형은 우리 결혼 허락했습니다."

이지한은 당당하게 주장했다. 하지만 나는 그 말을 믿을 수가 없었다.

"그럴 리가. 그럴 리가 없는데요? 그냥 사귀는 건 허락해도 당장 결혼은……. 그냥 우리끼리 사귀는 건 남들한테 숨길 수 있는 거지만, 결혼하게 되면 남들이 알게 되잖아요. 지경이랑 결혼하려던 여자가 지경이 동생하고 결혼한다는 거, 근데 그걸 지경이가 허락했을 리가 없는데?"

"형이랑 결혼하려던 여자하고 내 여자가 동명이인이라고 하면 됩니다. 형한테도 그렇게 얘기해서 허락받은 겁니다."

"아니……."

"어차피 나아정 씨, 형 친구들한테 얼굴 한 번 소개한 적 없다면서요? 물론 우리 엄마 지인들한테도 마찬가지고."

이지한의 지적에 나는 새삼 깨달았다. 실제로 지경이는 나를 자신의 친구들에게 소개시킨 적이 한 번도 없었다. 아무래도 위장 결혼인 탓에, 지경은 최대한 나를 숨겨 두고 싶어 했으니까. 결혼하면 연극을 그만두라고 했던 것도 그 때문이었다.

거기다 지경의 어머니는 결혼식에 가까운 친지들만 초대한다 하셨으니 지인에게 날 소개하실 생각은 전혀 없으셨던 거다. 물론 친지들조차 나는 결혼식에서나 뵙게 될 예정이었고…….

그러고 보니, 나는 지경이나 지경의 어머니 주위에 이름만 알려져 있는 셈이잖아?

"그, 그야 그랬죠."

"그럼 우리가 결혼해도 나아정 씨가 형이랑 결혼하려던 나아정이라는 거 아는 사람은 양가 가족, 나아정 씨 몇 안 되는 친구뿐입니다. 그리고 그건 내가 어떻게든 설득하고 입막음할 수 있습니다."

이지한은 장담하고 침대에 걸터앉더니 내 눈을 똑똑히 들여다보며 말했다.

"그러니까 주위에서 핑계 찾지 말고 똑바로 대답합시다. 지금 당신 마음에 나랑 결혼할 마음이 있는지, 없는지."

머릿속까지 파고드는 듯한 집요한 눈빛에 나는 마른침을 삼켰다.

결혼할 마음? 그야 없었지. 지경이를 생각하면 한 몇 년은 포기해야 하는 거니까. 일부러 꿈도 꾸지 않았지.

근데 그건 조금 전까지고…….

'나는 내 부인하고만 자는 게. 요람에서부터 내 가치관이자, 무덤

까지 평생 목품니다.'

나는 조금 전 내 영혼을 새카맣게 암전시켰던 이지한의 선언을
떠올렸다.

'미성년자 관람 불가 행위는 결혼 뒤에 하는 겁니다.'

이지한이 이런 혼전 순결 주의자였다니!
아니 왜 이런 중요한 걸 연애 전에 안 알려 준 건데?!
나는 또다시 이불을 뻥뻥 걷어차고 싶은 충동에 휩싸였다.
알고나 시작했으면 내가 억울하지나 않지!
이불을 차는 대신 입술을 꽉 깨물었다가, 나는 두 주먹을 불끈
쥐고 외쳤다.
"없어요!"
억울하고 분해서 너도 한번 당해 보란 심정으로 확 내뱉은 말이
었다.
그런데 순간 나는 지진이라도 난 줄 알았다. 나를 담고 있는 이
지한의 눈동자가 마구 흔들려서.
"설마 했더니 이 여자가……."
이지한은 파르르 입술까지 떨었다.
"어떻게…… 어떻게 이럴 수가……."
이지한은 힘없이 고개를 내젓다가 침대에서 일어나 뒷걸음을 쳤
다. 그러다 두어 걸음 만에 멈춰 서서, 이지한은 심호흡을 몰아쉬
었다. 아무래도 심상찮은 반응이라서 나는 놀라 둥그레진 눈으로

이지한을 바라봤다. 그러나 이지한은 이내 몸을 돌려 비틀비틀 방 밖으로 향했다.

"저, 저기요! 잠깐만요!"

나는 당황해서 냉큼 침대를 박차고 이지한에게로 달려갔다. 그리고 이지한의 팔을 붙잡았다.

"아니, 나는 우리 사귄 지 며칠밖에 안 됐으니까. 그냥 지금 당장은 마음에 없단 얘기였어요. 워, 원래 결혼은 사귀면서 서로 알아가고 신중하게 결정해야 하는 거니까."

괜히 감정적으로 대답했다 싶어서, 열심히 논리적인 대답으로 이지한을 이해시키려 했다. 그런데 이지한은 멈칫 멈춰 서서는 혼이 나간 사람처럼 작게 중얼거렸다.

"나는, 우리 결혼…… 하는 줄 알았습니다."

"하, 할 수도 있죠. 사귀다 보면."

"당장이라도 할 수 있을 만큼 나아정 씨가 나 사랑하는 줄 알았습니다. 내가 그런 것처럼."

"……."

"이 정도로 사랑하면 결혼하는 게 당연하지……. 나는 그렇게 믿고 있었는데……."

이지한은 아픈 듯이 인상을 쓰며 왼쪽 가슴을 그러쥐었다. 그 모습에 내 왼쪽 가슴이 아파 와서 나도 왼쪽 가슴을 그러쥐고 싶어졌다.

"그……. 결혼은 사랑만 갖고 하는 게 아니잖아요. 그냥 사랑만으로 할 수 있는 거면, 나도 이지한 씨하고 결혼, 지금 당장 못 할 거 없어요. 아니, 하면 좋아요. 그렇지만 결혼은 결국 생활이잖아요. 평생을 함께하는 건데, 서로 못 볼 꼴도 보고 나쁜 점도 파악하고. 그런 다음에 결혼해야 서로 실망하는 일 없이 오래오래 잘 살수 있잖아요."

"형이 게이란 걸 모르던 한 달 동안, 나는 내가 할 수 있는 최선을 다해 최악으로 굴었습니다. 그 이상의 못 볼 꼴도, 나쁜 점도 없을 만큼."

"……."

본인도 아는구나. 그때 얼마나 진상이었는지.

"더 못 볼 꼴, 보고 싶은 겁니까?"

이지한은 나를 넌지시 바라보며 물어 왔다. 그 시절보다 못 볼 꼴이라니. 순간 모골이 송연해져 얼른 고개를 내저어 댔다.

"아, 아니요. 절대요."

"그럼 우리가 결혼 못 할 이유, 뭐가 있는 거죠?"

"그건……."

또 있겠지. 당연히 또 있겠지. 사귄 지 며칠 만에 결혼 못 할 이유…….

나는 골똘히 생각하다 이유를 찾아냈다.

"그, 아무리 지경이가 허락을 했다 해도, 진짜 현실적으로 우리 당장 결혼은 어려워요."

"왜 그렇게 생각하죠?"

"일단 지경이 어머님이 님의 어머님이니까요. 어머님은 저 허락하기 힘드실 게 당연하고……."

"하게 될 겁니다."

이지한은 확고한 어조로 나지막이 장담했다.

"그건 님 혼자 생각이고요. 어머님 생각은 절대 그럴 수가 없을 거예요. 우리 노력으로 언젠가 허락받게 되더라도, 그건 당장이 아니라 먼 훗날일 거고요.”

“당장 허락하신다면 당장 할 수 있습니까?”

이지한은 불쑥 의심의 눈초리로 질문을 던졌다. 마치 이 질문에 내가 답을 망설이는지를 시험하는 듯이.

“아, 그, 그럼요. 그런 기적이, 일어나만 준다면야.”

나는 눈을 크게 뜨며 과장되게 고개를 끄덕였다.

어차피 일어나지 않을 일, 까짓것 약속 못 해 줄 거 뭐 있어? 이 약속으로 이지한 마음이 편해진다면야.

그런 생각으로 나는 미소까지 지어 보였다. 내 사랑도 님의 것 못지않다고. 믿어 달란 눈빛으로.

내 눈을 잠시 지켜보던 이지한은 이윽고 천천히 고개를 끄덕였다.

“그럼 믿어 보겠습니다.”

드디어 기분이 풀어지는 건가!

나는 반색하며 안도의 숨을 내쉬었다. 그러자 이지한은 나의 어깨에 두 손을 올렸다. 그리고 의미심장한 눈빛으로 나를 보며 입술을 움직였다.

“허락받고 바로 결혼하는 겁니다.”

불현듯 예사롭지 않은 기분에 휩싸여서 나는 가슴이 철렁였다

설마 이 인간……. 진짜로, 당장 받아 내는 건…… 아니겠지?

그렇게 생각하는 찰나, 이지한이 주머니에서 휴대 전화를 꺼내 들었다. 그리고 이지한은 금세 전화를 걸고 휴대 전화를 귀에 댔다.

“뭐, 뭐 하는 거예요?”

당황해서 물었지만 이지한은 내가 아닌 휴대 전화에 대고 말을 했다.

"예, 윤 비서. 접니다. 어머니 오늘 스케줄이 어떻게 됩니까? 나
어머니하고 볼일이 있는데."

"으악!"

나는 소스라치며 얼른 이지한의 휴대 전화를 뺏으려고 들었다.
발꿈치를 바짝 들고 팔을 높이 뻗자 이지한의 귓가 휴대 전화까지
내 손이 닿았다. 그러나 막상 내 손이 닿았을 때, 이지한은 불쑥 허
리를 숙여 내 손 아래로 내려갔다. 그러고서 곧장 이지한은 내 허
리를 한 팔에 끌어안고 나를 덥석 들어 올렸다.

찰나 만에 나는 이지한의 어깨에 배가 닿은 채로, 이지한의 등짝
을 거꾸로 마주하게 되었다.

"으아! 뭐예요, 이게! 내려놔요!"

무슨 쌀가마니처럼 나를 한쪽 어깨에 멘 채, 이지한은 통화를 이
어 갔다.

"흠……. 그럼 하는 수 없죠. 오늘은 됐고 내일로 잡아 줘요."

"님! 님, 안 돼요! 님! 잡지 마요, 잡지 마요!"

나는 허공에서 발버둥을 치며 이지한의 등짝을 두들겼다. 그러자
이지한은 나를 향해 또박또박 물어 왔다.

"잡지 마요?"

"그래요! 잡지 마! 말라고!"

내가 외치자 이지한은 내 허리를 단단히 붙잡고 있던 팔을 슬그
머니 풀었다.

"악! 그걸 왜 풀어요!"

어깨 위에서 미끄러질까 봐 바짝 굳은 채로 항의했다.

"잡지 말라면서요."

"아, 잡아요! 잡아, 얼른! 나 떨어지기 전에!"

무서워서 닦달해 대자 이지한은 다시 한 팔로 나를 단단히 붙잡아 주었다. 그리고 입으로는 단단히 약속을 했다.

"그럼 내일 여섯 시로 하죠."

"뭐라고요?!"

"예. 장소는 어디든 상관없습니다. 정해서 메시지로 남겨 줘요."

내게 한 말이 아니었는지, 이지한은 그렇게 덧붙이며 저벅저벅 침대로 걸어갔다. 그리고 이지한은 침대 위에 휴대 전화를 아무렇게나 털썩 놓더니, 두 손으로 내 허리를 잡고 자기 무릎을 하나씩 침대에 내려놓았다. 어깨 위의 내가 흔들리지 않을 만큼 천천히 침착하게.

침대에 두 무릎을 대고 앉은 이지한은 그제야 나를 조심스레 침대에 내려 주었다. 이윽고 내 발바닥이 침대에 닿자 나는 중심을 잡고 서서 이지한을 마주했다. 그러자 이지한은 더없이 환한 얼굴로 나를 올려다봤다.

아니, 이 인간. 조금 전에 다 죽어 가던 그 인간 맞아?

넋 나갔던 눈동자가 지금은 어찌나 빛을 뿜는지, 아주 갓 지은 쌀밥처럼 눈동자에 윤기가 자르르 돌고 있다. 그 눈으로 나를 보면서 이지한은 내 허리를 잡고 말했다.

"내일 여섯 시에 나하고 같이 허락받으러 가는 겁니다."

"뭐요?! 내일?"

"그러니까 오늘 예약해 둔 마사지 받는 김에 피부 관리도 받고 옵시다."

"아니, 이렇게 갑자기!"

내가 항의를 하려는데, 그럴 틈도 없이 이지한은 와락 내 허리를 껴안았다. 그리고 이지한은 흥분이 느껴지는 목소리로 말했다.

"죽다 산 기분입니다."

"예?"

"나만 이렇게 좋아하는 건가. 나아정 씨는 나랑 결혼할 마음까진 없는 건가, 생각하니 죽을 맛이었는데. 이제 살 것 같습니다."

"……."

머릿속에서 항의할 말이 사라지고 말았다.

아니, 왜 항의를 해야 하는 거지……?

불현듯 의문하면서 나는 내 턱 아래에 있는 이지한의 머리에 손을 얹었다. 그리고 이지한의 머리칼을 살살 쓰다듬었다.

그래, 나도……. 이만큼 좋아하잖아. 사랑하잖아.

결혼, 할 수 있는 거면…… 나도 좋잖아.

마음이 나를 부추겨서 나는 이지한의 머리칼을 손에 그러쥐었다. 그리고 손을 움직여서 이지한의 고개를 들었다. 그러자 이지한은 내 뜻을 알아챈 듯 스스로 고개를 들고 내게 얼굴을 보여 줬다. 나는 마음이 시키는 대로 그 얼굴에 얼굴을 내렸다.

입술이 입술에 닿을 때까지.

내 입술이 내 뜻을, 말 대신 촉감으로 전할 수 있게.

내 인생이 이렇게 쉽게 풀릴 리가 없다고, 7주 전의 나는 지경과의 상견례를 앞두고서 생각했었다.

평균 축에도 낄 수 없는 집안에 서른세 살. 더구나 무명 연극배우인 내가 무려 재벌 3세와 결혼하겠다는데, 어떻게 일이 이렇게 술술 풀릴 수가 있는 건지. 대체 왜 아무도 이 결혼을 반대하지 않는 건지. 믿기지 않는 운의 상승세에 나는 마치 추락 직전인 롤러코스터를 탄 것처럼 불안했었다.

지경의 어머니가 흔쾌히 지경과의 결혼을 허락했다는데도 나는 언제고 그녀가 지경이 몰래 찾아오실까 봐 조마조마했었다.

내 본심은 그게 아니라고. 내 아들과 헤어지라고. 그녀가 돈 봉투를 건네거나 물세례를 끼얹거나 뺨을 때릴 것만 같았었다.

이지한의 차를 타고 약속 장소로 이동 중인 지금. 나는 내가 탄 롤러코스터가 그때보다 훨씬 위험한 지점에 다다라 있는 느낌이었다. 그때보다 훨씬 높은 곳에서 훨씬 가파른 낭떠러지를 눈앞에 둔 느낌이랄까.

그럼에도 불구하고 신기하게도 그때처럼 불안하지는 않았다. 긴장감은 느끼지만 불안함은 느껴지지 않는다. 마치 이 롤러코스터에는 완벽한 안전벨트가 있으니까, 추락의 과정이 괴롭기는 해도 끝까지 안전할 거라는 믿음이 생긴 것처럼.

"저기, 혹시 어머니한테도 무릎 꿇을 거예요?"

나는 고개 돌려 운전석의 이지한을 바라보며 물었다. 그러자 이지한은 앞만 보며 피식 가볍게 웃었다.

"왜요? 나 무릎 꿇는 거 보고 싶습니까?"

"꿇을 거면 나도 같이 꿇으려고요."

내 대답에 이지한은 웃음을 거두었다.

"그건 안 될 일이니까 꿈 깹시다."

"왜요? 꿇을 거면 같이 꿇어야죠."

"그런 상황 되기 전에 내가 허락받을 겁니다. 평화적으로, 이성적으로."

이지한은 굳건하게 장담했다.

"정말 그게 가능할까요?"

"언제 내가 해결 못 한 거 있습니까?"

"물론 없었지만. 그래도 어머님은 정말 허락하기 쉽지 않으실 텐데……."

때마침 신호등에 빨간불이 켜져서, 이지한은 차를 정차한 뒤 내게로 고개를 돌렸다. 그리고 이지한은 내게 오른손을 내밀었다.

"불안하면 이 손, 잡읍시다."

"아니요. 불안하진 않아요. 허락받으려면 오래오래 어려울 것 같지만 내가 못 버틸 것 같진 않거든요. 끝까지 잘 버틸 거예요."

이지한을 믿는 만큼 나를 믿으면서, 씩씩하게 대답했다. 그런데 이지한은 그런 내 모습을 보며 눈살을 구겼다.

"안 불안하면 잡을 이유가 없는 손입니까? 내 손이?"

유감천만인 목소리에 나는 아차 싶어졌다.

"아니, 그럴 리가요!"

나는 냉큼 두 손으로 이지한의 오른손을 잡았다. 그럼에도 이지한은 표정을 풀지 않고 계속 흘겨봤다. 단단히 화난 듯한 이지한의 표정에 나는 진땀을 빼며 어떻게든 분위기를 바꿔 보려 궁리했다.

"아, 저, 저기……."

어쩌나, 어쩌나 하던 나는 불현듯 든 생각에 신호등으로 고개를 돌렸다. 그리고 얼른 한 손으로 신호등을 가리켰다.

"저기 신호, 신호등 초록색 됐어요."

순간 이지한도 신호등을 향해 고개를 돌렸다. 바로 그때, 나는 냅다 이지한의 옆얼굴 향해 입술을 들이밀었다. 그리고 이지한의 볼에 입술을 붙였다가 재빨리 제자리로 돌아왔다.

자리에 똑바로 앉아 마주하게 된 신호등은 아직 빨간불이었다. 지금 내 얼굴처럼.

아, 너무 유치했어…….

저지르고 보니 창피해서 고개를 푹 숙이고 두 손으로 얼굴을 가려 버렸다. 그러자 이지한의 단호한 목소리가 들려왔다.

"나아정 씨, 지금 그러고 있을 때가 아닙니다."

"예?"

나는 무슨 소린가 싶어 고개를 들고 이지한을 봤다. 이지한은 나와 시선을 마주치자 곧장 말을 이었다.

"진짜 초록불 되기 전에 빨리 입술에도 합시다."

말이 끝나기가 무섭게 이지한은 불쑥 얼굴을 들이밀어 내 입술에 입을 맞추었다.

초록불이 되었다는 사실을, 뒤쪽의 경적 소리로 깨달을 때까지.

지경의 어머니이자 지한의 어머니인 그분이 고른 약속 장소는 공교롭게도 상견례 장소와 동일했다. 하기야 회사 근처고, 평소 단골이라 하셨으니까 그리 놀라울 일은 아니었다.

하지만 약속 장소인 레스토랑의 VIP룸으로 들어섰을 때, 어머님이 우리보다 먼저 도착해 계신 일은 제법 놀라운 일이었다.

"어, 어머니, 먼저 와 계셨어요?"

테이블에 앉아 있는 어머니와 눈이 마주치자마자, 나는 당황해서 엉겁결에 인사를 올렸다.

"오, 오랜만에 뵙겠습니다."

나는 꾸벅 허리를 접을 기세로 숙였다가 세웠다. 그러자 어머님은 내심 당황한 눈빛으로 나와 이지한을 번갈아 보셨다. 그러더니 어머님은 곧 인자한 미소를 나에게 건네주셨다.

"아정이 네가 여긴 웬일이니? 난 우리 막내아들이 할 얘기가 있대서 왔는데, 아정이까지 같이 올 줄은 몰랐구나."

어머님의 시선이 이지한에게로 옮겨졌다.

"대체 무슨 얘기기에 네 형수까지 데리고 왔어?"

형수…….

그 단어 하나에 속이 바짝 타들어 가서, 나는 마른침을 꿀꺽 삼켰다.

"이제 형수 아니야."

이지한은 딱 잘라 말하더니 내 손을 잡고 어머님의 맞은편으로 걸어갔다. 그리고 이지한은 나를 옆자리에 앉힌 다음, 자신이 어머님의 바로 맞은편에 앉았다. 어머님은 그런 우리의 모습을 잠자코 이상스러운 눈빛으로 살펴보고 계셨다.

"이제 형수 아니라니. 지한이 너, 설마 아직도 아정이랑 네 형 결혼 반대하는 거니? 그래서 아예 아정이한테 포기 받아 내고 여기서 엄마한테 파혼 선언시키는 거야?"

"일부는 맞아. 하지만 나머지는 틀려."

이지한은 침착하게 대답했다.

"뭐가 맞고 뭐가 틀린데?"

"형은 나아정 씨하고 파혼했어. 자세한 건 형한테 들어. 형이 직접 한다니까."

이지한의 말에 어머님의 놀란 시선이 내게로 향했다. 그러나 어머님이 미처 뭐라 입을 여시기 전에 이지한은 강경하게 말을 이어 갔다.

"내가 여기 나아정 씨랑 온 이유는, 나아정 씨한테 파혼 선언시키려는 게 아니라 내가 나아정 씨하고 결혼 선언을 해야 하기 때문이야."

순간 어머님은 무서우리만큼 커다래진 눈으로 이지한을 봤다.

"뭐, 뭐가 어쩌고 어째?"

"형하고 우린 깨끗하게 정리 끝낸 사안이야. 형하고 나아정 씨는 파혼 합의했고, 나하고 나아정 씨는 결혼 합의했어. 우리 결혼, 형도 허락했고. 이제 엄마 허락만 남았어."

"너, 너 미쳤니?"

어머님의 경악한 시선이 나에게로 날아들었다.

"아정이 너, 네가 말해 봐. 이게 다 사실이야?"

면목이 없어 시선을 떨구고서, 나는 용기 내서 입을 열었다.

"어머니, 죄송해요. 다 사실……."

"얘! 이제 와서 네가 지경이랑 파혼하면 지경이 체면이 뭐가 되니?"

"엄마, 요즘 누가 파혼 가지고 체면 운운해. 결혼 준비하다 안 맞으면 취소하는 거지. 식장에서 신부 도망친 것도 아니고. 더구나 요즘은 결혼했다 이혼한 것도 흠 안 되는 세상이야. 작년 한 해 동안 재벌 2세들이 몇이나 이혼했는데. 까짓 형 파혼쯤은 엄마 모임 가서 명함도 못 내밀어.”

“지경이는 달라! 지경이는!”

어머님은 울컥 역정을 내시다가 일순간 멈칫 입을 다물고 생각에 잠기셨다. 그리고 잠시 후, 어머님은 차분해진 태도로 다시 입을 여셨다.

“아정아. 지경이 체면은 그렇다 치고 내 체면은 어쩔 거니? 나, 내 측근들한테 이미 청첩장 돌렸어. 근데 결혼 4주 앞두고 이제 와서 파혼이라니, 너 그게 말이 되니?”

“엄마. 나 어제 윤 비서한테 확인했는데 청첩장 발송, 모레가 예정이라던데.”

순간 나는 눈이 휘둥그레져서 이지한을 봤다.

“저, 정말이에요?”

이지한은 고개를 끄덕였다. 나는 너무 뜻밖이라 놀란 눈으로 어머님을 보았다. 그러자 어머님은 당당하게 이지한을 쏘아보며 대꾸했다.

“윤 비서 통하지 않고 내가 직접 청첩장 나눈 지인들이 있어서 그래.”

“그러십니까? 그럼 하는 수 없겠네. 엄마 체면 생각해서라도 그 결혼식은 꼭 해야겠네.”

이지한은 지지 않고 맞서서 태연하게 말했다.

“하긴, 나도 그 결혼식 취소하긴 아깝다고 생각했어. 날짜 잡고 식장 잡았겠다, 스튜디오, 드레스, 메이크업 다 예약했겠다. 공사 다망하신 우리 엄마 스케줄도 그날은 비워 뒀겠다.”

지경이하고 내 결혼식이 취소하긴 아깝다니. 이 무슨 개소리의 서막인가 싶어 멍하니 이지한을 지켜봤다. 그러자 이지한은 팔짱을 끼며 도도한 눈빛으로 어머님께 선언했다.

"이왕 다 된 결혼식, 그냥 합시다. 이지경에서 이지한으로, 신랑 이름 한 글자만 수정하면 되니까."

"뭐요?!"

"뭐야?!"

나는 나대로 어머님은 어머님대로 소스라쳐 소리를 쳤다. 그러나 이지한은 눈 하나 깜짝하지 않고 우리 두 사람 모두에게 대답했다.

"청첩장엔 오타가 있었다고 하면 그만입니다."

"……."

"원래 이지한인데 한 글자가 잘못 찍혀 이지경으로 나왔었다고. 그렇게 정정하면 사람들은 그런가 보다 할 겁니다."

아니 지금 나더러. 지경이하고 입장하려던 결혼식에 자기랑 입장하잔 거야?!

어머님이 허락하고 자시고 간에 일단 나 자신이 용납할 수 없어서, 나는 벌떡 일어나며 반박했다.

"저기요, 그럼 친구들은요?! 지경이 주변 친구들은 그날 나랑 지경이가 결혼한다는 거 다 알고 있었을 텐데! 그 친구들은 어쩔 건데요?"

이지한은 나를 넌지시 올려다보며 차분하게 입을 열었다.

"형 친구들을 내 결혼식에 왜 부릅니까? 그쪽엔 형 결혼 취소됐다고 연락하면 되지."

"그…… 그럼 내 친구들은요! 내 친구들도 내가 지경이랑 결혼하는 줄 아는데?"

"친구의 진정한 사랑을 이해해 줄 수 없는 친구라면 초대하지 맙시다."

딱 잘라 말하고서 이지한은 어머님에게로 고개를 돌렸다.

와, 나……. 뭐 이런…….

기가 막혀 말도 안 나오고 머리도 안 돌아가는 기분이다. 그런 내 앞에서 이지한은 어머님에게 통보하듯 말했다.

"4주 뒤로 예정됐던 결혼. 결혼 취소가 아니라 오타 정정으로 처리하죠. 그럼 엄마 체면 구기지 않고 나와 나아정은 결혼할 수 있고."

"그……. 하지만 이제 와서 오타가 있었다고 한들! 내가 지경이 결혼식이라고 말하는 걸 들은 사람들은 분명 이상하게 생각……."

"솔직히 윤 비서밖에 없잖아."

이지한은 차갑게 어머니의 말꼬리를 잘랐다.

"뭐?"

"청첩장 발송 예정 명단. 보아하니 거기 사람 겨우 열 명이 넘고. 엄마 최측근 다 들어가 있던데. 엄만 어제까지 나 만나 줄 시간도 없이 일 때문에 바쁘셨다 하고. 그 사람들 직접 만날 스케줄은 전혀 없었다던데."

"……."

"다행히 윤 비서는 입단속 철저한 사람이고. 대체 뭐가 문제야?"

이지한의 질문에 어머님은 얼굴을 찡그린 채, 두 손끝으로 관자놀이를 꾹 누르셨다. 그럼에도 이지한은 말을 멈추지 않았다.

"형 결혼으로 예정됐던 거 그냥 내 결혼으로 전환하면 그만이잖아. 왜 이렇게 형하고 나아정 씨 결혼에 집착해?"

뭔가 수상하다는 듯이 이지한은 예리하게 따져 들었다.

"요즘 세상에 파혼이 그리 큰일도 아니고. 엄마가 형 결혼 아직 어디 알리고 다녔던 것도 아니고. 대체 왜 이렇게 파혼에 예민하게 반응하지?"

듣고 보니 파혼이 정말 이렇게까지 반대하실 일인지 나도 묘한 기분이 들어 어머님의 반응을 살펴봤다.

어머님은 계속해서 관자놀이를 누른 채로 눈을 지그시 감고 냉철한 목소리로 입을 여셨다.

"그만해라, 이지한."

그러고서 어머님은 서서히 눈을 떴다. 순간 싸늘해진 어머님의 눈빛에 나는 움찔할 정도로 오싹한 느낌이 들었다. 나에게는 늘 인자하고 다정한 분이셨는데. 이런 느낌은 정말이지 처음이었고 완전히 다른 사람으로 느껴질 정도였다. 으스스 몸이 떨려 와서, 나는 여태 서 있던 몸을 슬그머니 자리에 도로 앉혔다.

"엄마가 형 아끼는 마음에, 형 인생에 티끌만 한 오점도 남기기 싫어서 그런 거야."

어머님은 웃지 않는 차가운 얼굴로 이지한에게 말했다. 그리고 어머님은 그대로 내게 시선을 돌렸다.

"아정이 너는. 그래, 지경이하고 파혼. 어쩔 수 없구나. 내가 받아들여야지."

"이, 이해해 주셔서 감사합니다. 그리고 죄송합니다."

나는 두려움에 쭈뼛거리면서도 애써 고개를 숙여 송구한 마음을 전했다. 그렇지만 내가 미처 고개를 들기도 전에 어머님의 싸늘한 음성이 이어졌다.

"그렇지만 지한이하고 결혼은 안 돼."

나는 움찔하고는 고개를 들어 어머님을 바라봤다. 그러자 어머님은 스르르 자리에서 일어나셨다.

"형이 다 허락한 일이야. 그리고 형 주변에는 나아정이 동명이인이라고 할 테니까 형한테 피해 갈 일도 없을 거고. 내 주변도 마찬가지야. 형하고 결혼하려던 여자인 거 아는 사람 몇 없어. 다 내가 해결할 수 있는 거고."

"이지한. 이건 형이 문제가 아니야."

어머님은 턱을 들고 가늘게 뜬 눈으로 이지한을 내려다봤다. 그건 마치 아랫사람을 찍어 누르는 듯한, 보고 있기 숨 막히는 눈빛이었다.

"다 떠나서. 아정이, 네 짝으로는 맞지 않아."

"……뭐?"

이지한은 귀를 의심하듯 눈살을 찌푸렸다.

"너는 네 형이 결혼한달 때 네가 했던 말들 어디로 삼켜 먹고 엄마한테 이딴 며느릿감을 데리고 오니?"

"엄마!"

"우리 집안 보통 집안 아니라고, 가문의 명예가 달린 일이라고. 다 네가 했던 말이야. 내가 그거 그대로 돌려줄게. 너 이렇게 엄마 얼굴에 먹칠할 거야? 아정이 조건 얼마나 형편없는지. 네가 제일 잘 알지?"

그 말에 손이 덜덜 떨려 와서, 나는 무릎 위로 두 손을 모아 쥐었다. 그래 봐야 무릎 역시 달달 떨리고 있었지만.

그런데 들려오는 이지한의 목소리에는 한 치의 떨림도 없었다.

"내가 그 말했을 때, 엄만 이렇게 말하지 않았었나? 나는 며느리

자리 놓고 이문 따져 가며 장사할 생각 없다. 어떤 여자가 됐든 너희들이 좋다면야 엄만 그저 오케이다. 그래 놓고 엄마는 왜 이래?"

화를 꽉 눌러 담은 듯이 이지한은 묵직한 목소리로 침착하게 말했다.

"형하고 나아정 씨 결혼할 뻔한 문제, 그것 때문에 반대 심할 거란 예상은 했어. 그래서 해결책 다 만들어 온 거고. 그런데 그게 해결된다 해도 나아정의 조건이 문제라니, 이상하지 않아?"

이지한은 냉정한 표정으로 어머님을 주시했다. 마치 어머님의 표정 하나하나 놓치지 않고 예리하게 분석하는 것처럼.

"형하고 결혼한달 때. 엄만 나아정의 조건, 하나도 문제 삼지 않았었잖아?"

이지한의 지적에 어머님은 강경한 태도로 입을 여셨다.

"너하고 네 형은 달라."

"……."

"자식마다 성향 다르듯이, 자식마다 부모가 거는 기대 다르기 마련이다. 내가 너한테 기대하는 건 네 형한테 기대하는 것과 달라. 그러니까 네 짝으로 아정인 절대 안 돼."

어머님의 싸늘한 시선이 나에게로 건너왔다. 그리고 조용조용 우아한 목소리가 나를 향해 이어졌다.

"더 얘기할 것 없으니까 여기서 끝내자꾸나. 다시 볼 일 없도록 하자. 다시 보면 내가 널 어떻게 할지 모르잖니?"

어머님은 나를 타이르듯 살짝 입꼬리를 올려 미소를 건네셨다. 하지만 눈으로는 전혀, 웃고 있지 않으셨다.

갑자기 숨이 턱 막혀서, 나는 말은커녕 숨도 멎은 채로 어머님을 바라봤다. 그러나 어머님은 이내 그런 내게서 시선을 거두셨다. 그리고 문을 향해 성큼성큼 발걸음을 움직이셨다.

그런데 어머님이 막 이지한을 지나치려는 순간. 이지한이 차갑게 입을 열었다.

“엄마. 알고 있지?”

왜인지 의미심장한 목소리였다. 어머님이 뭘 알고 있다는 건지. 심상치 않은 느낌에 나는 이지한을 봤다. 그리고 어머님 역시 우뚝 걸음을 멈추고서 이지한을 봤다.

이지한은 그런 나와 어머님의 시선을 양쪽에서 받고 있었지만 어느 쪽에도 시선을 두지 않고 정면만을 노려봤다. 그런 채로 이지한은 확신에 찬 목소리로 다시 질문을 던졌다.

“형 게이인 거, 엄마 알고 있었지?”

이지한의 돌발 발언에 나는 머릿속이 새하얘졌다.

지경이가 게이인 걸 말하다니! 그것도 어머님한테……!

온몸이 굳을 만큼 놀라운데, 들려오는 어머님의 목소리도 완전히 넋이 나가 있었다.

“너……. 네가 그걸……. 어떻게…….”

그 말에 나도 모르게 어머님에게로 시선을 돌렸다. 어머님은 놀란 눈으로 이지한을 바라보며 입술을 파르르 떨고 계셨다.

“어…… 어머님도 알고 계셨어요?”

내 질문이 안 들리는지, 어머님은 계속 이지한만을 바라보셨다. 이지한은 그런 어머니에게로 고개를 돌리더니 날카롭게 말했다.

“그래서 그랬구나? 형이 게이란 거 아니까 형한테는 그걸 숨겨 줄 여자가 필요해서. 그래서 이 여자하고 형 결혼, 그렇게 쉽게 허락했던 거고. 이 여자가 형하고 파혼한다는 거, 이렇게 유별나게 반대했던 거고."

"……."

"형을 누군가와 결혼시키기는 해야 하는데 그러자면 나아정 만큼 안전한 상대가 없었겠지. 엄마는 나아정이 어떤 사람인지 어릴 때부터 지켜봤었으니까. 엄마가 속이고 휘두르기 딱이라고 판단했던 거야."

거기까지 말하고서 이지한은 갑자기 내게로 고개를 돌렸다.

"나아정 씨, 잠깐 자리 좀 비켜 줍시다."

"예?"

"지금부터 나올 얘기, 나아정 씨 듣게 하기 싫습니다."

이지한은 자리에서 일어나 내 손을 잡았다. 그리고 이지한이 나를 일으키려는데, 칼바람이 불 듯 냉정한 목소리가 들려왔다.

"됐다. 어차피 여기까지 얘기 나온 거, 개도 들으라고 해라."

나와 이지한이 어머님을 보았을 때, 어머님은 어느새 냉정함을 되찾은 꼿꼿한 모습이었다.

"지경이가 그렇다는 거 다들 아는 모양인데 숨길 게 뭐 있겠니? 그래. 아정이라면 지경이가 게이인 거 알아도 별수 없을 거라 생각했다. 지경이 짝으로 잘난 며느리 들여 봤자, 지경이 게이인 거 알면 박차고 뛰쳐나갈 텐데. 아정이? 저 애라면 자기 분수 잘 알고 그냥 지경이 옆에 눌러앉을 애잖니? 저 주제에 지경이 껍데기만 데리고 살아도 감지덕지해야지. 기댈 친정도 없는 애가 가긴 어딜 가."

"엄마!"

"그렇게밖에 생각 안 했던 애를! 어떻게 멀쩡한 너한테 네 짝으로 갖다 붙여!”

고함 소리에 귀가 아파 왔지만, 가슴만큼 아프지는 않았다.

나는 여태 나와 지경이가 어머니를 속이는 건 줄 알았는데. 그래서 늘 한편으로 죄송했었는데. 하지만 이건 어머니를 위한 선의의 거짓말이라고, 생각했었는데…….

어머니는 어머니대로 내게 연극을 하고 계셨던 거다.

내 처지를 너무 잘 아니까……. 그걸 이용하려고……. 오직 지경이만을 위해서…….

가슴이 아파 아무 말도 못 꺼내고 있는데, 어머님은 그런 나를 향해 매섭게 눈길을 돌렸다.

“아정이 너, 내가 이렇게까지 말했는데 못 알아듣고 헛짓거리하진 않겠지? 지경이 일은 내가 충분히 사례할 테니까, 우리 지경이에 대해서는 입 다물고 살아. 그리고 지한이…….”

이어지는 말은 들을 수가 없었다. 이지한의 두 손이 내 귀를 뒤덮어서, 나는 어머니의 입 모양만 바라볼 수 있었다.

잠시 만에 어머니는 할 말을 다 하신 건지, 아니면 황당해서 말을 멈추신 건지. 아무튼 기가 막힌 표정으로 우리를 보며 입을 닫으셨다. 그러자 이지한은 내 귀에서 손을 떼며 내 등 뒤에 선 채 자신의 입을 열었다.

“엄마가 계속 반대하겠다면, 나는 나아정 씨하고 결혼 안 해.”

너무나도 뜻밖인 발언이라 나는 믿을 수가 없어 굳어 버렸다. 어머님 역시 믿을 수 없는 눈빛으로 머리 위를, 이지한을 응시했다.

“엄마가 나아정 씨 인생 그따위로 취급하려던 걸 이제 나아정 씨도 다 알게 된 판국에, 엄마가 찬성하는 결혼이어도 제발 내 아들

하고 결혼해 달라 빌고 사정하는 결혼 아니고서야 나는 차마 나아정 씨한테 나랑 결혼해 달라고 할 수가 없거든.”

“…….”

“심지어 엄마가 반대하는 결혼? 해 달라고 절대 못 매달리지. 그러니까 엄마가 반대하겠다면, 나는 나아정 씨하고 결혼 안 해. 아니, 못 하는 건가.”

“…….”

“대신 신중하게 반대해. 나는 다른 여자하고는 결혼도 뭣도 안 할 거니까.”

등 뒤에서 이지한이 내 어깨에 두 손을 내렸다. 그리고 이지한은 내 어깨를 감싸듯이 거머쥐었다.

“잘 봐 둬. 이 여자가 나랑 결혼할 수 있는 유일한 여자고, 우리 집안 대 이어 줄 수 있는 유일한 여자야.”

내 앞의 어머님은 그런 이지한을 향해 눈을 둥그렇게 뜨고 외치셨다.

“뭐?”

“형은 게이고, 나는 이 여자 아니면 아무 여자도 안 만날 거고. 그럼 우리 집안 대는 여기서 끊기는 거지.”

“이지한!”

어머니의 고함에도 이지한은 손끝 하나 떨지 않고 담대하게 대구했다.

“전엔 엄마 때문에 내 꿈 포기했지만, 이번엔 무슨 짓을 해도 소용없어. 엄마가 반대해서 이 여자랑 헤어지면, 내 손으로 고자 되고 치울 테니까.”

"예?!"

고자라니?!

나는 화들짝 놀라 뒤를 돌아봤다. 그때 이지한은 어머님을 향해 무시무시하게 부릅뜬 눈으로 결정타를 던졌다.

"나, 한다면 하는 또라이야. 그것도 상또라이, 개또라이, 핵또라이라고."

이거 어디선가 들은 말 같……. 아니, 했던 말 같은데…….

"반대할 테면 해. 그럼 결혼 포기할 테니까. 대신 찬성할 거면 제발 내 아들하고 결혼해 달라, 이 여자한테 사과하고 부탁을 해."

이지한은 찔러도 피 한 방울 안 나올 것 같은 냉혈한의 눈빛으로 선언했다.

어……. 근데 내 마음은 왜 뜨거워지는 거지…….

가슴속에 차오르는 열기 때문에 통증이 녹아내리는 듯했다. 그리고 겁도 함께 사라졌는지, 나는 이지한을 따라서 어머님을 향해 시선을 움직였다. 내 어깨를 잡은 손을, 나도 그러잡은 채로.

그렇게 이지한과 같은 곳을 바라보면서, 나는 이지한과 같은 답을 기다렸다.

이제 불가능한 일은, 없을 것 같은 마음으로.

물론 불가능한 일은 정말로 없었다.

그렇다고 꼭 4주 만에 결혼하는 일이 가능하길 바란 건 아니었는데…….

어쩌다 내가 지금 신부 대기실에 앉아 있는 건지.

나는 내 방 옷장에 걸린 것과 똑같은 웨딩드레스를 입은 채로 멍하니 앉아 지난 4주를 돌이켜 봤다.

의뢰해 둔 연극의 초고가 완성될 때까지는 최소한 몇 개월이 소요될 거고, 이지한은 한 달 뒤에 미국으로 떠나 몇 개월 뒤에야 돌아올 거고. 이런 상황에서 당장 결혼하지 않을 이유가 뭐냐고 이지한은 4주 전에 물었었다. 그것도 어머님의 사과와 허락을 받아 내자마자.

'신혼 생활을 미국에서 하잔 얘깁니다. 가서 나아정 씨는 영어도 배우고 브로드웨이에서 연극도 보고. 그러다 몇 개월 뒤에 나하고 같이 한국으로 돌아가면 나아정 씨 연극 초고 나와 있을 거고. 타이밍 딱 맞습니다. 뭘 망설입니까? 이 결혼이 최고의 선택인데.'

이지한의 설명을 듣다 보니, 이 결혼, 반대할 이유가 없었다. 그래서 고개를 끄덕였는데…….

그때부터 시간이 대체 어떻게 간 건지.

이지한과의 새 상견례에. 청첩장 오타 정정에. 스튜디오 촬영까지.

정신없이 결혼을 준비하다 겨우 정신을 차렸더니, 나는 이 자리에 이 모양으로 앉아 있는 터였다.

결혼식을 고작 5분 남긴 시간. 거의 비공개나 다름없는 가족 간의 조촐한 결혼식이기에 신부 대기실은 한산했다. 그런데 하객 수에 비해 예식장은 왜 이리도 큰 건지…….

"아정아!"

생각에 잠겨 있던 나는 갑작스러운 부름에 앞을 봤다. 그러자 나에게로 걸어오는 희경이 보였다.

"대체 어떻게 된 일이야? 밖에 저, 신랑이라고 서 있는 남자, 네 예비 시동생 아니었어?"

희경은 어리둥절한 얼굴로 내 앞에 서서 물었다. 나는 올 게 왔구나, 하고 난처해졌지만, 애써 웃으면서 침착하게 대답했다.

"내가 신랑 바뀌었다고 했었잖아."

"아니, 나는 그게 네 예비 시동생일 줄은 몰랐지."

"그게……. 자꾸 부닥치다 보니까 그렇게 돼 버렸어. 안 그래도 바뀐 청첩장, 만나서 직접 주려고 했는데. 그때 설명하고 싶었는데. 네가 오늘밤에 시간이 안 된다니까 미리 얘길 못했어."

등 뒤로 식은땀이 흘렀지만, 나는 부케를 꽉 쥐고서 말을 이어 갔다.

"이게 그러니까 어떻게 된 거냐면……."

"내가 중간에서 다리 놔 줬습니다."

갑자기 끼어드는 목소리에 나와 희경은 고개를 돌렸다. 그러자 우리에게서 몇 걸음 떨어진 곳에 지경이 서 있었다.

"우리끼리 결혼 준비하다 보니까 서로 우린 안 맞는다 싶었는데, 두 사람이 잘 맞아 보여서 내가 중신 섰습니다."

지경은 태연하게 말하고서 나에게로 걸어왔다. 그리고 얼떨떨해하는 내 앞에 서서 손을 내밀었다.

"시간 다 됐어. 신부 입장해야지."

"아, 어, 벌써?"

나는 급한 마음에 얼른 지경의 손을 잡으며 몸을 일으켰다. 그리고 지경을 따라 움직이다가, 나는 문득 희경을 보았다. 희경은 신기한 듯 나와 지경을 볼 뿐. 희경의 눈빛에는 어떤 의심도 비난도 깃들어 있지 않았다.

지경을 따라 마침내 예식장 입구에 다다랐을 때, 식장의 문은 닫혀 있었다. 나와 지경은 서로 손을 잡은 채 신부 입장을 기다렸다. 그러는 사이 나는 긴장 탓에 마른침을 삼켰다.

"아마 시아주버님 손잡고 신부 입장하는 여잔 네가 처음일 거다."

지경이 긴장을 풀어 주려는 듯 농담조로 말을 걸었다. 순간 피식 웃음이 나서, 나는 고마운 눈빛으로 지경과 눈을 마주쳤다.

"고마워. 나 사실, 아빠 손잡고 입장하는 거 기분 이상할 것 같았거든. 아빠도 그러기 싫다고 그러시고. 근데 네가 먼저 이러고 싶다고 해 줘서. 너무 고마웠어."

"내 마음 편하자고 하는 일이야."

지경은 어깨를 으쓱하며 말했다.

"하마터면 나 때문에 남편 사랑 못 받는 여자 중에 제일 행복한 여자 될 뻔했는데, 남편 사랑받는 여자 중에 제일 행복한 여자 되는 길, 내가 바래다줘야지."

이러는 게 너무 당연한 일인 것처럼 지경은 다정한 얼굴로 미소를 지었다. 그리고 그때, 식장의 문이 천천히 열렸다.

누가 먼저랄 것 없이 나와 지경은 정면으로 고개를 돌렸다. 그러자 식장에서 신부 행진곡이 울려 퍼졌다.

"너, 솔직히 말해 봐."

정면으로 시선을 고정한 채 지경은 내게만 들리도록 말했다.

"신랑 머리가 금발인 거, 좀 창피하지 않아?"

나 역시 정면으로 시선을 고정한 채, 환하게 웃는 얼굴로 대답했다.

"내가 원한 거야."

나는 그대로 행진을 시작했다. 달려가고 싶은 조급한 마음을 힘껏 억누르면서.

내가 원한 모습으로, 반짝이며 나를 기다리고 있는 이지한을 향해서.

외전1. 웨딩 파서블!

처음이라 신기한 게 많은 하루였다. 결혼식도, 비행기를 타는 일도, 하늘에서 밤을 보내는 일도.

새삼 또 신기해져서 비행기 창에 이마를 딱 붙인 채 밤하늘을 내다봤다. 아래에서 올려다보던 하늘이 이렇게 내 옆에 있다니. 내가 하늘 속에 들어앉아 하늘의 일부분이 되어 있다니.

꿈만 같은 기분에 계속 창밖을 바라보다가 고개를 돌렸다. 그러자 오늘뿐이 아니라 평생을 통틀어서 가장 신기한 게 눈에 들어왔다.

바로 이지한. 그가 내 옆자리에 앉아 있었다. 팔짱을 낀 채 눈을 감은 모습으로, 미동도 없이.

어두컴컴한 밤하늘 속에서 바라보자니, 이지한의 금발 머리가 꼭 밤하늘의 황금 별같이 느껴졌다.

이 남자가 내 남편이라니…….

이건 너무나 신기한 일이라서. 아무래도 믿어지지 않아 손을 뻗었다. 그리고 손끝으로 살짝 이지한의 볼을 건드려 보았다.

그런데 내 손끝이 닿는 순간 이지한이 눈을 떴다.

"안 자고 뭐 합니까?"

"아, 안 잤어요?"

나는 놀라서 손을 내리며 반문했다. 이지한은 고개 돌려 나와 눈을 마주쳤다. 딱딱한 목소리와 다르게 이지한의 눈빛은 부드러웠다.

"안 잤습니다. 눈 감고 생각 중이었지."

"생각? 무슨 생각 중인데요?"

"머릿속으로 예행연습 중입니다."

"뭘요?"

"내일 호텔에서 알려 줄 거니까. 내 아정 씨는 지금 비행기에서 많이 자 둡시다."

이지한은 당부하듯 말하고서 내 볼에 입을 맞췄다.

"잠 못 자서 피곤하단 내 아정 씨한테, 내가 이 머릿속 연습대로 실전을 치를 수는 없으니까."

이어지는 의미심장한 발언에 눈이 번쩍 뜨였다.

그 실전, 그, 그거지?

"자, 자야죠! 지금 자야죠! 나 지금부터 착륙할 때까지 계속 잘 거예요!"

실전에 앞서 1초라도 더 자겠단 일념으로 얼른 무릎 위의 담요를 목까지 끄집어 올렸다. 그리고 눈을 꾹 감고서 잠을 청했다.

머릿속의 밤하늘에 수많은 황금 별을 그려 둔 채.

별 하나, 별 둘 세어 가면서.

장장 열두 시간의 비행을 마치고서 우리는 라스베이거스에 도착했다. 하지만 난생처음으로 외국 땅을 밟았음에도 나는 신기해할 경황이 없었다.

외국 땅이 뭐가 대수야? 내가 지금 이지한의 12월 첫눈을 밟게 생겼는데. 외국 땅 아니라 우주 땅이라도 지금은 내 알 바가 아니잖아?

급한 마음에 눈에 뵈는 것도 없는지. 공항에서 호텔로 향하는 동안, 택시 차창 너머에서 내 시선을 끄는 것은 아무것도 없었다.

대충 도시가 엄청 크고 화려한 건 알겠는데. 아, 그게 지금 나랑 무슨 상관이냐고!

그 와중에 망할 차가 어찌나 막히는지. 저물어 가는 태양을 차 안에서 지켜보며, 그냥 내려서 뛰어갈까 진지하게 고민을 수백 번쯤 했다.

그런 내 옆에서 이지한은 말없이 굳은 표정으로 연신 물병의 물을 들이켰다. 마치 시합을 앞두고서 긴장을 다스리는 운동선수처럼.

마침내 호텔에 도착했을 때, 해는 완전히 저물어 있었다. 평소라면 이 호텔에 뭐가 있는지, 왜 이곳을 숙소로 선택했는지, 이런저런 안내를 해 줬을 텐데. 이지한은 일언반구도 없이 내 손을 잡아 객실로 성큼성큼 걸어갔다.

그래, 그런 건 내일 알아도 돼. 아니, 평생 몰라도 상관없어.

나는 아예 뛰다시피 빠른 걸음으로 이지한과 함께 객실로 향했다.

이윽고 객실 문 앞에 다다르자 이지한은 재빨리 객실 문에 카드 키를 꽂았다. 그사이 가쁜 숨을 가라앉혀 보려는데, 덜컥 문이 열리자마자 이지한의 입술이 내 입술을 틀어막았다.

눈이 질끈 감길 만큼 이지한의 입술이 뜨거웠지만, 나는 피하지 않았다. 동시에 이지한은 두 팔로 내 허리를 번쩍 안아 올렸다. 순간 본능적으로 이지한의 어깨를 끌어안았다. 그리고 두 다리로 이지한의 허리를 휘감았다.

정신없이 붕 뜬 채로 키스에 열중하고 있었는데 문득 내 엉덩이가 침대에 닿는 게 느껴졌다. 그러더니 순식간에 허리가, 등이 차례차례 침대로 미끄러져 내렸다.

그렇지만 마지막 차례인 내 머리가 닿은 곳은 침대가 아니었다. 침대로 무너진 내 뒷머리는 이지한의 커다란 손바닥을 짓누르고 있었다. 반면에 이지한의 입술은 내 입술을 짓누르고 있었다. 그런 채로 나는 이지한의 더운 숨을 마시면서 내 숨을 가쁘게 나눠 주었다.

그사이에 이지한은 한 손으로 내 원피스 밑자락을 잡아 올렸다. 허벅지에서 허리 위로. 불쑥 올라가던 손길은 가슴 바로 아래에서 멈췄다. 동시에 키스까지 멈추더니, 이지한은 내게서 입술을 살짝 떼어 냈다. 그 바람에 나는 감고 있던 눈을 떴다. 그러자 코앞에서 나를 내려다보는 이지한의 얼굴이 보였다. 숨 막히게 잘생긴 예쁜 얼굴이, 다른 것은 보이지도 않게 내 시야를 가득 채우고 있었다.

보통 이런 각도에선 못나 보이던데. 이 인간은 도대체가, 안 잘생긴 순간이 없구나…….

홀려서 바라보는데. 이지한이 내 눈을 보며 입술을 움직였다.

"머리 위로 팔 쭉 뻗읍시다."

그 말에 만세를 하듯 팔을 뻗자, 내 허리에서 멈춰 있던 이지한
의 손이 다시 움직였다. 여전히 원피스 밑자락을 쥔 채, 이지한의
손은 내 가슴을 향해 빠르게 올라갔다. 그 바람에 옷자락이 내 배
위를 간지럽게 휙 스쳐 갔다.

이지한의 손이 내 가슴에 닿았을 때, 이지한은 내 뒷머리를 감싸
고 있던 다른 손을 움직였다. 이지한은 그렇게 내 머리를 살짝 띄
우더니 내 머리 위로 원피스를 단숨에 벗겨 냈다.

"어? 이, 이대로 바로 시작이에요? 안 씻고?"

불현듯 평소 유별나던 그의 결벽증이 떠올라서 놀란 눈으로 물었
다. 그러자 그는 곤란한 듯 눈살을 찌푸리고 되물었다.

"지금 씻고 싶습니까?"

"아, 아뇨! 절대 아니요!"

"나도 아닙니다. 지금 그게 중요한 게 아니니까."

욕망이 결벽을 뛰어넘은 듯이, 이지한은 눈을 이글거리면서 대답
했다. 그리고 벗을 거라곤 속옷만 남은 나를 보며, 셔츠 단추를 풀
어 갔다.

이 인간의 결벽이 무너지다니! 급하게 움직이는 그의 손가락을
놀라워서 잠시 멍하게 보다가, 나도 얼른 내 등 뒤로 팔을 뻗어 손
가락을 움직였다.

내가 브래지어 후크를 풀어내자, 이지한은 단추를 풀다 말고 그
냥 셔츠를 양쪽으로 확 잡아당겼다. 남아 있던 단추 두어 개가 바
닥으로 툭툭 뜯어져 내렸다. 이지한은 개의치 않고 셔츠를 홀렁 벗
었다.

보란 듯이 펼쳐지는 광경에 나는 브래지어 어깨끈을 벗기다 말고

멈칫했다.

아……. 어……. 어…….

두 번째로 보는 거지만, 이지한의 복근은 못 본 사이 더 절경이
되어 있었다.

코앞의 절경에 정신이 다 혼미해져 가는데 이지한이 내 어깨끈을
마저 벗겨 내고, 곧장 아래쪽의 한 조각까지 벗겨 냈다. 그러고서
이지한은 자신에게 남은 옷도 모조리 벗어 냈다.

순간 못 보던 곳이 보이자, 나는 헉하고 숨을 들이마셨다.

"어, 저, 저, 잠깐! 잠깐! 스톱!"

가슴 앞에 다가오는 이지한의 가슴을 다급하게 밀어내며 외쳤다.
그러자 이지한이 동작을 멈추고서 물어 왔다.

"뭡니까?"

"그, 그게 어떻게……."

갑자기 너무 무서워져서 나는 고개를 마구 저었다.

"아, 나 못 해요! 못 해!"

냅다 몸을 돌려 침대를 벗어나려는데. 이지한은 내 어깨를 잡아
나를 다시 바로 눕혔다. 설마 억지로 하겠다는 건지. 기겁해서 이
지한과 눈을 마주치자, 이지한은 어째 귀여운 걸 보는 듯이 씩 웃
는 얼굴로 나를 내려다보고 있었다.

"내 이럴 줄 알았습니다. 이 겁도 많은 여자가 기권을 안 할 리가
없는데. 어쩐지 막 따라온다 했습니다."

이지한은 다 알고 있었다는 여유로운 태도로 말했다.

"아, 알았으면 시작을 말지……! 왜 여기까지 따라오게 해요? 어
차피 기권할 거, 괜히 민망하게……!"

그물에 걸린 물고기처럼, 이지한의 두 팔 사이에서 몸을 버둥거리면서 항의했다. 그러자 이지한은 어째 서운하단 표정을 지었다.

"아직도 날 그렇게 모르겠습니까?"

"예?"

뭐지 싶어 멈칫하자, 이지한이 몸을 숙여 두 팔로 내 어깨를 끌어안았다. 그리고 가슴과 가슴을 맞붙인 채 내 귀에 속삭이듯 장담했다.

"내가 알고도 시작했다는 건, 기권 안 하게 할 자신이 있다는 겁니다."

"난, 난 자신 없는데요?"

"내 아정 씨는 아플까 봐, 자신이 없는 겁니다."

반박할 수 없는 진실이 들려왔다. 그래서 고개를 끄덕이자 이지한은 이어 말했다.

"나는 안 아프게 할 자신이 있으니까. 나 믿고, 계속 가 봅시다."

어쩐지 이 말 또한 진실일 것 같은, 밑도 끝도 없는 믿음이 가슴에서 꿈틀거리는데 이지한이 고개를 들어 나와 얼굴을 마주했다. 내 믿음에 쐐기를 박으려는 듯, 엄숙한 목소리가 이어졌다.

"12월 첫눈이 28년 치나 쌓인 내 비무장 지대에, 내 부인 첫 발자국 찍는 날입니다. 거기까지 안전하게, 안 아프게 모시려고. 철저하게 준비 다 했습니다."

이지한은 사명감마저 느껴지는 눈빛으로 내 눈을 예의 주시했다. 마치 내 허락에 사활이라도 건 것처럼.

"그럼에도 불구하고 만에 하나. 혹시라도 아프면, 내 아정 씨는 말만 하면 됩니다. 나는 내 아정 씨가 조금이라도 아프다고 하면,

당장 멈출 테니까."

"지, 진짜 멈출 거예요? 내가 아프다고 하면?"

"내가 장담한 것 중에, 안 지킨 거 있습니까?"

이지한의 반문에 나는 의심의 여지가 없어졌다.

그래. 이 인간은 자기가 한 말 하난 반드시 지키는 인간이지.

하기야 저놈의 12월 첫눈, 28년이나 지킨 인간인데. 뭔들 못 지키겠어?

"그럼 해요. 해 봐요. 안 아프게."

어디 얼마나 안 아픈지 겪어 보자고. 나는 주먹을 질끈 쥐고 용기를 냈다.

내 허락이 떨어지자 이지한은 더없이 환한 미소를 지었다. 그 미소를 내게 묻히려는지, 이지한은 그대로 내 입술에 입술을 파묻어 왔다.

이어지는 모든 몸짓은 신중하고 정성스러웠다. 내가 주먹을 풀고, 온몸의 긴장을 풀 때까지. 이지한은 부드럽게 어루만져 나를 녹여 갔다.

꼭 뭐가 튀어나올지 모를 무서운 폐가에 들어서는 것처럼 마음은 조마조마 두려웠지만, 그래도 이지한을 믿고 서서히 미지의 문을 열어 갔다.

한 번도, 무엇도 닿은 적이 없는 곳까지 그가 도착할 수 있게.

문득 잠에서 깨 눈을 떴을 때, 곧바로 눈에 들어온 건 이지한의

얼굴이었다. 잠든 내내 뒤척임조차 없었는지, 나와 이지한은 잠들 때와 똑같이 서로를 마주 보고 누운 채 아침 햇살을 맞고 있었다.

내 앞에서 자고 있는 이지한은 마치 단꿈을 꾸는 듯이 감미로운 표정이었다. 나는 그런 이지한의 얼굴을 슬그머니 손끝으로 만졌다.

아……. 내 남편이다.

어제까진 아무래도 믿기지 않던 사실이 드디어 실감이 났다. 동시에 그 사실이 어찌나 나를 안심시키는지. 꼭 길을 잃고 헤매다가 집에 도착한 것처럼 편안하게 졸음이 밀려왔다.

슬슬 무거워지는 눈을 편히 감으면서, 내 남편의 품에 파고들었다. 그러자 행복한 꿈이 펼쳐지기 시작했다.

다시 눈을 떴을 때는 내 앞의 이지한 역시 나를 향해 눈을 뜨고 있었다. 그리고 아침 햇살 대신 저녁노을이 그의 얼굴을 물들이고 있었다.

맙소사, 저녁이잖아!

정신이 번쩍 들어 몸을 일으키려는데, 이지한이 먼저 일어나서 내 어깨를 붙잡아 눌렀다. 그 바람에 일어나지 못한 채로 이지한의 얼굴을 올려다봤다.

"아직 일어나면 안 됩니다."

"아, 왜 안 깨웠어요!"

원망의 눈초리로 항의하자 이지한은 담담하게 대꾸했다.

"내 아정 씨 시차 적응도 안 됐을 거고. 내가 새벽까지 못 자게 했으니까. 오늘은 어디 돌아다닐 몸 상태 아닐 겁니다. 그래서 일부러 안 깨웠습니다.”

“아니, 그래도! 우리 신혼여행 3일밖에 안 되는데! 하루 종일 방에서 잠만 자요? 나가서 뭐라도 해야죠!”

신혼여행 3일. 그건 이지한의 대학원 일정에 맞추려면 어쩔 수 없는 선택이었다. 여행지인 라스베이거스도, 대학원이 있는 뉴욕에서 멀지 않아 선택한 곳이었다.

불가피한 선택에 불만은 없었지만, 주어진 여건 속에서 최대한 즐기고픈 욕심은 있었다. 그렇기에 나는 조급한 마음에 목소리를 높였다. 그러나 이지한은 침착하게 고개를 저으면서 말했다.

“라스베이거스는 다음에 또 올 수 있습니다. 뉴욕하고 멀지도 않으니까, 당장 다음 주말에라도 올 수 있습니다. 그러니까 지금은 무리하지 말고 일단 쉬고, 관광은 다음에 합시다.”

“그래도 신혼여행인데……. 호텔에서 잠만 잘 거면, 뭐하러 라스베이거스까지 와요?”

“이 호텔, 이 객실에서 첫날밤 보내려고 왔습니다.”

“호텔이 뭐, 다 거기서 거기지. 뭘 굳이…….”

나는 시큰둥하게 대꾸하며 그제야 침대 주위를 둘러봤다.

아니, 이 인간이! 방이 아니라 집을 빌려 놨잖아?!

밤새 이지한 말고는 눈에 보이는 게 없었는데, 내 주위로 이렇게나 광활한 공간이 존재하고 있었다니!

발 너머로 벽이 어찌나 먼지. 대체 거기 텔레비전은 왜 걸어 놨는지가 의문이다. 저거 켜 봤자, 화면이 보이기나 해? 아니, 혹시 오디오야?

게다가 저 텔레비전 옆에 활짝 열려 있는 저 두 쪽짜리 문. 그 너머로 보이는 건…….

"설마, 저기도 방이에요?"

나는 열린 문 너머를 멍하니 가리키며 물었다.

"저긴 거실입니다. 방은 저기 너머에 하나 더 있고."

이지한은 태연한 목소리로 대답했다.

"아니, 둘이 묵는데! 왜 방이 두 개나 필요한 건데요!"

기가 막혀 이지한을 쳐다보며 외쳤다. 그러나 이지한은 목소리만큼이나 태연한 표정으로 말했다.

"첫날밤이니까."

"뭐, 첫날밤에! 각방 쓸 일 있어요?!"

흥분해서 몸을 일으키려는데, 이지한은 내 어깨를 지그시 내리누르면서 대답했다.

"여기가 내 기준 라스베이거스 최고 호텔이고, 최고 객실입니다."

"예?"

뜬금없는 동문서답이라 생각하는 찰나, 진지한 목소리가 이어졌다.

"그래서 여기 예약한 겁니다. 첫날밤은 최고 호텔, 최고 객실에서 치르는 게 내 꿈이었으니까."

순간 동전이 뒤집히는 것처럼 돌연 생각이 바뀌면서 흥분이 착 가라앉았다.

아……. 그래서였구나.

나는 달라진 시선으로 다시금 객실 내부를 둘러봤다.

최고의 첫날밤을 함께하고 싶어서, 그래서 고른 곳이 여기라니. 더 자세히 보고 싶고, 꼭 기억에 오래오래 남기고 싶어졌다.

“그럼 나 저쪽 방도 구경할래요.”

누운 채로 보는 데엔 한계가 있어서 보이지 않는 거실 쪽을 가리키며 말했다. 그리고 몸을 일으키려는데, 이지한은 붙잡고 있던 내 어깨를 꾹 내리눌러 나를 막았다.

“아직 일어나면 안 된다고, 조금 전에 말했습니다.”

“에이, 밖에 돌아다니는 것도 아니고, 그냥 객실 좀 걸어 다니는 건데. 뭐 그 정도도 못 하겠어요?”

“일어나면 허리도 아플 거고, 근육도 아플 겁니다.”

이지한은 당연히 그럴 거라 확신하는 눈빛이었다.

“그걸 님이 어떻게 알아요?”

“부인과 전문의한테 배웠습니다.”

“예?”

“결혼해서 내 부인 몸 잘 챙기려면 교육이 필요할 것 같아 배웠습니다. 결혼식이 코앞이라 급하게 준비하느라 많이는 못 배웠지만.”

어쩐지 첫날밤이 완벽하더라니. 세상에, 그런 노력까지 하고 있었을 줄이야.

놀랍고 감탄스러운 한편으로 면목 없는 기분이 들었다.

나도 비뇨기과에 가 봤어야 하나…….

무심했던 나를 반성해 보는데, 이지한의 목소리가 이어졌다.

“아무튼 지금 일어나서 걸어 다니는 건 안 됩니다.”

“아예 못 걸을 정도로 아프대요? 난 그 정도만 아니면 살살 걸어 다녀도 될 것 같은데.”

“그 정도가 아니어도 안 됩니다. 하고 나니 아프더라. 그렇게 몸이 의식하면, 다음에 하기 싫어질 수 있으니까. 괜히 움직여서 아픈 거

느끼지 말고 그냥 가만히 있어요. 필요한 건 내가 다 해 줄 겁니다.”

장담하더니 이지한은 누운 내 몸을 이불로 감쌌다. 그리고 한 팔로 내 오금을 받치고서 다른 팔로 내 어깨를 안았다. 이지한은 그대로 천천히 나를 들어 올렸다.

“저쪽 방이 궁금한가 본데, 일단 저기 구경부터 하죠.”

뭐든 못 해 줄 게 없는 듯이 말하고서, 이지한은 내가 원하는 곳을 향해 걸음을 움직였다.

흔들림 없이 나를 받친 두 팔이 듬직해서, 나는 아픈 줄을 모르는 채 마냥 행복한 기분으로 객실 여기저기를 샅샅이 구경했다.

침실 두 개, 욕실 두 개, 바가 놓인 거실 하나. 그리고 마사지 전용 침대가 놓인 스파룸. 거기다 식탁이 놓여 있는 넓은 발코니까지.

장장 150평이라는 객실을 모두 돌아보는 동안, 이지한은 힘든 줄을 모르는 건지 나와 같이 마냥 행복한 표정이었다.

피곤해 죽겠는데, 손 하나 까딱 않고 몸 씻을 수 있는 기계는 대체 언제 발명되는 거야?

고된 하루 끝에 지친 몸으로 샤워를 해야 할 때마다, 나는 그런 푸념을 하곤 했었다. 스마트폰이니, 인공 지능이니. 문명이 그렇게나 발달했다면서 왜 그런 기계는 없는 거냐고.

그런데 그런 기계 대신 남편이 생겼네?

머리부터 발끝까지, 손 하나 까딱 않고 깨끗하게 씻어진 나는 감탄했다. 문명도 못 이룬 걸 내 남편이 해내는구나, 하고.

그렇게 감탄하는 사이에도 이지한은 쉴 새 없이 움직였다. 개운해진 내 몸에 가운을 입혀 주고, 젖은 머리를 꼼꼼하게 말려 주고, 그런 다음 이지한은 발코니의 식탁으로 나를 안아 옮겼다. 발코니의 식탁에는 어느새 룸서비스로 온 저녁 식사가 차려져 있었다.

라스베이거스의 바람을 피부로 체감하면서, 형형색색 눈부신 야경을 감상하면서. 나는 혀가 녹고 마음까지 녹아내리는 식사를 했다.

식사 후 티타임을 즐기고서 또 스파룸으로 옮겨졌다. 이지한은 스파룸의 마사지 전용 침대에 나를 앉혔다. 고급 마사지 숍에 온 것처럼 스파룸의 조명은 다른 곳보다 은은했다.

이 방에선 룸서비스로 마사지를 받을 수 있다더니. 혹시 마사지도 주문한 건가?

짐작하며 스파룸을 둘러보는데, 이지한이 내 앞에 서서 내가 입은 가운을 슬슬 벗겨 냈다.

"어, 왜요?"

순간 당황해서 반사적으로 두 팔을 모아 가슴을 가렸다.

"뭉친 근육 빨리 풀어지게, 마사지할 겁니다."

이지한은 아무렇지 않게 대답하며 침대 옆 탁자에서 상자를 들었다. 곧장 내 옆으로 놓인 상자에는 아로마 오일 세 병이 담겨 있었다. 이지한은 그중 하나를 들어 뚜껑을 연 뒤, 내 코끝으로 가까이 내밀었다.

"셋 다 맡아 보고, 제일 마음에 드는 향을 골라요. 그걸로 마사지해 줄 테니까."

"아니, 님이 직접 한다고요? 마사지를?"

나는 내 귀를 의심하며 물었다. 이지한은 그런 내 눈을 똑바로 마주하며 당연하단 투로 대답했다.

"어제 어떤 자세로 몇 시간을 있었는지. 어디가 어떻게 쓰였는지. 다 알고 제대로 풀어 줄 수 있는 사람, 나밖에 없습니다. 그러니까 내가 할 겁니다."

"뭘 그렇게까지……. 아니, 그러지 마요. 그냥 다른 사람한테 받을래요."

내가 고개를 내젓자 이지한은 눈살을 찌푸렸다.

"나보다 다른 사람 손길이 더 좋을 것 같습니까? 어제 한 번 겪어 보니, 별로였다 이겁니까?"

따가운 의심의 눈초리에 나는 흠칫해서 손을 마구 내저었다.

"아, 아니요! 그런 게 아니라! 님이 피곤할까 봐 그러죠. 님 안 피곤해요?"

변명으로 하는 말이 아니라 진심으로 궁금해서 묻는 말이었다. 그러나 이지한은 무슨 소리인지 모르겠다는 듯 잠자코 나를 지켜봤다.

"님도 나랑 똑같이 열두 시간 비행기 탔고. 님도…… 님도 그거 처음이었잖아요. 근데 그거 하는 내내 나는 누워 있기만 했고 계속 님만 움직였는데. 님이 안 피곤할 리 없잖아요. 오히려 마사지는 님이 받아야 하는 거 아니에요?"

내가 덧붙이자 이지한은 찌푸렸던 표정을 부드럽게 풀었다. 그리고 입가에 미소를 걸치더니 말했다.

"그때나 지금이나, 내가 좋아서 움직이는 겁니다. 좋아서 하는 일인데, 힘들 리가 있겠습니까?"

좋아서 움직이는 거…….

순간 밤사이 침대에서 느꼈던 이지한의 움직임이 떠올랐다. 그게 좋아서 움직였던 거라니. 얼굴이 후끈 더워졌다.

"에이, 그중에 몇 시간은 나 좋으라고 봉사만 한 거잖아요. 나 아플까 봐, 긴장 풀어 주느라고."

"그거 봉사한 거 아닙니다. 내가 만지고 입 맞추고. 손으로 입으로 호강한 거지."

"진짜요?"

나는 신기해서 번쩍 눈이 뜨였다.

"난 나만 호강인 줄 알았는데!"

덧붙이자 이지한의 입가에서 미소가 귀에 닿을 듯 길게 번졌다. 이어서 이지한은 내 코끝에 아로마 오일 병을 더 가까이 들이대며 말했다.

"쌍방 호강이니까 빨리 향이나 고릅시다. 내 아정 씨 마사지하면서, 내 손 호강하게."

"아, 알았어요! 알았어요!"

너무 좋아 들뜬 마음으로 나는 얼른 코끝의 향을 들이마셨다. 동시에 내 손은 내 옆에 놓인 다른 아로마 오일 병을 들었다. 그리고 후다닥 병뚜껑을 열어 고개를 돌리면서 내 코로 들이댔다. 빨리 나도 호강하고, 이지한도 호강시키려고.

금세 향을 고른 나는 오일 병을 내밀었다. 그러자 지한은 오일 병을 받아 들며 질문을 건넸다.

"그런데 계속 나한테 님, 님. 그럴 겁니까? 이제 결혼한 사인데."

"아, 맞다……. 그럼 이제 뭐라고 부르죠?"

"뭐가 됐든, 결혼 전하고는 달랐으면 합니다. 부부는 가족인데, 남일 때처럼 부르지 말고."

지한은 한 손으로 내 한쪽 손을 잡더니 손바닥이 천장으로 향하게 했다. 그리고 손바닥에 오일 두어 방울을 떨어뜨렸다. 이어서 지한은 내 두 손바닥을 맞닿게 하고, 비벼지게 했다.

뭐라고 부르지? 여보? 자기? 아……. 너무 어색한데.

고민하는 사이 지한은 내 코앞으로 내 두 손바닥을 서서히 들이밀었다.

"향 맡으면서, 천천히 호흡 깊게 세 번 하는 겁니다."

우선 시키는 대로 깊게 향을 맡은 뒤, 한껏 편안해진 마음으로 속마음을 끄집어냈다.

"그냥 지한 씨라고 해도 돼요? 나는 그게 편할 거 같은데."

"편하다면 그걸로 좋습니다. 이제 가족이니까. 남일 때보다 편하게 대하라고 호칭 바꾸는 거니까."

지한은 흔쾌히 승낙하고는 나를 서서히 침대에 눕혔다. 그런데 머리가 베개에 닿는 순간 불현듯이 떠오르는 의문이 있었다.

"엇, 저기 그럼, 지한 씨. 혹시 나한테도, 형이나 어머님 대할 때처럼 말투 바꿀 거예요?"

지한은 나를 내려다보며 고개를 갸웃거렸다.

"지한 씨는 보니까, 형이나 어머님한테는 이런 말투 안 쓰던데. 나한테는 막 무게 잡고 합니다, 합시다. 합니까? 이런 말투 쓰잖아요. 근데 이제 나도 가족이니까. 나한테 쓰는 말투도 이제 바뀌는 거예요? 형이나 어머님 대하듯이?"

그러자 지한은 딱 알아들은 표정으로 내 눈을 보며 또박또박 대답했다.

"가족이긴 한데. 이건 좀 다른 문젭니다. 어머니, 형한테는 내가 어린 모습 다 보이며 살아왔지만. 다 커서 만난 내 아내한텐 어려 보이기 싫으니까."

"……."

"사실 우리 처음 만났을 때는 내가 위엄 있게 보이려고 일부러 더 무게 잡고 이런 말투 썼습니다. 근데 내가 좋아하게 된 후로는, 더 듬직하고 멋있는 남자이고 싶어서. 이 말투, 자꾸 쓰게 됩니다. 나이로는 형 친구인 이 여자한테. 내가 남자 같지 않고 애로 보이면 어떡하지, 싶어서."

지한은 내 볼을 조심스레 만지작거렸다. 잠든 아이를 깨우지 않을 정도로만 주무르듯, 부드러운 손길로.

아……. 그러고 보니 이 남자가 나보다 다섯 살이나 어렸지.

나는 벌써 마사지가 시작된 것처럼, 사르르 녹는 기분에 휩싸인 채 생각했다.

별걸 다 신경 쓰고 있었구나. 나 때문에……. 나한테 사랑받고 싶어서.

"근데 결혼했다고, 갑자기 남자 말고 애가 되고 싶진 않습니다. 결혼했어도, 계속 똑같은 남자이고 싶지."

지한은 허리 숙여 내 입술에 입술을 내렸다. 이어지는 입술의 움직임도 마치 마사지인 것처럼, 나른하게 온몸을 녹여 냈다.

얼마 후에 입술을 떼어 내고서, 지한은 진지하게 물어 왔다.

"그런데 혹시, 이런 말투 싫은 겁니까? 바꾸는 게 좋겠습니까?"

"아니, 계속 이랬으면 좋겠어요. 지한 씨 말투도. 그걸 쓰는 이유도. 안 바뀌면 좋겠어요."

내 대답에 지한은 한시름을 놓은 듯이 부드럽게 눈웃음을 지었다. 그러더니 지한은 다시 오일 병을 잡아 들고 자기 손바닥에 오일을 떨어뜨렸다. 그리고 두 손바닥을 마주 비벼 갔다.

이윽고 지한의 따뜻하게 젖은 손이 내 몸을 어루만지기 시작했다.

어떻게 이게 서로에게 호강일 수 있는 건지, 나는 호강에 겨운 의심에 빠져들었다.

쌍방 호강의 시작은 좋았다. 물론 중간도 좋았다. 하지만 끝은 아니었다.

마사지가 끝난 후, 나는 욕구 불만에 미간을 꽉 좁힌 채 스파룸에서 들려 나왔다. 이지한은 그런 나를 어제와는 다른 침실의 침대에 눕혀 놓았다. 그리고 벗겨지지 않도록 내 가운의 앞을 단단히 여미었다.

"아! 불난 데 부채질해요?"

욱해서 내뱉자 이지한은 엄격한 표정으로 아예 가운의 매듭까지 꽉 묶었다.

"불난 데 소화기 뿌리는 겁니다."

"아, 왜요! 왜! 우리 이제 결혼했는데! 결혼해서 이러는 건 캠프파이언데! 같이 즐겨야지, 그걸 왜 꺼요, 왜!"

"어제 무리한 거 완전히 회복되면, 그때 다시 즐깁시다. 캠프파이어."

"나는 지금 하고 싶다고요!"

주먹으로 침대 시트를 팡 내리치며 항의했다. 그러자 내 입술을 이지한이 입으로 틀어막았다. 그대로 살살 어르듯이 이지한의 혀가 내 입안의 혀를 어루만졌다.

으……. 더 하고 싶잖아!

불난 데 선풍기를 튼 것처럼, 내 속에서 불길은 화르르 더 요동을 쳤다.

그런데 얼마 안 가 전원을 꺼 버린 듯, 입안의 움직임이 뚝 멈췄다. 이내 이지한의 입술은 내 입술에서 떨어졌다.

"미안한데. 이걸로 참읍시다. 오늘은 정말 안 됩니다."

이지한은 단호하게 말하고는 내 옆으로 몸을 눕혔다.

"왜요! 내가 괜찮다는데!"

내 항의에도 아랑곳하지 않고, 이지한은 바르게 누운 채로 이불을 목까지 끌어 올렸다. 그리고 리모컨으로 침실 전등을 꺼 버렸다.

순간 눈앞이 캄캄해지면서, 찬물을 확 뒤집어쓴 기분이다. 이지한의 의지가 얼마나 대쪽 같은지 분명하게 느껴졌기 때문에.

"정말……. 정말 그냥 자요?"

혹시나 하는 실낱같은 희망으로, 나는 어둠 속에서 이지한의 어깨를 찾아 꾹꾹 찔렀다. 그러나 이지한의 몸은 바위처럼 움직임이 없었고, 근엄한 목소리가 들려왔다.

"신혼여행 끝나고, 병원에서 치료받는 여자가 얼마나 많은 줄 압니까?"

"예?"

"결혼 준비에, 장거리 비행에. 가뜩이나 면역력도 떨어졌을 땐데. 이럴 때 무리하면 두고두고 힘든 겁니다. 그러니까 오늘은 손만 잡고 잡시다."

재고의 여지가 추호도 없는 듯이, 이지한은 단호하게 말하고서 내 손을 잡았다. 그리고 남은 한 손으로는 내가 덮은 이불마저 내 목까지 끌어 올렸다.

하……. 이건 뭐, 손잡고 열반의 경지로 함께 가자는 거지?

나는 산산이 흩어지는 희망에 한숨을 내쉬었다.

내 몸 상할까 봐 아껴 준다는데, 난 왜 억지로 머리 깎여 비구니가 되는 기분인지.

찔끔 눈물이 나려 해서 눈을 감고 입술을 깨물었다. 그런 채로 나는 억지로 잠을 청했다. 첫날밤을 기다리던 비행기 안에서 그랬던 것처럼 머릿속으로 별 하나, 별 둘 세어 가면서.

아……. 어디선가 목탁 소리가 들리는 듯하다. 반야심경을 외워야 하나…….

하루 내내 유난스러운 수발을 받은 덕분인지, 새 아침을 맞이하는 내 몸은 거동에 큰 불편이 없었다. 허벅지에 근육통이 아주 조금 남아 있긴 했지만, 이쯤은 별거 아니었다. 그래서 나는 보란 듯이 신난 얼굴로 이지한의 눈앞에서 활기차게 움직였다.

보라고. 나 이렇게 멀쩡해! 오늘은 캠프파이어도 할 수 있어!

그렇게 속으로 외치면서 괜히 침대 주변을 왔다 갔다 얼쩡거리는데, 잠에서 막 깬 이지한은 침대에서 나를 지켜보며 흐뭇한 표정으로 물어 왔다.

"그럼 남은 시간은 라스베이거스 관광을 할까요? 비행기 출발 시간은 저녁이니까.”

“엇, 우, 우리 관광은 다음에 하기로 한 거 아니었어요?”

바라던 것과 전혀 다른 대답에 나는 눈이 둥그레져서 되물었다.

“내 아정 씨 오늘까지 힘들까 봐 그랬던 건데. 오늘 컨디션 좋아 보이니까.”

“아니, 그거 말고요!”

나는 쪼르르 침대로 다가가서 이지한의 앞에 걸터앉았다. 그리고 이지한의 팔을 붙잡고 간절한 눈빛으로 말했다.

“어제 안 된다던 거. 오늘은 되는 거잖아요.”

내 말에 이지한의 표정이 딱딱하게 돌변했다.

“그건 오늘도 안 됩니다.”

“왜, 왜요? 나 이렇게 멀쩡한데?”

“오늘 뉴욕까지 비행기 타고 가야 하는 거 모릅니까? 비행시간 여섯 시간이나 걸릴 텐데. 내 아정 씨 몸에 무리가 될 행동은 절대 금지입니다.”

갑자기 온몸에 힘이 쑥 빠지고 정신이 멍해졌다.

“오늘도……. 오늘도…….”

망연하게 중얼거리자 이지한이 몸을 일으키며 말했다.

“나 참. 왜 이럽니까? 내일이 없는 사람처럼.”

이지한은 두 손으로 내 얼굴을 감싸 잡고, 쪽 소리 나게 내 입술에 입을 맞췄다.

“내일……. 있긴 해요……?”

나는 꿈도 희망도 없이 회의적인 마음으로 질문했다.

“님……. 그냥 나랑 하기 싫은 거죠?”

“뭐요?”

“그냥 나랑 하기 싫어서. 핑계 대고 피하는 거죠?”

자신 없어 시무룩해진 내 얼굴에 이지한은 황당한 듯 눈을 껌뻑거렸다.

“그렇지 않고서야, 어떻게 이래요? 남들은 신혼 때가 제일 뜨거울 때라는데. 막 눈만 마주쳐도 전기가 튄다는데. 어떻게 님은, 어떻게 한 번 만에 이렇게 돌부처가 돼요?”

이지한은 입을 다문 채, 심란한 눈빛으로 나를 응시했다. 이윽고 이지한은 무거운 목소리로 말했다.

“나 돌부처 아닙니다.”

“아니면 뭐, 금부처예요?”

나는 이지한의 금발을 흘겨보며 퉁명하게 대꾸했다.

“금이든 돌이든. 내가 부처면, 이렇게 속에 천불이 날 리 있습니까?”

무슨 소리냐 싶어 어리둥절하게 이지한을 지켜봤다.

“어제부터 내가 참느라고. 이 속에 천불, 기를 쓰고 참는 겁니다.”

이지한은 이를 악물고서 미간을 찌푸린 채 말했다.

“예? 아니, 그럼 왜 참아요? 그냥 하지.”

“부부 관계 상담 전문가한테 배웠는데. 현재의 안 좋은 경험이 평생 부부 관계에 악영향을 준답니다. 어제도 말했지만, 신혼여행에서 무리하다 몸 상하는 여자들 많은데. 그 고통의 기억이 트라우마가 돼서 평생 부부 관계에 장애가 될 수 있다는 겁니다.”

“그, 그래요?”

트라우마라니. 평생 장애라니! 생각지 못한 심각한 후유증에 겁이 덜컥 났다. 그런 내 두 손을 그러쥐고, 이지한은 차분하게 부드러운 목소리로 이어 말했다.

"내 아정 씨는 비행기도 처음 타 봤고, 외국도 처음 와 본 건데. 가뜩이나 체력도 약한 몸이 얼마나 면역력이 떨어졌을지. 그 생각 하면 내가 이 속에 천불 난 거, 백 번도 참을 수 있습니다."

"……."

"우리 부부로서 맞이하는 12월 첫눈, 이제부터 차곡차곡 쌓아 가 는 시작인데. 나쁘고 힘든 기억으로 재 뿌릴 수 없습니다."

무슨 뜻인지 알 것 같다. 아니, 분명히 알겠다.

나는 지금 당장만 생각하고 있었는데. 이 사람은 먼 미래까지, 평생이란 시간을 생각하고 있었구나.

깨닫는 동시에 숙연해졌다.

"미안해요. 그런 줄도 모르고……. 내가 철없이 굴어서."

고개 숙여 말하자, 이지한은 두 손으로 내 얼굴을 감싸 고개를 들게 했다.

"오늘 자기 입으로 한 말, 뉴욕에서 무르지나 맙시다."

"예? 무슨 말이요?"

"남들은 신혼 때가 제일 뜨거울 때라는데. 막 눈만 마주쳐도 전기가 튄다는데. 어떻게 님은, 어떻게 한 번 만에 이렇게 돌부처가 돼요?"

이지한은 또박또박 근엄한 말투로 내가 했던 말을 들려주었다. 이어서 자기가 할 말을 덧붙여 갔다.

"나 그 말 벼르고 있습니다. 신혼여행 끝나면 어디 두고 봅시다. 신혼이 제일 뜨거울 때라는데. 눈만 마주쳐도 전기가 튄다는데. 돌 부처처럼 참을 일 절대 없을 겁니다."

경고하듯 하는 말인데, 미리 천국을 약속받은 것처럼 기운이 펄

펄 솟아났다.

"으아, 빨리 내일이 왔으면 좋겠어요! 빨리 뉴욕 가고 싶다!"

뉴욕에서의 신혼 생활이 너무나도 기대돼서, 나는 가만있지 못하고 벌떡 일어났다.

"아, 왜 이렇게 시간이 안 가지? 왜 아직 내일이 아닌 거지?"

침대에서 내려선 채 발을 동동 굴렀다. 그러자 이지한은 내 옆에 일어서며 제안했다.

"관광이나 합시다, 시간 빨리 가게. 방에 가만히 있느니, 그게 시간은 빨리 갈 겁니다."

"아, 그런 방법이! 좋아요! 그래요!"

선뜻 고개를 끄덕이자 이지한은 피식 웃었다.

그리하여 신혼여행의 마지막 날, 우리는 객실을 벗어나 라스베이거스 한복판을 거닐게 되었다.

길을 잃으면 어떡하지? 갑자기 총 든 강도를 만나면 어쩌지?

평소의 나였다면 그런 걱정이 들었을 텐데. 낯선 외국 땅을 처음 거닐면서도 나는 아무런 걱정이 들지 않았다.

아, 그냥 이렇게 손만 잡고 걸어 다녀도 이렇게나 행복하구나!

나는 마냥 그런 행복에 취해 있을 뿐이었다. 덕분에 내 눈에는 라스베이거스의 모든 것이 눈부시게 아름다워 보였다. 길바닥에 굴러가는 개똥마저 어찌나 아름다운지. 라스베이거스를 관광하는 내내, 이 행복은 깨어질 리 없을 것만 같았다.

그랬는데…….

카지노의 한복판에서 나는 슬롯머신 앞에 앉아 커다란 종이컵을 든 채 울먹거렸다.

"아, 나 어떡해……!"

카지노에 들어설 때만 해도 이 큰 종이컵에 동전이 가득 차 있었는데. 정신없이 슬롯머신을 당겨 대다 보니, 어느새 종이컵은 휑하니 비워져 있었다.

대체 내가 슬롯머신을 몇 판이나 해 댄 건지 모르겠는데. 이 컵 안의 동전을 다 써 버렸을 정도면, 엄청나게 많이 해 댔다는 사실 하난 분명했다.

그럼에도 불구하고…….

"아, 왜! 왜 한 번도 잭팟이 안 나와? 왜? 왜 나만……?"

분명 내 주위에선 잭팟 터지는 소리가 났는데! 누구나 한 번쯤은 소소하게나마 잭팟이 터진다던데!

나는 징징 울고 싶은 심정으로 슬롯머신 화면에 이마를 처박았다.

"이럴 거면 하지 말걸……. 내 주제에 무슨 잭팟이 터진다고……. 힝, 괜히 돈만 날리고…….”

"아직 동전 하나 남았습니다."

옆에서 보고 있던 이지한이 내 어깨를 잡았다. 이어서 나를 똑바로 세워 놓은 다음, 이지한은 내 컵에서 동전을 끄집어냈다.

"이걸로 따면 됩니다."

"아, 안 돼요. 그거까지 잃으면 나 완전 빈털터리 되는데? 싫어요, 나 그건 그냥 갖고 있을래요."

나는 얼른 고개를 내저었다. 그러나 이지한은 확신에 찬 얼굴로 또박또박 세뇌하듯 말했다.

"잃지 않습니다."

말릴 새도 없이 이지한은 슬롯머신에 마지막 동전을 집어넣었다.

"으아, 그건……!"

한발 늦게 동전을 향해 손을 뻗었지만, 동전은 금세 투입구 안으로 쏙 들어갔다. 이지한은 곧장 붕 떠 있는 내 손을 낚아채더니 레버를 쥐게 했다. 그러고서 자기 손으로 내 손을 감싸 쥐었다.

"자, 같이해 봅시다."

말이 끝나기도 전에 이지한의 손이 내 손을 쥔 채 레버를 당겼다.

"어어……!"

당황하는 사이, 이지한은 슬롯머신의 규칙을 따라 두 번 더 레버를 당겼다. 그러자 잠시 후, 슬롯머신은 요란하게 동전을 쏟아 내기 시작했다.

기가 막히게도, 잭팟이 터진 거였다.

"아, 뭐지? 왜 지금은 터지는 거지?!"

순간 너무나 어처구니가 없어서 외쳤다. 드디어 잭팟이 터졌다는 기쁨 따윈 안중에 없었다.

"왜 내가 당길 때는 꽝이고! 왜 누군 한 번 만에 잭팟인 건데?!"

생각할수록 뭔가 억울해서, 벌떡 일어났다.

"왜 여태 나한테는 꽝만 준 거야?"

차별받은 기분에 슬롯머신을 꽝 차 버리려는데, 이지한이 뒤에서 나를 끌어안았다.

"내가 이렇게 운이 좋은 남잡니다. 금수저 물고 태어나서, 황금 마차 타고 달리는, 평생이 황금기인 남자."

자랑하듯 하는 말에 발끈해서 뒤를 돌아봤다.

"아, 누구 놀려요?"

"자기 PR하는 겁니다. 나 이런 남자니까, 버리지 말라고."

"예?"

뜬금없어 어리둥절한데, 이지한이 내 등에 더욱 가슴을 밀착시키며 허리를 꽉 껴안았다. 그대로 이지한은 의자에 몸을 앉혔고, 그 바람에 나는 이지한의 무릎 위에 앉게 되었다. 이지한은 내 어깨에 매달리듯 턱을 걸고, 내 귀에 입술을 가까이 들이댔다.

"금수저는 혼자 물고 태어났지만, 황금 마차는 꼭 같이 타고 달립시다. 평생 황금기로 모실 테니까."

아……. 내가 왜 슬롯머신 잭팟 따위에 화를 내고 있었지?

나는 손에 쥐고 있던 종이컵을 미련 없이 바닥에 떨어뜨렸다. 그리고 이지한을 향해 몸을 돌렸다.

쨍그랑, 동전 부딪치는 소리가 들려왔을 때, 내 입술은 이지한의 입술에 부딪혀 있었다.

내가 지금 더 바랄 게 뭐가 있을까…….

두 입술을 절대 떨어뜨리지 않으면서, 두 손으로 이지한의 금빛 머리칼을 가득 움켜쥐었다.

그대로 눈을 감은 채, 나는 별을 느꼈다. 하늘에서 내 앞으로 뚝 떨어진 것 같은, 나에게만 잡혀 주는 내 황금 별을. 절대로 놓지 않으리라고 다짐하면서.

외전2. 베이비 임파서블?

외전2. 베이비 임파서블?

뉴욕에서 지낸 반년 동안, 내 아정은 많은 것을 배워 냈다.

어학원에 다니면서 밤낮으로 영어책을 끼고 살더니, 고작 두어 달 만에 어지간한 의사소통이 영어로 가능해졌고. 그때부터 계속해서 영어를 배워 가는 한편, 수영과 무용을 배우기 시작했다. 강사가 외국인인 터라 손짓 발짓을 섞어 가며 눈치코치로 배운다더니. 그 덕분에 영어 실력까지 덩달아서 일취월장하는 듯했다.

또한 내 아정은 틈틈이 나와 함께 브로드웨이의 많은 공연을 접했다. 나로서는 바쁜 졸업 학기 중에 내 아내와 함께하는 재충전의 시간이었지만. 내 아정은 모든 공연을 스승님 모시듯이 바라봤고, 집에 돌아오면 그날 본 공연의 배울 점을 반드시 일기장에 기록했다.

이전까지의 나아정이 사방이 꽉 막혀 있던 호수 물이었다면, 이제 내 아정은 길이 뚫려 바다로 향해 가는 강물이 아니려나. 그런 생각을 하며, 나는 하루하루 커져 가는 마음으로 내 아정의 바다를 준비했다. 논문을 쓰는 한편 직접 희곡 집필에 참여해 가며. 주식으로 돈을 불려 연극 제작비를 마련해 가며.

마침내 대학원을 졸업하고 한국에 돌아왔을 때, 우리의 연극은 희곡 작업이 모두 끝나 본격적인 제작이 시작되었다.

그로부터 1년이 지난 오늘. 내 아정의 연극 마지막 공연이 펼쳐지고 있을 지금. 나는 도곡동 우리 아파트의 주방에서, 앞치마를 두른 채 전을 부치고 있다.

"그냥 가사 도우미를 부를 것이지. 제사 음식 손도 많이 가는데, 그걸 혼자 다 하고 있어?"

조금 전에 도착한 형이 내 옆으로 서며 혀를 내둘렀다.

"장모님 제사 음식인데, 남 시키면 쓰나. 내가 해야지."

"열부 났다, 열부 났어. 뭐, 내가 좀 도와줄까?"

"아니. 거의 다 했어. 이것만 부치면 준비 끝나. 아, 거실에 상이나 좀 펴 줘. 내 아정 씨 올 때 다 됐으니까. 슬슬 상 차려야지."

내 부탁에 형은 거실로 건너갔다. 나는 노릇해진 전을 건져 깔끔하게 제기에 옮겨 담았다. 흐트러지지 않게 한 층 두 층 전을 쌓아 올리는 사이, 형이 내 옆으로 돌아왔다.

"근데 하필 공연 마지막 날이 장모님 제사하고 겹쳐서 어쩌냐? 보면 마지막 날은 다 같이 파티하고 그러던데. 제수씨 혼자 빠지는 거야?"

"파티는 내일이야."

"아, 그래? 다행이네. 보통은 종연 당일에 하던데."

"갑자기 공연 기간 한 달이나 연장하게 돼서, 일정 이렇게 겹친 거니까. 그 정도 배려는 받아야지."

대수롭지 않은 투로 대꾸한 뒤, 전이 담긴 제기를 들고 거실로
향했다.

"그러고 보면 정말 되는 놈은 뭘 해도 되는 건가."

형이 내 뒤를 따라오며 신기한 듯 말했다.

"그 연극 그렇게 흥행한 거 보고, 어머니 지금 꿈에 부풀어 계시
더라. 우리 그룹 다 죽어 가는 엔터테인먼트 사업부, 조만간 네가
살려 내지 않겠냐고."

나는 제사상에 전을 내려놓고서 무심하게 대꾸했다.

"내 아정 씨가 그러라고 하면, 그렇게 해야겠지."

"네 아정 씨가 그러라고 안 하면?"

"안 해. 그러니까 나한테 그런 일 맡기고 싶으면, 우선 내 아성
씨 허락부터 받아."

주방으로 건너가며 말하자, 형이 따라와서는 내 검은 머리칼을
가리켰다.

"너 그 머리 색 염색할 때도 네 와이프 허락 필요하다더니. 이제
일 문제까지 허락받고 결정하겠다는 거야? 무슨 수렴청정이냐?"

"그래야 어머니가 내 아정 씨 함부로 못 대할 것 아냐?"

아무렇지 않게 반문하고 식탁 위의 제기를 들어 옮겼다. 그러자
형도 두 손에 제기를 들고는 나를 따라 제사상으로 이동했다.

"인마, 함부로는 무슨. 행여 대 끊길까 봐, 어머니가 네 와이프
얼마나 신경 써서 대하는데."

"형 몰랐었잖아. 어머니가 형 게이인 거, 다 알고 있었단 거."

"그, 그야 그랬지. 근데 그건 왜?

제사상에 제기를 놓은 다음, 형을 향해 가볍게 일침을 던졌다.

"어머니에 대한 형의 판단력은 못 미덥단 얘기지."

형은 할 말이 없어진 듯 입을 다물었다.

그때, 현관문이 급하게 열리는 소리가 났다. 곧이어 헐레벌떡 뛰어들어 오는 내 아정이 보였다.

"지한 씨, 미, 미안해요, 나 너무 늦었죠?"

내 아정은 내 발 앞에 발을 멈추고서, 숨을 헐떡이며 주위를 둘러봤다.

"어떡해⋯⋯. 벌써 다 했네⋯⋯. 이거 전부 혼자 했어요? 이렇게 많이?"

울상이 된 얼굴이 나를 올려다봤다. 나는 대수롭지 않게 고개를 끄덕였다.

"내가 와서 돕는다니까! 왜 벌써 다 했어요!"

"내가 하는 게 훨씬 맛있으니까. 일찍 왔었어도, 내가 다 했을 겁니다."

딱 잘라 말해 주자 울상인 얼굴에서 입술이 삐죽 나왔다. 그 입술에 얼른 내 입술을 들이 붙였다가, 아쉽지만 금세 떼어 냈다.

"가서 손 씻고, 옷 갈아입고 와 주기나 해요. 제사 시작하게."

당부하며 살짝 볼을 꼬집었다. 그러자 내 아정은 내 허리를 꼭 끌어안으면서 가슴에 얼굴을 파묻었다.

"잠깐만요. 잠깐만. 잠깐만 이러고 있을래요."

조르는 목소리에 입꼬리가 간질거린다. 덩달아서 가슴속도 간지럽다. 가슴속에 쌓인 눈을 뽀드득, 밟는 것만 같이.

내가 어쩌다 이렇게 결혼을 잘한 건지.

밑도 끝도 없는 만족감에 사로잡혀 나는 내 아정의 어깨를 끌어안았다.

그러고 있노라니, 어디선가 형의 깊은 한숨 소리가 들려오는 듯
했다.

제사가 시작되자, 제주로서 술을 마시기도 전에 내 아정은 취한
듯이 보였다. 발그레 달아오른 채로 희희낙락 웃는 얼굴에. 들썩들
썩 들뜬 몸짓에. 왜인지 찔끔찔끔 눈물을 훔쳐 내기까지.

영락없이 취한 모습에 나는 짐작했다.

이 여자가 지금 정말로 취했구나. 술이 아닌 다른 것에, 너무너
무 좋은 것에 취했구나.

배우로서의 꿈을 이뤘다는 행복이거나. 어머니께 이 모습을 보인
다는 행복이거나. 아니면 그 둘 다이거나.

아무튼 이 여자는, 행복해서 취한 거구나.

그렇게 내 여자의 마음을 헤아려 보며, 나는 깍듯한 몸가짐으로
장모님께 절을 올렸다.

마침내 제사를 마쳤을 때, 시간은 이미 자정에 가까워져 있었다.
제사 음식을 식탁으로 옮겨 놓고, 나와 형은 식탁에 나란히 앉았
다. 내 아정은 내 맞은편에 앉았다. 제사 내내 그랬듯이 발그레한
얼굴로, 싱글벙글 웃으면서.

이윽고 음복 삼아 식사를 하는데. 내 아정은 산적을 씹다 말고
감탄을 터뜨렸다.

"으아! 우리 엄마 진짜 좋았겠다!"

곧바로 내 아정은 이것저것 제사 음식을 마구 입에 넣었다. 저러다 체하지 싶어 나는 물병을 내밀면서 타박했다.

"이봐요, 내 아정 씨. 천천히 먹읍시다. 우리 시간도 많고, 음식도 많습니다."

내 아정은 음식을 열심히 씹으면서 고개를 내저었다. 그리고 내가 건넨 물병 대신 제사 때 쓰던 술병을 쥐었다. 그대로 컵에 술을 따라 마신 다음, 내 아정은 찬사를 뱉어 냈다.

"제사상 이렇게 맛있게 차려 받은 귀신, 세상에 우리 엄마밖에 없을 거예요! 우리 엄마 오늘, 귀신 중에 제일 행복한 귀신일 걸요?"

그러고서 내 아정은 재빨리 떡을 향해 젓가락을 뻗었다. 그때 옆에서 형의 목소리가 들려왔다.

"나도 이런 제사 음식 처음이다."

고갤 돌려 형을 보자, 형이 엄지를 척 들어 보였다.

"이건 뭐, 우리 집안 제사상도 다 너한테 차리라고 해야겠는데?"

으쓱해져 입꼬리를 올리는데 맞은편에서 툭툭, 심상치 않은 소리가 났다. 그 바람에 다시 내 아정에게로 시선을 옮겼다. 그러자 떡이 목에 걸렸는지, 내 아정이 자기 가슴을 주먹으로 치는 게 보였다. 나는 순간 튕기듯 벌떡 일어났다. 그러나 내가 어쩌기도 전에, 내 아정이 먼저 술을 벌컥 들이켰다.

이내 편안해진 얼굴로 잔을 내려놓기에, 나는 가슴을 쓸어내리며 자리에 도로 앉았다. 그러자 옆에서 형이 입을 열었다.

"아들놈 30년 키워 봐야, 며느리가 30초 만에 바꿔 놓는다더니. 나는 그게 내 동생 얘기일 줄은 꿈에도 몰랐다."

"난 뭐 알았겠어?"

나는 내 아정을 계속 지켜보며 말했다. 내 아정은 다시 잔에 술을 붓더니 죽 들이켰다. 이윽고 잔을 내려놓는 내 아정의 얼굴에는 달달한 걸 마신 듯이 활짝 웃음이 걸려 있었다.

"이 여자 없이 28년을 살아 봤으면서. 이제 이 여자 없이 사는 법을 모르게 될 줄."

거울처럼 똑같은 웃음이 내 얼굴에 걸쳐졌다. 그런데 이내 내 아정은 자세를 바꾸었다. 두 손으로 술병을 들고, 고갤 젖혀 술병째로 술을 벌컥벌컥 마셨다.

"어째 많이 마시는 것 같은데."

형이 걱정스레 중얼거렸다. 말 끝나기가 무섭게 내 아정은 입에서 술병을 떼어 냈다. 그러더니 마치 현미경을 들여다보듯, 술병 입구를 한쪽 눈으로 들여다봤다.

잠시 후에 술병을 아예 내려놓으면서, 내 아정은 울먹거렸다.

"술이……. 없어어……."

순간 나는 중얼거렸다.

"취했네."

"취했어."

화답하듯 형도 중얼거렸다.

"나는……. 술이 없어어……."

내 아정은 고개를 푹 숙이고 속상한 목소리를 냈다. 신음 같고 하소연 같은 술주정에 속이 뻐근하게 아파 온다. 곧 울지 싶어서, 급하게 몸을 일으켜 곁으로 다가갔다. 그런데 느닷없이 내 아정이 벌떡 고개를 들었다.

"나는! 남편이 있어!"

눈물이라곤 찾아볼 수 없는 신난 얼굴이었다. 거기 걸린 웃음이 어찌나 크고 환한 웃음인지. 내 아정은 웃느라고 눈이 다 감겨 있었다.

"남편! 남펴언!"

내 아정은 주위를 두리번거리려다 금세 옆에서 나를 발견했다. 바로 다음 순간 내 아정은 내 허리를 꽉 안으며 매달렸다.

"남편, 남편, 남편, 남편!"

좋아 죽는 표정으로 무작정 나를 불러 대는 모습에, 나도 모르게 혼잣말이 튀어나왔다.

"나 참, 좋아 죽게 귀엽네."

나는 손을 내려 내 아정의 머리를 쓰다듬었다.

"야, 나 그만 가 봐야겠다."

갑작스러운 인사에 고개를 돌려 보자, 형이 자리에서 일어난 채 우리를 보고 있었다.

"어이구. 내가 저 꼴을 안 보려면, 그때 확 나아정하고 결혼을 했어야 하는 건데."

형은 눈꼴시단 표정으로 투덜거렸다. 그러거나 말거나 안중에도 없이, 내 아정은 발을 의자에 딛고 일어서서 내 목을 끌어안았다. 나는 그런 내 아정이 넘어지지 않게 꼭 안으며 형에게 딱 잘라 대꾸했다.

"내 눈에 흙이 들어와도, 절대 그 결혼은 안 될 일이었어."

"그 결혼이 이런 이유로 깨지게 될 줄, 누가 알았겠냐?"

형은 피식 웃더니, 이어 말했다.

"너, 나한테 고마운 줄이나 알아. 내가 나아정하고 그 결혼 시도 안 했으면, 너 네 아정 씨 없이 평생 살았을 거다."

"그래서 내가 형, 세상에서 제일 사랑하는 거야."

"나? 네 아정 씨 아니고?"

"남자 중에 말이지."

"내 그럴 줄 알았다."

형의 실소를 보며 나도 피식 웃는데, 내 아정이 슬금슬금 두 다리로 내 허리를 껴안았다. 나는 그런 내 아정의 엉덩이를 팔로 든든하게 받쳐 주었다. 그러자 내 아정은 내 귀에 대고 속삭였다.

"자기야……. 우리 자기님……."

입김을 불어 넣은 듯이 귀가 간지러운 말이었다. 순간 눈이 뒤집힐 만큼 심장이 간지러운 말이기도 했다.

"형, 나가는 법 알지?"

후끈 뜨거워지는 몸을 느끼면서 다급하게 물었다. 하지만 대답은 듣지 않았다. 내 아정을 껴안은 채, 곧장 침실로 달려가느라고.

술이 다 깰 정도로 난리인 밤이었다.

연장 공연 한 달 동안, 체력을 아끼느라 내내 참아야 했는데. 이제 그럴 필요가 없으니까. 한 달 치를 몰아 하듯 밤은 길고 치열했다.

오늘은 공연이 없다는 게 얼마나 다행인지. 나는 밝아 오는 창밖을 보며 안도했었다.

그러고서 잠시 잠이 들었었는데, 부스럭부스럭 움직이는 기척에 눈이 떠졌다. 그러자 옷장 앞에서 외출복을 입는 지한이 보였다.

“어? 어디 가요?”

“콘돔 사러 갑니다. 간밤에 다 쓰고 없어서.”

“콘돔? 아니, 아침 댓바람부터 무슨, 그걸 사러 지금 간다고요?”

황당해서 허리를 일으키며 묻자, 지한은 재킷을 걸치면서 아무렇지 않게 대답했다.

“내 아정 씨 깨기 전에 얼른 사 오려고 한 겁니다.”

“그거 뭐, 그렇게 급한 일도 아니잖아요. 그냥 이따 같이 장 보러 갈 때 사면 되지. 왜 지금…….”

“내 아정 씨 깨자마자 하려면, 지금 사 와야지 싶었습니다.”

“깨자마자……. 또요?!”

“남들은 신혼 때가 제일 뜨거울 때라는데. 막 눈만 마주쳐도 전기가 튄다는데. 눈 뜨자마자 또 하는 게, 그렇게 놀랄 일입니까?”

지한은 태연하게 반문하며 침대로 다가왔다.

“아, 그거야. 신혼 때 얘기죠. 이제 결혼한 지 2년이면, 신혼은 아니지.”

“난 수저 들 힘만 있어도 신혼으로 살 겁니다.”

장담하고서 지한은 내 머리를 잡고 허리 숙여 이마에 입을 맞췄다.

“다녀와서 바로 할 테니까. 더 자든가 합시다.”

그대로 지한이 몸을 돌리기에, 얼른 지한의 옷자락을 붙잡았다.

“아니…….”

“왜요?”

“좀 잘 찾아봐요. 그거 몇 개 남았을 텐데? 전에 내가 세어 봤거든요?”

“몇 개 남았었는데, 어제 다 썼습니다. 중간에 몇 번 찢어져서.”

"아, 맞다······."

찢어져서 몇 번 갈아 썼었지.

이제야 떠오르는 기억에 고개를 끄덕였다.

"그러니까 잠깐만 기다립시다. 내가 사 올 때까지."

"아니, 그래도. 그래도 지금 나갈 필요 없지 않아요?"

나는 지한의 옷자락을 더 꼭 붙들며 말했다.

"우리 이제 피임, 안 해도 되잖아요. 그럼 그냥 해도 될 텐데?"

내 질문에 지한은 이상한 듯 대꾸했다.

"피임을 왜 안 합니까?"

"그야, 아이 가지려면 당연히 안 하는 거죠."

어제까진 내 일 욕심에 미뤄 뒀던 일이지만, 이제 더 미룰 이유
가 없는 일이었다. 오늘부로 아이 가질 여유는 충분해졌으니까. 그
렇기에 나는 재촉하듯 두 손으로 지한의 옷자락을 팔락팔락 흔들
었다.

"그러니까 얼른 이거 벗어요. 사러 가지 말고."

그런데 지한은 고개를 절레절레 저었다.

"사러 갈 겁니다. 우리, 아이 안 가질 거니까."

"예?"

순간 귀가 의심스러워서 눈을 껌뻑거렸다. 그러자 지한은 친절하
게도 말을 반복해 주었다.

"아이, 안 가질 겁니다."

마치 그것이 불변의 진리인 양, 지한은 확고하게 신념에 찬 얼굴
이었다.

아이를······. 안 가진다고?

생각지도 못한 말에 나는 어안이 벙벙해졌다. 지한은 그런 내 이마에 다시 입을 맞추더니, 아쉬운 듯 입술에 한 번 더 입을 맞췄다. 그리고 빨리 다녀오겠다는 인사와 함께 훌쩍 내 앞에서 멀어져 갔다.

빠져나간 정신이 겨우 되돌아왔을 때, 지한은 감쪽같이 사라지고 없었다.

내가 방금 무슨 말을 들은 거지? 아이를 안 가진다니……. 그게 말이 돼? 아, 아니야. 꿈일 거야. 내가 잠깐 꿈을 꿨나 봐.

나는 내 기억을 부정하며 고개를 마구 저었다. 그러다가 몸을 눕히고서, 눈을 감고 잠을 청했다.

지금 이 순간도 내가 꿈속에서 꾸는 꿈의 일부라고. 다시 자고 일어나면, 이 모든 게 꿈이었단 사실을 알 수 있으리라고. 그렇게 나 자신을 안심시키면서.

그로부터 딱 한 달이 지난 오늘. 지경의 사무실 탁자에서 지경과 함께 마주 앉은 채, 나는 충격적인 현실을 고발했다.

"근데 그게 꿈이 아니라니까? 꿈일 거면 진작 깼어야 하는데! 한 달째 안 깨는 거 보면! 이건 진짜 현실이라니까? 너는 이게 믿겨져? 믿을 수 있는 일이야, 이게?"

"아직은 신혼을 더 즐기고 싶은가 보지. 아무래도 아이 생기면, 둘만의 시간은 힘드니까."

지경은 대수롭지 않은 투로 말했다.

"아니, 그 신혼을 죽을 때까지 즐기고 싶대! 아직은,이 아니라,

앞으로 평생! 평생 안 가질 거래!"

"흠……. 그건 좀 이상하네. 왜 그러지? 너희 결혼 허락받을 때, 자기하고 아이 가질 수 있는 여자는 너뿐이라고 했었잖아?"

"내 말이! 그래 놓고 지금 와서 딴소리라니까!"

억울해서 가슴을 치며 외쳤다.

"이유가 뭐래? 설마 이유도 없이 그러진 않을 거잖아."

"없지 않아. 없지 않은데! 차라리 없었으면 해!"

"뭔 소리야? 없었으면 하다니."

"차라리 이유 없이 그러면, 내가 화라도 내지! 무슨 그런 이유를 대? 화도 못 내게!"

"왜? 뭔데? 대체 무슨 이유라서 이래?"

지경은 아주 궁금한 표정으로 내게 시선을 집중시켰다.

"나 공연하는 동안, 자기도 생각했었대. 공연 끝나면 슬슬 아이 가져 볼까. 그래서 임신 관련해서, 이것저것 조사를 했었는데."

"그랬는데?"

"여자가 임신하면 얼마나 힘든지. 너무 잘 알게 돼서, 내가 그거 겪게 하기 싫대!"

"뭐?"

"무슨 임신 중에 산모 배 속에서 일어나는 변화까지 다 공부했더라! 태아가 커지면서 장기를 누른다느니, 태아 무게에 척추가 휜다느니. 갈비뼈에 압박 가서 숨쉬기도 힘들다느니. 아, 심지어 젖몸살까지 배워 왔어!"

지경은 넋이 나간 멍한 눈빛으로 말없이 나를 보기만 했다.

"어우, 나 진짜 이 남자 어떻게 해야 돼? 나 힘들까 봐 그런다는데. 내가 화를 낼 수도 없고!"

"……."

"지경아. 아니, 아주버님. 그래서 말인데. 지한 씨한테 아주버님이 눈치 좀 주면 안 돼? 2세 언제 생기냐고. 어머님도 기다리고, 아주버님도 기다린다고."

두 손을 모아 쥐고 간절하게 부탁했다. 지경은 눈을 내리뜨고 잠시 생각하는가 싶더니, 숙연한 목소리로 말했다.

"그냥 네가 포기해라."

"뭐? 왜?"

"네 말이 0순위인 녀석이 지금 네 말을 안 듣는 건데. 이 상황에 누구 말이 소용 있겠냐?"

"그, 그렇다고 그냥 포기해? 그럼 어머님은? 어머님은 우리 애 낳을 거, 철석같이 믿고 계실 텐데! 어떻게 임신을 포기해?"

어머님은 며느리 욕심은 버려도, 손주 욕심은 버릴 수가 없으신 분이다. 그러니까 손주를 얻기 위해 나라는 며느리를 참고 받아들이신 거지. 그런데 그런 분한테, 어떻게 이제 와서 손주 욕심까지 버리라고 할 수 있어?

나는 절대 그럴 수는 없단 생각으로 고개를 내저었다.

"어머니한텐 사실대로 말할 것 없어. 그냥 노력하는데도 애가 안 생긴다고 해. 그러면 뭐 어머니라고 별수 있어?"

지경은 대수롭지 않은 투로 어깨를 으쓱해 보였다. 지경의 안이한 대처법에 나는 가슴이 답답해져 한숨을 내쉬었다.

"지경아, 너는……. 네 어머니한테 뭘 숨길 수 있다고 착각 좀 하지 마. 너 게이인 것도 이미 다 알고 계셨던 분인데. 넌 그런 줄도 모르고, 나랑 결혼할 뻔했어. 기억 안 나?"

"아……."

"내가 그런 핑계 대면, 우리 진짜 불임인지 아닌지. 우리 부부 주치의 통해서 어떻게든 알아내실걸?"

"아니라고 장담은 못 하겠다."

"설령 아니라고 해도 그래. 난 어머니한테 손주 꼭 안겨 드리고 싶어."

진지하게 고백하자 지경은 난감한 듯 머리를 긁적였다.

"글쎄다. 나로서는 방법을 모르겠는데."

"그럼 만나서 얘기라도 좀 해 줘. 아이 생기는 게 얼마나 좋은 일인지. 나 말고 형한테도 듣다 보면, 생각 바뀔 수노 있삲아."

만에 하나라는 게 있으니까. 지푸라기라도 잡는 심정으로 부탁했다. 그러자 지경은 그쯤이야 싶은 얼굴로 고개를 끄덕끄덕했다.

"아주버님 최고!"

나는 두 엄지를 척 들어 올리며 찬사를 던졌다.

"아주버님 진짜, 세상에서 제일 멋진 남자야!"

"네 남편은 어쩌고?"

"게이 중에서……."

작게 덧붙이며 슬그머니 엄지와 검지를 맞붙여 작은 하트를 만들었다. 그런데 그때 노크 소리가 들려왔다. 이어서 문이 열리더니, 비서가 들어섰다.

"밖에 임대철 씨 와 계시는데요."

순간 눈이 휘둥그레져서 지경을 봤다.

"이, 임대철?"

지경은 힐끗 내 눈치를 보고는 금세 비서를 향해 말했다.

"잠깐만 기다려 달라고 해 줘요. 우리 제수씨 곧 나갈 테니까."

"예, 상무님."

비서가 완전히 방문을 닫고 사라질 때까지, 나는 입술을 꾹 깨물고 기다렸다. 그리고 비서의 발소리가 멀어지는 것까지 확인한 뒤, 벌떡 일어나서 말문을 터뜨렸다.

"야, 너! 너 또 그 소도둑놈 만나?!"

"아정아, 그런 거 아니야."

지경은 별일 아니라는 듯이 허허 웃어 보였다. 그렇지만 나로서는 별일이 아닌 듯이 넘어갈 수 없는 일이었다. 나는 냉큼 지경에게로 달려들었고, 지경에게만 들리도록 소리 낮춰 외쳐 댔다.

"그런 거 아니면, 뭐! 그 인간이 왜 여길 오는데? 사귀는 내내 너 등쳐 먹고, 너 사칭해서 사기까지 쳤던 놈이! 감히 여기가 어디라고, 너 만나러 여길 와?"

"아정아. 진정하고 내 말을 들어."

어떻게든 나를 설득해 보려는 지경의 태도에 울컥 피가 거꾸로 솟았다. 그래서 나도 모르게 지경의 멱살을 잡아 흔들었다.

"너 이놈의 자식! 너 정신 못 차려? 너 네가 얼마나, 얼마나 좋은 녀석인데! 얼마나 괜찮은 인간인데! 저딴 놈을 왜 만나, 네가!"

"아, 아정아, 지금 밖에 있는 임대철은 네가 아는 임대철하고는 다른 사람이야."

"야! 사람 안 변해! 똥차 세차한다고 벤츠 되냐?!"

"아니, 그 뜻이 아니……."

"임대철은 절대 안 돼! 절대! 나 이 연애, 반대야! 내가 이 연애,

죽어도 허락 안 한다고!"

나는 기필코 뜯어말릴 기세로 지경의 멱살을 흔들어 댔다. 그런 내 손을 떼어 내려 애쓰다가, 지경은 밖을 향해 소리쳤다.

"김 비서! 김 비서!"

잠시 만에 문이 열리면서 비서가 나타나자, 지경은 황급히 외쳤다.

"임대철 씨 빨리 모시고 와요! 빨리!"

"예? 아, 예, 예."

비서는 우리 둘의 모습에 당황하더니, 얼른 문밖으로 사라졌다.

"뭐? 빨리 모시고 와? 야, 그래! 빨리 오라고 해! 내가 너를 잡을 게 아니라, 그 자식을 잡아야겠다! 아주 머리채를 확 잡고! 다 뜯어 버릴 거야, 내가!"

이를 갈며 장담하는 사이, 노크 소리가 들려왔다. 그래서 지경의 멱살을 놓고 문을 향해 몸을 마주 세웠다.

예전의 나였다면 상상도 못 할 일이었지만, 나는 곧 나타날 임대철의 머리채를 잡기 위해 소매를 걷어붙였다. 그런데 이상하게도, 낯선 남자가 방 안으로 들어왔다.

"누, 누구세요?"

순간 어리둥절해서 묻자, 남자는 역시나 어리둥절한 표정으로 대답했다.

"중아일보 임대철입니다만……."

그러는 너는 누구냐는 눈빛이었다.

혹시나 내가 아는 임대철이 전신 성형을 한 게 아닐까……, 5초쯤 생각했지만. 아무래도 저 눈빛은 나를 전혀 모르는 눈빛이라서, 곧 의심을 거두었다.

그리고 나는 지경에게로 시선을 보냈다.

"저분은 누구……?"

"임대철 씨. 네가 아는 임대철 말고. 전혀 다른 사람. 동명이인. 나 취재하러 온 기자님이셔."

진짜로 다른 사람이구나……!

깨닫는 동시에 안도감이 밀려들었다.

"야, 진짜 다행이다!"

얼굴 가득 화색이 번지는 사이, 마주한 지경의 얼굴에는 피식 실소가 번졌다.

"그게 그렇게 걱정이냐? 내가 이상한 사람 만날까 봐?"

"아, 당연하지! 네 눈이 보통 눈이냐? 어디서 쓰레기만 골라 오는 비범한……."

나는 울컥 흥분해서 말하다가, 옆의 기자가 생각나서 남은 말을 삼켰다. 이지경의 남자 보는 눈, 내가 참 할 말은 많은데! 참는다, 참아!

"어, 어쨌든! 우리 아주버님이 얼마나 멋진 사람인데! 우리 아주버님은 진짜, 진짜 좋은 사람 만나야 돼."

꼭 그렇게 되라고. 세뇌하듯 단호하게 말했다. 그리고 왼쪽 가슴 앞에 두 손을 모아 하트 모양을 만들었다.

내 남편에게 보일 때보단 아주 살짝만 작게.

지경의 지원 사격은 아무짝에 쓸모없는 것이었다.

퇴근 후 형을 만나느라 늦는다더니. 지한은 보란 듯이 양손 가득

장을 봐서 돌아왔다. 뒤지고 또 뒤져도 콘돔밖에 나오지 않는 두 개의 장바구니 앞에서 나는 두 주먹을 불끈 쥐고 부들부들 떨었다.

침대 옆에 나와 장바구니를 그냥 방치한 채, 지한은 옷장 앞에 서서 넥타이를 풀어냈다.

"저기요. 이거 무슨 의미예요?"

벌떡 일어나서 장바구니를 가리키며 묻자, 지한은 단호하게 대꾸했다.

"외압에 굴하지 않겠다는 의지의 표명입니다."

"외압이요?"

"형이 조카 보고 싶다고, 내 감성에 호소하는 게. 어째 외압으로 느껴져서 말입니다. 형 데리고 마트 가서 샀습니다."

"저, 저걸 지경이가, 아주버님이 보는 앞에서 샀다고요?!"

경악하는 내 앞에서 지한은 태연하게 셔츠 단추를 풀며 대답했다.

"민망해할 것 없습니다. 우리 다 큰 성인이고, 부부니까. 저걸 쓰는 건 선택이지, 금기가 아닙니다."

"아니, 그렇다고 형 앞에서……! 대체 형한테 그렇게까지 할 게 뭐 있어요! 그냥 노력해 보겠다, 그러고 말지!"

"노력 안 할 건데. 거짓말은 왜 합니까?"

지한은 마지막 단추를 풀며 시큰둥하게 질문을 던졌다. 그럴 생각이라곤 눈곱만큼도 없다는 게 확고하게 느껴져서, 불쑥 얄미움에 화가 치밀었다.

"노력을 하라고, 이 남편아!"

내 부르짖음에 지한은 동작을 멈추고서 나를 빤히 봤다.

"나도 원하고, 형도 원하고, 어머님도 원하는 일인데! 까짓것 좀 해요! 하라고!”

덧붙여서 강요해 대자, 지한은 언짢아진 표정으로 입을 열었다.

“아니. 형하고 어머니야, 자기 몸 아니니까 그런다고 칩시다. 내 아정 씨는 대체 왜 이러는 겁니까? 자기 몸인데. 자기 몸이 힘들어진다는데.”

“힘들어도 하고 싶다고요!”

이참에 확 밀어붙이자는 마음으로 쪼르르 지한의 코앞까지 다가갔다. 그리고 지한의 허리를 끌어안고 올려다보며, 애원하듯 물었다.

“지한 씨는 나 닮은 딸, 보고 싶지 않아요?”

“내 아정 씨 하나로 행복 지수 차고 넘칩니다. 내 아정 씨 닮은 다른 사람, 나는 왜 필요한지 모르겠군요.”

지한은 심드렁하게 대꾸했다. 순간 나는 말문이 막혔지만, 이내 애써 반박을 시도했다.

“나, 나는 지한 씨 닮은 아들, 보고 싶거든요?”

내 질문에 지한은 표정을 확 구기며 나를 내려다봤다.

“왜요? 나 하나로 만족이 안 되는 겁니까?”

“그, 그런 뜻이 아니라요!”

“그런 게 아니면. 왜 나 닮은 다른 사람이 더 필요한 겁니까?”

“지한 씨는 남편이지, 자식이 아니잖아요! 남편하고 자식은 엄연히 다른 건데! 지한 씨한테 만족한다고 해서, 아이가 없어도 되는 건 아니에요!”

볼멘소리로 항의하자, 지한은 진지한 눈빛으로 잠자코 나를 보기만 했다.

“나는 엄마가 되고 싶은 거라고요.”

간절한 덧붙임에 지한은 눈을 감고 작게 한숨을 내쉬었다. 이윽고 다시 눈을 떴을 때, 지한의 눈빛은 부드럽게 변해 있었다.

"내가 생각이 짧았습니다."

엇! 생각이 바뀐 건가?

불쑥 희망이 차올라서 반짝반짝 눈을 빛냈다. 지한은 그런 내 허리를 잡아 번쩍 들어 올렸다. 나는 자연스레 손으로 지한의 어깨를 잡았고, 다리로 지한의 허리를 감았다. 지한은 떨어지지 않게 나를 끌어안았다. 그런 채로 지한은 나를 살짝 올려다보며 이어 말했다.

"나는 내 아정 씨, 부모 사랑 못 받은 것까지 내가 채워 주고 싶고. 콩알만 하던 자존감 하루하루 자라는 거 보면, 안 먹어도 배부르고. 뭘 해도 예뻐 보이고. 그래서 이런 게 자식 키우는 부모 마음인가 싶었는데. 눈에 넣어도 안 아플, 자식 같은 부인 있으니까. 따로 자식 갖고 싶은 마음, 이해를 못 했나 봅니다."

듣다 보니 감동적인 말이라서, 가슴속이 뭉클해졌다. 그래서 고마운 눈빛으로 지한의 눈을 바라봤다.

"사실 난 부모 같은 남편이지, 자식 같은 남편은 아니니까. 내 아정 씨 입장에선 자식도 갖고 싶겠죠. 이제 알겠습니다."

진짜로 생각이 바뀐 거구나!

확신하며 기쁘게 지한의 어깨를 끌어안았다. 그러자 지한은 침대로 걸어가서 나와 함께 침대에 몸을 내렸다. 그리고 나와 마주 앉은 채로 내 두 손을 잡고 다시 입을 열었다. 나는 기대 가득한 마음으로 지한의 말에 집중했다. 그런데…….

"이제부턴 나도 자식같이 굴 겁니다."

"……예?"

“내가 자식 같은 남편이 될 수 있게, 최선을 다할 겁니다. 그러니까 따로 자식 가질 생각은, 이제 안 해도 돼요.”

“……예?”

생각이……. 이상하게 바뀌었잖아?

바윗돌처럼 꿈쩍도 않는 피임 의지에 부딪힌 채, 나는 정신이 멍해졌다. 지한은 그런 내 이마에 맹세하듯 입술 도장을 꾹 찍었다.

“마저 옷 갈아입고, 씻고 올 테니까. 나 좀 안고 재워 줍시다.”

지한은 당부하고 침대에서 훌쩍 일어났다.

눈앞에서 사라진 지한이 옷을 벗고, 샤워를 하고, 잠옷을 입고 다시 나타나는 동안. 내 몸은 굳어 있었고, 빠져나간 내 정신은 돌아오질 않았다. 지한이 스르르 나를 눕혀 놓고, 나에게 안겨 눈을 감을 때까지도.

집에 있는 시간 동안 지한은 자꾸만 껌딱지처럼 내게 붙어 있으려 했다. 늘 새벽부터 하루를 시작하던 사람이 내가 깨울 때까지 날 끌어안고 자는 척을 하질 않나. 5분만 더 잔다고 칭얼대질 않나. 억지로 욕실까지 끌어다 놓으면, 그나마 씻기는 혼자 하는데…….

“아……. 회사 가기 싫다.”

씻고 나와서는 또 저렇게 칭얼대며 침대에 드러눕는다.

자식 같은 남편을 약속한 그제부터, 지금 이 순간까지.

“가지 마요, 그럼.”

나는 침대 옆에서 지한을 내려다보며 착잡하게 말했다. 지한은 반색하며 물어 왔다.

"정말입니까? 그래도 되는 겁니까?"

"어차피 토요일이잖아요."

시큰둥하게 대꾸하자 지한은 놀란 눈으로 반응했다.

"그래요? 왜 난 몰랐지? 역시, 나는 내 아정 씨 없인 못 삽니다. 내 아정 씨가 일일이 다 챙겨 주지 않으면, 사람 구실 못 합니다."

"자식처럼 보이려고 애쓴다, 진짜."

어처구니없어 운을 떼는데, 지한이 나에게로 두 손을 뻗었다.

"손잡고 나 좀 일으켜 줘요. 주말인데, 내 아정 씨 졸라서 놀러 가야지."

내 혼잣말을 못 들은 건지, 못 들은 척하는 건지. 지한은 아무것도 모르는 얼굴로 손을 쥐었다 폈다 반복했다. 꼭 자동차 깜빡이가 깜빡깜빡하는 것처럼.

"지한 씨, 이러는 거 아무 효과 없어요."

나는 팔짱을 끼고 단호하게 말했다.

"지한 씨가 아무리 이래도, 그래도 난 아이 필요해요."

"일단 이거 잡죠? 나 내 아정 씨 도움 없인 못 일어나는데."

"아니, 뭐. 할 거면 일관적으로나 하시든가. 이 와중에 요리는 죽어도 자기가 다 하면서. 괜히 나 없으면 아무것도 못 하는 척, 응석 부리는 척, 떼쓰는 척."

내 지적에 지한은 정색하고 딱딱하게 대꾸했다.

"내 아정 씨. 나는 내 아정 씨 손길이 필요한 사람이지, 손맛이 필요한 메저키스트가 아닙니다."

"아, 뭐 이런 자식 같은!"

나는 욱해서 달려들어 잡아 주었다. 잡아 달란 두 손 대신 멱살을.

"뭐, 자식? 지금 욕한 겁니까?"

"아뇨? 자식 같은 남편한테, 딱 맞는 말 해 준 건데?"

얄미워서 뻔뻔하게 받아치고는 지한의 멱살을 확 당겨 일으켰다. 지한은 내 손을 따라 허리를 세워 앉더니, 곧장 내 허리에 팔을 감쌌다. 그렇게 날 안은 채, 지한은 논개처럼 침대로 벌렁 몸을 돌렸다.

"엄마!"

놀라서 딱 두 음절을 외쳤을 뿐인데. 어느새 나는 눕혀져 있었고, 지한은 내 위에 올라 있었다.

"아, 뭐예요? 뭐 하자는 거예요?"

화난 듯이 눈을 흘기면서 묻자 지한은 내 얼굴을 잡고 조르듯이 대답했다.

"모처럼 회사 안 나가는 주말인데. 사이좋게 놉시다."

말을 마친 입술이 곧바로 내 입술에 들이닥쳐 키스를 시작했다.

이 인간이 아침부터! 무슨 키스에 장인 정신 쏟아붓고 있어!

입안으로 정신없이 녹아드는 달고 뜨거운 맛에 몸이 비비 꼬여 댔다. 나는 눈을 감은 채 두 손으로 침대 시트를 꽉 쥐었다. 그러고 있는데 지한의 손이 옷 속으로 들어오는 게 느껴졌다. 순간 정신을 퍼뜩 차리고서, 눈을 번쩍 떴다. 이어 획 고개를 돌려 입술을 떼어 내며 외쳤다.

"하지 마요!"

내 말에 멈칫하는 지한이 느껴졌다. 다시 지한을 올려다보자, 지한은 당황한 눈빛으로 나를 주시하고 있었다. 나는 그 눈을 피하지 않고, 똑바로 마주 보며 고집스레 말했다.

"피임할 거면, 하지 말라고요."

"뭐요?"

"지한 씨가 아이 가지고 싶어지면, 그때 해요. 나는 피임하면서는 안 할 거니까."

나는 절대 타협은 없을 것처럼, 한 치의 양보도 없을 것처럼 매정하게 고개를 휙 돌려 버렸다.

할 테면 해라. 피임 없이.

내 확고한 의지에 지한은 한동안 아무런 움직임이 없었다.

이 인간이 나 차려 놓고 고사 지내는 건가.

기다리다 지쳐 힐끗 곁눈질로 보았을 때, 지한은 심각한 표정으로 생각에 잠겨 있었다. 죽느냐 사느냐 그것이 문제인 사람처럼.

아니, 임신이 무슨 생사기로에 서는 일이야? 뭐 저렇게까지 고민을 해!

속에 천불이 나서 선택을 재촉하려는데, 마침 지한이 입을 열었다.

"그럼 안 할 겁니다."

"뭘요? 피임을?"

"피임 없이는, 안 할 거란 말입니다."

또박또박 강경하게 말하고서 지한은 나에게서 몸을 거두었다. 지한은 아예 나를 보지 않으려는 듯이, 등을 돌린 채로 침대를 떠났다.

아니, 그렇게까지! 그렇게까지 해야 해?

멀어지는 지한의 뒷모습에 울컥 가슴속의 천불이 머리까지 솟구쳤다.

"아, 진짜! 진짜 이럴 거예요?!"

화가 나서 소리치며, 잽싸게 몸을 일으켜 지한의 뒤를 쫓아갔다.

내가 앞을 가로막자 지한은 못마땅한 표정으로 걸음을 멈췄다.

"내가 하고 싶다는데! 까짓 임신! 그냥 좀 시켜 줘요!"

"나 분명히 그건 안 된다고 했습니다. 임신이 얼마나 여자 몸 혹사시키는 건지. 내가 강의한 거 다 까먹었습니까?"

"안 까먹었어요!"

"아니. 이렇게 겁도 없이 임신하겠다는 거 보면. 강의 내용 까먹은 거 분명합니다. 가서 노트 필기한 거, 다시 읽도록 합니다."

지한은 단호하게 명령하며 서재 방향을 손으로 가리켰다.

"몇 번을 다시 봐도 소용없거든요? 난 아무리 힘들어도 좋으니까, 아이 갖고 싶거든요?"

"내가 아이 대신, 자식 같은 남편 돼 준다고 했잖습니까?"

"지한 씨가 자식 같은 남편이든, 개자식 같은 남편이든, 나는 아이 가질 거예요!"

"이 여자가 정말 겁도 없이!"

지한은 눈살을 확 구겼다. 하지만 물러나지 않고 더 큰 소리를 냈다.

"아니, 임신이 뭐 그렇게 못 할 짓이라고! 주위에 애 낳고 잘 사는 부부들 좀 봐요! 어떤 사람들은 심지어 둘째, 셋째까지 줄줄이 낳고 잘만 사는데! 그 사람들은 뭐, 몸에서 애 빠져나갈 때, 머리에서 기억까지 빠져나가는 거겠어요? 그 힘든 걸 겪었어도, 또 할 만하니까 하는 거지!"

내 주장에 지한은 여전히 눈살을 찌푸린 채, 그럼에도 이성적인 눈빛으로 대꾸했다.

"임신 중 태아 성장에 산모의 DHA와 콜레스테롤이 양분으로 쓰이는데. 이때 뺏긴 양분 탓에 산모의 뇌 기능이 저하되는 데다, 출산 시 에스트로겐 분비량까지 변화해서. 그 바람에 출산 후 기억력이 현저히 감퇴하는 겁니다.”

여긴 어디? 산부인과인가?

눈앞의 이지한이 산부인과 의사로 보이는 착시 현상이 일어났다. 뜬금없는 의학 정보에 멍하니 눈만 깜빡이자, 지한은 결론을 내뱉었다.

“그 여자들은 애 낳을 때 힘든 기억, 까먹었을 거란 얘깁니다. 애 낳는 게 할 만한 게 아니라. 애 낳을 때의 기억 자체가 없는 겁니다.”

개소리가 이토록 의학적일 수 있다니. 역시 아는 것이 힘이구나.

나는 잠시 현혹될 뻔했던 정신을 다잡고서 반박했다.

“아니, 내 친구는 애 낳을 때 기억 다 해요. 그런데도 애 낳는 거 추천했어요!”

“그건 나만 당할 수 없으니까, 너도 한번 당해 보란 뜻입니다.”

지한은 냉정한 표정으로 딱 잘라 말했다.

“내, 내 친구 그런 사람 아니거든요? 무슨 친구 사이에 그런 짓을 해요?”

기막혀하는 내 어깨를 잡고, 지한은 엄숙한 목소리를 냈다.

“설사 그 친구 말이 진심이자 사실이라 쳐도. 내 아정 씨하고 그 친구는 다릅니다.”

“뭐가요?”

“사람은 저마다 체질이 다른 거니까. 그 친구한텐 임신이 그리 힘든 일이 아니었어도, 내 아정 씨한텐 힘든 일입니다.”

“아니, 그걸 지금 어떻게 알아요? 해 보지도 않고.”

“내 아정 씨는 몸통도 작고, 뼈도 약하고, 거기다 골반도 좁으니까. 임신하면 백 프로 고생할 게 빤히 보입니다.”

정말 그런 내 미래를 보고 있는 것처럼, 지한은 확신에 찬 눈빛이었다. 대체 부인과를 얼마나 드나들었으며, 내 체질은 또 얼마나 연구했기에 저리 확신할 수 있는지. 감탄이 절로 났지만, 애써 아무렇지 않은 척 무뚝뚝하게 입을 열었다.

“아, 뭐, 그래요. 그럴싸한 얘기네요. 의학적으로는.”

나는 순순히 인정하며 고개를 끄덕였다. 그러다 고개를 멈칫하고, 야무진 목소리로 이어 말했다.

“근데 지한 씨는 의학적인 것만 신경 쓰고, 법적인 건 전혀 고려를 안 해요?”

내 질문에 의아한 듯, 지한은 고개를 비스듬히 기울였다.

“우리 결혼 허락받을 때. 지한 씨 어머니한테, 내가 이 집안 대를 이어 줄 유일한 여자라고 했어요. 어머니는 그래서 우리 결혼 허락한 거고요. 다시 말해서 우리는, 어머니께 손주 낳아 드리기로 구두 계약을 한 거예요. 구두 계약. 그게 뭔지는 알죠?”

지한은 귀엽다는 듯이 피식 헛웃음을 띤 채 대답했다.

“계약서 없이, 말로 맺는 계약이죠.”

“그래요. 근데 구두 계약도 효력 있다는 거, 그건 몰랐어요? 지한 씨 그거 안 지키면, 그거 사기예요. 우리 아이 안 가지면, 어머님 상대로 사기 치는 거라고요. 어떻게 인두겁을 쓰고 그런 짓을 해요? 어머님한테? 그럼 안 되죠!”

나는 정색한 눈빛으로 눈을 동그랗게 뜨고 따져 들었다. 그러나 어째서인지 지한은 눈웃음을 치며 여유 만만한 기색이었다. 내 반격이 허를 찌르기는커녕 그저 간지러운 듯이.

"잠깐 가만히 있어 봐요. 내가 똑같이 들려줄 테니까."

지한은 내 등 뒤로 건너가서 내 어깨를 그러잡았다. 꼭 어머님께 허락받던 그때처럼.

"잘 봐 둬. 이 여자가 나랑 결혼할 수 있는 유일한 여자고. 우리 집안 대 이어 줄 수 있는 유일한 여자야."

뒤에서 들려오는 말소리는 그때의 말소리와 정확히 일치했다.

"그래요, 지한 씨가 그렇게 말했다니까요? 그것도 어머님한테? 우와! 근데 이렇게 제대로 기억하면서, 왜 그렇게 임신 반대를 해요?"

뒤를 돌아보며 묻자 지한은 태연하게 답변했다.

"내 아정 씨. 나는 내 아정 씨가 대를 이어 줄 수 있는 여자라고 했지. 반드시 대를 이어 줄 여자라고는 안 했습니다."

"예?"

"이어 줄 수 있다는 건, 이어 줄 가능성이 있다는 뜻입니다. 하지만 이어 줄 의무를 약속한 건 아니죠. 내일 비가 올 가능성이 있다고 해서, 반드시 절대로 비가 오는 건 아니잖습니까?"

저 개소리가 말이 되다니! 반박도 할 수 없게 논리적이라니! 또 저 논리적인 개소리에 내가 당하다니!

내 안에서 비처럼 욕이 쏟아져 내렸다.

"아, 나 진짜 못 참아!"

나는 내 어깨에 놓인 지한의 손을 뿌리치며 외쳤다. 그리고 곧장 성큼성큼 옷장으로 향했다.

어차피 말로는 절대 못 이길 거, 행동으로 보여 줄 테다!

울분에 차 다짐하며, 옷장 구석에서 트렁크 가방을 끄집어냈다.

그러자 내 뒤로 따라온 지한의 목소리가 들렸다.

"뭐 하는 겁니까?"

지한에게 눈길도 주지 않은 채, 대답도 주지 않고 침대 위로 트렁크를 옮겼다. 그리고 트렁크 지퍼를 열며 울분을 토해 냈다.

"아니, 2세를 안 가질 거면! 결혼 전에 미리 얘길 했어야지! 그게 얼마나 중요한 문젠데! 결혼 전엔 일언반구도 안 해 놓고! 이제 와서 이러면 난 어쩌라고!"

트렁크를 완전히 펼쳐 놓은 다음, 나는 옷장으로 달려가서 손에 잡히는 대로 내 옷을 챙겼다.

"지한 씨는 늘 이런 식이야, 늘!"

옷더미를 끌어안고 트렁크로 향하려는데, 지한이 내 앞을 가로막았다.

"늘 이런 식이라니. 뭐가 말입니까?"

"연애할 때도 그랬잖아요! 자기랑 연애하면, 자기 순결 지켜 줘야 한다는 거! 그거 나한테, 연애 시작하고서야 말했잖아요!"

"그게 뭐, 잘못입니까?"

"사귀기 전에 미리 얘길 했어야죠! 나랑 사귀면 내 순결 지켜 줘야 하는데, 그렇게 해 줄 수 있냐! 나한테 미리 동의를 구했어야지! 대뜸 연애부터 시작하고! 나 이런 사람이니까, 받아들여! 그렇게 자기 뜻대로만 했잖아요!"

버럭버럭 쏘아붙이고는 지한의 옆을 휙 지나쳐 트렁크로 향했다.

"지금도 그래, 지금도! 부부 사이에 자녀 계획이 얼마나 중요한 건데! 내 선택권은 하나도 없고! 그냥 다 자기 마음대로야!"

챙겨 온 옷가지들을 트렁크에 몽땅 쑤셔 넣고 트렁크를 닫았다.

곧바로 지퍼를 잠그고서 트렁크를 침대에서 내려놓는데, 지한이 옆에서 내 팔을 잡았다.

"그러니까 지금. 내가 미리 얘기하지 않았던 게 불만이다. 이겁니까?"

"아뇨! 상의하지 않았던 게 불만인 거예요! 내가 원하는 건 다 정해진 미래 통보가 아니라, 나도 같이 정할 수 있는 미래 선택지예요!"

두 주먹까지 불끈 쥐고 굳게 외치자, 지한은 멍한 얼굴로 눈을 깜빡거렸다. 정말이지 생각지도 못한 일을 맞닥뜨린 듯이.

그러거나 말거나 마음 약해지지 말아야지.

"두고 봐요, 이지한 씨. 나 이번엔 절대 그냥 안 넘어가요!"

트렁크 손잡이를 손에 잡고 강경하게 덧붙였나.

"나는 절대 아이 포기 못 하니까! 지한 씨가 내 선택권 존중할 때까지, 나 이 집 나가 있을 거예요!"

당당하게 가출을 선언하고 문을 향해 성큼성큼 걸었다. 도르르 트렁크의 바퀴 구르는 소리가 내 뒤를 따라왔다. 아직 넋이 나가 있는지. 지한의 발소리는 들려오지 않았지만, 나는 개의치 않았다.

그저 이 집이 아닌 저 집을 향해서.

침실이 아닌 예전 내 방을 향해 꿋꿋이 걸어갈 뿐.

2년 전에 쓰던 방에 트렁크 짐을 풀어놓은 채, 나는 침대 위에 앉아 지경의 전화를 받았다. 갑자기 지한이 심상찮은 목소리로 불러내는데, 혹시 너희 부부 무슨 문제 있는 거냐고. 지경은 대뜸 물어 왔다.

어쩐지 몇 번 노크하다 말고 집을 나가더라니. 형 만나러 간 거였구나. 어디 나쁜 데나 이상한 데 간 건 아니구나. 나는 내심 안도하며 지경에게 자초지종을 이야기했다.

이윽고 내 얘기가 끝나자 지경은 아쉬운 듯 말했다.

[그리고 뛰쳐나갈 거면 집을 뛰쳐나갔어야지. 무슨 방을 뛰쳐나가. 없어 보이게.]

"나 반겨 줄 친정이 있었으면 친정으로 갔을 텐데. 하는 수 없지, 뭐."

[야, 그러지 말고 어디 호텔을 가라.]

"호텔 비싸."

[너는 이제 돈도 잘 벌면서. 그깟 호텔비가 걱정이냐? 아, 내가 줄게 호텔비. 그냥 호텔 가.]

애, 왜 이렇게 내 가출에 적극적이지?

의아해서 고개를 갸웃거리며 질문했다.

"네가 왜 내 호텔비를 대?"

[이왕 각방 쓸 거, 제대로 하란 말이야. 아예 지한이 눈에 보이지도 않게.]

지경은 신신당부하듯 말했다. 순간 나도 모르게 거부감이 들어 고개를 내저었다.

"어우, 안 돼. 친정으로 간 거면 모를까. 그렇게 밖에서 자면, 걱정 많이 한단 말이야."

[그러니까 그러라는 거지!]

돌아오는 강요에 눈이 휘둥그레졌다.

"이건 뭔 소리세요, 아주버님?"

[너흰 부부 싸움 구경, 돈 주고도 못 하던 거잖아. 이참에 제대로

즐기련다.]

"이 아주버님이…….."

[제수씨, 파이팅입니다. 져 주지 말고, 속 많이 썩이십시오. 구경하는 솔로 마음 훈훈해지게.]

지경은 어째 신난 듯이 흔쾌하게 응원을 전했다.

[아, 지한이 저기 도착했다. 나 끊는다. 이따 다시 통화해.]

미처 대꾸하기도 전에 지경은 황급히 전화를 끊었다. 나는 휴대전화를 귀에서 떼고 눈앞으로 들었다. 그리고 미처 못 한 말을 메시지로 작성해 갔다.

내 남편 몸에 해로운 거 먹이지 마시라고.

형을 만나 백화점 식품관을 돌며, 나는 달달한 디저트를 닥치는 대로 사들였다.

마카롱, 케이크, 캔디, 아이스크림.

내 두 손으로 모자라서 형의 두 손까지 쇼핑백으로 채우고서야 디저트 쇼핑은 끝이 났다.

쇼핑 직후 형의 차에 올라타자마자, 아이스크림의 포장지를 뜯으면서 분통을 터뜨렸다.

"내 아정이 어떻게 나한테 이래?"

입안 가득 아이스크림을 퍼 넣고서 아작아작 씹었다. 차가움에 머리가 띵해 왔지만, 개의치 않고 오히려 더 격렬하게 씹어 댔다.

"나라고 뭐, 해 달라는 거 못 해 주는 기분 좋은 줄 알아?"

입을 비워 내자마자 또 한마디를 내뱉고서, 통에 남은 아이스크림을 모조리 퍼먹었다.

"그럼 그냥 해 주지그래?"

운전석에서 형이 물어 왔다. 순간 발끈해서 씹지도 않은 아이스크림을 꿀꺽 삼켜 냈다.

"형, 내가 오죽하면 못 해 주는 거겠어? 아니, 나만큼 내 아정 씨 사랑하는 사람이 세상에 어디 있어? 나는, 내 아정 씨 본인보다 더 내 아정 씨를 사랑하는 사람이야! 안 그래? 형, 형은 본 적 있어? 나보다도 더 내 아정 씨 사랑하는 사람. 본 적 있냐고!"

"보고 싶지 않다……."

형은 깊은 한숨과 함께 중얼거렸다.

"이런 내가 안 된다고 몇 번이나 말할 때는, 다 그럴 만한 이유가 있는 거잖아. 왜 그걸 몰라 줘? 내가 설명을 안 한 것도 아니잖아? 내 아정 씨 알아듣기 쉬우라고, 내가 자료 모으고 자문 받아 가며 강의까지 준비했었다고. 여자가 임신하면 희생해야 하는 것들, 임신으로 겪는 고통. 충분히 설명했거든? 근데 왜 내 마음을 이해 못 해? 다 자길 위해서 내린 결정인데!"

야속하다 못해 속이 다 쓰려 온다. 그렇게 문 딱 걸어 잠그고, 내 노크를 무시하다니. 속 쓰림을 달래려고 캔디 상자를 열었다. 그리고 알약인 양 캔디 한 알을 입에 넣었다.

"그래서? 옆방으로 가출한 와이프 때문에, 너까지 가출한 거냐?"

눈치 빠른 형의 질문에 고개부터 끄덕였다. 이어 캔디를 삼키고서 입을 열었다.

"오늘 형 집에서 잘 거야."

"뭐?"

"내 아정이 백기 들고, 임신 포기할 때까지. 나도 가출이다, 이거야."

"인마⋯⋯. 그렇다고 우리 집에 오냐?"

형은 어째 내키지 않는 투였다. 마치 내가 오면 불편하기라도 한 것처럼.

하나뿐인 마누라에 이어 하나뿐인 형까지도 날 이렇게 박대하다니! 차오르는 서러움과 배신감으로 형을 향해 외쳤다.

"형! 형이 어떻게 나한테 이래?"

기어이 형의 집 거실을 차지하고 앉아서 나는 사이다 캔을 깠다. 등 뒤에 소파를 둔 채 그냥 바닥에 앉아, 테이블에 케이크와 마카롱을 늘어놓고서.

"차라리 진짜 술을 마시지. 무슨 사이다를 맥주처럼 마시고 있어."

벌컥벌컥 사이다를 퍼마시는 모습에 형은 옆에 앉으며 혀를 찼다. 입에서 캔을 떼자 코끝이 찡해져서 나는 인상을 구기며 크으, 소리를 냈다. 그런 다음 형에게 반론을 제기했다.

"차라리 사이다가 낫지. 몸에 해롭고 맛도 없는데. 술을 뭐하러 마셔?"

"단 건 몸에 좋은 줄 알아?"

"맛없는 걸로 내 몸 상하느니, 맛있는 걸로 상하는 게 나아."

가볍게 반박하고 다시 한 모금을 들이켰다. 그러고 나자 문득 의문이 생겨 형에게 질문했다.

"형은 근데 왜 계속 여기 살아? 전에 사귀었던 소도둑놈 때문에 이사한다 그러더니. 그놈이 안 찾아와?"

"너하고 아정이가 도곡동 이사 가고부터 몇 달 비워 놓고 있었더니. 내가 완전히 이사 간 줄 알더라고. 그리고 네가 내 동생인 거 알고는, 너 같은 동생 둔 놈 싫다더라. 마지막 메일에 그렇게 써 놓고, 그 후론 연락 없어."

"뭐래, 제깟 놈이 뭔데 우리 형이 싫다 마다야? 무슨 지가 선택하는 입장이야?"

기가 막혀 눈을 희번덕이는데, 형이 피식 웃으면서 테이블 위로 손을 뻗었다. 한 무더기 쌓여 있는 사이다 캔에서 하나를 집어 든 뒤, 형은 캔을 따며 말했다.

"네가 볼 때, 나한테 어울리는 짝이 세상에 존재하긴 할까?"

"뭐?"

"너는 내가 세상에서 제일 잘나고, 완벽한 줄 알잖아."

"그럼 아니야?"

형은 또 피식 웃더니, 사이다를 가볍게 한 모금 마셨다.

"그게 맞든 아니든. 너는 그게 맞다고 생각하는 녀석이고. 그래서 네가 볼 땐 네 성에 차는 내 짝이 없는 거지."

"아직 못 만났을 뿐이야. 형만큼 완벽한 사람."

내 말에 형은 고개를 절레절레 저었다.

"형한테 어울리는 사람은, 형만큼 완벽한 사람이 아니야."

"그럼? 형보다 완벽한 사람인가?"

"아니. 그냥 내가 같이 있을 때, 내가 행복해지는 사람이지."

"결국 그게 그거지. 형처럼 완벽한 사람 만나야, 형이 최고로 행복해지는 건데.”

형은 또다시 고개를 저었다. 그리고 씁쓸하게 입맛을 다시더니 입을 열었다.

“나는 내가 아버지 역할 대신하면서 살아 그런가. 내가 철없이 살 수 있게 해 주는 사람이 좋더라고. 같이 철없이 놀아 주고. 남들이 나한테서 기대하는 완벽한 모습, 기대하지 않는 사람이 편해. 그리고 그렇게 편한 사람하고 있어야, 내가 행복하더라.”

의외인 사실이었다. 내가 기억할 수 있는 최초의 순간부터 형은 완벽했는데. 마치 태어날 때부터 어른이었던 것처럼 의젓하고, 어머니가 요구하는 모든 분야에서 최고였는데. 그래서 나는 형만큼 완벽하지 않은 짝은 형과 어울리지 않을 거라 생각했었는데…….

이건 뭐. 발바닥에 눈 달아 놓으면 딱 우리 형 눈높이네.

“형. 그러다 또 이상한 놈 만난다. 무슨 짝 고르는 기준이 그렇게 노세 노세 젊어 노세야? 먼 미래를 내다보며 같이 완벽해질 사람 찾아야지. 왜 자기 완벽함을 무너뜨려 줄 사람을 찾아?”

눈을 흘기면서 핀잔하자 형은 웃는 얼굴로 내 머리에 손을 척 얹었다.

“지한아. 네가 생각하는 형의 행복이랑, 내가 느끼는 내 행복은 달라.”

형은 내 머리를 천천히 쓰다듬으며 말을 이었다.

“너는 남들한텐 안 그러면서, 네 사람한텐 끔찍이도 널 쏟아붓는 녀석이라. 네 사람이 누구보다 행복하게, 완벽한 삶을 살았으면 하는 욕심이 커. 그래서 그 사람에게 가장 행복하고 완벽한 삶이 어떤 건지. 네가 그려 놓고, 그 그림대로 살라고 강요하게 돼.”

"내가……. 그래?"

생각지 못한 지적에 반신반의하며 물었다. 형은 손을 슬쩍 거두고서 담담하게 대답했다.

"네가 처음에 나하고 아정이 결혼, 기를 쓰고 반대했던 것도 그 때문이잖아. 네가 생각하는 형의 완벽한 삶에, 이 결혼은 맞지 않으니까. 그래서 반대했던 거였잖아."

"그야……. 그랬지."

부정할 수 없는 명백한 사실이라 나는 고개를 끄덕였다.

"지금 아정이한테 아이 갖지 말라고 하는 것도 같은 맥락 아닌가? 아이 가지면 아정이 몸이 힘드니까. 네 아정 씨의 행복하고 완벽한 삶에 아이는 그려 넣지 않는 걸로. 그렇게 네가 그림 다 정해 놓고, 이렇게 살라고 강요하는 거잖아."

듣고 보니 이 또한 부정할 수 없는 사실이긴 한데…….

이렇게 표현하니까, 꼭 내가 잘못한 것 같잖아?

나는 내 아정보다 훨씬 내 아정을 아끼는 사람이라서, 내 아정이 생각하는 것보다 훨씬 행복한 삶을 계획했을 뿐인데. 그게 뭐가 잘못이야? 결과적으로는 내 아정이 최고로 행복해지는 길인데.

괜히 찜찜해지는 기분에 입을 꾹 다문 채 눈살을 구겼다. 그러나 형은 계속 말을 이어 갔다.

"물론 지금까지 너하고 아정이 사이에서는, 네 그런 면이 문제가 되지 않았겠지. 다행히 지금까지는 네 아정 씨의 행복에 대한 네 판단이 맞았었으니까. 그렇지만 지한아. 네 판단이 항상 맞을 수는 없어. 형의 행복에 대한 네 판단이 틀린 것처럼."

"……."

"아니. 설령 네 판단이 늘 맞다고 해도. 그렇다고 네 판단대로 살라고, 일방적으로 강요해선 안 되는 거지. 그건 그 사람 선택권을 무시하는 거잖아."

선택권이라…….

불현듯이 내 아정의 목소리가 뇌리를 스쳤다.

'아뇨! 상의하지 않았던 게 불만인 거예요! 내가 원하는 건 다 정해진 미래 통보가 아니라, 나도 같이 정할 수 있는 미래 선택지예요!'

선택. 그래, 내 아정이 요구한 것도 결국 선택권의 문제다.

그렇다면 형의 말처럼 나는 내 아정의 선택권을 무시하고 있었는지도 모른다.

하지만 그럼에도 불구하고, 그게 내가 비난받을 일인가? 내 판단이 틀리지만 않는다면, 결국 내 판단대로 사는 게 내 아정이 최고로 행복해지는 길인데. 그리고 난 틀리지 않으려고 최선을 다할 텐데.

형의 비판이 무슨 뜻인지는 알겠지만, 내 이런 면은 필요악과 같은 것이 아닌가? 좋지 않은 점이지만, 반드시 있어야만 하는 이로운 점. 그러니까 이걸 없애가며 나를 고칠 필요까진 없을 거다.

"하지만……. 하지만 난 다른 많은 걸 선택하게 해 주잖아?"

나는 내가 옳다는 생각을 굳힌 채로 형을 향해 내 주장을 펼쳐 갔다.

"그저 딱 한 가지, 임신만 반대하는 건데. 이거 하나만큼은 절대 허락할 수 없을 뿐인데. 그것도 다 자길 생각해서, 자길 아끼느라 그러는 건데. 힘들게 될 거 뻔히 아니까 하지 말라는 건데. 내가 왜 이걸 허락해야 해? 이거 하나 정도는, 포기하고 내 뜻에 따라 줄 수 있는 거잖아."

강경하게 내 뜻을 전하고 나자, 형은 얼떨떨한 표정으로 나를 보며 눈을 깜빡거렸다. 뭔가 신기하다는 듯이.

"그러고 보니까 너, 이런 면은 어머니를 닮았구나?"

순간 철렁, 가슴이 내려앉는 듯했다.

차를 운전하는 동안 그때의 기억을 떠올렸다.

요리사가 되겠다는 내 꿈이 어머니의 손에 꺾였던 때를.

고3 겨울. 대학 원서를 놓고 전쟁을 치른 결과는 참패였다. 이번 만은 절대 어머니를 이겨 낼 수 없겠구나. 파악하는 한편으로 인정했었다. 어머니의 말이 틀리지 않았다고. 어머니가 그려 놓은 나의 미래가 보다 큰 그림이라고. 멀리 내다보면 어머니의 뜻을 따르는 게 나에게도 좋은 일일 거라고.

그래서 그때 해병대에 자원입대했었다. 이왕 어머니 뜻에 따를 거, 미련은 확실하게 버리려고. 몸이 고된 군 생활 동안 나는 머리를 비우고 마음을 비워 냈었다.

그때 요리는 피우지 못한 꽃봉오리로 남았는데. 그때 이후부터 나는 무엇도 포기해 본 일이 없었다. 내 인생에 꽃봉오리는 그것 하나로 족했으니까. 다른 것은 아무것도 포기할 수 없었다.

포기가 남긴 목마름은 그렇게 은근하게, 오래도록 나를 따라다녔다. 다시 시작하고픈 미련은 없지만, 포기에 대한 거부감이 늘 내 안에 있었던 거다.

무언가를 포기함으로써 느끼는 좌절감. 내 미래가 이미 결정되어 있었다는 무력감. 선택권이 없었다는 불쾌감. 모두 두 번 다시는 겪고 싶지 않았으니까.

그래서 나는 두 번 다시 꺾이지 않고 살아왔다. 내가 옳다고 믿는 대로. 내가 그려 놓은 그림대로.

나는 계속해서 그렇게만 살았던 거다. 내 그림대로 살게 하려고, 내 아정에게 무언가를 포기하라 강요하면서. 내 그림이 맞으니까, 무조건 내 뜻에 따르라고. 어느새 그렇게 어머니와 같은 행동을 내 아정에게 하고 있었다.

내가 이대로 나의 뜻만 밀어붙인다면. 그래서 기어이 내 아정의 뜻을 꺾는다면, 내 아정에게도 피우지 못한 꽃봉오리가 남게 되겠지.

내가 과거의 경험으로부터 무엇도 배울 수 없는 멍청이라면 분명 그러겠지. 아마도.

신호등의 빨간불 앞에 차를 멈추면서 생각도 함께 멈추었다. 그리고 느끼기만 했다.

보고 싶은 마음을, 뛰고 싶은 초조함을.

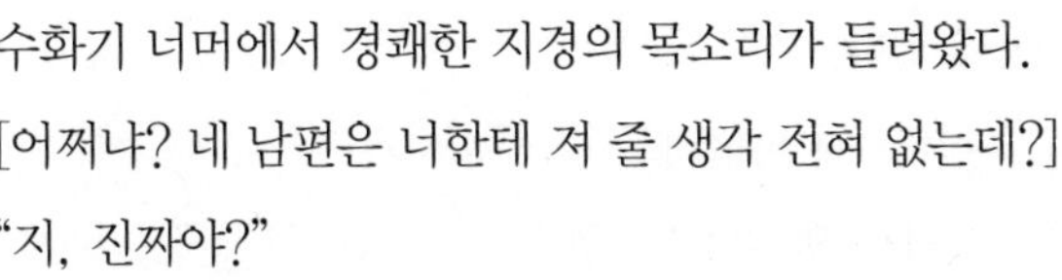

수화기 너머에서 경쾌한 지경의 목소리가 들려왔다.

[어쩌냐? 네 남편은 너한테 져 줄 생각 전혀 없는데?]

"지, 진짜야?"

[역시 부인보다 형님이라고. 내 집에서 오래오래 행복하게 살겠단다. 그러니까 기다리지 말고 자라.]

"아, 안 돼!"

나도 모르게 침대에서 벌떡 일어나고 말았다.

[안 되긴. 야, 너도 절대 져 주지 마. 그러다 부부 싸움 칼로 물 베기 될라. 지지 마, 계속 파이팅이다!]

지경은 기운차게 응원을 던지고서 전화를 뚝 끊었다.

와……. 나는 자기 생각해서, 자기 걱정할까 봐, 외박은 안 하려고 여기 있는 건데! 자기는 외박을 하겠다고?

기막히고 서운하고 열 받는다!

진짜, 그 성질머리 진짜! 결혼하고 어딜 갔나 했어, 내가! 완전 그대로잖아?

"그런다고 내가! 옛날처럼 겁낼 줄 알아?"

나는 욱해서 더욱 전의를 불태우며 허공에 외쳤다.

"그 성질이 그대로면 뭐해? 내가 예전의 내가 아닌데! 나 겁 안 나거든?"

큰소리를 떵떵 치고, 홧김에 쿵쿵대며 방을 뛰쳐나갔다.

그로부터 몇 분 만에 나는 안방 침대에 모로 누운 채, 남편 베개를 꼭 끌어안고 있었다.

"나, 겁나서 이러는 거 아니거든…….."

어차피 보는 사람도 없건만, 찔끔 눈물을 닦으면서 궁색하게 중얼거렸다.

"겁 안 나, 겁 안 나, 겁 안 나."

스스로 세뇌하며 불안감을 달래 보았다. 그러나 소용없는 일이었다.

이 남편이 영영 돌아오지 않으면 어쩌지? 이 남편의 가출이 출가로 이어지면 어쩌지?

귀에 들리는 세뇌를 무시하고, 내 머리는 자꾸만 불안한 생각을 만들어 냈다.

이 모든 번민에서 벗어나려면, 차라리 머리를 멈추는 수밖에.

나는 아예 잠들 작정으로 눈을 꾹 감았다. 그리고 남편의 베개에 얼굴을 푹 파묻었다. 그런데 그때, 멀찍이서 희미하게 현관문 소리가 난 것 같았다.

뭐지?

순간 눈을 뜨는데, 쿵쿵 발소리가 아주 빨리 가까워졌다.

설마! 지금 온 거야? 이 남편이?

반가운 마음이 와락 솟구쳤지만, 아주 잠깐이었다.

아니, 나, 나 이러고 있는데? 방 나간 지 하루 만에 기어들어 와서, 이러고 있는데? 하필 지금?

반갑기는 개뿔이고, 가슴이 덜컥 내려앉는 기분이다.

아, 안 돼. 이 꼴을 보일 수는!

당혹감에 얼른 베개를 내던지고 몸을 일으키는데, 방문 너머에서 맞은편 방의 문을 여는 소리가 들려왔다.

으아! 저기 돌아가긴 글렀어!

여기 어디 몸 숨길 데가 없나, 나는 황급히 주위를 둘러봤다. 그러나 금세 발소리가 다시 들려왔다. 이쪽 문을 향해서, 빠른 속도로 다가오는 발소리가.

젠장!

하는 수 없이 냅다 눈을 감고 도로 침대에 누워 버렸다.

자는 척하자. 그냥 자는 척하는 거야!

다짐하는 찰나 문이 열리는 소리가 났다. 그 소리에 무대의 막이 오른 것처럼 연기에 돌입했다.

나는 잔다, 나는 잔다, 나는 잔다.

온몸에 힘을 빼고 숨을 고르게 내쉬어 가는 사이, 성큼성큼 발소리가 내 옆까지 다가왔다. 나는 난감한 기분이 표정으로 드러나지 않게 애썼다.

"자는 겁니까?"

무겁지만 부드러운 목소리였다. 전혀 화난 것 같지 않은.

대답을 기다리듯 잠시 침묵하던 지한은 한숨을 내쉬었다.

나 자니까. 나한테서 신경 꺼 달라고. 그리고 욕실에서 세수를 하든 샤워를 하든. 아무튼 내가 이 방 빠져나갈 틈 좀 달라고. 속으로 간절하게 기도했다.

그런데 이상하게 바닥 쪽에서 부스럭 작은 소리가 났다. 그러더니 지한은 잠잠해졌다. 발소리도 내지 않고. 목소리도 내지 않고. 그런 채로 한참 동안 정적이 흘렀다.

대체 뭐 하고 있는 거지?

한 자세로 버티자니 누워 있는 나조차도 등이 결려 오는데. 저기 서 있는 지한은 아무렇지 않은 건지, 원.

아니, 저기 있기나 한 건가? 혹시 못 들은 사이 이미 나가 버린 건 아니려나?

제발 그랬기를 바라면서 슬그머니 실눈을 떠 침대 옆을 확인했다. 그런데 내 바람과 달리 지한은 거기에 있었다.

마치 고개 숙인 채 무릎을 꿇은 듯한 모습으로…….

"응?"

순간 나도 모르게 눈을 커다랗게 떠 버렸다. 그러자 무릎을 꿇은 지한의 모습이 더욱 선명해졌다.

"뭐, 뭐 하는 거예요?"

얼결에 벌떡 일어나며 묻자 지한은 고개를 들었다. 지한은 내가 깬 게 의외인 듯 나를 쳐다보더니, 이내 다시 고개를 숙였다. 그리고 숙연한 목소리로 대답을 들려줬다.

"회개 중입니다."

"예? 뭘요?"

"지난 한 달 동안, 자녀 계획에 독재 행사한 거 말입니다. 내 아정 씨 선택권 뺏고, 내 선택만 강요한 거. 뉘우치고 있습니다."

"그, 그럼……. 이번엔 내 뜻대로 해 주는 거예요?"

내가 알아들은 게 맞는 건지. 잔뜩 기대하며 물었는데. 지한은 고개를 절레절레 저었다. 그러더니 고갯짓을 멈춘 지한은 나를 향해 고개를 들었다. 마치 수없이 심사숙고를 거친 듯이, 진지하고 신중한 지한의 표정이 보였다.

"뜻대로 해 주는 게 아니라, 뜻을 맞추는 겁니다. 내 아정 씨하고 내가. 이번만이 아니라 이번부터."

"……."

"다 정해진 미래 통보, 이제 더는 안 할 거란 뜻입니다. 앞으로는 둘이서 같이, 뭐든 상의해서 정할 테니까."

뭐야, 이거……. 꿈이었잖아?

내 소원이 이렇게 딱 완벽하게 이뤄지다니. 그래, 이건 꿈이야.

나는 멍하니 생각하며 다시 침대에 이불을 덮고 누웠다.

어차피 꿈일 거, 서서 꿀 거 뭐 있어? 편하게 누워서 꿔야지.

그런 마음으로 눈을 감은 채 꿈을 이어 가려 했다.

꿈이라도 좋으니까, 이 행복한 꿈에 계속 취해 있으려고.

다시 눈을 떴을 때, 나는 간밤의 일이 꿈이 아니란 걸 체감할 수 있었다. 밤이 아침으로 변해 있음에도, 변해 있지 않은 지한의 모습 때문에.

"으아! 미쳤어! 아니, 밤새 이러고 있으면 어떡해요!"

번쩍 정신이 들자마자 지한에게 달려들었다. 아직까지 무릎을 꿇고 있는 지한의 앞에 나도 무릎을 꿇고, 다짜고짜 두 팔로 지한을 끌어안았다.

"그냥 나를 깨우지! 아, 진짜……. 속상하게……."

미안해서 어쩔 줄을 모르겠고, 정말이지 속이 상해 울먹거리는데. 내 등을 다독이는 손길이 느껴졌다.

"원래 밤샐 생각이었습니다."

"예?"

"지난 한 달 사이 아이 문제로 말다툼했던 시간. 횟수로는 열여섯 번. 어림잡아 열 시간은 됩니다. 그 시간 동안 내 생각만 강요했던 거, 그 시간만큼 무릎 꿇고 반성한 겁니다."

"아, 뭐 그런 걸 세고 그래요!"

나는 등짝을 때려 주며 타박했다.

"나한테는 무릎 못 꿇게 하면서, 왜 자기가 이러고 있어! 빨리 일어나요!"

이 꼴 보면 이런 기분이라서. 그래서 못 하게 했던 거구나.

체험으로 확실하게 깨우쳤기에, 어서 지한을 부축해 일으키려 했다. 그런데 지한은 꿈쩍도 하지 않고 입술만 움직였다.

"일어나기 전에 하나, 마지막으로 딱 하나만 고집부려 보고 싶은데."

"뭔데요?"

"아이 갖는 거, 딱 1년만. 아니, 반년만 있다가 하면……. 안 됩니까?"

고집이라기엔 너무나도 조심스러운 말투였다. 내가 안 된다고 하면, 금방 포기할 것처럼.

"왜 그러고 싶은 건데요?"

내가 묻자 지한은 계속 나를 끌어안은 채로 귓가에 나직이 대답을 들려줬다.

"아이 만들기 전에, 내 아정 씨 몸부터 만들려고 그럽니다. 아이 생기면 낳을 때까지 몇 달은 고생할 텐데, 건강이 받쳐 줘야죠. 더구나 내 아정 씨 연극 끝낸 지, 이제 겨우 한 달밖에 안 됐으니까. 당장 아이 갖는 건 무리라고, 나는 생각하는데. 어떻게 생각…… 합니까?"

의견에서도, 태도에서도. 고집은커녕 배려만이 느껴졌다.

그래서 나는 고개를 끄덕이며 순순하게 대답했다.

"그래요. 나도 그게 좋을 거 같아요."

간단하게 의견이 일치되자, 지한은 꼭 십년감수한 듯 안도의 한숨을 내쉬었다.

"그럼 이따가 병원 가서 검진부터 받읍시다. 지금 어떤 상태인지 알아보게."

 이어지는 지한의 제안에 또다시 고개를 끄덕였다. 물론 전적으로 동의할 수 있는 의견이라 그랬지만. 솔직히 이런 고마운 태도라면, 어떤 의견에라도 고개를 끄덕일 수 있을 것 같다. 설령 반대되는 의견일지라도. 이를테면 아이를 갖지 말자는 의견이라 해도…….

 하지만 이 순간의 지한이 그런 말을 했다 해도. 그로 인해 내가 고개를 끄덕였다 해도. 달라질 건 없었다는 걸, 나는 몇 시간이 지나고서 알게 되었다.

 "임신, 이미 하셨다고요."

 나란히 넋을 놓아 버린 우리 앞에서, 산부인과 의사는 같은 진단을 다시금 들려주었다.

 "아니, 이미 하셔 놓고. 해도 되는지 물으시면 어쩝니까?"

 의사는 장난스럽게 덧붙였다.

 "그, 그럴 리가 없습니다. 저희, 계속 피임했었는데……?"

 지한은 도저히 믿을 수 없단 표정으로 의사에게 물었다. 그러자 의사는 차트를 확인하며 골똘히 생각에 잠겼다.

 "음……. 일단 임신은 확실하시고. 태아 상태로 보나, 나아정 씨 배란기로 따져 보나. 수정된 지 한 달쯤은 됐겠네요."

 의사는 다시 고개를 들고 지한을 향해 질문을 던졌다.

 "콘돔 써도 피임 확률 100퍼센트는 아닌 거, 알잖아요? 특히 이지한 씨는, 제가 특별 강의도 해 드렸으니 잘 아실 텐데요. 제가 몇 가지 예외의 경우, 알려 드렸었죠?"

의사의 질문은 들리지도 않는지, 지한은 희대의 미스터리를 파헤치듯 심각한 표정으로 중얼거렸다.

"한 달……."

그때, 불현듯이 스치는 기억이 있었다.

‘좀 잘 찾아봐요. 그거 몇 개 남았을 텐데? 전에 내가 세어 봤거든요?’

‘몇 개 남았었는데. 어제 다 썼습니다. 중간에 몇 번 찢어져서.’

그건 마지막 공연을 마친 다음 날, 즉 지금으로부터 한 달 전의 기억이었다.

"아! 그때!"

내가 외치자 지한은 화들짝 고개 돌려 나를 마주 봤다.

"그때, 우리 한 달 만에 처음 했을 때! 중간에 찢어졌다고 했었잖아요. 혹시 그때……."

내 말에 지한은 소스라치며 벌떡 일어났다.

"아니! 그때 내가 얼마나 신속하게! 얼마나 빨리 대처했는데! 그럴 리가 없습니다!"

지한은 자제력을 잃은 격양된 목소리로 반박해 댔다. 그러자 맞은편에서 의사의 차분한 목소리가 들려왔다.

"이지한 씨. 원래 될 놈은 되는 거더라고요."

"예?!"

지한은 고함인지 질문인지 모를 소리를 내며 의사에게 고개를 돌렸다. 의사는 재미나단 표정으로 실실 웃으며 말했다.

"중간에 잠깐, 딱 몇 초만 가지고도 될 놈은 되고요. 심지어 정관 수술해도, 되는 놈이 있더라 이 말입니다. 그러니까 아, 내가 될 놈이었구나. 생각하시고, 운명으로 받아들이세요."

순간 어디선가 베토벤의 운명이 들려오는 듯했다. 이거, 나만 느낀 걸까?

임신 초기의 주의 사항을 들은 뒤, 나는 얼떨떨한 기분으로 진료실을 빠져나왔다.

이 안에 아이가 있다니…….

아무래도 믿기지 않아 배를 만져 보는 사이, 등 뒤에서 터덜터덜 뒤따라 나온 지한이 맥없이 진료실의 문을 닫았다.

"우와……. 지한 씨, 한 달 동안 우리 대체 왜 싸웠던 거예요?"

신기하고 기쁜 마음으로 지한을 향해 물었다. 그런데 그때, 내 옆에서 지한은 털썩 바닥으로 주저앉았다.

"지, 지한 씨?"

"아직……. 아직 안 되는데, 아직……. 내 아정 씨 아직, 아직 준비가 안 됐는데……. 벌써……."

지한은 완전히 혼이 빠진 사람처럼 멍하니 중얼거렸다.

"지한 씨, 이지한 씨!"

정신 차리라고, 허리 숙여 지한의 어깨를 잡아 흔들었다. 그러자 지한은 고개 들어 나와 눈을 마주치더니, 순식간에 눈시울이 젖어

들었다.

"내가……. 내가 하필 될 놈이어서……."

이, 이 남자 지금 울어? 우는 거야?

생각지도 못한 반응에 움찔 굳었다가, 이내 마음이 짠해졌다.

"에이, 이거 울 일 아니에요."

얼른 무릎을 꿇고 앉아 지한을 끌어안았다.

"아니, 사실 울 일이긴 한데. 원래는 감격해서 울 일이거든요? 이렇게 막, 슬퍼서 울 일이 아니라. 너무 기뻐서, 행복해서 울 일이에요."

"……."

"지한 씨는 안 기뻐요?"

넌지시 질문하자 지한은 슬그머니 내 가슴에서 가슴을 떼어 내고 나와 얼굴을 마주했다. 그리고 젖은 눈으로 내 배를 보며 서글프게 입을 열었다.

"지금은……. 해마가 부럽기만 합니다."

"뜬금없이 웬 해마?"

"해마는 남편이 임신한다는데……. 나는 그렇게 해 줄 수도 없고……."

"……."

해마가 그렇다는 사실은 알고 있었지만. 그렇다고 그걸 부러워하는 남자가 있을 줄이야…….

내가 말문이 막힌 사이, 지한은 자책을 이어 갔다.

"그렇게 해 줄 수도 없으면서, 준비 기간 반년도 못 채우고……. 내 아정 씨, 준비 기간 반년은 가졌어야 하는데……."

"지한 씨! 나 지금도 튼튼해요!"

나는 지한의 어깨를 꼭 붙들고 자신 있게 장담했다.

"나 애기 잘 지킬 거고, 잘 낳을 거예요! 나 믿어요. 걱정할 거 하나도 없어요!"

정말이지 겁도 없이 외쳤다. 정말 하나도 겁이 안 나서. 밑도 끝도 없이 용기가 용솟음쳐서.

지한은 그런 내가 의외인 듯 신기한 눈빛으로 눈을 껌벅였다. 그러다가 지한은 두 손으로 마른세수를 했다. 이윽고 두 손을 내렸을 때, 지한의 표정은 비장하게 바뀌어 있었다.

"걱정 안 할 겁니다."

지한은 굳건해진 눈빛으로 내 두 눈을 직시하며 어깨 위의 내 두 손을 꼭 붙잡았다.

"내가 꼭 그렇게 만들 거니까. 내 아정 씨 아이 잘 지켜 내게, 잘 낳을 수 있게. 꼭 그렇게 할 수 있으니까. 나 걱정 안 할 겁니다."

확신으로 가득 찬 지한의 눈빛에 나는 고개를 끄덕였다. 나도 걱정 안 할 거라고, 눈으로 말해 주면서.

그러자 지한은 내 배로 시선을 옮기고 지그시 손을 가져다 댔다.

"이왕 될 놈이라 아빠 된 거. 제대로 좋은 아빠도 될 겁니다."

이제야 기쁨이 느껴지는지, 지한의 입술에 미소가 번졌다. 이 사람이 얼마나 좋은 아빠일지 기대하고 설레게 하는 미소였다.

"우리 아이는 나만큼 행복하겠구나."

기쁘게 확신하며 지한의 손 위에 내 손을 포개었다. 그리고서 지한의 입술에 내 입술을 파묻었다.

이 사람보다 더 행복하지 말자. 이 사람도 똑같이 행복하게 해 주자.

나는 그런 내 다짐을 소리 나지 않게 입술로 전해 갔다. 그러자 감은 눈앞으로 환하게 세 사람의 미래가 그려져 갔다.

이 모습을 지금, 이지한도 보고 있으리라고, 나는 믿어 의심치 않았다.

이른 아침, 욕실에서 헛구역질 소리가 울려 퍼졌다.

"금덩아, 아빠 진짜 어떡하지?"

나는 욕실 문 앞에서 휠체어에 탄 채, 만삭인 배를 안고 배 속을 향해 물었다.

"무슨 엄마도 안 하는 입덧을, 아빠가 하고 있어……. 그것도 임신 첫 달부터 지금까지."

하기야 그깟 바퀴벌레 한 마리에 치를 떨며 질색하던 사람이니, 비위 하나는 내가 훨씬 강한 게 틀림없겠다만. 그렇다고 남자가 입덧을, 그것도 아홉 달 내내 하고 있다니. 정말이지 흔치 않아. 흔치 않게 특별한 인간이야.

"지한 씨, 그러지 말고 문 좀 열어요. 내가 등이라도 두드려 주면 좋잖아요."

잠겨 있는 문을 재차 두드리며 지한에게 말했다. 그러나 이번에도 문은 열리지 않았다. 그저 잠시 후에 지한의 목소리가 들려올 뿐.

"나 신경 쓰지 말고, 가서 식사나 합시다. 내 입덧은 그냥 기침 같은 겁니다. 입으로만 콜록대지, 몸은……. 우욱!"

나더러는 무릎 상한다며 집 안에서도 무조건 휠체어를 타게 하면

서, 자기 몸 괴로운 건 어쩜 저렇게 대수롭지 않게 받아들이는 건
지. 나는 걱정이 한가득인 마음으로 차마 문 앞을 떠나지 못하고
기다렸다.

또다시 헛구역질 소리가 한참 이어졌다.

헛구역질이 멈추고서야 지한은 방독면을 착용한 채 욕실을 빠져
나왔다. 욕실 앞의 나를 본 지한은 왜 아직도 여기 있냐는 듯 살짝
눈살을 찡그렸다. 그러더니 얼른 내 뒤로 가서 주방을 향해 휠체어
를 밀었다.

"그 방독면, 요리할 때도 좀 계속 써요. 자꾸 간 본다고 벗으니까
입덧이 나지."

"어떻게 요리를 간도 안 보고 그냥 합니까? 그것도 내 아정 씨,
내 아들 먹일 요린데."

"아니, 그럼 아예 요리를 하지 말든가! 그렇게 입덧하면서, 왜 자
꾸 아침상을 차려요? 그냥 도우미 아주머니가 챙겨 주시게 내버려
두지."

주방으로 밀려가며 속상한 마음에 나무라듯 말했다. 그러는 사이
우리는 식탁에 도착했다. 지한은 나를 내 자리에 앉히면서 고집스
러운 목소리로 대꾸했다.

"회사 때문에 점심, 저녁 못 챙기는데. 아침까지 못 챙기게 하면,
나 출산 휴가 쓸 겁니다."

"무슨 남자가 출산 휴가예요!"

"그런 일이 가능하다는 거, 내가 보여 주죠."

순간 정말로 그런 일이 벌어질 것 같아 모골이 송연해졌다.

저 인간이라면 회사 복지 제도를 뜯어고쳐서라도 반드시 그러고

야 말리라. 아니, 최악의 경우에는 회사를 때려치울지도…….

커지는 불안감에 나는 얼른 수저를 들며 말했다.

"아뇨, 안 볼래요. 그냥 내 남편은 아침에만 고생하는 게 낫겠어요. 아침 입덧 보는 일, 일주일만 더 참을게요. 출산하면 입덧도 끝날 테니까. 뭐, 설마 출산하고까지 입덧이 이어지진 않겠죠."

"아무리 길어 봐야 그땐 끝날 겁니다."

지한은 내 옆자리로 가서 아예 나를 향해 몸을 돌려 앉았다. 그런 지한에게 보란 듯이, 부지런한 손놀림으로 지한이 차려 놓은 밥상을 먹어 갔다.

어느덧 쌀 한 톨도 안 남기고 밥그릇을 다 비워 내자, 지한이 냉장고에서 매실액을 꺼내 왔다. 매실액은 먹성은 그대로인데, 소화가 힘들어진 나를 위한 일종의 소화제였다.

지한은 제 손으로 직접 담근 매실액을 내 앞에 한 잔 따랐다. 그러더니 지한은 방독면을 벗고 내 볼에 입을 맞췄다.

"으아, 아직 음식 냄새 남았는데! 또 입덧하면 어쩌려고요!"

나는 얼른 방독면을 잡아 지한의 얼굴에 드밀었다. 아홉 달째 입덧 중인 지한의 얼굴은 초췌하게 반쪽이 되어 있었다. 그럼에도 지한은 싱긋 웃으면서 내 입술에 입을 맞춰 왔다. 그 얼굴이 여전히 눈부시다 느끼면서, 눈을 감았다.

이어지는 긴 입맞춤은 말해 주고 있었다. 입덧 한 번 없이 잘 지나온 나의 지난 아홉 달에 그가 얼마나 감사하는지를.

그래서 나도 밀어내지 않고 답해 주었다. 나의 지난 아홉 달을, 변함없이 사랑해 줘 얼마나 사랑하는지를.

아……. 근데 왜 이렇게 배가 아파 오지?

예정일을 일주일이나 앞둔 상황인데, 어째 벌써 양수가 터진 건지.

부랴부랴 산부인과로 이동하는 내내, 나는 차 안 뒷좌석에서 배를 끌어안고 울었다.

아! 이래서 지한 씨가 그렇게 반대를 했던 거구나. 이래서 아이 갖지 말자고 했던 거였어!

너무 아프니까 몸부림도 못 치겠고. 이렇게나 아픈데, 어떻게 살아 있는 건지. 왜 기절조차 안 하는지.

"나, 나 좀 기절시켜……."

나는 다 죽어 가는 목소리로 겨우겨우 신음하듯 애원했다.

"안 됩니다. 여기서 기절하면 둘 다 위험합니다. 제발 5분만 참아요."

운전석의 지한은 다급하고도 절박한 목소리로 강조했다. 그러고는 이를 악물더니, 정신을 다잡듯이 눈을 부릅뜨고 핸들을 꽉 잡았다. 그런 채로 지한은 빠르고 안전하게 장애물을 피해 가며 운전을 이어 갔다. 마치 지구를 지키러 가는 슈퍼맨처럼. 지한의 눈동자는 사명감으로 활활 타고 있었다.

그래. 지키고야 말겠지. 나하고 우리 아들, 둘 다.

믿음을 되새기는 한편, 정신을 놓지 않으려고 안전벨트를 꽉 끌어 쥐었다. 내가 잘못되면 우리 아들도, 우리 남편도 잘못될 테니까. 나도 둘 다 지키고야 말 거다.

하늘이 노래지면 아이가 나온다는데. 나는 어째 하늘이 금빛으로 물들었던 것 같다.

아무튼, 하늘색이 완전히 달라졌던 그 순간을 지나고 도로 제 색깔로 돌아왔을 때, 나는 마침내 우리 아들과 처음으로 얼굴을 마주하게 되었다. 순간 내 눈앞의 세상은 다시 금빛으로 번쩍이는 듯했다.

지한의 품에서 아이를 건네받자마자, 나는 본능적으로 아이를 품에 안았다. 그리고 내 배 속에서 꼬물꼬물 놀던 아이가 내 품에서 똑같이 꼬물꼬물 움직이는 걸 느꼈다.

아……. 이러려고 내가 아이를 낳은 거구나. 이렇게까지 행복해지려고.

누구의 설명으로도 가늠할 수 없었던, 겪지 않았다면 평생 몰랐을, 전혀 다른 차원의 행복감이 나를 꽉 채워 왔다.

왈칵 눈물이 나서 아이를 안은 채로 눈물을 떨어뜨리는데. 옆에서 지한이 와락 나를 껴안았다.

"내 아정 씨, 죽는 줄 알았습니다……. 아정 씨 죽을까 봐, 나 진짜, 내가 죽는 줄 알았습니다……."

우는 나를 안은 채, 지한은 하염없이 눈물을 흘렸다. 나는 우리 아이를 안은 채, 지한의 품에 얼굴을 묻었다. 그리고 속삭이듯 물었다.

"나 안 죽은 거 같은데. 왜 여기가 천국 같지?"

내 말에 지한은 동의하듯 고개를 끄덕이며 나를 더욱 바짝 끌어안았다. 한참 동안 우리는 마치 하나인 양 모아진 세 사람, 한 가족이었다.

이윽고 지한의 품에서 눈물을 닦은 뒤, 우리 아이의 얼굴을 다시금 살펴봤다. 벌써 아빠를 쏙 빼닮은 듯한 이목구비를 보고 있노라니, 정말이지 평생 배가 부를 것 같은 기분이다. 나는 우리 아이를 향해 마음으로 약속을 전했다.

아빠 입덧 그만하시라고, 일주일이나 일찍 태어나 준 효자 아들. 우리 금덩아.

엄마는 아빠가 엄마를 사랑하는 것처럼 너를 사랑할 거야.

네가 가진 가능성을 알아봐 주고. 네가 잘될 사람이라 믿어 주고. 네가 잘될 수 있게, 깊이 생각하고 행동할 거야.

그러면 너는 너 자신을 사랑하는 행복한 사람으로 살아가겠지.

엄마는 뭘 믿고, 네가 그렇게 자랄 거라 자신하느냐고?

엄마는 믿는 게 아니라. 아는 거야.

이제부터 엄마가 줄 그런 사랑이, 사람을 어떻게 변화시키는지를.

아빠가 엄마한테 준 그런 사랑이, 엄마를 어떻게 변화시켰는지를.

외전3. 보너스 트랙

삼시 세끼 미역국을 꼬박꼬박 보름 동안 먹는데도 질리지 않을 사람이 있을까?

출산 후 보름째가 되는 오늘, 어김없이 날 반기는 식탁 위의 미역국을 바라보며 고개를 절레절레 내저었다.

질리지. 암, 질리고말고. 이렇게나 주야장천 먹었는데, 안 질리면 그게 사람이야?

아무리 맛있는 음식이라 해도, 삼시 세끼 먹으면 질리는 게 정상이라고.

현실적으로, 논리적으로 답을 내린 나는 기대 없이 미역국을 한 술 떠서 입에 넣었다. 그런데 내 입은 금세 후루룩 비워졌고, 경이로움에 딱 벌어졌다.

"아니, 근데 난 왜 질리지가 않아?"

어제의 진하고 구수한 소고기 미역국과 달리 오늘의 미역국은 담백하고 시원한 맛을 내고 있었다.

어쩜 이렇게 매일매일 다른 느낌으로 맛있을 수 있지? 그것도 보름씩이나?

신기해서 한술 더 후루룩 삼켜 보는데, 맞은편에 앉은 지한이 턱을 괴고 나를 향해 흡족한 미소를 지었다.

"그거 옥돔 미역국이니까. 국물만 마시지 말고, 옥돔도 같이 건져 먹읍시다."

"옥돔 미역국이요? 아, 이게 옥돔이었어요?"

숟갈로 하얀 생선 살을 건지고서 묻자 지한은 고개를 끄덕였다.

"자연산 옥돔으로 육수 우리고, 가시 없게 잘 손질해서 끓인 겁니다. 가시 걱정 말고, 편하게 먹으면 됩니다."

"나 옥돔 처음 먹어 봐요!"

나는 신이 나서 냉큼 숟갈을 삼키고 옥돔 맛을 음미했다. 마치 혀에 눈이 닿은 것처럼, 부드러운 생선 살은 혀 위에서 사르르 녹아내렸다.

"와! 이거! 꼭 12월 첫눈 같은 맛이에요! 입에서 막 녹네, 녹아!"

눈이 휘둥그레진 채 쉴 새 없이 밥과 미역국을 떠먹기 시작했다. 그러다가 문득 정신을 차려 지한의 표정을 보았을 때, 그는 눈이 감길 정도로 환하게 웃고 있었다.

"아니, 어떻게 보름 동안 매일매일 다른 종류로 미역국을 끓여요? 게다가 이렇게 맛있게?"

소고기 미역국, 닭 미역국, 전복 미역국, 굴 미역국, 들깨 미역국……. 다 외우기도 어려울 만큼 다양했던 미역국을 떠올리며 나는 혀를 내둘렀다.

"진짜 이 정도면 미역국 전문점 차려도 되겠어요! 골라 먹는 재미가 있다, 미역국 라빈스 31. 뭐 이런 걸로 프랜차이즈 하면 대박이겠는데요?"

"서른한 가지까진 무리지만."

지한은 물병을 잡아 컵에 물을 따르며 말을 이어 갔다.

"출산하고 한 달 내내, 산모한테 미역국은 밥상 붙박이 메뉴니까. 질리지 않게 최대한 여러 메뉴를 짜고 있습니다."

사명감마저 느껴지는 목소리에 나는 미안해져 얼른 고개를 저었다.

"에이, 그렇게까지 안 해도 돼요. 지금까지 열다섯 가지였으니까. 한 번씩 다시 해 주면 딱 30일 되잖아요. 괜히 더 고생하지 말고, 그냥 했던 거 다시 해 줘요."

지한은 물로 가득 채운 컵을 내게 내밀며 단호하게 대꾸했다.

"애 낳을 때 고생은 내 아정 씨 혼자 했으니까. 키울 때 고생은 절대 없게 할 겁니다. 털끝만큼도, 전혀."

"미역국 좀 질리게 먹는 거, 별로 고생 아니에요."

"미역국 좀 여러 가지로 끓이는 거, 그건 뭐 고생인 줄 압니까?"

지한은 별걱정을 다 한다는 듯이 날 바라보며 피식 미소를 지었다.

"그건 고생인 것 같은데……."

나의 대꾸가 채 끝나기도 전에 침실에서 아이 울음소리가 새어 나왔다. 정한이가 깬 모양이라 얼른 일어나려는데, 먼저 벌떡 일어선 지한이 엄한 얼굴로 당부했다.

"애는 내가 봅니다. 식사에 집중해요."

안 그러면 혼날 줄 알라는 듯 따끔한 눈빛을 보이고서 지한은 성큼성큼 침실로 이동했다. 긴 다리로 금세 침실에 다다른 그는 소리가 새지 않게 안에서 침실 문을 닫았다.

진짜 내가 안 가 봐도 되는 걸까……?

물끄러미 닫힌 문을 걱정스레 바라보는데, 희미하게 들려오던 울음소리가 얼마 안 가 조용해졌다.

"아, 괜한 걱정이었어."

아무렴, 준전문가 수준으로 출산과 육아 지식을 섭렵해 둔 이지한인데. 육아 전문가와 실습까지 해 가면서 실전을 준비해 온 이지한인데. 대체 내가 누굴 걱정했던 거야?

피식피식 웃으면서 12월 첫눈 같은 옥돔의 흰 살을 입에 가득 떠 넣었다. 가슴에서 걱정이 녹아내린 것처럼 입안에선 흰 살이 사르르 기분 좋게 녹아내렸다.

출산 직후부터 산후 조리원에 머문 2주 동안, 지한은 매일매일 미역국을 직접 끓여다 내 밥상에 올렸었다. 그리고 그 정성은 집으로 돌아온 후 2주 동안에도 어김없이 계속되었다. 가사 도우미를 채용했음에도 요리와 육아는 철저히 지한의 담당이었고, 그러기 위해 지한은 회사에서 육아 휴직 기간 6개월을 얻어 낸 상태였다.

그렇게 우리 금덩이가 태어난 지 딱 한 달이 된 오늘, 한동안 출장 때문에 발길이 뜸했던 지경이 집으로 찾아왔다.

퇴근길에 곧장 이리 온 건지. 양복 차림으로 우리 집 현관에 들어선 지경의 얼굴에는 피곤한 기색이 역력했다. 당장 드러누워 자야 할 성싶은 퀭한 몰골이면서, 지경은 신발을 벗자마자 제 조카부터 찾았다.

"정한이 자?"

"아니, 좀 전에 깼어."

"어디? 침실에 있어?"

"응."

내 대답에 지경은 곧장 침실로 발걸음을 움직였다.

"잠깐, 잠깐!"

나는 쏜살같이 앞을 지나치는 지경의 팔을 붙잡았다. 그러자 지경은 멈칫 서서 왜 그러냐는 눈빛으로 나를 봤다.

"일단 손부터 씻고 들어가."

"아차, 그렇지."

지경은 금방 내 뜻을 알아차리고 욕실로 발길을 돌렸다.

잠시 후, 깨끗하게 손을 씻고 나온 지경이 나를 보며 신기한 듯 말했다.

"네가 이렇게 위생을 챙기다니. 오래 살고 볼 일이다. 역시 엄마가 다르긴 다르네."

"당연하지! 나도 이제 엄만데, 엄마가 이 정도는 해야지!"

나는 어깨를 활짝 펴고 당당하게 고개를 끄덕였다.

"칼로 바퀴벌레 때려잡던 그 여자는 잊어."

도도하게 덧붙인 다음, 앞장서서 걸어가 침실 문을 열었다. 그러자 막 문을 열고 나오려던 참인지, 떡하니 지한이 눈앞에 나타났다. 지한은 팔짱을 끼고 선 채 예리하게 관찰하는 눈초리로 내게 물어 왔다.

"손 씻는 거 확실히 챙겼습니까?"

“당연하죠! 그렇잖아도 아주버님이 깜빡할 뻔한 거, 내가 얼른 챙겼어요.”

자신 있게 대답하자 지한은 내 어깨 너머 지경에게로 시선을 옮겼다.

“형, 이 사람 손 씻었어?”

응? 나?

“아, 맞다!”

손 씻으러 나와 놓고는, 초인종 소리에 정신이 팔려 까맣게 잊고 있었다니!

나는 잠시 만에 깨닫고서 후딱 욕실로 달려갔다.

생후 한 달이 된 우리 아들은 아기 침대에서 얌전히 눈만 깜빡이며 우리를 바라봤다. 주위로 빙 둘러선 세 사람이 머리를 맞대다시피 하고 저를 내려다보는 이 광경이 아이 딴엔 무서울 수도 있을 텐데. 정한이는 무서워하는 기색일랑 전혀 없이 순한 얼굴을 하고 있었다.

“암만 봐도 지한이 애기 때랑 완전 똑같네.”

지경은 정말이지 신기하다는 투로 말했다.

“근데 성격은 완전 반대야. 엄청 순해. 잘 울지도 않고, 맘마 잘 먹고, 잠도 잘 자. 완전 다행이지? 외모만 아빠 닮아서.”

내가 자랑스레 뱉은 말에 지경은 고개를 갸웃거렸다.

“음? 아닌데? 지한이도 애기 땐 순둥이였어. 지금 정한이처럼.”

“뭐?!”

“잘 울지도 않고, 맘마 잘 먹고, 잠도 잘 자고. 애기 때 지한이가 딱 그랬어.”

“지, 진짜?”

“진짜야. 이 녀석이 어찌나 순했는지. 어머니도, 보모 아주머니도 애 키우기 진짜 편했다더라.”

“아니, 그, 근데 왜 지금 성격은…….”

이지한의 성격이 그리 순한 시절이 있었다니. 나는 도무지 믿을 수가 없어 옆에 있는 지한을 흘끗 쳐다봤다. 불신으로 가득 찬 내 시선을 아무렇지 않게 마주한 채, 지한은 어깨를 으쓱해 보였다. 내가 못 믿는다는 걸 다 이해한다는 듯이.

우리의 맞은편에서 지경은 말을 이어 갔다.

“우리 집안 내력인가 봐. 애기 때랑 성격 정반대로 자라는 거. 난 애기 때 엄청 예민하고 유별나서, 난리도 그런 난리가 없었다고 하던데?”

“네가?!”

경악한 눈빛으로 지경을 바라보자 지경은 씩 웃으며 의미심장하게 덧붙였다.

“그러니까 장담하는데. 정한이는 나중에 딱 지 아빠처럼 자랄 거야.”

“…….”

“예민하고, 유별나고, 난리도 그런 난리가 없게.”

순간 날 사랑하기 전의 이지한이 얼마나 예민하고 유별나서 날 괴롭게 했는지, 주마등처럼 악몽 같은 기억이 뇌리를 스쳐 갔다. 덕분에 으스스 오한이 밀려들고 피가 바짝 마르는 기분이다.

“야, 거, 겁주지 마!”

나는 두려움을 떨쳐 보려 두 주먹을 꽉 쥐고서 벌떡 일어나 항의했다.

"외모 닮았다고, 성격까지 닮으란 법 있어? 정한이 성격은 나 닮았겠지!"

"글쎄다. 외모가 이 정도로 똑같으면, 성격도 똑같은 것 같은데?"

"아니, 아무리 그래도! 아무렴 얘가 나 닮은 구석이 하나도 없겠어?"

"뭐, 하나쯤은 있을 수도 있어."

지경은 고개를 끄덕끄덕하며 순순히 수긍했다. 그렇지만 지경의 말은 거기서 끝이 아니었다.

"근데 그 너 닮은 구석 하나가, 키일 수도 있지."

가볍게 던진 말 한마디가 내게는 청천벽력과도 같이 들렸다.

내, 내 키? 내 아들이 내 키를 닮아……?

정말이지 벼락을 맞은 듯이 정신이 아찔하고 몸이 휘청거리는데, 지한이 벌떡 일어나 내 어깨를 잡아 부축했다. 나는 높은 곳에 있는 지한의 얼굴을 올려다보며 울상을 지었다. 그런데 지한은 어째서인지 아무렇지 않은 얼굴로 지경을 향해 입을 열었다.

"내 아정 씨 키가 뭐 어때서?"

"……응?"

이게 뭔 소린가 싶어 눈을 껌뻑거렸다. 그러자 맞은편에서 지경의 대답이 들려왔다.

"어떻기는. 작고, 작고, 작지."

"내 아정 씬 그게 매력이잖아."

"……."

"내 아들이 그 매력 닮으면, 그건 그거대로 귀엽겠네."

지한은 추호의 거짓도 없는, 일말의 거리낌도 없는 눈빛으로 말했다.

내 역린인 작은 키마저도 매력이라 자부하는 그의 모습에 잠시 가슴이 뭉클해져 왔다. 한편으로 나도 그의 유별스러운 성질머리를 매력으로 자부해야 했나 싶었지만……. 아니, 그래도 그 성질머리를 아들에게서까지 느끼고 싶진 않아! 물론 나의 작은 키도!

"안 돼! 내 아들은 그럴 수 없어!"

격렬한 거부감에 울컥 외치고서 나는 지한의 팔을 꽉 붙잡았다.

"내 키 닮으면 귀여울 거라니! 그런 소리 하지도 마요! 말이 씨가 되면 어떡해요!"

눈을 마주 보고 신신당부했지만, 지한은 뭐가 문제인지 모르겠다는 태연한 얼굴이었다.

"안 돼요! 절대! 절대!"

나는 아예 그의 멱살을 잡아 흔들면서 필사적으로 세뇌시켰다.

"우리 아들 키는 나 닮으면 절대 안 된다고요!"

원인 제공자인 지경이 떠났음에도 나는 불안에서 벗어나지 못하고 있었다.

내 아들 키가 날 닮으면 어떡하지……. 내 아들 키가 날 닮으면…….

나는 침대에 앉아 다리를 달달 떨며 걱정했다. 어찌나 불안한지, 결혼 전의 버릇이 되살아나 나도 모르게 엄지손톱을 입에 물었다. 그때, 수건을 들고 돌아온 지한이 곁에 앉아 내 손을 잡아 입에서 떼어냈다.

"걱정 좀 그만 사서 하죠."

"예?"

"애 키는 커 봐야 아는 건데. 벌써 걱정할 거 뭐 있습니까? 설령 작게 큰다 해도 나쁠 거 없고."

"난 키 큰 게 좋은데……. 난 키 작은 게 콤플렉스라서, 내 아들은 안 그랬으면 좋겠단 말이에요."

지한은 한쪽 어깨에 수건을 걸치더니 내 허리로 손을 뻗었다. 그의 손이 티셔츠 끝자락을 쥐었을 때, 나는 그가 뭘 하려는지 직감했다. 하루에 몇 번씩, 늘 받아 온 서비스가 또 시작될 모양이다. 생각하며 습관적으로 두 팔을 만세 하듯 들었다. 그런 내 머리 위로 홀렁 티셔츠가 벗겨졌다.

"그냥 콤플렉스를 버리는 게 제일 좋은 겁니다."

지한은 조언하듯 말하며 책상다리를 하고 앉았다. 나는 지한의 무릎을 베고 누우며 반박했다.

"에이, 지한 씨는 다리 짧은 사람 설움을 몰라서 그래요."

지한은 어깨에 걸치고 있던 수건으로 내 맨가슴을 덮었다. 따뜻하게 데워 놓은 수건이 닿자 딱딱하게 뭉쳐 있던 가슴이 조금이나마 편안해졌다. 잠시 후엔 본격적인 마사지가 시작되겠지. 기대에 입꼬리가 절로 올라가는데, 지한의 손이 내려와 뺨을 문질렀다.

"물론 그건 모르지만."

지한은 나와 눈을 마주친 채 진지하게 말을 이었다.

"세상에서 내가 제일 사랑하는 다리가 내 아정 씨 다리란 건 확실히 압니다."

순간 입이 찢어지게 행복해진 동시에 자신감이 차올라서, 나는 생각을 고쳐먹었다.

"하긴 이만큼 짧으니까, 이 정도로 귀여울 수 있는 거겠죠?"

어깨를 으쓱이며 건넨 말에 지한은 보기 좋다는 듯 미소를 지었다. 지금 이대로 자신감은 충만했지만, 듣기 좋은 지한의 칭찬을 좀 더 듣고 싶단 생각에 슬쩍 배를 가리키며 말했다.

"근데요. 나 이렇게 배 나온 건 별로죠? 빨리 빠졌으면 좋겠는데. 안 빠지면 어떡하지?"

만삭일 때 한껏 부풀었던 배는 아직 완전히 가라앉지 않은 상태였다. 그래도 이지한 눈에는 예뻐 보이겠지. 나는 확신하며 그를 향해 눈을 반짝였다.

자, 어서 그렇다고 해! 이 배도 예쁘다고! 평생 안 빼도 괜찮다고!

기다리는 나에게 지한은 단호한 대답을 들려주었다.

"그쯤이야 안 빠질 리 없습니다."

"……뭐라고요?"

"안 빠질 리 없다고요."

기대와는 다른 대답에 잠시 멍해졌다.

"이제 슬슬 다시 운동 시작하고, 내가 옆에서 관리해 줄 테니까. 이 정도는 금방 빠질 겁니다. 내가 반드시 그렇게 만들 거니까, 걱정할 거 없어요."

마치 내 살을 빼는 일이 절대로 이루어야 할 목표인 양, 지한은 굳게 장담하고 내 가슴으로 두 손을 얹었다. 이어 그의 손은 본격적인 가슴 마사지를 시작했다. 모유 수유 중인 산모에게 좋다는 마사지를 전문가에게서 철저히 배워 온 터라, 가슴을 매만지는 그의 손길은 부드럽고 섬세했다. 지한은 아프지 않게 적당한 압력으로 내 가슴의 뭉친 구석을 풀어 갔다. 하지만 내 가슴속 깊은 곳은 꽁하게 굳어 버렸다.

이 배도 예쁘다고, 평생 안 빼도 괜찮다고 말해 줄 줄 알았는데! 왜 꼭 빼 주겠다고 하는 거야? 왜? 지금 내 배는 보기 싫어? 꼭 빼야만 해?

나는 울컥해서 불만을 터뜨리고 말았다.

"아니, 나 살 안 빼도 괜찮은 거 아니었어요?"

"?"

"나 여기서 살 안 빼면, 안 되는 거예요? 왜?"

"본인이 살 빨리 빼고 싶다면서요. 아닙니까?"

지한은 어리둥절한 얼굴로 대꾸했다.

"물론 나야 빨리 빼고 싶죠, 싶지만! 지한 씨도 내가 빨리 빼야 한다고 생각해요? 그랬으면 좋겠어요?"

"……."

"난 지한 씨는 안 빼도 된다고 생각할 줄 알았는데……."

기대만큼 실망이 밀려와서 기분이 착 가라앉았다. 갑자기 찔끔 눈물까지 흘러나왔다.

아닌데? 이거 울 일 아닌데? 울 정도로 속상할 일 아닌데?

분명 머리로는 울 일이 아니라고 생각하는데, 자꾸자꾸 가라앉는 기분에 청승맞게 눈물이 멈추지 않았다.

"어어, 왜 눈물이 나지?"

내가 생각해도 어이가 없어 눈물을 훔쳐 내며 눈을 찌푸렸다. 그러자 지한이 침착한 목소리로 답을 내려 줬다.

"출산 후 호르몬의 급변 때문일 겁니다."

"호르몬이요?"

"원래 아이 낳고 한동안은 별것도 아닌 일에 서럽고, 우울하고.

그게 정상입니다. 급변하는 호르몬이 사람 기분을 그렇게 만드는
거죠. 산후 우울증이란 말이 괜히 있는 거 아닙니다."

지한은 다 이해한다는 눈빛으로 내려다보며 가슴 위를 다독여 주
었다. 하기야 출산 후로 문득문득 한없이 가라앉는 기분일 때가 있
었다. 그럴 때면 기운이 쭉 빠져서 멍하니 바닥만 내려다보게 되는
데. 좀처럼 곁을 비우지 않는 지한이 그때마다 말을 걸고, 손을 뻗
어 오는 덕에 그 기분은 오래가지 않아 떨쳐졌었다. 그래서 난 잊
고 있었던 모양이다. 나 역시도 산후 우울증을 조심해야 하는, 급
변하는 호르몬의 영향을 받는 산모라는 사실을.

"아무리 호르몬 탓이라도 그렇지. 방금 나 되게 이상한 사람 같
았어⋯⋯."

나는 자책하며 소매로 눈을 쓱쓱 닦았다.

"이상해도 귀여우니 됐습니다."

"이게 귀여워요? 이게?"

믿을 수가 없어 묻자 지한은 고개를 끄덕이더니 손을 뻗어 내 배
에 얹었다.

"이것도 같이 귀엽습니다."

"⋯⋯진짜요?"

"진짭니다."

"그럼 나 이거 안 빼고 평생 둬도 돼요?"

"더 찌워도 되니까, 좋을 대로 해요."

나와 눈을 마주 보며 지한은 길게 입꼬리를 올려 부드러운 미소
를 지었다.

그래! 이 맛이야!

난 이런 대답이 듣고 싶었던 거야!

내 안에서 날뛰어대는 엔도르핀을 만끽하며 나는 눈이 감길 만큼 헤죽헤죽 웃었다.

안 빼도 되는 걸 넘어서서, 더 쪄도 되기까지 하다니. 원했던 것 이상으로 행복을 주는 대답이다. 이 하나를 바라면 열을 주는 남편 같으니라고. 아주 예뻐 죽겠어서 두 팔을 들어 내 남편의 얼굴을 감싸 잡았다.

순간 내가 뭘 하려는지 알아차린 건지, 내가 끌어당기기도 전에 그가 먼저 나를 향해 얼굴을 내렸다. 이내 이마 위로 지그시 닿는 입술이 꽃잎처럼 간지럽고 부드러웠다. 덕분에 머릿속이 하얗게 녹는 기분이라 깜빡 잊을 뻔했다.

아참, 나도 이러려고 했었지.

얼른 정신을 차린 나는 살짝 고개를 들어 그의 이마에 입을 맞추었다. 이윽고 다시 그의 무릎에 머리를 기대고, 그의 얼굴을 바라봤다.

그도 나와 같은 기분일까? 내 입맞춤도 그처럼 감미로웠을까?

궁금해하는 내 눈앞에서 지한은 답을 보여 줬다. 활짝 웃음꽃을 피워 내는 그의 얼굴이 바로 그 답이었다.

"아……. 덮치고 싶네."

가득 차오르는 행복감에 취해 중얼거리자, 지한이 정색하고 대꾸했다.

"안 됩니다. 아직 하면 안 되는 시기니까."

"아우, 알아요. 출산 후 3개월은 부부 생활 자제해야 하는 거. 설마 지금 내가 진짜로 덮치겠어요? 그냥 마음이 그렇다는 거지."

현실적인 장벽을 떠올리며 나는 아쉬움에 입술을 삐죽이며 말했다.

“정확히 59일하고 14시간 30분쯤 남았습니다.”

“예?”

“해방의 그 순간까지 59일 14시간 30분쯤 남았다고요.”

와……. 이 인간은 이걸 분 단위로 세고 있었어?

놀라워서 입이 쩍 벌어지는데, 그가 두 손으로 내 두 손을 꼭 잡았다.

“같이 도 닦는 마음으로, 잘 참아 봅시다. 그 날까지.”

지한은 가뜩이나 큰 눈을 부릅뜨고 이글이글 뜨거운 눈빛으로 의지를 다졌다. 눈빛뿐이 아니라 두 손에서도 열기가 느껴졌다. 겉으로 보이는 것보다 훨씬 더 속이 타고 있는 모양이었다. 어쩌면 나보다 더 타고 있을지도 모를 일이지.

신혼여행 이후부터 하루가 멀다고 벌어졌던 캠프파이어의 나날들을 떠올려 보며, 꺼진 불도 다시 활활 피워 올리던 방화 달인 이지한을 추억하며 나를 채찍질했다.

그랬던 그도 참는데! 나라고 못 참을까?

“그래요! 잘 참아 보십시다!”

그에게 지지 않을 기세로 꽉 두 손을 맞잡고서 외쳤다. 그리고 다짐했다. 59일 14시간 30분 뒤, 알람이 울리도록 휴대 전화에 꼭 알람 설정을 해 두어야겠노라고.

그로부터 59일 14시간 20분이 지난 어느 화창한 오후. 나는 10분 뒤면 알람이 울릴 예정인 휴대 전화를 두 손 모아 꼭 쥔 채로 거

실을 서성였다. 내 앞에서 지한은 도통 잠이 들지 않는 정한이를 품에 안고 소파에 앉아 있었다. 그는 정한이의 가슴을 도닥이며 나긋나긋한 목소리로 무언가를 읽어 주고 있었다. 얼핏 들으면 동화를 읽어 주는 듯한 감미로운 목소리였지만, 정작 그가 읽고 있는 건……. 경제 신문이었다.

"S 전자가 올 1분기 10조 원대에 이어 2분기에 15조 원이 넘는 사상 최대 영업 이익을 올릴 전망이다. 주요 증권사들은 S 전자의 올 한 해 영업 이익이 지난해보다 좋은 성적을 거둘 것으로 판단하고 목표가를……."

평소에도 매일 읽어 주는 신문이거늘 오늘따라 기사 내용이 왜 이리도 지루하게 느껴지는지. 어른인 내가 다 하품이 날 지경인데. 내 아들은 어쩜 저리 똘망똘망 눈을 반짝이고 있는 건지!

도무지 잠들 기미가 보이지 않아 발을 동동 굴렀다.

"그러게 왜 디데이를 출산 시간에 딱 맞춰서 잡아 가지고……! 그냥 59일째 되는 날로 정해 놓고, 자정에 딱 해치웠으면 좋았잖아요."

"나도 후회 중입니다."

지한은 미간에 주름이 잡힐 만큼 심란하고 괴로운 얼굴로 답했다.

"그래도 아직 낙담하긴 이릅니다. 우리에겐 아직 10분이 남아 있으니까."

"우리 애는 10분 안에 잠들 눈치가 아닌데요?"

"내 아정 씨 눈치는 별로 믿을 게 못 됩니다. 다행히도."

"……."

그게 다행인 건지, 욕인 건지. 착잡하고 떫은 기분에 가자미눈을 뜨고 지한을 흘겨보았다. 그런데 느닷없이 내 손에서 휴대 전화가 드르륵 진동했다.

"엇! 벌써 10분 다 된 건가?"

놀라서 휴대 전화를 확인한 나는 내 예상이 틀렸다는 걸 알게 되었다. 휴대 전화는 알람 때문에 울리는 게 아니었다.

갑작스레 걸려 온 전화를 받기 위해 내 아정은 침실로 달려갔다. 극단에서 온 전화라고 하니, 아무래도 일 얘기인가 본데. 부디 그 일이 좋은 일이기를 바라는 한편으로, 내 아정이 돌아오기 전에 우리 아들이 잠 좀 자길 절실하게 바랐다.

그런데 정말 내 바람이 전해졌는지. 품에 안긴 정한이가 느릿느릿 눈을 껌뻑이다 하품을 선보였다. 딴에는 한껏 벌린 입의 크기가 내 엄지손가락보다 작아 피식 웃음이 났다. 하품을 마친 정한이는 다시 눈을 뜨지 않고, 조용히 잠이 들었다.

정한이가 좀 더 깊이 잠들기를 잠시 기다렸다가, 슬그머니 앞에 있는 요람에다 정한이를 내려 눕혔다. 그때 주머니에서 휴대 전화가 진동했다. 확인해 보니 알람이 울리고 있었다. 해방의 순간임을 살 떨리게 알려 주는 신호였다.

나는 알람을 끄고 휴대 전화를 내려놓자마자 훌렁 카디건을 벗었다. 내 아정도 알람이 울렸을 테니, 금세 달려 나오겠지. 고대하며 셔츠의 소매 단추를 풀었다. 그런데 예상과 달리 내 아정의 발소리는 들리지 않았다. 목 아래의 단추를 두 개나 풀었음에도 감감무소식이었다.

"중요한 일인가?"

이상해서 중얼거리다가 불쾌해서 인상을 찌푸렸다.

"아니, 이것보다 중요한 게 있어?"

대체 그런 일이 뭐가 있는데!

나는 정한이가 깨지 않게 속으로만 외치고서 벌떡 일어나 침실로 향했다. 그런데 막 침실 문 앞에 다다르는 찰나 문이 벌컥 열렸다. 내 아정은 문 너머에서 황급히 뛰어나오다 나를 발견하곤 멈칫 섰다.

"지한 씨!"

내 아정은 잔뜩 상기된 얼굴로 반색하며 나를 와락 안았다.

"나요, 드라마 출연 제의 들어왔어요!"

"드라마? 정말입니까?"

뜻밖의 희소식에 놀라 묻자 품에 꼭 붙은 고개가 격렬하게 끄덕거렸다.

"극단으로 연락 왔다는데, 작가가 작년에 우리 연극 봤었다나 봐요. 다음 달부터 촬영이라는데. 시놉 보고 생각 있으면 연락 달라고 했대요. 으아, 진짜 대박이죠?"

내 아정은 발까지 동동 구르며 마구 들뜬 마음을 발산했다. 덩달아 나까지 둥둥 떠오르는 기분이라 웃음꽃이 절로 폈다. 그렇지만 나는 그녀의 등을 쓰다듬으며 짐짓 침착한 목소리로 말했다.

"대박이 아니라, 당연히 일어나야 할 일이 일어난 겁니다. 내 아정 씨 실력이면 이런 러브콜 받는 게 당연하죠."

희소식은 희소식인지라 기분은 아주 많이 좋지만. 엄밀히 따지자면 정말 이건 당연한 일이다.

"대박이란 말은, 적어도 연기대상 수상이라든가, 할리우드 진출

쯤은 될 때 씁시다.”

“알았어요, 알았어! 그렇다고 쳐요. 아! 빨리 시놉 봐야겠다!”

내 아정은 갑자기 용건이 끝났다는 듯이 내게서 몸을 떼어 내고 휙 돌아섰다.

“아니, 잠깐.”

황당해서 팔을 붙잡으려 했는데, 어찌나 빠른지 놓치고 말았다. 쪼르르 쏜살같이 침실로 들어간 그녀는 노트북이 놓인 테이블에 다다랐다.

“설마 지금 시놉부터 확인하겠다는 겁니까?”

나는 얼굴을 구긴 채로 그녀의 곁에 다가갔다.

“당연하죠! 완전 궁금하지 않아요?”

내 아정은 나를 보지도 않고 입으로만 대꾸하며 노트북을 켰다. 마치 나는 안중에도 없는 것처럼.

“내 아정 씨, 지금 우리 해방의 순간이 무려 3분이나 지나갔습니다.”

“아, 시놉부터 읽고요. 시놉부터.”

노트북에서 눈을 떼지 못한 채, 그녀는 대수롭지 않은 투로 답했다.

“지금 그게 더 중요합니까?!”

“예?”

욱해서 터져 나간 비난에 내 아정은 흠칫하고 그제야 나를 올려 다봤다.

“당장 급한 불이 여기 났는데! 여기 불 끌 생각은 않고!”

나는 보란 듯이 내 가슴을 손바닥으로 팍팍 두드렸다.

“저게 중요합니까? 저게? 아니, 저게 무슨 3분 메일인가? 3분 안에 확인 못 하면, 노트북 폭파되기라도 한답니까?”

"아니, 저기, 나는 그냥……. 시놉이 너무 궁금해서."

"처음 뵙는 시놉은 궁금하고, 나는 안 궁금하다?"

"예?"

"이제 나한테선 볼 거 다 봐서, 지겹도록 많이 봐서 궁금할 게 없다 이겁니까? 그래서 우리 캠프파이어가, 내 순서가 뒤로 밀린 겁니까?!"

생각하면 할수록 주체할 수 없이 열이 펄펄 끓어올라 언성이 높아졌다.

내 순서가 뒤로 밀리다니! 내가 1순위가 아니라니! 이 여자는 사랑이 식은 건가?!

머릿속이 분노와 의심으로 가득 차서 나는 도끼눈을 뜨고 내 아정을 주시했다. 그러자 그녀는 놀라 커다래진 눈으로 펄쩍 뛰며 대꾸했다.

"아니죠! 절대 아니죠!"

내 아정은 냉큼 노트북을 탁 덮어 버렸다. 그러더니 덥석 내 허리를 끌어안고 이어 말했다.

"난요, 우리 캠프파이어부터 해 버리면, 지금 이 머릿속에 든 게 홀랑 다 타 버려서 기억을 못 할까 봐 그런 거예요! 내가 이런 시놉을 받았다, 확인해야 한다. 이거 기억 못 할까 봐요."

고개 들어 내 가슴에 턱을 꼭 붙인 채, 내 아정은 싱글벙글 애교가 듬뿍 어린 웃음을 보였다.

"근데 지금 생각해 보니까 시놉 보고 나서 캠프파이어 하면, 시놉 봤던 기억이 홀랑 타 버리겠네요. 에이, 그냥 지한 씨 기억력 믿고 해야겠다! 지금 해요, 지금!"

밝게 외친 그녀가 보채듯이 내 가슴에 고개를 묻고 마구 비볐다.

이 행동이 무슨 다림질이라도 되는지, 구겨졌던 마음이 싹 펴지는 기분이다. 덕분에 구겨졌던 미간이 싹 펴지며 피식피식 웃음이 났다.

"하여간 말은 잘하지. 평생 듣고 싶게."

어이없을 지경으로 순식간에 마음이 풀려 버린 채, 나는 내 아정을 꽉 마주 안았다. 그리고 잠시도 시간 끌 것 없이 곧장 그녀를 안아 들어 침대로 옮겨 갔다.

캠프파이어를 마치고서 우리는 노트북 앞에 나란히 앉아 시놉시스를 확인했다.

내 아정이 제안 받은 역할은 드라마의 주인공이 아니었다. 그렇다고 주인공의 뺨을 때릴 만큼 비중이 큰 악녀 역할도 아니었고. 그저 소소하게 간간이, 어쩌다 한 번씩만 등장하는 조연. 바로 주인공의 직장 동료 역할이 내 아정의 역할이었다.

솔직하게 말하자면 이건 내 성에 차지 않는 일이었다. 내 아정이 얼마나 실력 있는 배우인데, 연기할 때 얼마나 빛이 나는 보물인데. 한 회 한 시간짜리 드라마에서 끽해야 5분밖에 볼 수 없다니. 나만 손해인 게 아니라 시청자 모두의 손해 아닌가?

하지만 아무리 연극에서 경력이 쌓였다고 한들 드라마에서 내 아정의 경력은 전무했기에, 나는 현실과 타협해 욕심을 내려놓았다.

"뭐, 드라마 시청자 입장에서 내 아정 씬 처음 보는 신인 배우일 테니까. 내 아정 씨한테 덜컥 주연 자리를 맡길 수는 없겠죠. 이해합니다. 어쨌든 비중은 좀 적지만, 역할은 개성 있어 좋네요."

나는 팔짱을 낀 채 노트북을 바라보며 차분히 분석했다.

"와! 나 드라마는 아예 꿈도 안 꿨는데! 진짜 신기해요! 완전 꿈 같아!"

나와 달리 내려놓고 자시고 할 욕심 자체가 없었는지, 내 아정은 마냥 좋아서 어쩔 줄을 모르겠는 얼굴로 감탄했다. 그 모습에 덩달아 기분이 좋아져서 씩 미소를 걸어 둔 채 입술을 움직였다.

"이 드라마 하고 싶은 겁니까?"

물으나 마나 답은 뻔해 보였지만, 확실하게 답을 얻기 위해 질문했다. 그러자 내 아정은 나를 향해 마구 고개를 끄덕였다.

"그럼 합시다."

나는 아주 시원스럽게 고개를 끄덕여 보였다. 그때, 잠에서 깬 정한이의 울음소리가 거실에서 들려왔다.

어째 평소보다 오래오래 잘도 잔다 싶더라니. 정한이는 꼭 악몽이라도 꾼 것처럼 울며 보챘다. 품에 안아 토닥토닥 등을 두드리며 달래어 보았지만 소용없는 일이었다.

"어어, 우리 순둥이 정한이가 오늘 왜 이러지?"

곁에서 내 아정이 불안한 눈빛으로 정한이를 지켜보며 쩔쩔맸다.

"혹시 우리 얘기 다 들었나? 엄마 일하러 나가는 거 싫어서 이러나?"

"그런 거 아닙니다."

딱 잘라 말하고서 정한이를 소파에 눕혔다.

"아니, 아무리 걱정이 팔자라지만. 참 지나치게 신속하고 비현실적인 걱정이네요.”

침착하게 지적하며 나는 능숙한 손놀림으로 정한이의 기저귀를 벗겼다. 좀 냄새가 난다 했더니, 예상대로 기저귀는 흥건히 젖어 있었다.

“원인은 이겁니다.”

젖은 기저귀를 가리킨 뒤, 다시 정한이를 안고 서서 화장실로 향했다. 내 아정은 뒤를 쪼르르 따라오며 중얼거렸다.

“그런 거면 다행이지만……. 그래도 당신하고 정한이 집에 두고, 내가 일하러 나가도 되는 건지 걱정이에요.”

나는 세면대의 수도꼭지를 열었다. 그리고 흘러나오는 미온수에 정한이의 엉덩이를 살살 씻으면서 대꾸했다.

“내 아정 씨 집에만 있을 때도 정한이 키우는 건 내가 다 했습니다. 내 아정 씨 밖에 있을 때도 내가 지금처럼 잘할 테니까, 걱정할 거 없습니다.”

깨끗해진 아이 엉덩이를 확인하고 수도꼭지를 잠갔다. 매번 이렇게 물로 씻어 주는 일은 물휴지로 닦아 내는 것보다 번거로운 일이었지만, 아이 피부에는 이편이 덜 자극적이지 싶어 나는 늘 이 방식을 고집했다. 그런 나를 바라보며 내 아정은 차마 반박할 수 없다는 듯 고개를 끄덕끄덕했다.

“그래 보이기는 하네요.”

나는 한 팔로 거뜬히 정한이를 품에 안고, 다른 팔을 수납장에 뻗어 아이 수건을 챙겼다. 그리고 구석구석 살살 엉덩이의 물기를 수건으로 눌러 닦으며 말했다.

“내 아정 씨가 걱정해야 할 건 딱 하나 있습니다.”

"뭐, 뭔데요?"

걱정할 게 있단 말에 내 아정은 흠칫 겁이 나는 눈빛으로 나를 봤다. 나는 물기 없이 보송해진 정한이를 두 팔로 안고 일단 화장실을 빠져나갔다. 그리고 문 앞에서 기다리고 있던 그녀와 마주 섰다.

"드라마 촬영 시작하면, 일하느라 피곤해서 집에 오면 쉬고 싶을 텐데."

품에서 꼬물대는 정한이의 머리에 살짝 입을 맞춘 다음, 정한이는 듣지 못하도록 허리 숙여 내 아정의 귀에 대고 작게 속삭였다.

"일하고 집에 와도 밤일 면제 안 됩니다."

"……."

"내가 오늘까지 근 1년을 참았더니, 오늘부턴 하루도 못 참을 거 같습니다."

정한이 생기고부터 1년이나 참았는데, 더 참으라면 아주 한이 맺힐 지경이라 진지하게 선전 포고했다. 그러자 귓가에서 중얼거리는 목소리가 들려왔다.

"아니, 이건 걱정을 하라는 건지, 기대를 하라는 건지."

그러더니 내 아정은 두 손으로 내 머리칼을 움켜쥐고 나와 얼굴을 마주했다.

"나중에 딴소리나 하지 마요. 오늘부터 하루라도 참기만 해 봐. 아주 그냥, 내가 안 참는다, 내가."

눈을 부릅뜨고 으름장을 놓는 모습에 나는 씩 웃음이 났다.

"나 지금 내일까지도 못 참을 것 같은데."

의미심장하게 암시하자 내 아정은 불에 덴 듯 놀란 눈으로 흠칫 손을 놓았다.

"와, 이 연쇄 방화범."

그럴 줄은 몰랐다는 듯이, 그녀는 혀를 내두르며 나를 위아래로 훑어보았다. 그러다가 내 품에 안긴 정한에게로 그녀의 시선이 멈췄다. 정한이는 얌전히 안겨 있었지만, 눈을 초롱초롱하게 뜨고 있었다.

"그래도 정한이 잘 때까진…… 참아야 되는 거 알죠?"

내 아정은 마음이 복잡한지 번민에 사로잡힌 눈빛으로 서글프게 말했다. 아마 나와 같은 기분이겠지.

우리 아이는 사랑스러운데. 정말 눈에 넣어도 아프지 않을 만큼 사랑스러운데. 자고 있을 때가 가장 사랑스러울 듯한 이 복잡 미묘한 기분.

"배부르고 등 따시면, 잠이 올 겁니다."

나는 제발 그래 주길 부탁하는 마음으로 정한이를 바라보며 머리를 쓰다듬었다.

"자장가도, 자장가도 들려줘요. 아, 지한 씨가 좋아하는 캐논 들으면 잘 자던데. 그거 틀어 놓고 젖 물리면 금방 잘 거예요!"

내 아정은 급하게 말하고서 얼른 침실로 달려갔다. 얼마나 빨리 움직인 건지, 잠시 만에 침실에서 음악 소리가 잔잔히 흘러나왔다. 예상대로 캐논이었다.

"뭐해요? 안 들어오고?"

침실에서 재촉하는 듯한 질문이 들려왔다. 아마 내 아정은 벌써 침대에 앉아 젖 물릴 자세를 잡고 있겠지. 안 봐도 뻔한 일이라서, 안 보고도 벌써 웃음이 난다. 어차피 참지도 못할 웃음, 마음껏 입에 건 채 정한이를 바라보며 나지막이 조언했다.

"너도 엄마 같은 사람 만나라. 매일매일 너 자꾸 웃게 만드는 사람."

정한이는 말도 못 알아들으면서, 꼭 무슨 말인지 궁금해하는 듯한 눈망울로 나를 올려다봤다.

"이 아빠가 운이 참 좋은 사람인데. 이런 행운 저런 행운 다 겪어 봤다만, 그것만 한 행운이 세상에 또 없다."

새겨들으라는 투로 덧붙이고서, 이마에 입을 맞췄다. 그리고 다시 내 아정이 재촉하기 전에 얼른 발걸음을 움직였다. 세상에 또 없을 내 최고의 행운을 향해서.

작은 배역이라 큰 기대 없이, 그저 새로운 경험에 대한 도전으로 시작했던 드라마가 상상 이상으로 큰 성과를 거두었다. 방영 내내 시청률은 고공 행진을 이어 갔고, 많은 시청자가 지켜보는 가운데 나는 가끔 등장해서 큰 웃음을 주는 조연 배우로서 성공적인 신고식을 치렀다.

호평 덕에 드라마 속 분량은 늘어났고, 각종 러브콜이 밀려들었다. 물론 내게 오는 역할의 비중은 여전히 조연급이고, 저주받은 동안 덕에 역할의 종류는 제한적이었지만, 나를 원하는 역할의 개수는 손에 꼽을 수 없을 만큼 많아졌다. 심지어 예능 섭외까지 들어온 걸 보면 내가 할 수 있는 일은 더 다양해진 셈이었다.

결혼 전, 서른세 살인 나였다면 요즘 같은 상황에서 분명 이런 의심을 품었을 거다.

내 인생이 이렇게 잘 풀릴 리가 없는데, 아무래도 이상하다 싶을 만큼 일이 너무 잘 풀린다고.

하지만 결혼 후, 세상 제일가는 열성 팬과 살고 있는 나로서는 이제 그따위 못난 의심을 품을 겨를이 없었다. 내 인생이 이렇게도 행복할 수 있을까? 매일같이 신기해 감탄하느라고.

"아, 좀! 이런 거 안 보면 안 돼요?"

모처럼 휴일이라 실컷 늦잠을 자고 일어났더니, 거실에서 텔레비전을 보고 있는 지한의 모습에 나는 얼굴이 빨개져서 볼멘소리를 냈다. 텔레비전에는 드라마 촬영장에서 촬영 순서를 기다리며 동료들과 수다를 떨고 있는 내 모습이 나오고 있었다.

"집에서 애 보느라 못 본 내 아정 씨, 몰아서 보는 겁니다."

지한은 아무렇지 않게 태연한 얼굴로 대꾸했다. 물론 매니저를 시켜 내 일거수일투족을 촬영하겠다는 건 나도 동의한 사안이었다. 그가 홀로 정한이를 돌보느라 자신의 자유를 희생하는 대신, 나는 그가 보고 싶어 하는 촬영장에서의 내 모습을 촬영하도록 허락했었다. 하지만 내가 있는 자리에서까지 그 영상을 보고 있다니. 견딜 수 없이 민망해서 온몸이 근질거릴 지경이다.

"몰아 보든 끊어 보든, 볼 거면 나 없을 때 보라고요."

"그렇잖아도 끌 생각입니다. 이제 깨어 있는 내 아정 씨 실물로 보면 되니까."

지한은 간단하게 리모컨을 들어 텔레비전을 껐다. 그리고 내 손목을 잡아 나를 옆으로 이끌어 앉혔다. 그러고서 그는 빤히 내 얼굴을 쳐다보기 시작했다.

"매일 보는 얼굴인데, 안 질려요?"

신기해서 묻는 말에 선뜻 답이 돌아왔다.

"태어나서 28년 동안이나 못 보고 산 얼굴이라, 아직 안 질립니다."

“아, 하긴. 아직 25년이나 남았구나.”

서당 개 3년이면 풍월을 읊는 것처럼, 나는 결혼 생활 3년 만에 이지한의 콩깍지에 맞장구를 치게 됐다. 거기다 한술 더 떠 두 손으로 지한의 어깨를 잡고, 그의 말투를 흉내 내며 예리하게 질문했다.

“근데 25년 지나면 내 지한 씨, 질릴 예정입니까?”

취조하듯 뚫어지게 눈을 쏘아보는데, 지한은 거리낌 없이 여유로운 얼굴로 피식 웃었다.

“그건 그때 가서 알려 줄 테니까. 그때까지 꼭 살아서, 내 대답 듣도록 합시다.”

“예?”

“중간에 도망가면 답 안 줍니다. 그때까지 꼭 나랑 살고 있깁니다.”

“아니, 그 대답이 선녀 날개옷도 아니고. 무슨 그런 걸로 사람 잡아 두려고 해? 기면 기다, 아니면 아니다. 대답 간단하구만. 그거 하나 알려 주는 게 뭐가 어렵다고.”

어이없어 툴툴거리자, 지한은 눈이 사라질 만큼 씩 웃음을 보이면서 내 이마에 이마를 맞대었다.

“내가 그거 하나로만 잡아 둘 것 같습니까?”

대답할 틈도 없이 그가 내 입술을 입술로 붙잡았다. 어디 못 가게 하려는 듯 단단하게 옭아매는 키스가 이어졌다.

아……. 이거 하나로도 날 잡네.

나는 눈이 절로 감긴 채 키스의 효능을 체감했다. 그렇지만 지한의 입술이 내게서 떨어졌을 때, 괜히 아닌 척 퉁명하게 말했다.

“이, 이걸로도 안 되거든요?”

“이걸로 끝 아니거든요?”

이번에는 그가 내 말투를 흉내 내더니, 내 이마에 입을 살짝 맞추고서 본래 말투로 덧붙였다.

"그 많은 거 한꺼번에 다 못 보여 주니까, 내가 어떤 것들로 내 아정 씨 잡아 두는지는 25년 동안 차근차근 지켜보도록 합시다."

자신하는 믿음직한 목소리에 기대감이 불쑥 솟구쳤다. 25년 동안 차근차근, 계속해서 행복할 거라는 기대감. 그 때문에 가슴이 마구 설레어서인지, 잠시 있자 배가 꼬르륵거렸다.

"그럼 우선 아침 메뉴부터 지켜볼래요. 뭐 얼마나 맛있는 거 해 주는지."

기대에 찬 눈빛으로 말했더니 지한은 흔쾌히 자리에서 일어났다. 귀찮을 거 하나도 없다는 듯이, 오히려 즐거운 듯이.

본가 응접실의 소파에서 어머님은 정한이를 안고 앉아 흡족한 미소를 지었다.

"아이구, 우리 정한이 그새 많이도 컸네? 내일은 또 얼마나 커 있을까, 응?"

겨우 생후 6개월인 정한이가 알아듣지 못할 줄을 뻔히 아실 텐데, 어머님은 정한이의 눈을 보며 정겹게 말을 붙였다. 그런 그녀와 마주 앉은 채, 나는 훈훈해지는 마음을 느꼈다. 어머님도 손주 앞에선 여느 할머니들과 다를 바가 없으시구나. 그렇게 생각하니 그녀를 대하기가 한결 편안하게 여겨졌다.

"내가 우리 정한이 매일 보러 갈 수도 없고."

아쉬운 듯 흘린 혼잣말에 나는 냉큼 입을 열었다.

"어머니 괜찮으시면, 제가 매일 정한이 사진 보내 드릴게요."

"그럴래?"

어머님은 반색하며 나를 향해 눈을 반짝였다. 그런데 그때 옆에서 지한이 무뚝뚝한 목소리로 끼어들었다.

"내 아정 씨 아니었으면 엄마 손주 못 태어났어. 알지?"

어머님은 눈살을 찡그리며 지한을 흘겨봤다.

"너 그 소리 두 번만 더하면 백 번이야."

"알아. 천 번까지 구백 두 번 남은 것도 알고."

"천 번까지는 왜 세고 있어? 천 번까지 할 생각이다, 이거니?"

"당연하지. 천 번이 뭐야? 만 번도 들어야지. 엄만 진짜 내 아정 씨한테 잘해야 해."

이 사람아, 그만해라!

엉덩이 아래로 가시방석이 돋아나는 듯해 속으로 외치면서 지한의 옆구리를 꼬집었다. 그렇지만 지한은 그런 내 손을 붙잡고는 자기 무릎 위에 얹어 놓고 계속 말했다.

"나 이 사람한테 도청 장치 달아 놨으니까. 혹시라도 나 없을 때 몰래 구박할 생각 하지도 마."

뭐라? 도청 장치?

"진짜예요?"

경악으로 눈이 휘둥그레져서 묻자 그는 내 귓가에 입을 대고 작은 목소리로 속삭였다.

"없지만 있는 척해야 합니다."

없는데 있는 척을 해야 한다니. 나는 부러 놀란 표정을 계속 유지하며 외쳤다.

"어머, 미쳤어요? 대체 어디 단 거지? 어디?"

괜히 주머니를 뒤져 대며 수선을 피우는데, 어머님의 목소리가 들려왔다.

"도청이든 도촬이든 어디 마음대로 해 봐. 너한테 책잡힐 일 전혀 없으니까."

어머님은 거리낄 것 없단 투로 우아하게 선언했다.

"어우, 그럼요. 전혀 없으시죠. 결혼 후로 어머님이 얼마나 저를 편하게 해 주시는데요. 저랑 단둘이 있으실 때도 저를 꿔다 놓은 보릿자루인 양 편하게, 아예 없는 사람처럼 내버려 두신다니까요? 칭찬도 없으시지만, 대신 구박도 절대 없으신 분이에요, 우리 어머님은."

나는 지한을 향해 정색하고 주장했다. 물론 내 말은 사실이었다. 결혼 후로 어머님은 마치 며느리에 대한 기대를 다 내려놓은 사람처럼 나를 방목하고 계시니까. 덕분에 나로서는 정말이지 편한 마음으로 시댁을 드나들고 있기에, 어머님이 억울하지 않도록 있는 그대로의 진실을 말했다.

"뭐니 뭐니 해도 시댁은 이렇게 며느리 방목하는 시댁이 최고예요."

최고임을 강조하기 위해 지한의 눈앞에 두 주먹을 들고 엄지를 척 세워 보였다. 그런데 지한은 못마땅한 표정으로 눈살을 구겼다.

"권리 위에 잠자는 자는 보호받지 못하는 법입니다."

"예?"

"자기 아니었으면 대 끊겼을 집안에 대를 이어 줬는데. 시댁에서 대접받을 생각을 해야지, 왜 대접 불이행을 방목으로 미화하고 있습니까?"

"아니, 시댁에서 대접받을 생각하는 여잔 그냥 결혼 포기한 여자고요. 현실적으로 며느리 대접해 줄 시댁 어디에도 없어요. 아무리 잘난 며느리라도, 며느리는 시댁의 을일 뿐이에요. 그러니까 방목은 며느리가 받을 수 있는 최고의 대접이라니까요?"

현실을 직시하란 반박에 지한은 고개 돌려 어머님을 향해 말했다.

"엄마, 아니란 것 좀 보여 줘 봐. 엄만 할 수 있잖아?"

"……."

"다른 시어머니들이 뛰어넘지 못한 그 경지를, 엄마라면 뛰어넘을 수 있어. 업고 다녀도 모자랄 며느리, 대접 제대로 해 줘 봐."

내가 들어도 기가 막히는데, 어머님은 오죽할까?

역시나 어머님은 기가 막힌 얼굴로 지한을 쏘아봤다. 그러다 이내 품에 있는 정한에게로 시선을 옮겨 말을 건넸다.

"정한아, 너 지금 네 아빠 하는 거 잘 배워 둬라. 그래서 이다음에 마누라 생기거든 네 아빠하고 똑같이 해야 한다? 네 마누라 대접해 내라고, 엄마 아빠 들들 볶아야 돼. 알았지?"

순간 지한을 쏙 빼닮은 어른이 된 정한이가 지한과 똑같은 말을 내게 하는 상상이 떠올랐다. 역지사지로 어머님이 지금 어떤 심정일지 이해가 될 것 같은데…….

"애초에 내 아정 씬 엄마하고 다르잖아."

지한은 전혀 이해 못 하는 듯 냉정하게 말했다.

"뭐야?"

"엄만 아들 부부 인생 자기 마음대로 휘두르려던 사람이고, 내 아정 씬 그럴 일이 없는 사람인데. 아들 부부가 내 아정 씨 때문에 결혼 파투 날 뻔하는 위기 따윈 없을걸? 그런 위기가 없는데, 내 아정 씨더러 며느리 대접 요구하면 그건 정한이가 정신 나간 불효 자식인 거지."

"……."

"지금 상황의 원인은 엄마에게 있는 거야. 뿌린 대로 거두는 단계니까, 받아들여."

자기 말에 틀린 거 하나 없다는 듯이, 지한은 자신만만하게 팔짱을 차고 어머님을 지켜봤다. 그러자 어머님은 뭐 저런 게 내 속에서 나왔을까 싶은 눈빛으로 지한을 마주 보며 내게 말을 건넸다.

"얘, 너 네 아들이랑 내 아들 데리고 그만 집에 가서 쉬어라."

"예?"

어머님은 내 쪽으로 정한이를 내밀며 말했다.

"더 있으면 내가 내 아들 펠 것 같다."

의미심장한 목소리에 진심이 묻어나서, 나는 냉큼 어머님께 달려가 정한이를 받아 안았다.

예상보다 일찍 시댁에서 빠져나오게 된 나는 정한이를 안고 조수석에 앉은 채 툴툴거렸다.

"바라지도 않는 대접 타령은 왜 해 가지고. 괜히 중간에서 나만 난처하게."

운전석의 지한은 아무렇지 않은 얼굴로 팔을 뻗어 내게 안전벨트를 채워 주었다. 달칵, 제대로 잠긴 소리가 나자 그가 내 뺨에 대고 쪽 소리가 나게 입맞춤을 남겼다. 좋긴 한데 좋은 티를 낼 상황은 아니라서, 부러 삐죽 눈을 흘기며 퉁명하게 타박했다.

"진짜 어머니 좀 그만 들들 볶아요. 어머님은 날 내버려 두시는데. 지한 씨가 어머님을 안 내버려 두면 내 입장이 뭐가 돼요?"

"귀한 며느리 되는 겁니다."

"기이한 며느리겠죠. 남편 앞세워서 시어머니 시집살이 시키는. 연애 전엔 날 그렇게 시집살이시키더니. 이젠 어머니 차례예요? 하여간 시집살이 시키는 데 뭐 있다니까. 시집살이 매니아야, 매니아."

"나도 시집살이 좋아서 시키는 거 아닙니다. 필요해서 시키는 거지."

"나 시킬 땐 뭐, 형한테서 나 떼어 내느라고 필요했다 쳐요. 근데 지금 어머니 시집살이는 필요 없는 일이라니까요? 내가 대접 필요 없으니까."

"내가 말하는 대접이라는 거, 그리 대단하지 않습니다. 그냥 잘한 건 잘했다, 수고한 건 수고했다. 그렇게 알아주고 칭찬해 주는 거, 그거면 됩니다."

지한은 차에 시동을 걸며 이어 말했다.

"그런데 내 아정 씨 드라마 하는 동안, 어머닌 인사치레로라도 좋은 말 한 적 한 번도 없습니다."

"그렇게 모르는 체해 주시는 게 차라리 편한 거죠. 집에서 애 안 보고 뭔 짓이냐, 그렇게 구박 안 듣는 게 어디에요. 난 이대로 만족해요, 좋아요."

"내가 싫습니다. 나는 친정에서 투명인간 취급받던 내 아정 씨, 시댁에선 반대로 살게 할 겁니다. 잘했다, 수고했다. 가족들이 알아주고 챙겨 주게 할 겁니다."

지한은 확고한 목소리로 장담했다. 생각지 못한 그의 속 깊은 이유에 잠시 목이 메었다.

"투명인간 말고, 형광인간 되십시다."

가볍게 덧붙이며 그는 자신의 안전벨트를 채우려 했다. 나는 얼른 손을 뻗어 그의 안전벨트를 대신 채워 주었다. 그리고 조금 전의 그처럼 나도 그의 얼굴에 입맞춤을 전했다. 내가 바라는 것 이상으로 날 행복하게 하는 이 사람에게, 나도 뭐든 똑같이 해 주고 픈 마음으로.

내 남편이 얼마나 나를 행복하게 해 주느냐 하는 척도와는 별개로 내 시어머니는 결코 변할 리가 없으리라 생각했었다. 지한이 아무리 바꿔 보려 힘쓴다고 한들 어머님 역시 보통 분이 아니시니까. 마지못해 우리 결혼은 허락해 주셨지만, 나아가서 날 좋아해 주는 것까지는 불가능하리라. 그렇게 기대 없이 현실을 판단하고 있었는데…….

"어머니가 오는 길에 주웠다고, 너 갖다 주라고 하시더라."

집으로 온 지경이 식탁에 마주 앉아 봉투를 내밀면서 황당한 말을 전했다.

"어머니가 오는 길에 주우셨다고?"

말도 안 된다고 생각하며 봉투를 여는 사이, 잠든 정한이를 침실에 눕혀 놓고 나온 지한이 내 옆자리에 앉았다.

"뭡니까?"

"몰라요. 어머님이 오다 주우셨다는데…….."

봉투에서 꺼낸 내용물을 확인하자 멈칫 말문이 막혔다.

“뭔데 그래요?”

놀란 내 표정을 알아차렸는지, 지한이 내 손에 들린 내용물을 향해 가까이 고개를 움직였다.

“항공권이잖아?”

그 역시 놀라운 듯 혼잣말을 하고 지경을 향해 시선을 옮겼다.

“이걸 오다 주우셨다고?”

“그래. 오다 주운 발리행 항공권 두 장이라신다. 주운 김에, 둘이 가서 묵을 호텔 예약도 다 하셨단다. 일주일 일정인데, 그 일주일 동안 어머니도 휴가 쓰신다셔. 너희 없는 동안 정한이는 어머니가 직접 보시겠다고. 그러니까 마음 놓고 둘이 다녀와.”

지경의 대답이 더욱더 놀라워서 눈이 휘둥그레졌다.

“우, 우리 둘이 여행 가라고?”

“그래.”

“갑자기 왜? 왜 그러시는 거지?”

“갑자기는 아니지. 어머니 일주일이나 휴가 내시는 거 쉬운 일 아니니까. 벌써 두 달 전부터 스케줄 조정해서 비워 두셨던데. 아마 너 드라마 끝내면 휴가 보내 주려고, 그때부터 준비하셨던 거 아니려나?”

나로서는 금시초문인 데다 꿈도 못 꾼 일이었다. 그래서 꿈인가 생시인가 하는 얼굴로 지한을 보자, 그의 표정 역시 나와 별반 다르지 않았다.

대망의 휴가 첫날, 공항 내 카페에 앉아 탑승 시간을 기다리며

휴대 전화를 만지작거렸다. 정한이와 함께 있을 어머님께 전화를 걸었지만, 연결이 되지 않았기 때문에 문자 메시지를 작성하는 중이었다.

감사하단 인사에 하트 표시까지 여럿 찍어 놓고 막 전송을 마친 찰나, 옆을 지나가던 두 여자가 멈칫 걸음을 멈췄다.

"어? 나아정이다!"

난데없는 목소리에 고개를 들었더니, 대학생쯤으로 보이는 두 여자가 나를 알아본 듯 더 가까이 다가왔다.

"언니, 저 사인 좀 해 주세요."

"저, 저요?"

"예, 언니 나아정 맞잖아요. 아니에요?"

"맞긴 한데……."

내 사인이 갖고 싶은 사람이 있다니. 왜지?

드라마 방영 후로 여러 차례 겪은 일이지만, 아직도 적응이 되지 않아 어리둥절했다.

"여기요."

두 여자 중 하나가 테이블 위로 다이어리를 펴서 내밀었다. 나는 얼떨떨한 가운데에도 열심히 다이어리에다 사인을 그렸다. 이윽고 사인을 마친 다이어리를 다시 주인에게 돌려주는데, 양손에 커피를 쥔 지한이 내 앞에 나타났다.

"누구, 아는 사람입니까?"

지한은 맞은편에 앉으며 나와 두 여자를 번갈아 봤다.

"아뇨. 지나가던 분들이신데. 사인 부탁을 하셔 가지고."

민망해서 얼굴이 빨개진 채 어색하게 대답했다. 그러자 그는 대수롭지 않은 얼굴로 내 커피에다 빨대를 꽂아 주었다. 마치 내가 과분하다 여기는 이 상황이 그로서는 당연한 상황인 것처럼. 그런데 내게서 다이어리를 돌려받은 여자는 떠나지 않고 질문을 던졌다.

"언니 이분은 누, 누구예요? 연예인이에요?"

"예? 아니요. 제 남편인데요."

"어머……."

웬일이냐는 듯 두 여자는 놀란 눈을 하고 지한을 훑어봤다. 그러다가 둘 중 한 사람이 다시 내게 시선을 돌리고서 물어 왔다.

"언니, 저 사진 좀 같이 찍어도 돼요?"

"사진이요? 저하고요?"

사인보다 놀라운 부탁이라 눈을 동그랗게 뜨고 반문했다. 그러자 그녀는 고개를 저었다.

"아뇨, 언니 남편하고요."

순간 뒤통수를 후려치는 듯한 충격에 발끈해서 탁자를 내리치며 벌떡 일어섰다.

"아니요! 안 돼요! 절대 아니 돼요!"

나도 모르게 버럭 외쳐 놓고 나니, 당황스러운 표정으로 나를 보는 두 여자가 눈에 들어왔다. 그뿐만 아니라 주위 시선이 온통 내 쪽으로 쏠리는 게 느껴졌다.

내가 너무 예민하게 반응했나? 너무 흥분했나?

한발 늦게 후회가 밀려들었지만, 그래도 내 거부감에는 변화가 없었다.

"내, 내 남편은 연예인 아니고, 일반인, 일반인이거든요."

무안해서 고개를 숙인 채, 슬그머니 자리에 앉으며 궁색하게 덧붙였다. 그런데 맞은편의 지한이 불쑥 자리에서 일어섰다.

"일반인 아니어도 안 됩니다. 그냥 내가 찍기 싫습니다. 내 아내도 아닌 여자하고 내가 사진을 왜 찍습니까?"

각 잡힌 목소리로 딱 잘라 말하고서 지한은 가방을 챙겨 어깨에 멨다. 그리고 두 손으로 커피를 들고 내게 말했다.

"그만 갑시다. 시간 다 됐으니까."

탑승 수속을 마치자마자 지한의 손을 잡고 불안을 떨치려고 질문했다.

"아까 그 사람들, 막 인터넷에 우리 얘기 올리고 그러진 않겠죠? 사진 좀 찍어 달라는데, 예의 없이 굴었다고."

"거기서 내가 사진 찍어 주는 게 예의입니까? 나는 내 아정 씨 남편이지, 그 사람들 연예인이 아닙니다. 올릴 테면 올리라고 둬요. 일반인인 거 뻔히 알면서, 남의 남편한테 사진 찍어 달라는 게 남들 보기에는 어떻게 보이는지, 이참에 댓글들로 확인해 보게."

"앞뒤 쏙 빼놓고 내 악플만 달 수도 있잖아요."

"그럼 명예 훼손으로 끝까지 추적해서 잡아낼 겁니다."

단호한 장담에 나는 안도하며 가슴을 쓸어내렸다.

그래, 그러고도 남을 인간이지. 생각하는 찰나 주머니에서 휴대 전화가 진동했다. 확인해 보니 어머니로부터 문자 메시지가 도착해 있었다.

[괜찮으니 감사할 것 없다. 갈 땐 둘이지만, 올 땐 셋이기를 바란다.]

의미심장한 메시지에 우뚝 몸이 굳었다.

이거 둘째 손주를 바라신단 압박 같은데…….

복잡한 기분에 사로잡혀 슬쩍 지한을 올려다봤다. 그러자 그 역시 메시지를 보고 있다 나와 눈을 마주쳤다.

"혹시 동의하는 내용입니까?"

지한은 무엇보다 내 의사가 중요하단 투로 물었다. 아이를 갖네 마네, 지난하게 싸워야 했던 지난날의 고집스러운 태도와는 전혀 다른 모습이었다.

"아니요."

나도 그때와는 달라졌기에 고개를 내저었다.

"지금은 정한이로 충분해요."

정한이를 떠올리자 마음속이 꽉 찬 느낌이 들어 저절로 활짝 웃음이 났다.

"그럼 조심해야겠습니다."

지한도 나와 같이 환한 웃음을 띤 채 말했다.

"될 놈이 안 되려면, 가서 이중 삼중으로 조심해야죠."

우리끼리만 알아들을 말을 하며 그가 내 손을 잡았다. 나는 그의 손을 마주 잡고 결연하게 고개를 끄덕여 보였다.

서로 뜻을 맞춘 채로 우리는 발걸음을 움직였다. 우리가 탈 비행기가 있는 곳으로. 한 발 한 발 미래를 향해서.

(웨딩 임파서블 마침)